COLLECTION « BEST-SELLERS »

DU MÊME AUTEUR

Chez le même éditeur

LA FIRME, 1992
L'AFFAIRE PÉLICAN, 1994
NON COUPABLE, 1994
LE COULOIR DE LA MORT, 1995

JOHN GRISHAM

L'IDÉALISTE

Roman

traduit de l'américain par Éric Wessberge

ROBERT LAFFONT

Titre original : THE RAINMAKER

Traduction française : Éditions Robert Laffont, S.A., Paris, 1997

ISBN 2-221-07796-2
(édition originale : ISBN 0-385-42473-6 Doubleday, New York)

Aux baroudeurs de prétoire américains.

1

J'ai pris la décision irrévocable de faire mon droit le jour où j'ai compris que mon père haïssait les professions juridiques. J'étais un jeune adolescent maladroit, frustré, terrifié par la puberté, sur le point d'être envoyé dans un collège militaire. Ex-marine, mon père était convaincu que les garçons doivent s'assagir sous le fouet. J'avais fini par devenir insolent, réfractraire à toute discipline, et il saisit ce prétexte pour se débarrasser de moi. J'ai mis des années à le lui pardonner.

Mon père était aussi ingénieur. Il travaillait soixante-dix heures par semaine dans une société qui, entre autres produits, fabriquait des échelles. Celles-ci étant par nature dangereuses, la société faisait fréquemment l'objet de poursuites. Comme il était responsable de leur conception, on le désignait systématiquement pour représenter l'entreprise au cours des dépositions et des procès. Je n'irai pas jusqu'à lui reprocher son aversion pour les avocats mais, moi, j'eus bientôt tendance à les admirer tellement ils lui rendaient la vie difficile. Ces jours-là, quand il avait bataillé avec eux huit heures d'affilée, il se jetait sur sa bouteille de gin dès qu'il avait franchi le seuil de la maison. Ni bonjour ni embrassades, rien qu'une litanie de grognements et de jurons tandis qu'il éclusait verre sur verre avant de s'endormir, avachi dans son fauteuil. L'un de ces procès dura trois semaines et quand le verdict tomba, condamnant l'entreprise, ma mère dut appeler un médecin et cacher mon père un mois à l'hôpital.

Par la suite, la société fit faillite et ce furent les avocats, naturellement, qu'il rendit responsables. Jamais je ne l'entendis supposer qu'il y avait eu quelques erreurs de gestion.

Il se réfugia à plein temps dans la bouteille et devint dépressif. Durant des années il ne vécut que d'emplois précaires. Je dus servir dans des bars et livrer des pizzas pour payer mes études, ce qui acheva de me le rendre odieux. Je ne crois pas lui avoir parlé plus de deux fois pendant toutes mes années de lycée. Le jour où j'appris que j'étais admis à la fac de droit, je revins fièrement à la maison pour annoncer la bonne nouvelle. Ma mère m'a raconté par la suite qu'il avait passé une semaine au lit.

Quinze jours plus tard, comme il changeait une ampoule au plafonnier du débarras, son échelle ripa, ça ne s'invente pas, et il se fractura le crâne. Il végéta un an dans le coma avant qu'une bonne âme ne consente à le débrancher.

Quelques jours après l'enterrement, j'évoquai la possibilité d'engager des poursuites, mais ma mère n'y tenait pas. Il est vrai, me dis-je, qu'il était probablement soûl au moment de sa chute. Et puis, comme il ne gagnait pas un sou, il était peu concevable que l'on nous verse une quelconque indemnité. Nul il était, nul il demeurait post mortem.

Ma mère perçut cinquante mille dollars d'assurance-vie et se remaria, hélas ! Hank, mon beau-père, est un agent retraité de la poste du genre modeste. Tous les deux, ils passent leur temps à danser dans des clubs ringards et à rouler en camping-car. Je garde mes distances. Ma mère ne m'a pas offert un centime. Elle ne possédait que ça pour ses vieux jours, tandis que moi, je n'en avais pas besoin, puisque je m'étais très bien débrouillé jusque-là pour vivre de rien. Mon avenir était prometteur, raisonnait-elle, pas le sien. Son nouveau mari lui prodiguait certainement de judicieux conseils financiers. J'ai idée que nos chemins se croiseront à nouveau un jour, à Hank et à moi.

Dans un mois, en mai, j'aurai fini mes études de droit, je me présenterai ensuite à l'examen du barreau en juillet. J'obtiendrai mon diplôme sans mention, même si je me situe dans la moitié supérieure de ma promotion. La seule chose intelligente que j'aie faite en trois ans d'études de droit, c'est d'avoir choisi de suivre d'entrée les matières imposées les plus dures. À présent, pour le dernier semestre, je peux me détendre un peu. Mes cours, ce printemps, c'est de la plaisanterie : droit du sport, de la propriété artistique, lectures choisies du code Napoléon et problèmes juridiques du troisième âge, ma matière préférée.

C'est justement le choix de cette matière qui me vaut d'être assis ce matin sur une chaise en plastique devant une pauvre table branlante, dans la salle surchauffée d'un immeuble miteux peuplée d'un étrange assortiment d'aînés, comme ils aiment à se qualifier eux-mêmes. À en croire la plaque de bois calligraphiée à l'entrée, ce Centre d'assistance pour personnes âgées a pour nom Les Cyprès, bien qu'on n'y trouve ni cyprès ni la moindre végétation. Les murs sont grisâtres et nus, à l'exception d'une photographie de Ronald Reagan qui se morfond dans un coin, entre deux drapeaux tristounets, celui du Tennessee et la bannière étoilée. Le bâtiment est exigu, sombre, rébarbatif, manifestement construit à la va-vite, avec un reste de subvention fédérale inespérée. Je griffonne sur mon carnet de notes, n'osant regarder la foule de vieillards qui s'installent autour des tables.

Ils sont bien une cinquantaine, Blancs et Noirs mêlés en nombre à peu près égal, soixante-quinze ans en moyenne, certains non voyants, une bonne douzaine en fauteuil roulant, beaucoup portent un Sonotone à l'oreille. On nous a expliqué qu'ils se réunissaient ici tous les jours pour déjeuner, chanter en chœur et, parfois, écouter le discours d'un candidat en mal d'électeurs. Après une bonne séance de bavardage, ils rentrent chez eux et comptent les heures jusqu'au lendemain. Notre prof nous a dit que cette réunion était le temps fort de leur journée.

Nous avons commis la douloureuse erreur d'arriver au moment du repas. On nous a installés tous les quatre, avec Smoot, notre professeur, dans un coin. L'assemblée nous détaille des pieds à la tête tandis que nous luttons avec du poulet au goût de néoprène et des petits pois coriaces. Mon dessert est une gelée jaune vif qui attire l'attention d'un barbichu à l'œil gourmand. Je déchiffre péniblement le nom Bosco gribouillé sur une étiquette épinglée à sa chemise crasseuse. Comme il marmonne quelque chose à propos de ma Jell-O, je m'empresse de la lui tendre. Il s'est déjà levé, mais c'était sans compter sur Miss Birdie Birdsong qui se précipite et le ramène dans le troupeau d'une main ferme. En dépit de ses quatre-vingts ans ou presque, Miss Birdie Birdsong déborde d'enthousiasme. Elle tient ici le triple rôle de mère poule, de garde-chiourme et de dictateur. Elle n'a pas son pareil pour mener son groupe, distribuer accolades et bisous, papoter inlassablement avec les autres grand-mères aux cheveux bleutés et réjouir l'assemblée de son rire cristallin, sans cesser de surveiller Bosco, visiblement le voyou de la bande. Elle le sermonne pour sa goinfrerie mais, quelques secondes plus tard, dépose sous ses yeux éblouis un bol entier de la flashante gélatine qu'il engloutit aussitôt de ses gros doigts boudinés.

Une heure s'est écoulée. À les voir manger, on aurait dit que les pauvres diables jouissaient de leur dernier festin. Fourchettes et cuillers allaient tremblant, des assiettes aux gosiers, sans répit, comme chargées de denrées inestimables. Le temps, pour eux, n'existait plus. Ils ne s'interrompaient que pour échanger des cris et des monosyllabes. Je dus cesser de les regarder, écœuré par les reliefs qui se formaient sur le sol à mesure qu'ils s'empiffraient. Je réussis quand même à avaler ma Jell-O, guetté par un Bosco plus affamé que jamais. Miss Birdie voletait de table en table en lançant des gazouillis flûtés.

Le Pr Smoot, avec sa tête d'œuf, son nœud papillon de travers, sa grosse tignasse rebelle et ses bretelles rouges, se tassait au fond de sa chaise, la panse bien remplie, couvant l'assemblée d'un regard satisfait. C'est un brave homme de cinquante ans, dont les manières ne sont pas sans rappeler celles de Bosco et de ses amis. Depuis vingt ans, il enseigne les matières que personne ne veut enseigner, ni apprendre du reste, à part quelques rares étudiants : droit des enfants, des handicapés, des aliénés, séminaire sur la violence conjugale et, bien sûr, droit des vioques comme nous disons, pas en sa présence, bien entendu. Une année, il avait prévu de faire une heure hebdomadaire sur le droit du fœtus, mais, devant la tempête de polémiques, le Pr Smoot renonça et prit quelques jours de congé sabbatique.

Il nous a expliqué dès le premier jour que le but de son enseignement était de nous mettre face à de vrais justiciables avec de vrais problèmes. D'après lui, les étudiants qui arrivent en fac de droit sont tous à des degrés divers marqués par un noble idéalisme, et souhaitent voler à la défense de la veuve et de l'orphelin. Mais après trois ans de rivalité féroce, ils ne pensent plus qu'à se caser dans le meilleur cabinet, là où on peut devenir associé en sept ans, et à gagner le plus d'argent possible. Il n'a pas tort.

Au début de son cours, qui n'est pas obligatoire, nous étions onze. Un mois d'homélie de Smoot nous réduisit à quatre. Deux heures par semaine, évidemment, ça ne compte guère à la fin de l'année, mais ça demande peu de travail et c'est ce qui m'a plu. Honnêtement, si je n'entamais pas mon dernier mois de cours, je crois que j'aurais craqué. Au point où j'en suis, j'en ai déjà par-dessus la tête du droit et j'ai de sérieux doutes quant à la façon dont la justice est rendue.

C'est aujourd'hui ma première rencontre avec des clients et je suis terrifié. Ces vieillards me dévisagent comme si j'étais un puits de science. Il est vrai que je suis quasiment avocat en titre, que je porte un costume strict, que je suis armé d'un calepin couvert de gribouillis et que j'affiche un visage grave et concentré. En principe, je devrais donc être capable de les aider. Près de moi est assis Booker Kane, un Noir, mon meilleur copain à la fac. Nous avons aussi peur l'un que l'autre. On a deux petits cartons pliés en face de nous, avec nos noms. Moi, c'est Rudy Baylor. Derrière Booker se dresse un podium du haut duquel Miss Birdie est en train de pérorer et, de l'autre côté, une table accueille F. Franklin Donaldson, quatrième du nom, un prétentieux qui passe son temps à ajouter initiales, chiffres et autres gages de bon lignage au début et à la fin de son patronyme. À sa gauche, une vraie garce, N. Elizabeth Erickson, toujours en tailleur à rayures bon chic bon genre, avec collier de perles et foulard de soie. Certains prétendent même qu'elle met là-dessous un bustier.

Smoot est debout, adossé à un mur derrière nous. Miss Birdie donne des nouvelles des uns et des autres, concluant par une chronique hospitalière et nécrologique. Elle crie dans son micro et les gros haut-parleurs répartis aux quatre coins de la pièce répercutent sa voix en échos assourdissants. Les Sonotone sont réglés au minimum ou ôtés. À présent, personne ne somnole. On déplore trois décès aujourd'hui et je vois perler quelques larmes dans les yeux de certains. Seigneur, donnez-moi encore cinquante ans de travail et de joies, suivis d'une mort subite dans mon sommeil.

À l'autre bout de la pièce, une pianiste s'installe au clavier après avoir bruyamment posé quelques partitions sur le lutrin. Miss Birdie s'est lancée dans une sorte d'improvisation politique et, comme elle fustige une nouvelle hausse des impôts indirects, la pianiste attaque « America the Beautiful ». L'introduction est martelée avec ferveur et les anciens reprennent le refrain en chœur en attendant le premier couplet. Miss Birdie ne loupe pas une note, pas un temps. La voilà promue chef de chœur. Elle bat la mesure, tape des mains, puis descend de son perchoir pour donner la première note du couplet. Ceux qui sont valides se lèvent.

Au deuxième vers, cependant, la chorale flanche brusquement. Les paroles ne sont pas si familières et la plupart de ces pauvres petits vieux voient très mal. Le texte, brandi par la cheftaine, s'avère inutile. Bosco a fermé la bouche et bourdonne de toutes ses forces, le nez au plafond.

La fougue de l'instrumentiste est brutalement interrompue par la chute de ses feuillets qui s'éparpillent au sol. Fin de l'hymne. Tous les yeux se tournent vers l'infortunée musicienne qui s'entête à jouer quelques accords tout en ratissant la musique éparse avec ses pieds.

– Merci ! glapit Miss Birdie dans son micro tandis que tout le monde se rassied. Merci. La musique est une chose admirable, louons Dieu pour cette musique magnifique.

– Amen ! rugit Bosco.

– Amen, répète un autre fossile en hochant la tête derrière lui.

– Merci, dit Miss Birdie.

Elle nous adresse un sourire, et Booker et moi nous penchons en avant, les coudes sur la table, en fixant l'assistance.

– Maintenant, poursuit-elle d'un ton théâtral, nous avons la chance d'accueillir le Pr Smoot, venu comme d'habitude avec quelques-uns de ses brillants élèves.

Elle nous désigne de sa vieille main flétrie, tout en souriant à Smoot, dévoilant ses dents gâtées. Smoot vient se placer à côté d'elle.

– N'est-ce pas qu'ils ont l'air adorables ? dit-elle en gesticulant vers nous. Et vous savez, M. Smoot enseigne le droit à l'université de Memphis où mon cadet est allé, lui aussi, même s'il n'a pas décroché son diplôme. Chaque année, le Pr Smoot nous rend visite avec ses étudiants pour examiner vos problèmes juridiques, vous donner des conseils toujours judicieux et, permettez-moi de l'ajouter, entièrement gratuits. Pr Smoot, conclut-elle en le dévorant avec des yeux extasiés, je vous souhaite la bienvenue aux Cyprès. Merci de vous occuper des citoyens âgés que nous sommes. Que Dieu vous bénisse.

Elle recule derrière le podium et commence à applaudir furieusement en encourageant les autres à l'imiter. Personne ne réagit, pas même Bosco.

– Smoot fait un tabac, marmonne Booker.

– Il y en a au moins une qui l'aime, en tout cas, dis-je.

Voilà dix minutes qu'ils sont assis devant nous, ils viennent de manger et je discerne quelques paupières alanguies. Ils ronfleront avant que Smoot n'ait fini.

Car Smoot va parler. Il monte sur le podium, règle le micro, se racle la gorge et attend que Miss Birdie prenne place au premier rang. En s'asseyant, elle chuchote à son voisin, un gentleman blafard :

– Vous auriez dû applaudir.

Mais le pauvre n'entend rien.

– Merci, Miss Birdie, claironne Smoot. C'est toujours un plaisir de revenir aux Cyprès.

Son intonation est sincère et, dans mon esprit, il ne fait aucun doute que Me Howard L. Smoot considère comme un privilège de trôner dans cette salle cafardeuse, devant cet auditoire tristounet de petits vieux, avec le dernier quarteron d'étudiants qui consent à suivre son cours. C'est sa vie.

Il fait les présentations. Je me lève en souriant brièvement et me rassieds aussitôt en reprenant mon air pénétré. Smoot parle. Il parle d'assurance maladie, de restrictions budgétaires, de donations par anticipation et d'exemption d'impôt, de retraités abusés par des mutuelles bidon. Ces gens, dit-il, vous tombent dessus comme des mouches... Il continue : cotisations sociales, procédures différées, lois sur l'assistance à domicile, plans d'épargne logement, médicaments miracle, etc. Il est intarissable, comme en cours. Gagné par la somnolence, je réprime difficilement un bâillement. Bosco commence à regarder sa montre toutes les dix secondes.

Finalement, Smoot récapitule, remercie encore Miss Birdie et son petit monde, promet de revenir l'an prochain et va se rasseoir à côté de nous. Miss Birdie, à tout hasard, claque deux fois dans ses mains, avant de renoncer. Personne ne bouge. La moitié de l'assistance est assoupie.

Alors Miss Birdie tend les deux bras vers nous et, s'adressant à l'auditoire :

– Voilà, dit-elle, ils sont à vous. Compétents et gratuits.

Quelques audacieux s'avancent lentement à notre rencontre, l'air embarrassé. Bosco ouvre la marche et, visiblement, il n'a pas digéré le coup de la Jell-O car il me fusille du regard et va s'installer à l'autre bout de la table, en face de N. Elizabeth Erickson. Grand bien lui fasse. Un vieux Noir opte pour mon copain Booker et tous deux se penchent l'un vers l'autre par-dessus la table. J'essaie de ne pas écouter. Il s'agit de son ex-femme, d'un divorce datant d'il y a des années, qui peut être ou ne pas être officiellement réglé. Booker prend des notes tel un vieux routier du barreau et écoute gravement, hochant la tête comme s'il avait réponse à tout.

Bon, lui au moins, il a un client. Pendant une longue minute, je reste stupidement assis à tapoter sur mon bloc. Mes trois condisciples eux murmurent, noircissent leur calepin, écoutent avec compassion les problèmes qu'on leur confie.

Mon isolement ne passe pas inaperçu. Finalement, Miss Birdie plonge la main dans son sac à main, en extrait une enveloppe et s'avance allègrement vers moi.

– C'est vous qu'il me faut, chuchote-t-elle en tirant une chaise.

Elle se penche en avant, j'en fais autant, et à cet instant précis commence mon premier entretien de conseiller juridique. Booker tourne un regard vers moi et me sourit malicieusement.

Mon premier entretien. L'été dernier, j'ai fait un stage dans un petit cabinet du centre-ville. Douze avocats travaillant comme des fonctionnaires, sans jamais faire d'heures supplémentaires. J'ai appris l'art de la facturation d'honoraires. Première chose à savoir : un avocat passe l'essentiel de ses journées en entretiens. Entretiens avec les clients, entretiens téléphoniques, entretiens avec les collaborateurs, avec les confrères de la partie adverse, avec les juges, avec les chefs de contentieux et les employés des compagnies d'assurances, entretiens précédant un déjeuner, entretiens au palais, entretiens sur rendez-vous, entretiens de conciliation, entretiens avant procès, entretiens après procès. Quelle que soit l'activité, un avocat l'abordera par un entretien.

Miss Birdie rétrécit les yeux pour me signifier de garder la tête baissée et de parler à voix basse. Ce qu'elle a à me dire doit être terriblement important. Ça me va tout à fait, j'aime autant que personne n'entende les conseils stupides et naïfs que je vais lui prodiguer en réponse à ses problèmes.

– Lisez ça, me dit-elle, et je prends l'enveloppe que je décachette.

Alléluia ! c'est un testament ! Les dernières volontés, dûment couchées sur le papier, de Colleen Janiece Barrow Birdsong. Smoot nous a prévenus que la moitié de ces gens nous demanderaient de revoir et peut-être d'actualiser leur testament. Ça tombe bien, nous avons suivi l'an passé un cours obligatoire relatif aux legs et successions, et nous sommes biens armés pour débusquer d'éventuels problèmes. Les testaments sont des documents très simples et le plus inexpérimenté des avocats peut en préparer un sans difficulté.

Celui-ci est tapé à la machine, et il a une allure officielle. En parcourant les deux premiers paragraphes, j'apprends que Miss Birdie est veuve, qu'elle a deux enfants et une ribambelle de petits-enfants. Le troisième paragraphe me fait tout de suite sursauter. J'interromps ma lecture pour jeter un œil à ma cliente, puis le relis. Elle sourit d'un air protecteur. Le texte demande à l'exécuteur testamentaire de verser à chacun de ses enfants la somme de deux millions de dollars, plus un million à chacun de ses petits-enfants. Lentement, je compte huit petits-enfants, ce qui fait au moins douze millions de dollars.

– Continuez à lire, me chuchote-t-elle, comme si elle entendait le cliquetis de ma calculette mentale.

Le vieux Noir client de Booker sanglote. Une histoire d'amour ayant mal tourné il y a des années de cela, des enfants qui l'ont négligé... J'essaie de ne pas écouter, mais c'est impossible. Booker prend frénétiquement des notes et s'efforce d'ignorer les larmes. À l'autre bout de la table, Bosco rit bruyamment.

Le paragraphe cinq du testament laisse trois millions de dollars à une église et deux millions à un établissement scolaire. Suit une liste d'œuvres de charité commençant par l'Association contre le diabète et finissant par le zoo de Memphis. À chacune revient une certaine somme, la moins importante s'élevant à cinquante mille dollars. Je poursuis, sourcils froncés, mon calcul mental et conclus que la fortune de Miss Birdie s'élève au bas mot à vingt millions de dollars.

Brusquement, j'entrevois une série de problèmes. D'abord et surtout, ce testament est beaucoup plus succinct qu'il ne devrait l'être. Miss Birdie est riche et les gens riches ne font pas de testament simple et bref comme celui-ci. Ils rédigent des testaments comportant des clauses spéciales fixées par le disposant pour assurer la transmission de ses biens aux générations suivantes par l'intermédiaire d'un tiers, ainsi que toutes sortes d'astuces et de dispositions conçues et mises en œuvre par des fiscalistes qui se font payer très cher et travaillent dans de grands cabinets.

– Qui est-ce qui vous a préparé ça? dis-je, constatant que l'enveloppe est vierge et le rédacteur anonyme.

– Mon ancien avocat. Il est mort à présent.

Ça vaut mieux pour lui, car il a commis une faute professionnelle en rédigeant ce testament.

Ainsi, cette petite dame pimpante aux dents grisâtres et à la voix mélodieuse pèse une vingtaine de millions de dollars. Et, évidemment, elle n'a pas d'avocat. Je lève à nouveau les yeux vers elle, puis me replonge dans le testament. Elle ne s'habille pas comme une femme riche, ne porte ni or ni diamant, ne consacre ni temps ni argent à soigner ses cheveux. Sa robe est en coton à « ne pas repasser » et ça m'étonnerait que sa veste de tailleur usée sorte de chez un grand couturier. J'ai déjà eu l'occasion de voir quelques vieilles dames fortunées et, normalement, on les repère facilement.

Le testament est vieux de deux ans. D'une voix suave, je lui demande :

– Votre avocat est mort quand ?

Nous sommes toujours penchés l'un vers l'autre, à deux doigts de nous toucher.

– L'année dernière. Cancer.

– Et actuellement, vous n'avez pas d'avocat ?

– Allons, Rudy, je ne serais pas ici, en train de vous consulter, si j'avais un avocat. Ça n'est pas bien sorcier de rédiger un testament. J'ai pensé que vous pouviez vous en charger.

Curieuse chose que l'appât du gain. J'ai un boulot qui commence le 1er juillet chez Brodnax & Speer, un petit cabinet vieillot, formé d'une quinzaine d'avocats qui ne font pas grand-chose à part représenter des compagnies d'assurances dans des litiges. Ce n'est pas le travail que je souhaitais, mais Brodnax & Speer ont été les seuls à me proposer un emploi. J'imagine que je vais trimer chez eux quelques années, le temps d'apprendre les ficelles du métier, puis essayer de trouver mieux.

Maintenant, j'aimerais bien voir la tête que feraient ces messieurs de Brodnax & Speer si je me présentais chez eux le premier jour avec une cliente à vingt millions de dollars. Je serais considéré comme une espèce de sorcier, la poule aux œufs d'or. Peut-être même que je pourrais réclamer un bureau plus spacieux.

– Bien sûr que je peux m'en occuper, dis-je sans conviction. C'est juste que... voyez-vous, c'est beaucoup d'argent et je...

– Tsssss, siffle-t-elle férocement en se penchant davantage. Ne parlez pas d'argent (ses yeux tournoient en tous sens comme si des voleurs se cachaient derrière elle). Je refuse purement et simplement d'en parler.

– OK, ça ne me gêne pas. Mais, à mon avis, vous devriez envisager de consulter un avocat fiscaliste sur cette question.

– C'est ce que me disait mon ancien avocat, mais je ne veux pas. Pour moi, un avocat est un avocat, et un testament un testament.

– C'est vrai, mais vous pourriez économiser énormément d'argent en impôts et taxes diverses si vous planifiiez votre succession.

Elle secoue la tête comme si j'étais un demeuré.

– Je n'économiserais pas un sou.

– Pardonnez-moi, mais je suis persuadé du contraire.

Elle pose sa main osseuse sur mon poignet et poursuit à mi-voix :

– Rudy, laissez-moi vous expliquer. Les taxes ne me concernent pas, tout simplement parce que je serai morte. Vous comprenez ?

– Heu... oui, admettons. Mais vos héritiers ?

– C'est justement pour ça que je suis venue vous voir. Je suis furieuse contre eux et je veux les déshériter. Mes deux enfants, et certains de mes petits-enfants. Je ne veux plus entendre parler d'eux, c'est fini, fini, fini. Ils n'auront rien, vous entendez ? Zéro, pas un sou, pas un meuble, rien de rien.

Ses yeux se sont subitement durcis et ses lèvres se pincent, accentuant ses rides. Elle me serre le poignet sans s'en rendre compte. Pendant quelques instants, Miss Birdie paraît non seulement furieuse, mais attristée.

À l'autre table, une dispute éclate entre Bosco et Elizabeth Erickson. Bosco crie et se répand en accusations contre le système d'assistance médicale pour les pauvres, contre le système d'assistance pour les personnes âgées et contre les républicains en général. Elle lui montre un papier en tentant d'expliquer pourquoi certaines factures ne sont pas remboursables. Smoot se lève lentement et s'approche en proposant son assistance.

Le client de Booker essaie désespérément de retrouver son sang-froid, mais les larmes ruissellent sur ses joues et Booker montre des signes d'impatience. Il promet au vieil homme de s'occuper de son affaire et d'arranger les choses. La climatisation se met en marche, couvrant les bavardages de son vrombissement. Les couverts ont disparu des tables, remplacés par divers jeux de société, dames, bridge, Scrabble et dominos. Heureusement, la plupart de ces gens sont venus pour manger et passer un moment ensemble, non pour la consultation juridique.

– Pourquoi voulez-vous les déshériter ?

Elle lâche mon poignet et se frotte les yeux.

– Eh bien, c'est très personnel et je n'ai vraiment pas envie d'en parler.

– Je comprends. Mais à qui ira votre argent alors ?

En posant cette question, je suis brusquement grisé par le pouvoir que j'ai, en rédigeant quelques formules magiques, de faire de gens comme vous et moi des millionnaires. J'adresse à Miss Birdie un sourire si mielleux et si faux que j'ai peur qu'elle ne s'en offense.

– Je ne sais pas trop, dit-elle en promenant un regard rêveur alentour, comme si c'était un jeu. Je n'ai pas encore décidé à qui j'allais le donner.

Bon, eh bien, si on commençait par un petit million pour Rudy Baylor ? Texaco va engager des poursuites contre moi d'un jour à l'autre pour une somme de quatre cents dollars. Les négociations sont rompues et j'ai reçu un courrier de leur avocat. Mon propriétaire me menace d'expulsion parce que je n'ai pas payé mon loyer depuis deux mois. Et je suis assis en face de la personne la plus riche que j'aie jamais rencontrée, quelqu'un qui ne fera probablement pas de vieux os et qui se demande avec une certaine jubilation quelle somme léguer à qui.

Elle me tend une feuille de papier avec quatre noms soigneusement imprimés dans une étroite colonne.

– Voici ceux de mes petits-enfants que je tiens à aider. Eux m'aiment encore. Donnez-leur à chacun un million de dollars, me susurre-t-elle à l'oreille en se protégeant d'une main.

Je tremble en griffonnant sur mon calepin. Bing ! en un tournemain, je viens de créer quatre millionnaires.

– Et le reste ? dis-je avec un long soupir.

Elle recule et se redresse sur sa chaise.

– Pas un sou. Ils ne m'appellent jamais, ne m'envoient ni vœux ni cadeaux. Rayez-les.

Si ma grand-mère pesait vingt millions de dollars, je lui enverrais des fleurs une fois par semaine, une carte postale les autres jours, des chocolats chaque fois qu'il pleuvrait et du champagne quand il ferait beau. Je l'appellerais une fois le matin et deux fois le soir avant qu'elle se couche. Je l'emmènerais à l'église tous les dimanches et m'assiérais côté d'elle en lui tenant la main pendant l'office. Puis je l'inviterais à déjeuner, avant de l'accompagner au théâtre, à une vente de charité, partout où il plairait à la chère mamie d'aller. En un mot, je prendrais soin de ma grand-mère.

Et je songe déjà à faire de même avec Miss Birdie.

– Entendu, dis-je solennellement, comme si j'avais fait ça toute ma vie. Et donc, rien pour vos deux enfants ?

– Vous m'avez bien comprise. Rigoureusement rien.

– Puis-je me permettre de vous demander ce qu'ils vous ont fait ?

Elle soupire bruyamment, l'air frustré, comme si elle se livrait à contrecœur, puis se décide enfin, courbée vers moi, les deux coudes sur la table.

– Eh bien, murmure-t-elle, Randolph, mon aîné, qui a presque soixante ans, vient de se remarier pour la troisième fois avec une petite garce qui ne cesse de quémander mon argent. Il est clair que tout ce que je pourrais laisser à mon fils finirait dans la poche de cette traînée. Alors je préférerais vous le donner à vous, Rudy, ou à M. Smoot, à n'importe qui plutôt qu'à Randolph. Voyez ce que je veux dire ?

Mon sang ne fait qu'un tour. Je suis à deux doigts, à un cheveu de toucher le gros lot avec ma première cliente. Au diable Brodnax & Speer et tous les épouvantables entretiens qui m'attendent.

– Vous ne pouvez pas me léguer cet argent, Miss Birdie, dis-je avec mon sourire le plus enjôleur.

Il est probable que tous mes traits démentent ce que je viens de dire, que mes yeux, mes lèvres et mon nez la supplient de rétorquer : « Bien sûr que si, bon Dieu, c'est mon argent, j'en fais ce que je veux, et s'il me prend l'envie de vous le donner à vous, Rudy, personne ne m'en empêchera, nom de nom ! »

Au lieu de quoi, elle dit ceci :

– Tout le reste ira au révérend Kenneth Chandler. Vous le connaissez ? Il passe tout le temps à la télé en ce moment, en direct de Dallas. Il fait plein de choses formidables dans le monde entier avec nos dons : construction de foyers, secours aux enfants du tiers monde, éducation biblique. C'est à lui que je veux donner mon argent.

– Un télé-évangéliste ?

– Oh, c'est beaucoup plus qu'un évangéliste. Il est enseignant, conseiller d'État, il dîne avec tous les dirigeants du pays, et figurez-vous qu'en plus il est mignon comme tout. Il a une tête de mouton, couverte de cheveux gris, qu'il refuse de teindre, bien entendu. Vous voyez ?

– Oui, naturellement, mais...

– Il m'a appelée l'autre soir. Incroyable, non ? À la télé, sa voix est douce comme la soie, mais au téléphone elle est franchement séduisante. Comprenez-vous ?

– Heu... il me semble, oui. Mais pourquoi vous a-t-il appelée ?

– Eh bien, en mars dernier, quand j'ai envoyé ma donation mensuelle, je lui ai joint un mot où je disais que je songeais à refaire mon testament puisque mes enfants m'avaient abandonnée, et que j'envisageais de lui léguer de l'argent pour son ministère. Trois jours après, il m'appelait, égal à lui-même, avec cette voix envoûtante. Il voulait savoir quelle somme au juste je projetais de consacrer à ses œuvres. Je lui ai donné un ordre de grandeur et, depuis, il n'arrête plus de m'appeler. Il dit qu'il est prêt à s'envoler dans son jet privé pour me rencontrer si je le désire.

D'un seul coup, je ne trouve plus mes mots. Smoot, qui a pris Bosco par le bras, s'efforce de le calmer et de le faire se rasseoir devant N. Elizabeth Erickson. La pauvre, très embarrassée par le comportement de son premier client, semble prête à ramper sous la table. Elle jette autour d'elle des regards effarés et je lui envoie un rapide sourire afin qu'elle sache que je ne perds pas une miette de la scène. À côté d'elle, F. Franklin Donaldson quatrième du nom est embringué dans une discussion à bâtons rompus avec un couple de retraités. Ils parlent d'un document qui a toute l'apparence d'un testament. Je me réjouis de savoir que le testament que j'ai en main est sans aucun doute infiniment plus précieux que celui sur lequel il s'échine.

Je décide de changer de sujet.

– Heu... Miss Birdie, vous disiez que vous aviez deux enfants. Randolph et...

– Delbert, oui. N'en tenez pas compte non plus. Ça fait trois ans que je n'ai pas eu de ses nouvelles. Il vit en Floride. Rayez-le sans pitié.

Je m'exécute d'un trait de plume et Delbert perd ses millions.

– Il faut que j'aille m'occuper de ce pauvre Bosco, déclare-t-elle soudainement en se levant. Il est tellement malheureux, ce garçon. Pas de famille et aucun ami, à part nous.

– Mais nous n'avons pas fini !

Elle se penche vers moi et nos visages sont à nouveau près de se toucher.

– Si, Rudy, c'est terminé. Faites juste ce que je vous ai dit. Un million pour chacun des quatre, et le reste à Kenneth Chandler. Toutes les autres dispositions du testament restent inchangées. Exécuteur, caution, tout ça ne bouge pas. C'est simple comme bonjour, je l'ai déjà fait. M. Smoot dit que vous reviendrez tous d'ici deux semaines avec les documents bien rédigés et tapés au propre. C'est bien ça ?

– Heu... oui, je suppose.

– Bon, alors à bientôt, Rudy.

Elle se précipite vers Bosco et lui passe un bras autour du cou, ce qui le calme instantanément.

J'étudie de près le testament et prends encore quelques notes. Je suis rassuré à l'idée que Smoot et les autres professeurs seront là pour nous guider et nous assister. J'ai quinze jours devant moi pour réfléchir posément et adopter une ligne de conduite. Je ne suis pas forcé de prendre cette affaire en main, me dis-je. Cette charmante petite dame multimillionnaire a besoin de conseils beaucoup plus avisés que les miens. Ce qu'il lui faut, c'est un testament auquel elle ne comprendra sans doute rien, mais qui la mette à l'abri du fisc. Je ne me sens pas idiot. Seulement incompétent. Après trois ans de droit, je mesure l'étendue de mon ignorance.

Le vieux Noir tente vaillamment de maîtriser son émotion. Malheureusement, Booker est à court d'arguments. Il continue à prendre des notes et se contente de grogner oui ou non toutes les dix ou vingt secondes. Je bous d'impatience de lui parler de Miss Birdie et de son magot.

Je regarde l'assemblée d'anciens qui s'étiole peu à peu et

remarque un couple qui semble m'observer. Je suis le seul juriste disponible et ils ont l'air d'hésiter à tenter leur chance avec moi. La femme tient une grosse liasse de documents entourée par des élastiques. Elle marmonne vaguement quelque chose et son mari secoue la tête, comme s'il préférait attendre qu'un des autres jeunes et brillants avocats se libère.

Lentement cependant, ils avancent vers ma table. Tous les deux me dévisagent en approchant. Je souris. Bienvenue au cabinet de Me Baylor.

Elle prend la chaise abandonnée par Miss Birdie, tandis qu'il s'assied un peu à l'écart de la table.

– Bonjour, dis-je en souriant, main tendue.

J'échange avec lui une molle poignée de main, avant de me tourner vers son épouse.

– Rudy Baylor.

– Moi, c'est Dot et lui, c'est Buddy, répond-elle avec un hochement de tête dans sa direction.

– Dot et Buddy, dis-je en étrennant une nouvelle page de mon calepin. Quel est votre nom de famille ?

À mon sourire, à ma voix chaleureuse, on jurerait que j'ai dix ans de métier.

– Black, dit-elle. Marvarine et Willis Black, mais tout le monde nous appelle Dot et Buddy.

Ses cheveux sont propres et bien peignés, l'extrémité des mèches est teinte en gris argenté. Elle porte des baskets blanches bon marché et un jean trop grand. C'est une femme maigre, osseuse, avec quelque chose de douloureux et de dur à la fois dans le regard.

Je poursuis le questionnaire d'usage :

– Adresse ?

– 63, résidence du Moulin, à Granger.

– Vous travaillez ?

Buddy n'a toujours pas ouvert la bouche et j'ai l'impression que Dot s'exprime pour lui depuis de nombreuses années.

– Je touche une indemnité journalière en tant qu'invalide, explique-t-elle. Je n'ai que cinquante-huit ans, mais j'ai le cœur fragile. Buddy perçoit une petite pension.

Buddy se contente de me regarder fixement. Il porte d'épaisses lunettes, dont les branches atteignent tout juste ses oreilles. Ses joues sont rouges et empâtées. Ses cheveux ébouriffés n'ont pas dû être lavés depuis une bonne semaine, et sa chemise à carreaux rouges et noirs paraît encore plus crasseuse que sa tignasse.

– Quel âge a M. Black ?

C'est à elle que je pose la question, car je ne suis pas sûr qu'il me répondrait.

– Dites Buddy, OK? Dot et Buddy. Ni monsieur, ni madame, je vous en prie. Il a soixante-deux ans. Je peux vous confier quelque chose?

J'acquiesce d'un rapide coup de tête. Buddy glisse un œil vers Booker.

– Il n'a pas toute sa raison, chuchote-t-elle en regardant son mari.

J'observe brièvement Buddy et nos regards se croisent.

– Blessures de guerre en Corée, précise-t-elle. Vous voyez ces détecteurs de métaux dans les aéroports?

J'opine de nouveau.

– Eh bien, s'il passait le portique tout nu, l'alarme se déclencherait quand même.

La chemise de Buddy est distendue et usée quasiment jusqu'à la trame, et les boutonnières manquent de craquer sous la pression de sa bedaine proéminente. Il a au moins un triple menton. J'essaie de me le représenter tout nu, en train de franchir le portique de sécurité de l'aéroport international de Memphis, la sonnerie hurlant et semant la panique parmi les agents de sécurité.

– Ils lui ont mis une plaque de métal dans la tête, ajoute-t-elle.

– C'est... c'est affreux, dis-je d'une voix étouffée avant de noter scrupuleusement que M. Buddy Black a une plaque de métal dans la tête.

M. Black se tourne vers la gauche et lance un regard furieux au client de Booker.

Dot, soudainement, se penche vers moi.

– Il y a autre chose, dit-elle.

– Oui? dis-je en me rapprochant, curieux.

– Il a un problème avec l'alcool.

– Ah, mon Dieu!

– Mais tout ça est lié à ses blessures de guerre, précise-t-elle d'une voix navrée.

Et voilà. Cette femme que j'ai rencontrée il y a trois minutes à peine vient de réduire son mari à un crétin alcoolique.

– Vous permettez que je fume? demande-t-elle en ouvrant son sac.

– C'est permis, ici? dis-je naïvement en cherchant vainement des yeux un panneau non-fumeur.

– Bien sûr.

Elle plante une cigarette entre ses lèvres craquelées, l'allume, tire dessus et enveloppe de fumée la tête de Buddy qui ne bronche pas.

– Que puis-je faire pour vous? dis-je en regardant l'énorme paquet de feuilles entouré de gros élastiques blancs.

Je cache le testament de Miss Birdie sous mon bloc. Ma

première cliente est richissime et ceux-là touchent des pensions. Ma carrière, qui s'annonçait vertigineuse, dégringole brutalement.

– Nous n'avons pas beaucoup d'argent, dit-elle à mi-voix comme si c'était un secret qu'elle avait peur d'ébruiter.

Je souris avec compassion. De toute façon ils sont plus riches que moi. Je doute que des créanciers soient à leurs trousses.

– Et nous avons besoin d'un avocat, poursuit-elle en déballant ses papiers.

– Quel est le problème?

– Eh bien, nous nous sommes fait royalement escroquer par une assurance.

– Quel genre de police?

Elle pousse le dossier vers moi, puis s'essuie les mains, comme débarrassée d'un poids. Un miraculeux expert va s'occuper de tout. Une police d'assurance froissée et maculée de taches de graisse surmonte la pile. Dot exhale une autre bouffée et, pendant un moment, je peux à peine discerner Buddy.

– C'est une police d'assurance-maladie, dit-elle. Nous l'avons achetée il y a cinq ans. La compagnie s'appelle Great Benefit Life. À l'époque, nos garçons avaient dix-sept ans. Donny Ray est en train de mourir de leucémie et ces salauds-là ne veulent pas payer son traitement.

– Great Benefit?

– Ouais.

– Jamais entendu parler, dis-je comme si j'avais dix ans de métier, en parcourant les dispositions générales.

Deux bénéficiaires sont mentionnés sur le document : Donny Ray et Ronny Ray Black. Ils ont la même date de naissance.

– Eh bien, excusez ma grossièreté, mais c'est une sacrée bande de salopards.

– La plupart des assureurs le sont, fais-je remarquer pensivement, m'attirant un sourire.

J'ai gagné sa confiance. Je demande :

– Et vous avez donc acheté cette police il y a cinq ans?

– Quelque chose comme ça. On n'a jamais raté un paiement ni réclamé un sou jusqu'à ce que Donny Ray tombe malade.

Je suis un étudiant sans assurance. Pas d'assurance-vie, ni médicale, ni automobile... Je ne peux même pas payer un pneu arrière neuf pour ma petite Toyota pourrie.

– Et, heu... vous dites qu'il est mourant?

D'un hochement de clope, elle approuve.

– Leucémie aiguë. Ça a commencé il y a huit mois. Les médecins lui ont donné un an mais il n'ira pas jusque-là parce qu'on n'a pas pu lui faire sa greffe de moelle. Maintenant, c'est probablement trop tard.

– Une greffe ?

– Vous ne savez donc pas ce que c'est qu'une leucémie ?

– Pardon ? Heu, non, pas vraiment.

Elle serre les dents et lève les yeux au ciel comme si j'étais un abruti complet, avant de tirer une longue et douloureuse bouffée. La fumée dissipée, elle dit :

– Mes deux garçons sont de vrais jumeaux. Ça fait que Ron, on l'appelle Ron parce qu'il n'aime pas Ronny Ray, Ron serait un donneur parfait pour Donny Ray. C'est ce que disent les docteurs. Le problème, c'est qu'une greffe de moelle osseuse coûte près de cent cinquante mille dollars. Trop cher pour nous. L'assurance doit payer, c'est écrit noir sur blanc dans ce contrat. Ces enfants de pute prétendent que non. Et Donny Ray est en train de mourir à cause d'eux.

Je suis abasourdi par sa façon de rentrer dans le vif du sujet. Nous avons ignoré Buddy, mais il a écouté. Il ôte lentement ses gros verres et s'essuie les yeux d'un revers de sa grosse main poilue. Génial... Maintenant Buddy est en larmes. Bosco gémit un peu plus loin. Et le client de Booker, à nouveau étranglé par la culpabilité ou le remords, sanglote, la tête dans les mains. Smoot est debout à côté d'une fenêtre. Il se demande sans doute ce que nous avons pu inventer pour susciter un tel désespoir.

– Où habite-t-il ? dis-je, pour ignorer les larmes quelques secondes, le temps de griffonner sur mon calepin.

– Il n'a jamais quitté la maison. Il vit avec nous. C'est une autre des raisons pour lesquelles la compagnie d'assurances nous a laissé tomber. D'après eux, en tant qu'adulte, il ne serait plus couvert.

Je feuillette le dossier et tombe sur plusieurs lettres adressées à la compagnie ou reçues d'elle.

– La police le couvre en tant qu'adulte aussi, vous êtes sûre ?

– Sûre et certaine. Ça va faire un an que je lis et relis ce maudit truc, y compris les passages en tout petit.

– Qui vous l'a vendue ? Vous connaissez le nom du courtier ?

– C'est une espèce de pot de colle prétentieux qui est venu sonner chez nous et nous a fait signer en parlant à toute vitesse. Je crois que son nom, c'est Ott. J'ai cherché à le retrouver mais, évidemment, il avait quitté la ville.

Je prends une lettre au hasard et la lis. Elle émane d'un chef de service de Cleveland qui a examiné la demande et réfute sèchement toute prise en charge au motif que la leucémie était une condition préexistante.

– Dans ce courrier, ils parlent de conditions préexistantes... ?

– Ils ont inventé tous les arguments possibles et imaginables, Rudy. Emportez ces papiers chez vous et lisez-les attentivement. Âge, dissimulation de maladie, clause annexe, ils ont tout essayé.

– Il y a une clause qui exclut les greffes de moelle osseuse ?

– Jamais de la vie ! Notre docteur a lu cette police et nous a certifié que Great Benefit devait rembourser. Ces greffes sont quasiment de la routine, de nos jours.

Le client de Booker s'essuie le visage des deux mains, se lève et s'excuse. Ils échangent une poignée de main, puis le vieil homme va s'asseoir près d'une table de joueurs de dames. Miss Birdie finit par libérer N. Elizabeth Erickson du cas Bosco. Smoot vient se mettre derrière nous.

La lettre suivante est aussi de Great Benefit et elle est rédigée dans le même style que la précédente : brutale, expéditive. Je lis : « Chère madame Black. À plusieurs reprises déjà, notre compagnie a réfuté votre demande par courrier. Nous réitérons notre refus pour la huitième et dernière fois. Seriez-vous totalement stupide ? » Elle est signée cette fois par le directeur du service Sinistres, et je frotte du doigt l'en-tête en lettres gaufrées du papier, tellement c'est ahurissant. L'automne dernier, j'ai suivi un cours intitulé « droit des assurances » et je me souviens que j'avais été effaré par le cynisme et la mauvaise foi des assureurs dans certains procès. Notre prof avait été proche des communistes. Il détestait les compagnies d'assurances, comme toutes les grosses compagnies. Il avait étudié avec délectation les cas où des assureurs avaient refusé à tort des demandes justifiées. D'après lui, il y a des dizaines de milliers de cas semblables qui ne tombent jamais entre les mains de la justice. Il a écrit des livres sur ce scandale et nous a montré des statistiques prouvant que beaucoup de gens acceptent ce déni de justice sans chercher vraiment à connaître leurs droits.

Je relis encore la lettre, n'en croyant pas mes yeux.

– Et vous avez toujours réglé vos cotisations ?

– Toujours, sans exception.

– Il faudrait que je voie les dossiers médicaux de Donny.

– Je les ai presque tous à la maison. Il n'a pas beaucoup vu de docteurs ces derniers temps. C'est trop cher pour nous.

– Savez-vous exactement à quelle date s'est déclarée sa leucémie ?

– Exactement non, mais c'était en août de l'année dernière. Il est parti à l'hôpital pour une première chimio. Ensuite, ces escrocs-là nous ont avertis qu'ils ne couvriraient plus aucun traitement, et l'hôpital n'a rien voulu savoir. La greffe de moelle coûte tellement cher. Je comprends leur point de vue, remarquez.

Buddy dévisage maintenant le nouveau client de Booker, une petite femme délicate qui a aussi apporté un monceau de documents. Dot tripote son paquet de Salem et finit par en sortir une qu'elle se colle dans le bec.

Si la maladie de son fils est vraiment une leucémie et si elle s'est manifestée seulement il y a huit mois, l'assurance ne peut se réfugier derrière l'argument d'une condition préexistante. Great Benefit doit payer. Cela me paraît clair et limpide, et comme la loi est rarement claire et limpide, je devine que quelque chose de trouble m'attend quelque part au fond de la pile de Dot.

– Je ne suis pas sûr de tout comprendre à votre cas, lui dis-je en contemplant la lettre insultante de Great Benefit.

Dot souffle un geyser de fumée vers Buddy qui disparaît sous un nuage bleuté. Je crois que ses yeux sont secs, mais je n'en suis pas sûr. Dot pose la paume sur le dossier et dit :

– C'est une boîte d'escrocs, Rudy, je vous le dis. Ils pensent qu'on est des ignorants et ils savent qu'on n'a pas les moyens de les poursuivre. J'ai travaillé dans une usine de jeans pendant trente ans, j'étais syndiquée et nous nous battions contre la direction tous les jours. C'était la même chose : les puissants qui piétinent les petits.

En plus de détester les juristes, mon père crachait souvent son venin sur les syndicats. Naturellement, en grandissant, je devins un fervent défenseur de la classe ouvrière.

– Cette lettre est hallucinante, dis-je.

– Laquelle ?

– Celle de M. Krokit dans laquelle il se demande si vous êtes totalement stupide.

– Fils de pute ! Qu'il vienne poser son gros cul ici et me dire ça en face.

Buddy chasse la fumée en grognant. Je le regarde dans l'espoir qu'il se mette à parler. Rien à faire. Pour la première fois, je remarque que le côté gauche de sa tête est un peu plus aplati que le droit et je l'imagine à nouveau pieds nus, le cul à l'air dans l'aéroport. Je replie la lettre et la mets sur le dessus de la pile.

– J'en ai pour pas mal d'heures à relire tout ça.

– Eh bien, il faudra vous dépêcher. Donny Ray n'en a plus pour longtemps. Il pèse cinquante-cinq kilos. Il en faisait quatre-vingts avant. Il est tellement malade que, certains jours, il peut à peine marcher. J'aimerais que vous le voyiez.

Je n'ai aucune envie de voir Donny Ray.

– Heu... Une autre fois, peut-être.

Je vais relire la police, la correspondance avec l'assureur et les dossiers médicaux de Donny, consulter Smoot et écrire une gentille lettre de deux pages aux Black. Je leur expliquerai sagement qu'ils doivent confier le dossier à un vrai avocat et pas n'importe lequel, un avocat accoutumé à poursuivre les assurances. J'indiquerai quelques noms et numéros de téléphone et j'en aurai fini avec ce cours inutile, avec Smoot et sa passion pour le droit des vioques.

La remise du diplôme a lieu dans trente-huit jours.

– Il faut que j'emporte tout ça, dis-je à Dot en rangeant un peu son fouillis et en remettant les élastiques. Je reviendrai ici dans deux semaines avec une lettre qui vous donnera mes suggestions.

– Pourquoi est-ce que ça doit prendre deux semaines ?

– Eh bien, heu... il va falloir que je fasse des recherches, vous voyez, que je consulte mes professeurs, que j'étudie tout ça soigneusement. Pourriez-vous m'envoyer les dossiers médicaux de Donny ?

– Bien sûr. Ce serait bien que vous vous dépêchiez.

– Je ferai de mon mieux, Dot.

– Vous croyez qu'on a des chances ?

Quoique débutant dans le métier, j'en sais déjà beaucoup sur l'art de ménager la chèvre et le chou.

– Je ne peux pas vous le dire aujourd'hui. Ça semble prometteur. Mais ça demande une étude approfondie et des recherches soignées. C'est possible.

– Ça veut dire quoi, ça, bon Dieu ?

– Je... ça veut dire que je pense que vous êtes dans votre droit mais qu'il faut que j'étudie le dossier pour en être sûr.

– Vous parlez d'un avocat !

– Je suis en fin d'études de droit.

Elle ne sait plus quoi dire. Elle serre son mégot entre ses lèvres et me fixe durement. Buddy grogne pour la deuxième fois. Dieu merci, Smoot se penche derrière moi et demande :

– Tout se passe bien, ici ?

Dot le toise d'un œil méfiant.

– Très bien, dis-je. Nous terminons.

– Ah bon, parfait, dit-il comme si le temps réglementaire était dépassé et que d'autres clients s'impatientaient.

– On se retrouve dans une semaine, dis-je à Dot et à Buddy avec un faux sourire.

Dot écrase son mégot dans un cendrier et se penche de nouveau vers moi. Ses lèvres tremblent et elle a les larmes aux yeux. Elle me touche doucement le poignet et me lance un regard désespéré.

– Je vous en prie, dépêchez-vous, Rudy. On a besoin de vous. Mon garçon s'en va...

Nous nous regardons longuement, une éternité, et finalement je hoche la tête en marmonnant quelque chose. Ces pauvres gens viennent de remettre la vie de leur fils entre mes mains, moi qui suis étudiant en troisième année de droit à Memphis. Ils pensent honnêtement qu'il suffit que je prenne leur pile de paperasses, que je décroche mon téléphone, appelle ici et là, que j'écrive une ou deux lettres, donne un coup de gueule à droite et à gauche et que, pfuit ! Great Benefit tombera à genoux et enverra illico l'argent à Donny Ray. Et ils pensent que ça va aller vite...

Ils se lèvent et quittent ma table gauchement. Je suis quasiment certain qu'une petite exclusion vicieuse se cache quelque part dans la police, à peine lisible et à coup sûr incompréhensible.

Buddy fermant la marche, le couple Black s'éloigne en zigzaguant parmi les joueurs de Remue-Méninges. Dot s'arrête à la machine à café, se sert un déca et allume une autre cigarette. Ils restent là, serrés l'un contre l'autre à me regarder de loin. Je reprends le dossier, tente de trier les pièces et complète mes notes.

Les vieux partent tour à tour. Je suis las de jouer les avocats. Suffit pour aujourd'hui. Mon ignorance du droit crève les yeux et je tremble de penser que, dans quelques mois, je risque de plaider au barreau de la ville, confronté à d'autres avocats, devant des juges et un jury. L'idée d'être lâché dans la société avec le pouvoir d'intenter un procès me terrifie. La fac de droit n'est qu'un stress de trois ans enduré pour rien. Nous passons des centaines d'heures à chercher des informations dont nous n'aurons jamais besoin. Nous sommes accablés de livres oubliés sitôt que lus. On nous oblige à ingurgiter une jurisprudence qu'une nouvelle loi rendra obsolète dès le lendemain. Si j'avais passé cinquante heures par semaine en stage chez un avocat chevronné, là oui, je serais un pro. Mais je ne suis qu'un ignare de troisième année obsédé par son examen, que le plus simple problème juridique affole.

Je sens un mouvement devant moi et lève les yeux. C'est un gros père joufflu d'au moins soixante-quinze ans, avec un Sonotone rose saumon à l'oreille, qui s'avance pesamment dans ma direction.

2

Une heure plus tard, les assauts de dames et de gin-rummy ont pris fin, le dernier des petits vieux quitte le bâtiment. Un gardien attend à côté de la porte, Smoot nous rassemble pour faire le bilan. Chacun à notre tour, nous résumons en quelques phrases les divers problèmes exposés par nos clients. Nous sommes crevés et n'avons qu'une hâte : quitter cet endroit.

Smoot fait quelques suggestions, assez banales dans l'ensemble. Il nous libère enfin avec la promesse d'étudier tous les cas en cours la semaine prochaine. Je brûle d'impatience...

Booker me ramène dans sa voiture, une vieille Pontiac, trop grosse pour avoir du style, mais en bien meilleur état que ma pauvre Toyota. Booker a deux jeunes enfants et une femme enseignante à mi-temps. Ils se maintiennent tant bien que mal au-dessus du seuil de pauvreté. Booker a travaillé dur et ses notes d'examen sont bonnes, ce qui a retenu l'attention d'un grand cabinet d'avocats noirs de la ville. Une équipe dynamique, connue pour son expérience en matière de procédures civiles. Son salaire de départ s'élève à quarante mille dollars par an, six mille de plus que ce que m'offrent Brodnax & Speer.

– Je hais la fac de droit, dis-je, alors que nous sortons du parking des Cyprès.

– C'est normal, répond-il.

Booker ne hait rien ni personne et il lui arrive même de se déclarer stimulé par ses études.

– Pourquoi est-ce qu'on veut devenir avocats ?

– Pour aider les gens, combattre l'injustice, changer la société, tu sais bien, le topo habituel. Tu n'écoutes pas le Pr Smoot ?

– Allons prendre une bière.

– Il n'est pas encore trois heures, Rudy.

Booker boit peu et moi encore moins, car les bars coûtent cher et j'ai à peine assez d'argent pour m'acheter à manger.

– Je plaisante, dis-je.

Il roule grosso modo dans la direction de la fac. Nous sommes aujourd'hui jeudi. Demain, j'ai cours de droit du sport et de code Napoléon, deux matières aussi inutiles que le droit des vioques et demandant encore moins de travail. Mais l'examen d'admission au barreau nous attend et, quand j'y pense, je suis mort de trouille. Si j'échoue, les types de Brodnax & Speer, qui sont gentils mais atrocement coincés, me vireront à coup sûr. Autrement dit, je travaillerai à peu près un mois là-bas avant de me retrouver à la rue. Échouer à cet examen est impensable. Ça serait le chômage, la ruine, la disgrâce et la mort par inanition.

– Amène-moi à la bibliothèque, dis-je. Je crois que je vais potasser mes cas, puis réviser l'exam.

– Bonne idée.

– Je déteste les bibliothèques.

– Tout le monde déteste les bibliothèques, Rudy. Et spécialement les étudiants en droit. Elles sont faites pour ça. C'est leur raison d'être. Tu es dans la norme.

– Merci.

– Ta première cliente, cette Miss Birdie, elle a de l'argent ?

– Comment as-tu deviné ?

– J'ai entendu des bribes de votre conversation.

– Ouais, elle est richissime. Elle veut qu'on lui fasse un nouveau testament. Ses enfants et petits-enfants ne s'occupent pas d'elle, alors, évidemment, elle veut les déshériter.

– Combien ?

– Dans les vingt millions.

Booker me lance un regard soupçonneux.

– C'est ce qu'elle prétend, du moins, dis-je.

– Alors qui est-ce qui va hériter ?

– Un télé-évangéliste joli, sexy, qui se déplace en jet privé.

– Allez !

– Je te jure que si.

Booker reste pensif pendant dix bonnes minutes d'embouteillage.

– Écoute, Rudy, ne te vexe pas, je sais que tu es très brillant mais, franchement, est-ce que tu te sens assez bon pour rédiger le testament d'une bonne femme aussi riche ?

– Non. Et toi ?

– Bien sûr que non. Qu'est-ce que tu comptes faire ?

– Peut-être qu'elle mourra dans son sommeil.

– À voir comme elle pète le feu, ça m'étonnerait. Elle nous enterrera tous.

– Je vais refiler le cas à Smoot ou demander à un prof de droit fiscal de m'aider. À moins que je ne dise carrément à Miss Birdie que je ne peux rien pour elle et qu'elle doit lâcher cinq briques à un super-cabinet fiscaliste pour refaire son truc. Je m'en fous. J'ai assez de problèmes comme ça.

– Texaco ?

– Ouais. Ils sont à mes trousses. Mon propriétaire aussi.

– J'aimerais bien t'aider, dit Booker.

Je sais qu'il est sincère. S'il avait de l'argent, il m'en prêterait volontiers.

– Je survivrai jusqu'au 1er juillet. Après ça, je deviendrai une super-pointure chez Brodnax & Speer et finie la dèche. Comment veux-tu, mon vieux Booker, que j'arrive à dépenser trente-quatre mille dollars par an ?

– Ça paraît impossible, en effet. Tu vas être riche.

– J'ai vécu pendant sept ans sans un rond. Qu'est-ce que je vais faire avec cet argent ?

– Peut-être acheter un costume neuf ?

– Pourquoi ? J'en ai déjà deux.

– Des chaussures, alors.

– Voilà. Tu as raison. Je m'achèterai des chaussures, Booker. Et puis des cravates, et peut-être quelque chose d'autre à manger que des conserves, et un stock de caleçons pendant que j'y suis.

Depuis trois ans, les Booker m'invitent à dîner chez eux au moins une fois tous les quinze jours. Sa femme s'appelle Charlene, c'est une fille de Memphis et elle est capable de faire un festin avec trois fois rien. Ce sont de bons amis et ils me plaignent vraiment. Booker sourit, puis regarde ailleurs. Assez de plaisanteries sur un sujet déplaisant.

Il s'engage dans le parking de Central Avenue, devant la fac de droit.

– J'ai des courses à faire, dit-il.

– OK. Merci de m'avoir ramené.

– Je repasserai ici vers six heures. On pourra réviser l'exam ensemble, si tu veux.

– D'accord. Je t'attendrai en bas.

Je claque la portière et gagne la bibliothèque au pas de course.

Ma place m'attend, comme elle m'a attendu jour après jour pendant des mois. C'est une stalle dans un petit renfoncement obscur, au sous-sol de la bibliothèque. Là, je me réfugie derrière un mur de vieux livres jaunis. Ce coin de la salle de lecture n'a pas de fenêtre, il est parfois humide et froid, c'est pourquoi personne ne s'y aventure. Il m'est officiellement réservé. J'ai passé des centaines d'heures ici, dans ma tanière privée, à lire, à piocher dans des volumes de procédure et à préparer mon examen. Et ces dernières semaines, j'y ai passé beaucoup d'heures douloureuses à penser à elle. À me demander ce qui lui était arrivé, et jusqu'à quel point j'étais responsable de son départ. Ici, j'ai souffert le martyre. Le bureau est entouré sur trois côtés par des panneaux et je connais toutes les aspérités, tous les nœuds et tous les dessins du bois dont ils sont faits. Je peux sangloter sans être surpris. Je peux même jurer, pas trop fort, sans que personne ne m'entende.

Quand elle m'aimait, Sara venait souvent me rejoindre ici. Nous passions de longs moments à étudier ensemble, nos chaises à côté l'une de l'autre. Nous pouvions pouffer, nous toucher, nous embrasser incognito. En ce moment, du fond de ma déprime et de mon chagrin, j'ai l'impression de sentir encore son parfum.

Il faudrait vraiment que je trouve un autre coin pour travailler dans ce labyrinthe. Aujourd'hui, quand mon regard fixe les panneaux autour de moi, je vois son visage, je sens le contact de ses jambes contre les miennes et je suis aussitôt assailli par une rage impuissante. Je perds tous mes moyens. Elle était encore ici il y a quelques semaines! Maintenant, quelqu'un d'autre touche ses jambes.

Je prends le dossier Black et monte au rez-de-chaussée où se trouve la section assurances. Je me déplace lentement et fouille tout l'étage d'un regard fiévreux. Sara ne vient plus très souvent ici mais je l'ai quand même aperçue une ou deux fois.

J'étale les papiers de Dot sur un coin de table entre deux piles de livres, et relis une fois de plus la lettre « stupide ». Elle est choquante, cynique, monstrueuse et visiblement rédigée par quelqu'un qui n'envisageait pas un seul instant que Dot et Buddy puissent la montrer à un avocat. En y réfléchissant, je me rends compte que mon chagrin d'amour est moins douloureux. Ça dépend des moments. En fait, j'apprends à vivre avec.

Sara Plankmore est aussi une étudiante en troisième année de droit et c'est la seule fille que j'aie jamais aimée. Elle m'a plaqué il y a quatre mois pour une espèce d'aristo local. Elle m'a expliqué qu'ils étaient de vieux copains de lycée. Ils s'étaient revus pendant les vacances de Noël et leur idylle s'était renouée par le plus grand des hasards.

« Ça me fait de la peine de te dire ça, a-t-elle conclu, mais c'est la vie. »

Une rumeur tenace court à la fac, selon laquelle elle serait enceinte. La première fois que j'ai entendu dire ça, j'ai vomi sur place.

J'examine la police souscrite par les Black auprès de Great Benefit et prends des pages de notes. On dirait du sanskrit. Je trie et classe les formulaires de remboursement, la correspondance et les dossiers médicaux. Pour l'instant, Sara a disparu de mes pensées et je nage dans un conflit assureur-assuré qui sent de plus en plus mauvais.

Les Black ont acheté cette police, moyennant des versements de dix-huit dollars par semaine, à la compagnie d'assurances Great Benefit Life basée à Cleveland, Ohio. Je passe au crible le livret de comptes fourni par la compagnie, où sont consignés les prélèvements hebdomadaires. Curieusement, il semble que le courtier, un nommé Bobby Ott, se soit déplacé chez les Black toutes les semaines.

Sur ma petite table sont maintenant alignées des piles de documents bien classés. Je commence à éplucher tout ce que Dot m'a confié. Je n'arrête pas de penser à Max Leuberg, notre prof de gauche, et à sa haine des assureurs. C'est eux qui font la loi dans ce pays, nous a-t-il seriné pendant des mois. Ils contrôlent les banques, ils accaparent tous les biens immobiliers. Qu'ils attrapent un virus et Wall Street a la diarrhée pendant une semaine. Et quand chutent les taux d'intérêt et que leurs bénéfices dégringolent, ils se précipitent au Congrès et exigent des réformes. Les procès intentés par des particuliers nous assassinent, hurlent-ils. D'infâmes avocats engagent des poursuites totalement infondées et arrivent à convaincre les jurys d'accorder des dommages-intérêts astronomiques à leurs clients. Il faut arrêter ça, nous courons à la faillite, etc. Leuberg se mettait dans de telles rages qu'il en jetait ses bouquins contre le mur. Nous l'adorions.

Il enseigne toujours à la fac, d'ailleurs. Je crois qu'il repart dans le Wisconsin à la fin du semestre. Si j'en ai le courage, j'irai le consulter sur le cas Black contre Great Benefit. Il nous a dit qu'il avait participé à des procès contre des assureurs véreux qui ont fait date dans le Nord. Les plaignants ont obtenu des dédommagements énormes.

Je me mets à rédiger un résumé chronologique de l'affaire à dater de la fatidique signature. Great Benefit a refusé la prise en charge de Donny Ray à huit reprises par courrier. La lettre « stupide » est la dernière. J'entends déjà le sifflement et le rire vengeur de Max Leuberg quand il la lira. Et je sens le goût du sang.

J'espère que le Pr Leuberg le sent aussi. Je le trouve dans son bureau, un réduit perdu entre deux cagibis au troisième étage de la fac. La porte est tapissée d'autocollants et de tracts pour la défense des homos, des espèces menacées, le genre de cause qui ne passionne pas les citoyens de Memphis. Elle est entrouverte et j'entends Leuberg vociférer au téléphone. Je bloque ma respiration et frappe doucement.

– Entrez ! crie-t-il, et je pousse timidement le battant.

D'un geste, il me désigne une chaise unique, déjà recouverte de livres, de dossiers et de magazines. Son bureau est un chantier indescriptible. Il y a de tout, polycopiés, prospectus, débris divers, journaux, bouteilles vides. Les étagères ploient sous les livres entassés pêle-mêle. Des posters politiques couvrent les murs. Des feuilles volantes traînent par terre. Le temps, l'organisation n'ont aucune signification pour Max Leuberg.

C'est un petit homme de soixante ans, tout en nerfs, avec des cheveux en broussaille couleur paille et des mains qui remuent sans arrêt. Il porte des jeans délavés, un sweat-shirt avec un slogan écolo provocateur, et de vieilles baskets. S'il fait froid, très froid, il ira jusqu'à mettre des chaussettes. Il a l'air tellement surexcité qu'il me rend nerveux.

Il raccroche violemment et s'exclame :

– Baker !

– Baylor. Rudy Baylor. Droit des assurances. Dernier semestre.

– Bien sûr, bien sûr. Je me souviens. Asseyez-vous.

Je décline poliment, il se tortille sur son fauteuil et farfouille dans ses papiers.

– Alors, qu'est-ce qui vous amène, Baylor ?

Max est très apprécié de ses étudiants parce qu'il prend toujours le temps d'écouter.

– Heu... Max, est-ce que vous auriez une minute ou deux à me consacrer ?

Normalement, je suis plus respectueux et je dis « monsieur », mais il déteste les formalités et a toujours voulu qu'on l'appelle Max.

– Mais oui, évidemment. Qu'est-ce qui se passe ?

Après lui avoir expliqué que je suis un cours de droit des vioques avec le Pr Smoot, je lui fais un bref résumé de notre visite aux Cyprès et du combat de Dot et Buddy contre Great Benefit. Il m'écoute très attentivement.

– Vous aviez déjà entendu parler de Great Benefit ?

– Ouais, répond-il. C'est une grosse boîte qui vend énormément d'assurances bon marché aux Blancs pauvres des campagnes et aux Noirs. Très sordide.

– J'ignorais totalement leur existence.

– Rien d'étonnant. Vous ne verrez jamais leur publicité. Il n'y en a pas. Leurs agents font du porte-à-porte et perçoivent eux-mêmes les cotisations toutes les semaines. C'est l'exemple même de l'assureur suspect, à la limite de l'escroquerie organisée. Montrez-moi la police.

Je la lui tends et il la feuillette en marmonnant Dieu sait quoi.

– Sur quoi se basent-ils pour refuser la prise en charge ?

– Sur tout. Ils ont commencé à refuser par principe. Ensuite, ils ont dit que la leucémie n'était pas couverte. Puis ils ont prétendu que la leucémie était une condition préexistante. Après ça, ils ont dit que, le malade étant adulte, il n'était plus couvert par la police souscrite par ses parents. Ils ne manquent pas d'imagination, comme vous voyez.

– Toutes les cotisations avaient été payées ?

– D'après Mme Black, oui.

– Les fumiers !

Il feuillette encore quelques pages en affichant un sourire fielleux. Je suis sûr qu'il se délecte intérieurement.

– Et vous avez revu l'ensemble du dossier ?

– Oui. J'ai épluché tout ce que la cliente m'a donné.

Il rejette la police sur le bureau.

– Apparemment, ça vaut largement le coup d'attaquer, dit-il. Mais souvenez-vous que le client vous donne rarement tous les éléments d'entrée de jeu.

Je lui tends la fameuse lettre.

À mesure qu'il la lit, un nouveau sourire haineux se peint sur son visage. Il la relit et lève les yeux sur moi.

– Incroyable.

– C'est ce que j'ai pensé aussi, dis-je comme si j'étais un vétéran de la lutte contre les assureurs.

– Où est le reste du dossier ? demande-t-il.

Je dépose toute la pile de paperasses sur son bureau.

– Voilà tout ce que Mme Black m'a laissé. Elle dit que son fils est en train de mourir parce qu'ils ne peuvent pas payer son traitement. Il pèse cinquante-cinq kilos et s'affaiblit de jour en jour.

Ses mains se figent.

– Les ordures ! répète-t-il comme se parlant à lui-même. Quels salopards !

Je suis d'accord avec lui, mais je reste silencieux. Je remarque une autre paire de baskets abandonnée dans un coin, de très vieilles Nike. Un jour, il nous a expliqué en cours qu'il portait autrefois des Converse, mais qu'il boycottait maintenant cette marque à cause de sa politique de recyclage. Il mène sa petite guerre personnelle contre l'Amérique industrielle et, lorsqu'une société le met en boule pour une raison ou pour une autre, il refuse de consommer ses produits. Il refuse aussi d'assurer sa vie, ses biens ou sa santé. La rumeur prétend qu'il vient d'une famille fortunée et peut donc se passer d'assurance sans courir de risque. Moi aussi je fais partie du monde des non-assurés, mais chez moi ce n'est pas un choix.

La plupart de mes profs sont des mandarins vieux jeu qui font leurs cours magistraux en cravate et costume, sans jamais se déboutonner. Max, lui, n'a pas porté de cravate depuis dix ans. Il ne donne pas de cours, il exécute un numéro d'acteur. C'est vraiment dommage qu'il s'en aille.

Ses mains reprennent vie.

– Je voudrais revoir tout ça au calme ce soir, dit-il. Puis-je vous emprunter le dossier ?

– Pas de problème. Est-ce que je peux repasser demain matin ?

– Bien sûr. Quand vous voulez.

Le téléphone sonne et il décroche le combiné d'un geste brusque. Je souris, sors du bureau et repousse la porte avec un immense soulagement. Je le reverrai demain matin, j'écouterai ses conseils, puis je taperai un rapport de deux pages pour les Black, dans lequel je répéterai ce qu'il m'aura dit.

Maintenant, il me faudrait un professeur de droit fiscal pour m'aider à traiter le cas de Miss Birdie. J'ai quelques idées, notamment un ou deux profs que j'irai peut-être voir demain. Je descends l'escalier et pénètre dans le foyer des étudiants. C'est le seul endroit où il est autorisé de fumer et un brouillard bleuté flotte en permanence au-dessous des rampes lumineuses. Il y a une télévision, deux divans et quelques chaises en piteux état. Des photos des anciennes promotions ornent les murs, rangées d'étudiants aux visages studieux, depuis longtemps lâchés dans la jungle du monde judiciaire. Quand la salle est déserte, je contemple souvent ces portraits groupés de mes prédécesseurs en me demandant combien d'entre eux ont été radiés du barreau, combien regretteront éternellement d'avoir mis les pieds ici, et combien sont heureux de plaider. Il y a un tableau réservé aux infos internes et à des petites annonces dont la variété laisse rêveur. À gauche se dressent plusieurs distributeurs automatiques de boissons et de sandwiches. Je prends beaucoup de mes repas ici. Ces machines sont sous-estimées.

J'aperçois, debout dans un coin, l'honorable F. Franklin Donaldson, quatrième du nom, en train de pérorer avec trois de ses copains, tous aussi frimeurs que lui, collaborateurs du *Bulletin juridique du Tennessee* et pleins de morgue envers ceux qui ne le sont pas. Il me remarque et semble s'intéresser à moi, chose singulière. Il me sourit, alors qu'en général il arbore continuellement une moue méprisante.

– Dis donc, Rudy, me lance-t-il, tu vas bosser chez Brodnax & Speer, n'est-ce pas ?

La télé est éteinte. Ses compagnons me dévisagent. Deux étudiantes assises sur un divan dressent l'oreille et tournent la tête vers moi.

– Ouais, pourquoi ?

F. Franklin quatrième du nom s'apprête à travailler dans un opulent cabinet de fils de famille dont le chiffre d'affaires est sans commune mesure avec celui de Brodnax & Speer. Il est actuellement entouré de W. Harper Whittenson, un arrogant petit morveux qui, heureusement, va quitter Memphis après la fac pour exercer dans un grand cabinet de Dallas ; de J. Townsend Gross, qui a accepté un poste dans une autre grosse boîte ; et de James Straybeck, un type assez sympa par moments qui a tenu trois ans à la fac sans accoler d'initiale supplémentaire ni de quantième du nom à son patronyme. Avec un nom aussi court, son avenir dans un grand cabinet est fort compromis. Je doute qu'il puisse s'en tirer.

F. Franklin quatrième du nom fait quelques pas vers moi. Il est tout sourire.

– Alors, raconte-nous un peu ce qui se passe.

– Comment ça ?

J'ignore totalement de quoi il parle.

– Mais si, tu sais, à propos de la fusion.

– Quelle fusion ? dis-je en gardant un visage impassible.

– Tu n'es pas au courant ?

– Mais au courant de quoi ?

F. Franklin et ses trois acolytes échangent un regard narquois.

– Allons, Rudy, me dit Franklin avec un large sourire, tu sais bien, la fusion de Brodnax & Speer et de Tinley Britt.

Je reste de marbre, en essayant de trouver quelque chose d'intelligent à dire. Mais pour l'instant, les mots me font cruellement défaut. Je ne sais rien de cette fusion, mais ce crétin, lui, a l'air bien renseigné. Brodnax & Speer, c'est une petite équipe de quinze avocats. Je suis le seul de ma promotion qu'ils aient recruté. Lorsque nous nous sommes mis d'accord, il y a deux mois, il n'était pas question de fusion.

Tinley Britt, en revanche, est le plus grand cabinet de l'État, le plus huppé et le plus prestigieux. Au dernier pointage, pas moins de cent vingt juristes y travaillaient. Beaucoup sortent des meilleures universités privées du pays. Beaucoup ont fait des stages dans l'administration fédérale. C'est une boîte très influente qui défend les intérêts de plusieurs entreprises nationales et qui a des bureaux à Washington. Un de leurs partenaires est un ancien sénateur. Les associés travaillent quatre-vingts heures par semaine. Tous s'habillent en costume noir ou gris à rayures et portent des cravates en soie. Coupe de cheveux hypercourte de rigueur, ni barbe, ni moustache. Un avocat travaillant chez Tinley Britt se repère au premier coup d'œil à sa démarche raide et à ses vêtements. Tous les collaborateurs sont des WASP [1] bon chic bon genre, issus des meilleures écoles et des fraternités les plus sélectes.

J. Townsend Gross me regarde en ricanant, les mains dans les poches. Il est le deuxième de la promotion, ses chemises polos sont toujours impeccablement repassées, et il roule en BMW, ce qui fait de lui un candidat tout indiqué pour le cabinet Tinley Britt.

J'ai les jambes en coton parce que je sais très bien que Tinley Britt ne voudra jamais de moi. Si Brodnax & Speer a effectivement

1. *White Anglo-Saxon Protestant.* Blanc protestant anglo-saxon.

fusionné avec ce mastodonte, j'ai bien peur d'avoir été oublié dans la nouvelle donne.

– Non, je ne suis pas au courant, dis-je d'une voix atone.

Sur le divan, les deux filles me regardent fixement. Un ange passe.

– Tu veux dire qu'ils ne t'ont même pas averti? demande F. Franklin d'un air faussement étonné. Jack l'a appris ce matin, fait-il en montrant son copain Townsend de la tête.

– C'est exact, confirme J. Townsend. Mais le nom du cabinet ne change pas.

Le cabinet s'appelle officiellement Tinley, Britt, Crawford, Mize et St. John. Par bonheur, on a opté pour la version abrégée il y a des années et le nom s'est perpétué ainsi. En annonçant que le cabinet garde la même raison sociale, J. Townsend signifie à son petit auditoire que Brodnax & Speer est une boîte si petite, si insignifiante, qu'elle peut être avalée d'une bouchée par Tinley Britt, sans que ce dernier émette le plus léger renvoi.

– Je n'arrive pas à croire qu'ils ne t'aient rien dit, insiste lourdement F. Franklin.

Je hausse les épaules et me dirige vers la sortie comme si de rien n'était.

– Ne te laisse pas miner par ça, Frankie, lui dis-je d'un air dégagé.

Tous les quatre affichent un petit sourire satisfait, comme s'ils avaient accompli une importante mission, et je quitte la salle. J'entre dans la bibliothèque. Le type du fichier me fait signe aussitôt de venir le voir.

– Tiens, il y a eu un appel pour toi, dit-il en me tendant un morceau de papier.

C'est un message de Loyd Beck, l'homme qui m'a embauché chez Brodnax & Speer, me demandant de le rappeler.

Les cabines publiques sont dans la salle que je viens de quitter, mais je n'ai aucune envie d'essuyer encore les sarcasmes de Franklin et de sa bande.

– Je peux t'emprunter ton téléphone? dis-je au responsable du fichier, un étudiant de deuxième année qui se comporte comme s'il était propriétaire de la bibliothèque.

– Il y a des cabines à côté, répond-il en me montrant la porte du doigt.

Est-ce qu'il imagine que je ne connais pas encore les lieux au bout de trois ans?

– J'en viens. Elles sont toutes occupées.

Il fronce les sourcils et détourne les yeux.

– Bon, d'accord, mais magne-toi.

Je compose d'un doigt rageur le numéro de Brodnax & Speer. Il est presque six heures et les secrétaires partent à cinq heures. Au neuvième coup, une voix d'homme répond :

– Allô ?

Je tourne le dos au bibliothécaire et m'efforce de parler le moins fort possible.

– Bonjour, ici Rudy Baylor. J'appelle de la fac de droit. On vient de me remettre un mot me demandant de rappeler Loyd Beck de toute urgence.

Le message ne mentionne aucune urgence. C'est moi qui éprouve une légère impatience.

– Rudy Baylor ? C'est à quel sujet ?

– Je suis votre nouveau collaborateur. Qui est à l'appareil ?

– Ah oui, Baylor. Ici Carson Bell. Heu... Loyd est en réunion. On ne peut pas le déranger pour le moment. Ressayez d'ici une heure.

J'ai rencontré Carson Bell quand on m'a fait visiter le cabinet. Un bureaucrate procédurier à l'air affairé ; courtois le temps d'une poignée de main et se replongeant aussitôt dans ses paperasses.

– Heu... monsieur Bell, pardonnez-moi d'insister, mais il faut absolument que je lui parle.

– Désolé, je ne peux pas vous le passer tout de suite.

– J'ai entendu dire que le cabinet fusionnait avec Tinley Britt. Est-ce que c'est vrai ?

– Écoutez, Rudy, je suis occupé et je n'ai pas le temps de discuter. Rappelez dans une heure et Loyd vous expliquera.

– Il m'expliquera quoi ? dis-je avec une pointe d'énervement. Je suis toujours embauché, oui ou non ?

– Rappelez dans une heure, répète-t-il sèchement, et il me raccroche au nez.

Je gribouille un mot sur un bout de papier et le tends au bibliothécaire.

– Tu connais Booker Kane ?

– Ouais.

– Bon, il va arriver ici dans quelques minutes. Tu veux bien lui remettre ce message ? Dis-lui que je reviens d'ici une heure.

Il accepte en ronchonnant. Je repasse discrètement devant le foyer, sors du bâtiment et me précipite au parking où m'attend ma Toyota. Espérons qu'elle voudra bien démarrer. Un de mes secrets les moins avouables est que je dois encore trois cents dollars à la boîte de crédit qui m'a permis d'acheter cette épave.

3

Il y a trop d'avocats à Memphis, ce n'est un secret pour personne. On nous l'a dit d'entrée à la fac : la profession est terriblement saturée. Non seulement ici mais partout ailleurs. Nous savions que, parmi nous, certains rameraient comme des galériens pendant trois ans, passeraient avec succès l'examen final, et resteraient malgré tout sans travail à la sortie. Au moins un tiers de la promo était voué à l'élimination au terme de la première année, par mesure de faveur, selon les conseillers d'orientation.

Je connais facilement une dizaine de types qui, comme moi, achèveront leur cursus dans un mois et pourront ensuite préparer tranquillement l'examen du barreau, parce qu'ils n'auront pas trouvé de boulot. Sept ans d'études pour se retrouver au chômage. Et puis plusieurs dizaines de mes camarades vont s'inscrire, j'imagine, sur la liste des commissions d'office ou se placer comme assistants sous-payés du ministère public ou d'un juge. Autant de situations dont on s'est bien gardé de nous parler à l'entrée de la fac.

C'est pourquoi j'étais assez fier d'avoir décroché ce poste chez Brodnax & Speer, un authentique cabinet d'avocats. Oui, je m'en étais bien tiré, comparé à d'autres moins chanceux ou moins doués qui sont encore en train de poster leur CV aux quatre coins du pays, ou de supplier au téléphone qu'on leur accorde un entretien. D'un seul coup, ma fierté bat sérieusement de l'aile. J'ai l'estomac noué en quittant le parking de la fac. Il n'y a pas de place pour moi dans un cabinet comme Tinley Britt. Ma Toyota crachouille et renâcle, comme d'habitude, mais au moins elle roule.

J'essaie d'analyser cette fusion. Il y a quelques années, Tinley Britt a absorbé un cabinet de trente avocats et ça a fait pas mal de bruit en ville. Mais je n'arrive pas à me rappeler si l'opération a donné lieu à des licenciements. Pourquoi ont-ils voulu s'emparer d'une petite boîte de quinze associés ? Je me rends soudain compte que j'en sais très peu sur mon futur employeur. Le vieux Brodnax est mort il y a des années et sa tête bovine trône maintenant sous la forme d'un abominable buste en bronze dans le vestibule du cabinet. Speer est son gendre, bien qu'il soit depuis longtemps séparé de sa fille. J'ai discuté quelques instants avec Speer et il m'a paru plutôt sympa. Ils m'ont dit, au cours du deuxième ou troisième entretien, que leurs plus gros clients étaient des compagnies d'assurances et que quatre-vingts pour cent de leur activité concernait des accidents de voiture litigieux.

Peut-être que Tinley Britt avait besoin de renforcer son service Sinistres, qui sait ?

Le trafic est dense sur l'avenue principale, mais la plupart des automobilistes roulent dans l'autre sens. J'aperçois les tours du centre-ville. Loyd Beck, Carson Bell et les autres types de Brodnax & Speer n'ont certainement pas pris la décision de m'employer, ébauché des plans d'avenir dans le but de me couper la gorge au dernier moment pour économiser un salaire. Ils ne se laisseraient quand même pas absorber par Tinley Britt sans protéger leur personnel ?

Ces dernières années, tous ceux qui quitteront la fac dans un mois, leur diplôme en poche, ont ratissé la ville en long, en large et en travers afin de dégoter du boulot. Impossible qu'il reste le moindre petit poste vacant où que ce soit...

Bien que les parkings soient vides en cette fin de journée, je me gare en zone interdite, juste en face de l'immeuble de huit étages qui abrite Brodnax & Speer. Deux croisements plus loin se dresse une tour appartenant à une banque, la plus haute de la ville, et, naturellement, Tinley Britt y loue des bureaux aux derniers étages. Du haut de leur perchoir, ils contemplent avec dédain tout le reste de Memphis. Je les hais.

Je traverse la rue en courant et pénètre dans le hall crasseux de l'immeuble. Deux cabines d'ascenseur s'offrent à ma gauche. Sur la droite, je remarque une silhouette qui me dit quelque chose. C'est Richard Spain, un collaborateur de Brodnax & Speer, très chic type qui m'a emmené au restaurant lors de ma première visite. Il est assis sur un banc en marbre, fixant le sol d'un regard absent.

– Richard, dis-je en m'approchant, c'est moi, Rudy Baylor.

Il ne bouge pas d'un poil, les yeux toujours rivés aux dalles du vestibule. Je m'assieds à côté de lui.

– Qu'est-ce qui se passe, Richard ?

Il a l'air complètement hébété.

– Richard, ça va ?

Le hall est désert pour le moment, on n'entend pas un bruit.

Il tourne lentement la tête vers moi, soupire et desserre péniblement les lèvres.

– Ils m'ont viré, dit-il calmement.

Ses yeux sont rouges. Soit il a bu, soit il a pleuré.

Je prends une grande inspiration.

– Qui ça, ils ? dis-je d'une voix cassée, connaissant déjà la réponse.

– Ils m'ont viré, j'te dis.

– Richard, je t'en prie, réponds-moi. Qu'est-ce qui se passe, ici ? Qui est-ce qui s'est fait virer ?

– Ils nous ont tous virés, tous les collaborateurs. Beck nous a réunis dans la salle de conférences, il nous a dit que les associés s'étaient mis d'accord pour vendre l'affaire à Tinley Britt et qu'il n'y avait pas de place pour les collaborateurs. Comme ça, point final. Il nous a donné une heure pour rassembler nos affaires et vider les lieux.

Il balance la tête de droite et de gauche en fixant les portes des ascenseurs.

– Comme ça, sans excuses ni explications ?

– Ouais. Je suppose que tu te demandes pour ton poste, dit Richard en parcourant le hall d'un regard morne.

– Effectivement, oui.

– Ces salauds se foutent totalement de toi.

À dire vrai, je m'en doutais un peu.

– Mais pourquoi est-ce qu'ils vous ont virés ?

J'ai posé cette question superflue d'une voix à peine audible. Honnêtement, ça m'est égal, mais j'essaie de paraître sincère.

– Tinley Britt voulait nos clients, dit-il. Pour les avoir, il fallait qu'ils arrosent les associés. Les collaborateurs les gênaient, tu comprends ?

– Je suis désolé, dis-je.

– Moi aussi. On a parlé de toi pendant la réunion. Quelqu'un a posé une question à ton sujet parce que tu étais le seul collaborateur nouveau. Beck a dit qu'il essayait de te joindre pour t'apprendre la mauvaise nouvelle. Tu fais partie de la charrette aussi, Rudy, navré.

Je baisse la tête à mon tour. Mes mains sont moites.

– Tu sais combien j'ai gagné l'an passé ? demande-t-il.

– Combien ?

– Quatre-vingt mille. J'ai fait l'esclave ici pendant six ans, j'ai travaillé soixante-dix heures par semaine, négligé ma famille, sué sang et eau pour faire tourner ce putain de cabinet, et d'un coup ces salopards me disent que j'ai une heure pour dégager. Ils ont même mis un vigile pour me surveiller pendant que j'évacuais le bureau. Quatre-vingt mille, et moi je leur ai facturé deux mille cinq cents heures à cent cinquante l'heure, ça leur fait trois cent soixante-quinze mille. Là-dessus, ils m'ont généreusement donné quatre-vingt mille, ils m'ont offert une montre en or, m'ont dit que j'étais un excellent élément, que d'ici quelques années, peut-être, je pourrais devenir associé, tu vois le genre, la grande famille, etc. Et puis Tinley Britt se pointe avec ses millions et je me retrouve sans boulot du jour au lendemain. Et toi aussi, mon vieux. T'as compris ? Est-ce que tu comprends que tu as perdu ton premier boulot avant même d'avoir commencé ?

Je reste sans voix. Que répondre ?

Sa tête retombe lourdement entre ses épaules.

– Quatre-vingt mille, répète-t-il sans me regarder. Jolie somme, hein, Rudy ?

– Ouais.

Pour moi c'est effectivement une petite fortune.

– Et pas moyen de retrouver un job aussi bien payé. Personne n'embauche dans cette ville. C'est bouché, archibouché. Il y a trop d'avocats.

Ah bon ?

Il s'essuie les yeux du dos de la main et se lève péniblement.

– Faut que je prévienne ma femme.

Il traverse le hall en gémissant, le dos voûté, sort de l'immeuble et disparaît dans la rue.

Je monte en ascenseur jusqu'au quatrième et sors sur un étroit palier. J'aperçois derrière une double porte vitrée un gardien en uniforme posté à côté du standard.

Il me jette un regard méprisant tandis que je pénètre dans les locaux du cabinet Brodnax & Speer.

– J'peux vous aider ? grogne-t-il.

– Je cherche M. Loyd Beck, dis-je en essayant de lorgner derrière lui dans les couloirs.

Il se déplace aussitôt pour me boucher la vue.

– Vous êtes qui ?

– Rudy Baylor.

– Tenez, c'est pour vous, dit-il en prenant sur le bureau une enveloppe qu'il me tend.

Mon nom est écrit dessus au feutre rouge. Je la déchire et déplie d'une main tremblante une courte lettre.

Une voix grésille dans sa radio et il recule lentement.

– Lisez-la et partez, dit-il avant de disparaître.

La lettre, un unique paragraphe signé Loyd Beck, m'annonce la nouvelle en termes polis. La fusion, explique-t-il, est intervenue de manière subite et inopinée. Il conclut en me souhaitant bonne chance.

Je jette la lettre par terre et cherche des yeux quelque chose sur quoi passer ma colère. Tout paraît calme dans les couloirs. Je suis certain qu'ils sont planqués derrière des portes verrouillées, attendant que nous déguerpissions, moi et les autres laissés-pour-compte. Il y a un buste sur un socle en bois près de la porte, une sculpture médiocre représentant la tête bouffie du vieux Brodnax. Je crache dessus en passant à côté, malheureusement elle ne tressaille pas... Alors, en ouvrant la porte, je donne un bon coup d'épaule dedans. Le socle oscille et la tête de bronze, ébranlée, bascule dans le vide.

– Hé, ho ! s'écrie une voix, et juste au moment où le buste se fracasse contre la porte vitrée, j'entrevois le garde qui se précipite vers moi.

Pendant une fraction de seconde, j'hésite à m'arrêter et à m'excuser. Mais j'ouvre brutalement la porte d'entrée et m'engouffre dans la cage d'escalier. Je l'entends hurler derrière moi. Je descends quatre à quatre. Il est trop vieux et trop lourd pour me rattraper.

Je débouche dans le hall du rez-de-chaussée, désert. Je le traverse sans me presser et me retrouve sur le trottoir.

Il est presque sept heures et la nuit est tombée lorsque je m'arrête devant une petite épicerie coréenne, une demi-douzaine de rues plus loin. Une inscription indique que les packs de bière sont à trois dollars. C'est exactement ce qu'il me faut.

Loyd Beck m'a engagé il y a deux mois. Mes notes de fac étaient satisfaisantes, je rédigeais correctement, les résultats des entretiens étaient positifs, la totalité des collaborateurs du cabinet s'accordait à dire que je faisais l'affaire. Tout allait bien et mon avenir chez Brodnax & Speer s'annonçait des plus brillants.

Et puis Tinley Britt s'amène en brandissant un paquet de coupures de cent dollars et les collaborateurs sont flanqués dehors. Ces sales goinfres encaissent trois cent mille dollars par an mais ça ne leur suffit pas.

J'entre dans le magasin et achète la bière. Il me reste quatre dollars et un peu de ferraille en poche. À peu près la même chose dans mon compte en banque.

Je reste assis dans ma voiture à côté d'une cabine téléphonique et vide la première canette. Je n'ai rien mangé depuis mon délicieux déjeuner aux Cyprès. Peut-être que j'aurais dû reprendre du dessert, comme Bosco. La bière glacée coule dans mon estomac vide et y produit aussitôt un furieux gargouillis.

Les cinq autres canettes sont vite éclusées. Les heures passent tandis que je sillonne les rues de Memphis au volant de ma Toyota.

4

Mon appartement est un petit deux-pièces au second étage d'un immeuble de brique décrépit, la résidence Hampton. Deux cent soixante-quinze dollars par mois, rarement payés à temps. Il est situé dans un pâté de maisons en retrait d'une rue passante, à un kilomètre et quelques du campus. Voilà trois ans que j'y habite. Dernièrement, j'ai beaucoup songé à décamper en douce au milieu de la nuit et à payer ensuite ce que je dois en petites mensualités étalées sur un an. Jusqu'à maintenant, les projets de ce genre s'appuyaient sur l'assurance d'un travail et d'un salaire mensuel chez Brodnax & Speer. L'immeuble est peuplé d'étudiants fauchés comme moi et le propriétaire a l'habitude de se battre pour récolter ses arriérés.

Le parking est sombre et désert lorsque j'y arrive, juste avant deux heures du matin. Je me gare près des poubelles et, en m'extirpant de ma voiture, je perçois un mouvement à côté de moi. Un homme se glisse furtivement hors de son véhicule, claque la portière et s'avance dans ma direction. Je reste figé sur place. Silence de mort.

– Rudy Baylor ? demande-t-il en approchant son visage du mien.

Il a tout du cow-boy, bottes pointues, jean serré, veste à franges, cheveux et barbiche coupés ras. Il mâchonne un chewing-gum et roule des mécaniques.

– Qui êtes-vous ?

– Vous êtes Rudy Baylor, oui ou non ?

– Oui.

Il sort brusquement des papiers de sa poche arrière et me les brandit sous le nez.

– Désolé, dit-il d'un ton sincère.

– C'est quoi ?

– Une assignation.

Je prends mollement les papiers. Il fait trop sombre pour les lire mais j'ai déjà compris.

– Recouvrement de créance, dis-je d'un ton las.
– Exact.
– Texaco ?
– Exact. La résidence Hampton. Vous êtes expulsé.
Si j'étais à jeun, recevoir un avis d'expulsion serait sans doute un choc. Mais au point où j'en suis... Je regarde le lotissement lugubre où j'ai vécu pendant toutes mes années de fac. Les pelouses qui l'entourent sont couvertes de détritus, une herbe jaunâtre pousse dans le gravier de l'allée centrale. Comment ce trou à rats a-t-il pu avoir le dernier mot ?
Le type recule d'un pas.
– Tout est écrit là-dedans, explique-t-il. Date de l'audience, nom des magistrats, etc. Vous pouvez probablement vous arranger par téléphone. Enfin, ça ne me regarde pas. Je fais mon boulot, un point c'est tout.
Tu parles d'un boulot ! Guetter des gens sans méfiance, tapi dans l'ombre, et leur sauter dessus en leur assenant une sommation en pleine figure, lâcher un ou deux mots de recommandation et s'éclipser pour aller terroriser quelqu'un d'autre.
Il s'éloigne, mais s'arrête subitement et se retourne.
– Ah, dites, je suis ancien flic et j'ai toujours une radio dans ma voiture. J'ai entendu un drôle d'appel tout à l'heure. Un nommé Rudy Baylor a saccagé un bureau d'avocats en ville. Le signalement a l'air de vous correspondre. Même marque de véhicule, même modèle. C'est peut-être une coïncidence, remarquez.
– Et si ça ne l'est pas ?
– Ben, c'est pas mes oignons, hein, mais les flics vous recherchent. Destruction de biens.
– Ils vont m'arrêter, c'est ça ?
– Y a des chances, oui. Je dormirais ailleurs, si j'étais vous.
Il remonte dans sa voiture, une BMW, et disparaît dans la nuit.

Booker m'accueille sur le seuil de son duplex propret. Il est pieds nus et porte un peignoir de bain par-dessus son pyjama. Même s'il fait partie des étudiants crève-la-faim qui comptent les jours les séparant de leur première paye, Booker s'habille toujours très soigneusement.
– Qu'est-ce qui se passe, bon Dieu ? demande-t-il d'un ton inquiet, les yeux encore lourds de sommeil.
Je l'ai appelé d'une cabine au fast-food du coin.
– Excuse, mon vieux, dis-je en le suivant jusqu'au salon.
J'entrevois Charlene, en robe de chambre dans la kitchenette, les cheveux défaits, en train de préparer du café ou je ne sais quoi. J'entends un des enfants qui pleure quelque part dans le fond. Il est presque trois heures du matin et j'ai réveillé toute la famille.

– Assieds-toi, me dit Booker en me poussant vers le canapé d'un geste doux. Tu as bu ou quoi?

– Je suis soûl, Booker.

– Il y a une raison particulière?

Il reste debout devant moi, exactement comme un père qui s'apprête à sermonner son fils.

– Heu... c'est un peu long à expliquer.

Charlene pose un bol de café chaud sur la table basse.

– Ça va aller, Rudy? demande-t-elle gentiment.

– Super, dis-je, pour faire le malin.

– Va t'occuper des enfants, lui dit Booker, et elle s'éclipse.

– Je... je suis désolé, excuse-moi, redis-je d'une voix embrouillée.

Booker s'est assis sur le coin de la table à café, tout près de moi, et il attend.

Je ne touche pas au café. Ma tête menace d'exploser. Je raconte ce qui s'est passé depuis que nous nous sommes quittés dans l'après-midi. J'ai la langue pâteuse et je dois me concentrer pour ne pas perdre le fil. Charlene revient, s'installe sur la chaise la plus proche et m'écoute, l'air soucieux.

– Pardonne-moi, lui dis-je en soupirant.

– Ça va, Rudy, ne t'inquiète pas.

Le père de Charlene est pasteur quelque part dans le Tennessee rural et elle n'a guère d'indulgence pour l'ivrognerie et le laisser-aller en général. Le peu de fois que nous avons bu ensemble, Booker et moi, c'était en cachette.

– Tu as bu deux packs de six? demande-t-il, perplexe.

Charlene se lève pour aller calmer l'enfant qui braille à nouveau dans la chambre du fond. Je termine mon récit calamiteux avec l'histoire de l'assignation et de l'expulsion. La journée est à marquer d'une pierre noire.

– Faut que je retrouve un boulot, Booker, dis-je après m'être décidé à avaler une gorgée de café.

– Il y a plus urgent pour l'instant, Rudy. L'exam est dans trois mois et puis après il y a la commission de déontologie. Si tu te fais arrêter et condamner pour ce truc, ça peut bousiller ta carrière.

Je n'avais pas pensé à ça. J'ai la tête comme une cafetière, une barre dans la nuque et les tempes qui palpitent.

– Est-ce que je pourrais avoir un sandwich?

J'ai avalé une portion de frites avec mon deuxième pack, mais rien d'autre depuis midi et j'ai un creux terrible.

De la cuisine, Charlene m'entend.

– Des œufs au bacon, ça te va?

– Génial, Charlene, merci.

Booker est songeur.

– Je vais appeler Marvin Shankle demain matin. Je lui demanderai de contacter son frère. Peut-être qu'il pourra s'arranger avec les flics pour faire classer l'affaire. Il faut absolument éviter l'arrestation.

– Ça m'a l'air d'un bon plan.

Marvin Shankle, futur patron de Booker, est l'avocat noir le plus réputé de Memphis.

– Pendant que tu y es, demande-lui s'il n'a pas une place pour moi dans son cabinet.

– Tu te vois travailler dans un cabinet de Noirs qui lutte pour les droits civiques ?

– Sans vouloir t'offenser, dans la situation où je suis, j'accepterais un poste chez un Mexicain spécialisé dans le divorce. Je t'assure, il faut que je bosse. J'ai le couteau sous la gorge. Si ça se trouve, il y a d'autres créanciers en bas de chez moi, prêts à me tomber dessus. Faut que je réagisse.

Je m'affaisse doucement au fond du canapé. L'odeur de bacon s'échappe de la cuisine et vient me chatouiller agréablement les narines.

– Les papiers que t'a donnés ce type, où sont-ils ?

– Dans la voiture.

Il sort, revient une minute plus tard et se rassied à côté de moi pour lire la citation à comparaître et l'avis d'expulsion. Charlene s'affaire dans la cuisine, va et vient, rapporte du café avec de l'aspirine. Il est trois heures et demie du matin. Les enfants ont fini par se rendormir. Je me sens en sécurité, bien au chaud, aimé. Mes amis prennent soin de moi.

Ma tête dodeline lentement, je ferme les yeux et me laisse gagner par le sommeil.

5

Le lendemain, je me glisse discrètement dans la fac vers trois heures, longtemps après le début de mes cours. Le droit du sport et le code Napoléon attendront des jours meilleurs. Je vais me cacher dans mon trou au sous-sol de la bibliothèque.

En me réveillant, Booker m'a appris qu'il avait parlé à Marvin Shankle et qu'on s'occupait de moi. Un officier de police a été prévenu et Shankle ne doute pas que mon affaire va s'arranger. Son frère est juge aux affaires criminelles. Si on ne peut éviter que des charges soient retenues contre moi, d'autres ficelles seront tirées. Mais toujours pas moyen de savoir si je suis recherché par la police. Booker va passer d'autres coups de fil et me tenir au courant.

Booker a déjà un bureau à lui au cabinet Shankle. Voilà deux ans qu'il bosse là-bas à temps partiel. Il est beaucoup plus calé que nous. Entre deux cours, il appelle une secrétaire, prépare avec soin ses rendez-vous, me parle de tel ou tel client. Il fera un avocat formidable...

Impossible de réfléchir sérieusement avec cette gueule de bois. Je gribouille de vagues notes en agitant de graves questions. Par exemple : maintenant que j'ai réussi à me réfugier ici sans être repéré, que vais-je faire ? Déjà attendre une heure ou deux qu'il y ait un peu moins de monde dans la fac. On est vendredi après-midi, la moitié des étudiants sont déjà partis, en week-end. Après ça, je compte assiéger le bureau d'orientation de la fac, coincer la directrice et vider mon sac. Il se trouvera bien une quelconque sous-division administrative pour offrir vingt mille dollars par an à un jeune juriste plein d'avenir. Question de chance. À moins qu'un petit cabinet ne s'aperçoive soudain qu'il leur manque un collaborateur.

À Memphis court une légende, celle d'un dénommé Jonathan Lake. Diplômé de la fac de droit, il n'arrivait pas à se trouver une place. C'était il y a une vingtaine d'années. Refusé par tous les grands cabinets, il loua un local, mit sa plaque à l'entrée et attendit les clients. Il creva de faim durant quelques mois mais, un soir, il loupa un virage sur sa cent vingt-cinq et se réveilla à l'hôpital St. Peter avec une jambe cassée. Peu après, le lit à côté du sien fut occupé par un type qui venait lui aussi d'avoir un accident de moto. Il était fracturé de partout et grièvement blessé. Sa petite amie était encore plus sévèrement atteinte et mourut quelques jours plus tard. Lake et ce type devinrent copains et Lake se chargea de plaider pour lui et la famille de la victime. Il découvrit que le conducteur de la Jaguar qui avait grillé le stop et percuté la moto était un des principaux collaborateurs du plus grand cabinet de la ville. Il avait d'ailleurs reçu Lake lorsque celui-ci avait brigué un poste dans ce cabinet six mois plus tôt. Et il était soûl quand il avait grillé le stop.

Lake sentit qu'il tenait sa vengeance et attaqua. L'avocat fautif était bardé d'assurances et commença à les jeter à la figure de son adversaire. Tout le monde voulait un règlement rapide. Six mois après avoir passé l'examen du barreau, Jonathan Lake obtenait des dommages-intérêts de deux millions six cent mille dollars.

Selon la légende, lorsque les deux accidentés étaient encore à l'hôpital, le client de Lake, ayant eu pitié de sa dèche et de son inexpérience, lui avait promis qu'il lui laisserait la moitié de l'indemnité. Lake s'en souvint et l'autre tint parole. Alors, toujours d'après la légende, Lake empocha un million trois cent mille dollars.

Moi, j'aurais filé aux Caraïbes et goûté aux joies du farniente à bord de mon quinze mètres.

Pas Lake. Il se fit construire un bureau, le remplit de juristes, de secrétaires, de coursiers, et se lança dans une grande carrière de défenseur spécialisé dans les contentieux. Il travailla dix-huit heures par jour, multiplia les succès et devint rapidement un des meilleurs plaideurs de l'État.

Vingt ans plus tard, Jonathan Lake travaille toujours dix-huit heures par jour et dirige un cabinet avec douze collaborateurs. Il plaide de plus en plus de dossiers retentissants et, toujours selon la légende, gagne aux alentours de trois millions de dollars par an.

Et il aime étaler son argent. Trois millions de dollars annuels passent difficilement inaperçus à Memphis : la présence de Jonathan Lake est toujours un événement. Sa légende ne fait que croître. Chaque année, un nombre indéterminé d'étudiants s'inscrivent à la fac de droit à cause de Jonathan Lake. Ils rêvent du même destin. Et un certain nombre de diplômés sortent chaque année de la fac sans emploi parce qu'ils ne veulent pas entendre parler d'autre chose qu'un cagibi avec une plaque sur la porte. Ce qu'ils veulent, c'est crever la dalle, comme Lake.

J'en soupçonne même quelques-uns de conduire une cent vingt-cinq. Qui sait si ce n'est pas ce qui m'attend ? Tout espoir n'est pas perdu, regardez Jonathan Lake !

J'attrape Max Leuberg au mauvais moment. Il est au téléphone, en train de gesticuler et de jurer comme un charretier. Une histoire de procès dans le Minnesota où il est censé témoigner. Je fais semblant de griffonner des notes, regarde par terre, affecte un air distrait tandis qu'il trépigne, debout derrière son bureau, en tirant rageusement sur le fil.

Il raccroche tout de même.

– Vous les tenez par la peau du cou, me lance-t-il en cherchant quelque chose dans son fourbi.

– Qui ?

– Great Benefit. J'ai lu tout le dossier hier soir. C'est l'assureur escroc type. (Il se lève pour prendre un volumineux dossier sur une étagère et se rassied lourdement.) Vous savez comment fonctionne ce genre de boîte ?

Je m'en doute un peu mais j'aime autant le laisser s'exprimer.

– Pas vraiment.

– Leurs principales victimes sont les Noirs, les pauvres. Ce sont de petites polices bon marché vendues au porte-à-porte dans les cités. Les courtiers sont en fait des agents de perception qui viennent à domicile encaisser les primes toutes les semaines ou tous les quinze jours. On les appelle des assureurs débit parce qu'ils débitent le livre de comptes tenu par l'assuré. Ils tablent sur la crédulité et l'ignorance et, quand les clients réclament leur dû, la compagnie refuse systématiquement, par principe. Désolés, pas de couverture, pour tel ou tel motif. Ils sont extrêmement imaginatifs dès qu'il s'agit de trouver des raisons de refuser un remboursement.

– Ils ne sont jamais poursuivis ?

– Pas assez souvent. Des études ont montré qu'un cas de refus non justifié sur trente environ aboutissait à un vrai procès. Les compagnies le savent, bien sûr, et en tiennent compte dans leurs calculs de rentabilité. Souvenez-vous qu'ils s'attaquent aux classes pauvres, à des gens qui ont peur des avocats et du système juridique.

– Mais qu'est-ce qui se passe quand ils sont poursuivis ?

D'une main, il chasse une mouche ou une guêpe. Deux feuillets d'un quelconque dossier décollent du bureau et tombent en vol plané sur la moquette.

J'entends craquer les jointures de ses doigts.

– En règle générale, pas grand-chose. Des dommages-intérêts dissuasifs importants ont été accordés ici ou là dans le pays. J'ai plaidé ou témoigné dans un certain nombre de ces affaires. Mais les jurés hésitent à transformer en millionnaires des gogos qui se font avoir par des assureurs bas de gamme. Imaginez un peu. Prenez un plaignant avec une facture médicale mettons de cinq mille dollars clairement remboursable par son assurance. L'assureur refuse. Et la compagnie pèse mettons deux cents millions. À l'audience, l'avocat du plaignant réclame les cinq mille, plus quelques millions pour sanctionner l'escroquerie. Ça marche rarement. Le jury accorde les cinq mille, rallonge de dix mille pour marquer le coup et la compagnie véreuse est encore gagnante.

– Mais Donny Ray Black est en train de mourir. Et il meurt, parce que la compagnie refuse de prendre en charge une greffe de moelle. Nous sommes d'accord?

Leuberg me renvoie un sourire perfide.

– Tout à fait d'accord. À condition que ses parents vous aient tout dit, et il y a des chances que ce ne soit pas le cas, comme vous le savez.

– Mais si tout est là? dis-je en montrant le dossier du doigt.

Il hausse les épaules, secoue la tête et me sourit à nouveau.

– Alors c'est une bonne affaire. Pas une affaire faramineuse, mais bonne quand même.

– Je ne comprends pas.

– C'est simple, Rudy. Nous sommes dans le Tennessee, OK? Le Tennessee est l'État des verdicts à quatre zéros, c'est-à-dire des clopinettes. Les dommages-intérêts n'ont jamais valeur de sanction. Les jurés sont extrêmement conservateurs. Le revenu par habitant est très bas, par conséquent, les jurés rechignent à enrichir subitement leur voisin. À Memphis, c'est particulièrement difficile d'obtenir un verdict décent.

Je suis sûr que Jonathan Lake obtiendrait un bon verdit. Et peut-être qu'il me laisserait un petit morceau si je lui apportais l'affaire. En dépit de ma gueule de bois, je gamberge un maximum.

– Qu'est-ce que vous me conseillez?

– D'attaquer ces salauds.

– Mais je n'ai pas encore de carte professionnelle.

– Pas vous. Dites à ce couple de s'adresser à un cabinet dynamique en ville. Passez un ou deux coups de fil de leur part, tâchez de leur trouver un avocat motivé. Vous n'aurez plus qu'à taper un rapport de deux pages à Smoot et ce sera réglé.

Le téléphone sonne. Avant de décrocher, il pose la main sur le dossier qu'il a sorti pour moi.

– Il y a là-dedans la liste d'une trentaine d'affaires similaires que vous devriez aller consulter à la bibliothèque.

– Merci.

Il me congédie d'un geste et, une fois sorti, je l'entends beugler derrière la porte.

La fac de droit m'a donné l'horreur des recherches. Depuis trois ans que je vis ici, j'ai dû passer une bonne moitié de mon temps à piocher dans de vieux bouquins mités pour dégoter une ancienne jurisprudence qui redonne vie à une théorie à laquelle pas un juriste sain d'esprit n'a pensé depuis des décennies.

On nous envoie sans cesse à la chasse au trésor. Les profs, qui presque tous enseignent à défaut de pouvoir exercer, sont persuadés que c'est le meilleur entraînement qui soit. Ils disent qu'à force de relire les minutes des vieux procès on apprend le métier.

C'était surtout comme ça les deux premières années. À présent, j'y passe moins de temps. Peut-être que la méthode a du bon dans le fond. Dans les grosses boîtes, les jeunes recrues sont enfermées pendant des mois dans des bibliothèques et forcées de rédiger d'innombrables rapports.

Le temps s'arrête quand on se lance dans une recherche avec la gueule de bois. La migraine s'accentue, les mains continuent de trembler. Dans l'après-midi, Booker me trouve au fond de mon trou avec une douzaine de volumes amoncelés sur ma table, les minutes des procès recommandées par Leuberg.

– Comment te sens-tu ? me demande-t-il.

Il est en costume-cravate. Il sort certainement du cabinet, où il a pris ses rendez-vous et dicté son courrier comme un véritable avocat.

– Ça peut aller, merci.

Il s'accroupit à côté de moi et contemple la pile de livres.

– Qu'est-ce que c'est que ça ?

– Rien à voir avec l'examen. C'est juste une petite recherche pour le cours de Smoot.

– Tu n'as jamais fait de recherches pour le cours de Smoot.

– Je sais. C'est pour ça, je me sens coupable.

Booker se relève.

– Deux choses, dit-il à mi-voix. Mon patron estime que ton esclandre chez Brodnax & Speer est réglé. Il s'est renseigné et a reçu l'assurance que les « victimes » ne porteraient pas plainte.

– Bien, dis-je. Merci, Booker.

– Pas de quoi. Je crois que tu peux t'aventurer hors d'ici sans crainte, maintenant. Si tes recherches te le permettent, ajoute-t-il en prononçant « recherches » avec une moue sceptique.

– Je vais essayer.

– Deuxièmement, je viens d'avoir un long entretien avec M. Shankle. Je quitte son bureau à l'instant. Il n'y a absolument plus de poste disponible au cabinet. Il vient d'embaucher trois nouveaux collaborateurs, moi et deux autres de Washington, et il ne sait même pas où les caser. Il cherche à agrandir ses bureaux.

– Mais, Booker, ce n'était pas la peine de...

– Si, si, j'y tenais. Ça ne coûte rien d'essayer. Shankle a promis de tâter le terrain. Il a le bras long, tu sais.

Je suis touché mais les mots me manquent. Il y a encore vingt-quatre heures, j'avais un boulot assuré, avec une bonne paye. Aujourd'hui, des gens que je ne connais même pas se donnent du mal pour me trouver un gagne-pain.

– Merci, redis-je en baissant la tête.

Il consulte sa montre.

– Faut que je me sauve. Tu veux qu'on révise demain matin ?

– Bien sûr.

– Je t'appelle.

Il me tape sur l'épaule et s'éclipse.

À seize heures cinquante exactement, je remonte l'escalier du sous-sol et quitte la bibliothèque. Je ne crains plus de rencontrer les flics, ni Sara Plankmore, et je n'ai même plus peur des agents de recouvrement. Les étudiants ont déserté les couloirs. La fac est vide.

Le bureau d'orientation est au rez-de-chaussée, près des bureaux de l'administration. Dans le hall, je jette un œil sans m'arrêter au panneau de petites annonces professionnelles. D'habitude, on y trouve des dizaines d'offres émanant de cabinets, gros ou petits, d'avocats privés, d'entreprises ou d'agences gouvernementales. Je constate immédiatement ce que je savais déjà. Pas une seule annonce. Le marché de l'emploi est inexistant à cette époque de l'année.

Madeline Skinner dirige le bureau d'orientation depuis des décennies. D'après la rumeur, elle s'apprête à prendre sa retraite, mais une autre rumeur assure qu'elle menace de le faire chaque année pour soutirer des crédits au doyen. Elle a soixante ans et en paraît soixante-dix. C'est une grande femme mince aux cheveux courts grisonnants, avec des yeux malicieux jamais maquillés. Un cendrier toujours débordant de mégots trône sur son bureau. Quatre paquets par jour, dit-on, un comble dans une fac de non-fumeurs. Personne, je crois, n'a jamais osé le lui faire remarquer car son poste est stratégique. C'est elle qui fait le lien avec tous les employeurs. Et sans emplois, pas de fac de droit.

Elle remplit admirablement sa fonction. Elle sait toujours à qui s'adresser, dans quel cabinet. Bien souvent, c'est elle qui a placé la personne qui s'y occupe à présent de l'embauche. Elle n'y va pas par quatre chemins. Si un gros cabinet favorise un peu trop les grandes universités privées de la côte est au détriment de nos diplômés, Madeline n'hésite pas à appeler les présidents des universités en question pour se plaindre. Pas une perspective d'emploi dans la ville qui ne lui échappe, et pas un directeur des services juridiques qu'elle ne connaisse personnellement.

Mais sa mission est de plus en plus ardue. Trop de diplômés en droit. Et nous ne sommes pas à Harvard.

Elle est debout, les yeux tournés vers la porte, comme si elle m'attendait.

– Bonjour, Rudy, dit-elle de sa voix râpeuse.

Elle est seule, tout le personnel du bureau est déjà parti. Elle tient un verre d'eau d'une main, une clope de l'autre.

– Bonjour, dis-je en souriant comme si j'étais le type le plus heureux du monde.

De la main qui tient le verre, elle montre la porte de son bureau.

– Allons discuter là-bas.

Je la suis. Elle ferme la porte et me désigne une chaise. Je m'assieds tandis qu'elle se perche sur l'accoudoir de son fauteuil.

– Les temps sont durs, hein ?

J'ai l'impression qu'elle n'ignore rien de ce qui m'est arrivé depuis vingt-quatre heures.

– Oui, on a connu mieux.

– J'ai parlé à Loyd Beck ce matin.

Celui-là, j'espérais qu'il était mort.

– Et qu'est-ce qu'il vous a raconté ? dis-je d'un air qui se voudrait détaché.

– Eh bien, j'ai appris la fusion hier soir et j'étais très inquiète à votre sujet. Vous êtes le seul candidat au barreau que nous ayons placé chez Brodnax & Speer.

– Et alors ?

– Alors, d'après lui, la fusion s'est faite très rapidement, une occasion en or, etc.

– J'ai eu droit au même baratin.

– Ensuite, je lui ai demandé quand il vous avait averti pour la première fois et il m'a raconté toute une histoire à propos de je ne sais quel associé qui aurait essayé de vous appeler à plusieurs reprises.

– Ma ligne a été coupée pendant quatre jours.

– Finalement, je lui ai demandé de me faxer une copie de la correspondance échangée entre Brodnax & Speer et vous, concernant la fusion et votre rôle dans cette opération.

– Il n'y en a pas.

– Je sais. Il l'a reconnu. Ils n'ont strictement rien fait jusqu'à ce que la fusion soit officielle.

– Oui. Rigoureusement rien.

Sentir Madeline de mon côté me fait chaud au cœur.

– Alors je lui ai déclaré sans mettre de gants qu'il avait proprement pigeonné un de nos futurs juristes et nous avons eu une sérieuse prise de bec.

Je ne peux m'empêcher de sourire. Je sais qui a eu le dernier mot.

– Beck jure qu'il voulait vous garder, poursuit-elle. De toute façon, j'estime qu'ils auraient dû vous en parler depuis longtemps et je ne me suis pas privée de le lui dire. Vous terminez vos études supérieures, vous serez bientôt diplômé, vous êtes quasiment un collaborateur, pas un domestique. Je lui ai dit que je savais que le cabinet pratiquait des cadences infernales, mais que l'esclavage était aboli. Vous n'êtes pas bon à prendre un jour et éjectable le lendemain.

Bravo, ma grande. C'est exactement ce que je pense.

– Après cette charmante discussion, je suis allée voir le doyen. Il a appelé Donald Hucek, membre du directoire de Tinley Britt, qui nous a ressorti les mêmes arguments et raconté que Beck voulait vous garder mais que Tinley Britt recrutait différemment ses nouveaux collaborateurs. Le doyen a trouvé ces explications suspectes, et Hucek a dit qu'il jetterait un œil à votre CV et à votre dossier universitaire.

– Il n'y a pas de place pour moi chez Tinley Britt, dis-je comme si j'avais beaucoup d'autres solutions.

– Hucek le pense aussi. Il dit que toutes les décisions se prennent à la majorité et qu'on ne peut pas revenir en arrière.

– Bien, bien, dis-je, ne voyant rien d'autre à ajouter.

Elle est compréhensive. Elle sait ce que ça me coûte d'être assis ici, à m'avouer vaincu devant elle.

– Nous avons peu d'influence auprès de Tinley Britt. Ils n'ont embauché que cinq diplômés de chez nous en trois ans. Ils ont pris tellement d'importance qu'on ne peut plus faire pression sur eux. Personnellement, je n'aimerais pas travailler là-bas.

C'est sa façon de me consoler, de faire comme si j'avais échappé à un enfer. Qui a besoin de Tinley Britt et d'un salaire de base de cinquante mille dollars par an pour commencer, je vous le demande ?

– Alors qu'est-ce qu'il me reste à faire ?

– Pas grand-chose, répond-elle en soupirant. Rien du tout en fait. (Elle consulte ses papiers.) J'ai appelé tous les gens que je connais. Il y avait un poste de conseiller à mi-temps dans une association, à douze mille par an, mais il a été pourvu il y a deux jours. J'ai mis Hall Pasterini dessus. Vous connaissez Hall ? Grâce à Dieu, il a finalement trouvé du boulot.

Je suppose qu'il ne me reste plus qu'à louer le Seigneur en attendant que les employeurs viennent à moi.

– Il y a quelques perspectives prometteuses comme conseiller juridique dans de petites entreprises, mais il faut avoir déjà passé l'examen du barreau.

L'examen est en juillet. La plupart des boîtes choisissent leurs nouveaux associés dès la fin du dernier semestre universitaire. Elles les payent et les aident à préparer le barreau, et ils n'ont plus qu'à continuer sur leur lancée une fois l'examen passé.

Madeline rassemble ses fiches et les met en paquet sur son bureau.

– Je vais continuer à chercher. Peut-être que je trouverai quelque chose.

– Qu'est-ce que je peux faire ?

– Commencez par frapper aux portes. Il y a trois mille avocats dans cette ville. La plupart exercent seuls ou dans des petits cabinets d'un ou deux associés. Ils ne se mettent jamais en relation avec nous, c'est pour ça que nous ne les connaissons pas. Trouvez-les, allez les voir. À votre place, je commencerais par les petites équipes de deux, trois, peut-être quatre avocats, et j'essaierais de les convaincre qu'ils ne peuvent pas se passer de vous. Proposez-leur de travailler sur leurs dossiers pourris, de faire du classement...

– Leurs dossiers pourris ?

– Ouais. Un avocat a toujours une pile de dossiers pourris dans son cabinet. Il les laisse dormir dans un coin et plus ils dorment, plus ils puent. Ce sont les affaires qu'il voudrait n'avoir jamais prises.

Encore une chose qu'on ne nous a pas apprise en cours.

– Je peux vous poser une autre question ?

– Bien sûr, tout ce que vous voulez.

– Ce conseil que vous me donnez maintenant, à combien d'autres étudiants l'avez-vous donné ces trois derniers mois ?

Elle ébauche un sourire et consulte une liste.

– Il y a encore une quinzaine d'étudiants qui recherchent un emploi.

– Ils sont donc en train de frapper aux portes en ce moment même ?

– Probablement. C'est difficile à dire. Certains ont des plans dont ils ne m'informent pas toujours.

Il est cinq heures passées et elle est pressée de s'en aller.

– Merci, madame Skinner. Merci pour tout. Ça fait du bien de savoir que quelqu'un s'occupe de vous.

– Je continuerai à faire tout mon possible. C'est promis. Repassez la semaine prochaine.

– Entendu. Merci.

Là-dessus, je redescends discrètement dans mon petit coin à la bibliothèque.

6

La maison de Miss Birdsong est située dans la vieille ville, au milieu d'un beau quartier distant d'une vingtaine de minutes de la fac. La rue, bordée de chênes séculaires, semble coupée du monde. Certaines villas élégantes sentent la grosse fortune, avec pelouses manucurées et voitures de luxe miroitant dans les allées. D'autres ont l'air abandonnées, et leurs fenêtres fantomatiques lorgnent à travers les frondaisons d'arbres non élagués, vers d'anciens massifs où croît l'herbe folle. D'autres enfin sont entre les deux. Le pavillon de Miss Birdie est une construction fin de siècle en pierre, de style victorien, nantie d'un porche majestueux. Il a besoin d'un coup de peinture, d'un nouveau toit et de travaux de jardinage. L'huisserie des fenêtres est écaillée et les gouttières sont obstruées par les feuilles mortes. Mais, de toute évidence, quelqu'un vit ici et tente vaille que vaille d'entretenir la propriété. L'allée carrossable est flanquée de haies mal délimitées. Je me gare derrière une Cadillac vieille d'au moins dix ans.

Le plancher de la véranda grince alors que je m'approche de la porte d'entrée, cherchant d'un œil anxieux quelque gros chien aux crocs acérés. Il est tard, il fait presque nuit et le seuil n'est pas éclairé. Il y a une lourde porte en bois grande ouverte et une grille fermée derrière à travers laquelle je distingue un petit vestibule plongé dans l'ombre. N'arrivant pas à trouver de sonnette, je tape très doucement à la grille qui résonne dans le silence. Je retiens mon souffle. Pas de chien hurlant.

Je tape à nouveau un peu plus fort.

– Qui est là ? crie une voix que je reconnais aussitôt.

– Miss Birdie ?

Une silhouette se profile dans l'entrée, une lumière s'allume et la voilà, vêtue de la même robe en coton que la veille aux Cyprès. Elle me regarde en plissant les yeux, incertaine.

– C'est moi, Rudy Baylor. L'étudiant en droit d'hier.

– Rudy!

Elle est folle de joie de me voir. Je suis d'abord légèrement embarrassé, puis attristé. Elle vit seule dans cette villa énorme, convaincue que sa famille l'a abandonnée. Le moment fort de ses journées consiste à prendre soin d'autres vieilles personnes exclues, le temps d'un déjeuner et d'une ou deux chansons. Après ça, Miss Birdie retourne à sa solitude.

Elle se hâte d'ouvrir la grille.

– Entrez, entrez, répète-t-elle sans manifester le moindre étonnement.

Elle me prend par le coude et m'escorte le long d'un couloir en appuyant sur des interrupteurs au passage. Les murs sont couverts de vieux portraits de famille, les tapis poussiéreux et usés jusqu'à la trame. Cette vieille maison où règne une odeur de moisi et de renfermé a grand besoin d'être nettoyée de fond en comble et réaménagée.

– Comme c'est gentil à vous d'être passé me voir, dit-elle sans lâcher mon bras. Ça vous a plu d'être avec nous hier?

– Oui, madame.

– Vous reviendrez, n'est-ce pas?

– Dès que possible.

Elle me fait asseoir à la table de la cuisine.

– Café ou thé? demande-t-elle en sautillant d'un placard à l'autre tout en actionnant de nouveaux interrupteurs.

– Café, dis-je en parcourant la pièce du regard.

– Du café instantané, ça vous va?

– Très bien.

Après trois ans de fac de droit, je ne sais même plus distinguer le café instantané du vrai café.

– Du lait, du sucre? demande-t-elle en ouvrant le frigo.

– Juste un sucre, merci.

Elle met l'eau à bouillir, dispose les tasses et s'assied en face de moi, souriant jusqu'aux oreilles. Rudy Baylor est l'événement de sa journée.

– Je suis absolument ravie de vous voir, répète-t-elle pour la trois ou quatrième fois.

– C'est charmant, chez vous, Miss Birdie, dis-je en inhalant l'air poussiéreux.

– Merci. Thomas et moi avons acheté la maison il y a cinquante ans.

Casseroles, poêles, évier et robinets, four et grille-pain, tout date d'il y a au moins quarante ans. Le frigo, quant à lui, doit remonter à la fin des années 50.

– Thomas est décédé il y a onze ans. Nous avons élevé nos deux fils dans cette maison. Je préférerais éviter d'en parler, d'ailleurs.

Sa figure réjouie s'est rembrunie quelques secondes, mais elle a vite fait de retrouver son sourire.

– Bien sûr. Je comprends.

– Parlons plutôt de vous, dit-elle.

J'aimerais autant m'en abstenir.

– Si vous voulez, dis-je, prêt à affronter les questions.

– Vous venez d'où?

– Je suis né ici, mais j'ai grandi à Knoxville.

– Merveilleux! Et dans quelle école étiez-vous?

– Austin Peay.

– Austin qui?

– Austin Peay. C'est une petite école subventionnée à Clarksville.

– Merveilleux! Et qu'est-ce qui vous a fait choisir la faculté de droit de Memphis?

– C'est une bonne fac et, en plus, j'aime bien la ville.

En vérité, il y a deux autres raisons. D'abord, j'y ai été admis, ensuite, les droits d'inscription étaient abordables.

– Merveilleux! Quand est-ce que vous serez diplômé?

– D'ici quelques semaines.

– Vous serez donc bientôt avocat. C'est merveilleux. Où travaillerez-vous?

– Eh bien, je ne sais pas encore. J'ai beaucoup réfléchi récemment et j'ai été tenté de visser ma plaque quelque part, de créer mon propre cabinet et de me mettre à mon compte. Je suis assez indépendant de caractère et je ne suis pas sûr que je pourrais travailler pour quelqu'un d'autre. Je voudrais exercer le métier à ma façon.

Elle me fixe sans ciller. Le sourire a disparu. Ses yeux sont plantés dans les miens. Elle est perplexe, soudainement.

– Mais c'est formidable! s'exclame-t-elle enfin, avant de bondir verser le café.

Si cette charmante petite dame pèse des millions, elle le dissimule à la perfection. J'examine à nouveau le décor. Sous mes coudes, le Formica est tout râpé et les pieds de la table sont en alu cabossé. Toute la batterie de cuisine date de Mathusalem. Elle vit dans une grande maison, certes, mais négligée, et elle conduit une vieille guimbarde. Apparemment, il n'y a ni femme de ménage ni domestique. Et pas de petit chien à ruban.

– C'est merveilleux, répète-t-elle en versant l'eau dans les tasses.

Aucune vapeur ne s'en échappe. Ma tasse est à peine chaude. Le contenu est insipide.

– Excellent café, dis-je en me léchant les babines.

– Merci. Et donc, vous allez fonder votre propre petit cabinet?

– J'y pense sérieusement, oui. Ça sera difficile au début. Mais si je travaille dur et traite les gens correctement, je pense pouvoir me faire rapidement une clientèle.

Elle affiche un bon sourire et secoue lentement la tête.

– Mais c'est formidable, ça, Rudy. Comme vous êtes courageux ! La profession a grand besoin de jeunes gens comme vous.

S'il y a une chose dont la profession n'a aucun besoin, c'est bien d'un type comme moi, un jeune vautour famélique de plus, arpentant les rues à la recherche d'un client, faisant les poubelles de la justice en quête de quelque litige, prêt à tout pour extorquer cent dollars au premier justiciable venu.

– Vous vous demandez sans doute pourquoi je suis venu vous voir, dis-je en sirotant le café.

– Je suis si heureuse que vous soyez venu.

– Oui ? Je suis ravi de vous voir aussi. Mais je voulais vous parler de votre testament. Cette succession me préoccupe tellement que j'ai à peine dormi cette nuit.

Ses yeux en sont mouillés de reconnaissance. Touchée en plein cœur !

Je fronce les sourcils et sors un stylo de ma poche pour me donner une contenance.

– Un certain nombre de choses me tracassent. D'abord, pardonnez-moi de vous le dire, mais ça me gêne énormément de voir un client, vous ou n'importe qui, se montrer aussi sévère vis-à-vis de sa famille. J'aimerais que nous reparlions de cela ensemble. (Elle pince les lèvres, mais ne dit rien.) Ensuite, et, là encore, pardonnez mes scrupules, mais, comme avocat, je m'en voudrais de vous le cacher : rédiger un testament en faveur d'une personnalité de la télé me pose un grave problème de conscience.

– C'est un homme de Dieu, dit-elle d'un ton emphatique, s'empressant de défendre l'honneur du révérend Kenneth Chandler.

– Je sais. Mais pourquoi lui donner tout, Miss Birdie ? Pourquoi pas, mettons vingt, vingt-cinq pour cent, quelque chose de raisonnable ?

– Il a énormément de frais. Et son jet a besoin d'être changé. Il m'a tout expliqué.

– D'accord, mais le Seigneur ne compte pas sur vous pour financer le ministère du révérend, si ?

– Ce que le Seigneur me dit ne regarde que moi, merci.

– Bien sûr, bien sûr, mais comprenez-moi, Miss Birdie, beaucoup de ces télé-évangélistes ont chuté de haut. On les a surpris en flagrant délit d'adultère, ils mènent un train de vie de millionnaire, résidences de luxe, voitures de sport, garde-robe somptueuse, vacances sous les tropiques. Beaucoup sont des escrocs.

– Lui n'est pas un escroc.

– Je n'ai pas dit qu'il l'était.
– Qu'est-ce que vous insinuez, alors?
– Rien, dis-je avant d'avaler une longue gorgée.
Elle n'est pas en colère, mais peu s'en faudrait.
– Miss Birdie, je suis votre avocat dans cette affaire, rien de plus. Vous m'avez demandé de préparer un testament pour vous, or il est de mon devoir de prendre très au sérieux tout ce qui concerne cette succession. C'est une lourde responsabilité.
Son visage se détend, les rides s'estompent et le regard s'adoucit.
– C'est merveilleux, dit-elle.
Je présume que beaucoup de riches vieillards comme Miss Birdie, surtout ceux qui ont souffert pendant la récession et édifié leur fortune tout seuls, doivent protéger férocement leur capital, avec une armée de comptables, d'avocats et de banquiers patibulaires. Pas elle. Miss Birdie semble aussi confiante et naïve qu'une petite veuve touchant sa pension.
– Il a besoin de cet argent, dit-elle en me regardant craintivement, sa tasse à la main.
– Vous voulez bien que nous en parlions, de cet argent?
– Pourquoi les avocats veulent-ils toujours parler argent?
– Pour une excellente raison, Miss Birdie, c'est que, si vous n'y prenez pas garde, le gouvernement s'emparera des trois quarts de votre fortune. Certaines précautions peuvent être prises dès maintenant. En planifiant cette succession, je vous l'ai dit, vous pouvez échapper à une taxation considérable.
– Mon Dieu, soupire-t-elle, pourquoi tant de chicaneries?
– C'est pour ça que je suis ici, Miss Birdie.
– J'imagine que vous voulez figurer quelque part dans le testament, dit-elle, comme accablée par la toute-puissance de la loi.
– Bien sûr que non, dis-je d'un air outré, mais surpris en même temps d'avoir été démasqué.
– Les avocats essaient toujours de mettre leur nom sur mon testament.
– Je suis désolé, Miss Birdie. Beaucoup d'avocats sont aussi des escrocs.
– C'est ce que dit le révérend Chandler.
– Ça ne m'étonne pas. Écoutez, sans entrer dans les détails, pourriez-vous me dire si votre capital consiste en biens immobiliers, en actions, en obligations, ou autres investissements? C'est très important, sur le plan fiscal, de savoir où se trouve l'argent.
– Tout l'argent se trouve au même endroit.
– Entendu. Où?
– À Atlanta.
– Atlanta?

– Oui. C'est une longue histoire, Rudy.

– Et si vous me la racontiez ?

Aujourd'hui, Miss Birdie n'est pas pressée par le temps comme hier aux Cyprès. Elle n'a pas de responsabilités. Bosco n'est pas dans les parages, nul besoin d'aider à desservir, ni d'arbitrer les jeux de société.

Alors elle retourne tout cela dans sa tête, pèse le pour et le contre en remuant son café, les yeux fixés sur la table.

– Personne n'est au courant, du moins à Memphis, commence-t-elle à voix basse.

– Ah bon ? Pourquoi ? dis-je, un peu trop précipitamment, peut-être.

– Mes enfants l'ignorent.

– Ils ignorent quoi ? dis-je, stupéfait. L'existence de cet argent ?

– Oh, ils savent que j'en ai un peu. Thomas a travaillé dur et nous avons mis pas mal d'argent de côté. Quand il est mort il y a onze ans, il m'a laissé près de cent mille dollars d'épargne. Mes fils, leurs femmes surtout, sont persuadés que cette somme est aujourd'hui multipliée par cinq. Mais ils ne savent rien au sujet d'Atlanta. Voulez-vous encore du café ? demande-t-elle, déjà debout.

– Volontiers.

Elle emporte ma tasse, verse à peine une demi-cuillerée de café dedans, un peu d'eau tiédasse, et me la rapporte. Je tourne soigneusement ma cuiller, comme si j'allais déguster le plus exquis des mokas.

Nos regards se croisent. Je respire la bienveillance.

– Écoutez, Miss Birdie, si c'est trop douloureux pour vous de me raconter tout ça, donnez-moi juste les grandes lignes.

– Je possède une fortune. Pourquoi est-ce que ce serait douloureux ?

C'est très exactement ce que je pense.

– Bon, alors dites-moi juste en gros sous quelle forme se présente cet argent. Si vous avez des biens immobiliers, notamment, cela demande une attention particulière.

Ma question a son importance, car ce sont d'habitude les valeurs en espèces qui servent à payer les droits de succession. Les biens immobiliers ne sont utilisés qu'en dernier ressort.

– Je n'ai jamais parlé à personne de cet argent, dit-elle d'une voix hésitante.

– Mais vous m'avez dit hier que vous en aviez parlé au révérend Chandler.

Elle observe une longue minute de silence en tapotant sa tasse sur le Formica.

– Oui, j'ai dû lui en parler. Mais je ne pense pas lui avoir tout dit. Je lui ai peut-être menti un peu. Et je ne crois pas non plus lui avoir dit d'où il venait.

– OK, alors d'où vient-il, cet argent?

– De mon second mari.

– Votre second mari?

– Oui. Tony.

– D'accord. Thomas, et puis Tony.

– Oui. Environ deux ans après la mort de Thomas, j'ai épousé Tony. Il était d'Atlanta et ne faisait que passer à Memphis quand nous nous sommes rencontrés. Nous avons habité ensemble par intermittence pendant cinq ans, on se disputait sans arrêt, et puis, un jour, il est reparti chez lui. C'était un parasite qui courait après mes sous.

– Attendez, je ne comprends plus. Vous disiez que l'argent venait de Tony.

– C'est exact, mais il ne le savait pas. C'est une histoire compliquée. Il y avait un patrimoine familial, un héritage dont j'ignorais tout, comme Tony. Il avait un frère très riche qui était malade mental, ils étaient tous plus ou moins fous dans la famille, remarquez, et juste avant sa mort Tony a hérité une fortune de ce frère. Deux jours avant que Tony passe l'arme à gauche, son frère est mort en Floride. Tony, lui, est mort intestat, il n'avait que son épouse, c'est-à-dire moi. J'ai donc été contactée par un gros cabinet juridique d'Atlanta et ils m'ont annoncé qu'en application de la loi de l'État de Géorgie je disposais maintenant d'une forte somme d'argent.

– Combien?

– Beaucoup, beaucoup plus que ce que Thomas m'avait laissé. Mais je n'en ai jamais parlé à personne jusqu'à présent. Vous garderez ça pour vous, j'espère, hein, Rudy?

– J'y suis tenu en tant qu'avocat, Miss Birdie. Nous prêtons serment à cette fin. C'est ce qu'on appelle le secret professionnel.

– Merveilleux.

– Mais pourquoi n'avez-vous pas parlé de cet argent à votre précédent avocat?

– Oh, lui... Je ne lui faisais pas confiance. Je lui ai juste indiqué le montant des donations sans lui parler du reste. S'il avait su tout ce que je possédais, il se serait arrangé pour que je le mette quelque part sur mon testament.

– Vous êtes certaine que vous ne lui avez pas tout dit?

– Certaine.

– Vous ne lui avez jamais révélé le montant exact de la somme?

– Jamais.

Si mes comptes sont exacts, son ancien testament comportait des dons d'une valeur totale de vingt millions de dollars. Par conséquent, mon prédécesseur connaissait forcément l'existence de cette somme. Maintenant, la vraie, la seule question, c'est : à combien se monte exactement la fortune de cette femme?

– Et à moi, est-ce que vous le diriez ?

– Peut-être demain, Rudy, peut-être demain.

Nous quittons la cuisine et nous dirigeons vers la véranda derrière la maison. Il y a une nouvelle fontaine près des massifs de rosiers qu'elle veut absolument me montrer. Je l'admire avec juste ce qu'il faut d'enthousiasme.

Tout est clair à présent. Miss Birdie est une vieille dame très riche mais elle tient à ce que personne ne le sache, surtout pas sa famille. Elle a toujours mené une existence confortable et, en tant que veuve octogénaire vivant sur un solide pécule patiemment épargné, elle ne suscite aucune curiosité malsaine.

Nous nous asseyons sur un banc en fer forgé et sirotons du café froid dans la pénombre jusqu'à ce qu'un tissu d'excuses mensongères me permette de prendre congé.

Pour mener le train de vie ô combien dispendieux qu'est le mien, je travaille depuis trois ans comme serveur et barman au Yogi, un bistro d'étudiants juste à la sortie du campus. L'endroit est connu pour ses savoureux hamburgers aux oignons et pour servir d'excellentes bières le jour de la Saint-Patrick. Chaude ambiance du déjeuner jusqu'à la fermeture. La pinte pression est à un dollar le lundi soir, jour du foot, à deux dollars pour tout autre événement.

L'établissement est tenu par Prince Thomas, une armoire à glace à queue de cheval, fier de son look et de sa réussite. C'est l'un des personnages de la ville, un vrai homme d'affaires qui aime voir sa photo dans le journal ou aux infos régionales. Il organise des soirées dansantes et des concours de T-shirts mouillés. Il a fait circuler des pétitions adressées à la municipalité, pour que des bars comme le sien puissent rester ouverts toute la nuit. De son côté, la municipalité l'a poursuivi pour diverses infractions. Il adore ça. Parlez-lui d'un acte illégal, n'importe lequel, et il organisera une manif pour essayer de le légaliser.

Les conditions de travail sont assez décontractées au Yogi. Les employés fixent eux-mêmes leurs horaires, encaissent les pourboires et mènent tranquillement les affaires. Ce n'est pas très compliqué. Du moment qu'il y a assez de bière sous le bar et assez de steak haché dans les cuisines, la boîte tourne avec une étonnante efficacité. Prince préfère s'occuper de la salle de devant. Il aime accueillir les jolies petites étudiantes et les installer à une table. En général, il exécute son numéro de charme, qui consiste surtout à faire le pitre. Les soirs où il y a du sport à la télé, il aime s'asseoir devant l'écran et prendre des paris. Et il n'hésite pas à intervenir pour mettre fin à une bagarre.

Mais chez Prince il y a aussi une part d'ombre. On le dit compromis dans la traite des Blanches. Les clubs topless poussent comme des champignons après la pluie dans cette ville et ses partenaires présumés ont un casier chargé. On en a parlé dans la presse. Il est passé deux fois au tribunal pour organisation de jeux illicites, mais chaque fois, comme par hasard, les juges se sont déclarés incompétents. Après avoir travaillé trois ans pour lui, je suis convaincu de deux choses. Premièrement, Prince ne déclare pas le dixième des revenus du Yogi au fisc. J'estime qu'il gagne au moins deux mille dollars par semaine, soit une centaine de milliers de dollars par an. Deuxièmement, Prince se sert du Yogi comme couverture pour des trafics divers. Il blanchit de l'argent grâce au bar et, chaque année, fait passer celui-ci pour une affaire déficitaire afin d'échapper à l'impôt. Il a un bureau au sous-sol, un endroit tranquille, sans fenêtre, où il tient conseil avec ses potes.

Tout ça m'est égal. Il a été sympa avec moi. Je me fais cinq dollars l'heure et travaille dans les vingt heures par semaine. Les clients ne sont pratiquement que des étudiants, par conséquent les pourboires sont maigres. En période d'examen, je peux assouplir mes horaires. Il ne se passe pas de journée sans qu'au moins cinq étudiants viennent demander du boulot, alors je m'estime heureux de bosser ici.

Louche ou non, le Yogi est un coin génial pour les étudiants. Il y a plusieurs années, Prince l'a décoré en bleu et gris, les couleurs de la fac de Memphis. Il y a des coupes en haut du bar, des fanions de nos équipes et des photos de vedettes sportives accrochés partout sur les murs. L'équipe des Tigers est omniprésente. Comme on est à cinq minutes du campus, les étudiants rappliquent ici en masse, pour bavarder, rigoler et flirter pendant des heures.

Ce soir, Prince regarde un match de base-ball. La saison vient à peine de commencer, mais il est déjà convaincu que les Braves de Memphis iront en finale. Il est capable de parier sur n'importe quoi, mais il a un faible pour les Braves. Quels que soient leurs adversaires, qu'ils jouent à domicile ou ailleurs, Prince parie sur eux les yeux fermés.

C'est moi qui tiens le bar et ma tâche principale consiste à m'assurer que le verre de rhum-tonic du patron est toujours plein. Il s'égosille tandis que Dave Justice réussit un *home run*, puis empoche la mise d'un jeune de première année qui, le pauvre, venait de parier tout son argent de poche que Barry Bonds serait le premier à faire un home run. J'ai vu Prince parier sur des trucs insensés, par exemple : est-ce que le premier lancer sur le deuxième receveur au troisième tour sera frappé ou non.

Je suis ravi de ne pas travailler en salle aujourd'hui. J'ai encore mal au crâne, mieux vaut que je bouge le moins possible. En plus, je peux piquer une ou deux bières dans le frigo si nécessaire, les meilleures, s'entend, Heineken ou Moosehead. Prince ferme les yeux. C'est l'usage ici, pour les barmans.

Je risque de le regretter, ce job...

Une des tables du devant se remplit d'étudiants de troisième année, des visages familiers que j'aimerais autant éviter. Il est probable que tous ont déjà trouvé du boulot.

Être barman ou serveur ne pose aucun problème tant qu'on est un étudiant fauché, c'est même relativement coté de bosser au Yogi. Mais ma cote va chuter brusquement lorsque je serai diplômé, dans un mois. À ce moment-là, ma situation sera bien pire que celle d'un étudiant en difficulté. Je serai devenu un laissé-pour-compte, une statistique, un nouvel élève de droit tombé au champ d'honneur de la profession.

7

Honnêtement, je ne me souviens plus des critères que j'ai retenus pour sélectionner le cabinet Aubrey H. Long & Associés, mais je crois que leur pub, à la fois élégante et pleine de dignité, dans les pages jaunes de l'annuaire, m'avait fait bonne impression. L'encart comportait une photo noir et blanc de M. Long. Cette manie d'exhiber son portrait partout, jusque-là l'apanage des kinésithérapeutes, est en train de contaminer la profession juridique. Enfin, il avait l'air d'un type consciencieux, dans les quarante ans, avec un sourire avenant, contrairement aux trognes de bouledogues qui prolifèrent à la rubrique avocats du Bottin. Ils sont quatre juristes dans ce cabinet spécialisé en droit civil, accidents, dommages corporels, assurances, etc. Le client peut compter sur une défense pugnace et ne paye rien tant que les premières indemnités n'ont pas été perçues.

Bah ! Il faut bien commencer par quelque chose. Je déniche l'adresse en ville, c'est un affreux petit bâtiment carré en brique avec un parking gratuit juste à côté. Le parking était mentionné dans les pages jaunes. Une sonnette se déclenche au moment où je pousse la porte d'entrée. Une petite femme boulotte assise derrière un bureau mal rangé m'accueille avec une grimace à la fois renfrognée et méprisante. Elle s'est arrêtée de taper à cause de moi.

– Je peux vous aider ? demande-t-elle, ses doigts boudinés suspendus à quelques centimètres du clavier.

C'est vraiment difficile. Je m'efforce de sourire.

– Oui. J'aurais voulu savoir si, par hasard, M. Long pouvait me recevoir.

– Il est à la cour fédérale, dit-elle en frappant deux touches.

C'est dit de façon anodine, mais l'adjectif « fédéral » est destiné à impressionner fortement le visiteur. Le patron plaide aujourd'hui non pas devant n'importe quel tribunal de province, mais dans une juridiction nationale, ce qui n'arrive pas tous les jours. Alors Aubrey

Long a fortement intérêt à le faire savoir. C'est sa secrétaire qui s'en charge.

– Est-ce que je peux vous aider? répète-t-elle.

J'ai décidé d'être franc et direct. Pas de périphrases et de faux-semblants, ça ne trompe jamais longtemps.

– Oui, je m'appelle Rudy Baylor. Je termine mes études de droit à la fac de Memphis, en passe d'être diplômé, et je, heu... enfin, je cherche du travail.

La grimace se transforme en lippe dédaigneuse. Elle ôte ses mains du clavier, fait pivoter sa chaise vers moi et secoue la tête.

– Nous n'embauchons pas, dit-elle avec une certaine satisfaction, comme si elle était contremaître dans une raffinerie.

– Je vois. Vous permettez que je vous laisse mon CV, ainsi qu'une lettre pour M. Long?

Elle prend mes documents du bout des doigts comme s'ils étaient imprégnés d'urine et les jette sur son bureau.

– Je vais les mettre sous la pile, avec les autres candidatures.

Je trouve le courage de sourire.

– Nous sommes nombreux à postuler, hein?

– Un par jour, je dirais.

– Ha? heu... bon, désolé de vous avoir dérangée.

– Pas de mal, grogne-t-elle en se retournant vers sa machine.

Et comme je tourne les talons, elle se remet furieusement à taper.

J'ai toute une provision de lettres et de CV en stock. J'ai passé le week-end à préparer mon offensive. Je mise sur une stratégie à long terme, mais je ne suis pas très optimiste. J'imagine que je vais faire ça pendant un mois. Un ou deux cabinets par jour, cinq jours par semaine jusqu'à l'examen, ensuite, on verra. Grâce à Booker, Marvin Shankle ratisse les palais de justice en quête d'un poste et Madeline Skinner est probablement en train de se démener pour moi au téléphone en ce moment même.

Ma deuxième cible est un cabinet de trois avocats situé à deux rues du précédent. Je les ai choisis exprès l'un près de l'autre pour aller plus vite. Pas la peine de perdre du temps.

D'après le répertoire professionnel, Nunley, Ross & Perry est un cabinet généraliste. Trois partenaires d'une quarantaine d'années qui, apparemment, traitent beaucoup de dossiers fonciers, chose que je déteste, mais ce n'est pas le moment de faire la fine bouche. Ils sont au troisième étage d'un immeuble moderne en béton. L'ascenseur est lent et surchauffé.

Une fois n'est pas coutume, la réception est un endroit chaleureux, avec un tapis d'Orient sur du faux parquet. Des numéros de *People* et *Us* s'empilent sur une table à café transparente. La secrétaire raccroche son téléphone et me sourit.

– Bonjour. Puis-je vous aider ?

– Oui, je souhaiterais voir M. Nunley.

Toujours souriante, elle baisse les yeux vers un gros agenda posé au milieu du bureau.

– Vous aviez un rendez-vous ? demande-t-elle, sachant pertinemment que je n'en ai pas.

– Non.

– Je vois. M. Nunley est très occupé, en ce moment.

J'ai travaillé dans un cabinet juridique l'été dernier et je m'attendais à cette réponse. C'est dans l'ordre des choses. Tout avocat est par définition débordé. Ça pourrait être pire. Il pourrait être à la cour fédérale, ce matin.

Roderick Nunley, le fondateur du cabinet, est diplômé de la fac de Memphis. J'ai essayé d'inclure le maximum d'anciens de la fac dans mes démarches.

– Je me ferai un plaisir d'attendre, dis-je.

Nous sommes tout sourire, l'un comme l'autre. Un ange passe. Soudain, une porte s'ouvre au bout d'un petit couloir et un homme en bras de chemise s'avance vers nous. Il lève la tête, me voit et je me retrouve brusquement nez à nez avec lui. Il tend un dossier à sa secrétaire qui ne s'est pas départie de son sourire.

– Bonjour, dit-il. Que puis-je faire pour vous ?

La voix est claire, bien timbrée, l'homme a l'air sympathique et bienveillant.

La secrétaire s'apprête à intervenir, mais je la prends de vitesse.

– Je voudrais parler à M. Nunley.

– C'est moi, dit-il en me tendant la main. Rod Nunley.

– Enchanté. Rudy Baylor, dis-je en lui serrant vigoureusement la main. Je suis étudiant en troisième année de droit à la fac de Memphis et j'aurais souhaité m'entretenir quelques instants avec vous. Au sujet d'un emploi.

Nos mains sont toujours empoignées et, en apprenant le but de ma visite, il ne retire pas la sienne, comme je le craignais.

– Ah oui, heu, du boulot, hein ?

Il regarde sa secrétaire, l'air de dire : « Comment avez-vous pu laisser passer ça ? »

– Oui, monsieur. Si vous pouviez me consacrer une dizaine de minutes. Je sais que vous êtes très occupé.

– Oui, heu, vous savez, j'ai une déposition dans quelques minutes, et après je file au tribunal.

Il se balance sur les talons, son regard glisse d'elle à moi, puis il consulte sa montre. Mais au fond, c'est un gentil garçon. Peut-être s'est-il trouvé à ma place il n'y a pas si longtemps. Je lui jette un regard suppliant en serrant mes documents d'une main fébrile.

– Bon, heu, d'accord, mais dix minutes, pas plus, hein ?

– Je vous appellerai sur l'interphone, lance-t-elle rapidement, comme pour s'excuser.

Il regarde encore sa montre, réfléchit une seconde et lui dit d'un ton grave :

– C'est ça, dix minutes maxi. Et appelez Blanche pour l'avertir que j'aurai un petit peu de retard.

Leur numéro est bien rodé. D'accord pour me recevoir, à condition que je dégage vite fait.

– Suivez-moi, Rudy, dit-il avec un sourire.

Je lui colle au train le long du couloir.

J'entre dans une pièce carrée, une bibliothèque couvre tout le mur derrière le bureau et une série de documents narcissiques se côtoient face à la porte. Je distingue brièvement divers certificats, diplômes et attestations, Rotary Club, avocat du mois, au moins deux titres universitaires, une affiliation à la chambre de commerce, et même une photo de Rod avec un politicien au visage rubicond. Ce type encadre tout ce qui peut être mis sous verre.

J'entends la pendule égrener les secondes tandis que nous nous asseyons de part et d'autre de son immense bureau, tout droit sorti du catalogue du parfait homme d'affaires américain.

– Désolé de m'imposer comme ça, dis-je en guise d'introduction, mais j'ai absolument besoin de trouver du travail.

– Quand est-ce que vous passez votre diplôme ? demande-t-il en se penchant en avant, appuyé sur les coudes.

– Le mois prochain. Je sais que je m'y prends tard, mais il y a une bonne raison.

Et je lui débite l'histoire de mon embauche avortée chez Brodnax & Speer. En arrivant à l'épisode Tinley Britt, je mise gros sur son aversion probable pour les grands cabinets. Il existe une rivalité naturelle entre les avocats à la petite semaine comme lui et les gros privilégiés des tours du centre-ville. Je transforme un peu la réalité à mon avantage en expliquant que Tinley Britt voulait redéfinir mon poste, mais que je me suis refusé catégoriquement à travailler pour une grosse boîte. Pas mon style. Je suis trop indépendant. Je veux représenter des gens, pas des sociétés anonymes.

Ça prend moins de cinq minutes.

Il m'écoute avec attention, quoique le téléphone qui n'arrête pas de sonner à l'accueil le rende un peu nerveux. Il sait qu'il ne va pas m'embaucher et fait mine de s'intéresser à mon cas, en attendant que s'écoulent les dix minutes.

– Quelle manque de chance ! commente-t-il avec compassion à la fin de mon récit.

– Finalement, je crois que ça vaut mieux comme ça, dis-je, tel l'agneau sacrificiel. Mais je suis prêt à me mettre au travail. Je vais finir dans le tiers supérieur de la promotion. J'aime bien le droit foncier, j'ai d'ailleurs suivi deux cours dans cette matière. Avec de bons résultats dans les deux.

– Oui, nous faisons beaucoup de foncier, dit-il d'un air satisfait comme s'il n'y avait rien de plus rentable au monde. Et tout ce qui est contentieux, aussi, ajoute-t-il.

En fait, ce n'est qu'un bureaucrate, sans doute très compétent et gagnant bien sa vie, mais il veut me faire croire qu'il est également un plaideur accompli, un lutteur de prétoire. Tous les juristes sont ainsi. Je n'en ai pas rencontré un seul jusqu'à présent qui n'ait tenu à se faire passer pour un champion de la plaidoirie.

Mon capital temps est sérieusement entamé.

– J'ai subvenu à mes besoins pendant toute ma scolarité. Sept ans. Pas un sou de ma famille.

– Quel genre de travail?

– J'ai fait un peu de tout. Actuellement, je travaille au Yogi.

– Vous êtes barman?

– Entre autres choses, oui, monsieur.

Il tient mon CV à la main.

– Vous êtes célibataire, prononce-t-il lentement.

C'est écrit dessus, noir sur blanc.

– Oui, monsieur.

– Une liaison sérieuse?

Ça ne le regarde absolument pas, mais je ne suis pas en position de force.

– Non, monsieur.

– Vous n'êtes pas pédé, au moins?

– Non, bien sûr que non.

Et nous partageons un bref moment d'euphorie hétérosexuelle. Juste deux Blancs très comme il faut qui se rassurent à bon compte.

Il se penche en arrière et son visage devient soudain sérieux, comme si une importante affaire était en jeu.

– Nous n'avons pas recruté de nouveau collaborateur depuis des années. Dites-moi, juste par curiosité, combien les gros patrons du centre-ville offrent-ils aux jeunes recrues à l'heure actuelle?

Ce n'est évidemment pas une question gratuite. Quelle que soit ma réponse, elle lui arrachera des hauts cris et il trouvera exorbitants les salaires en usage chez les grands avocats. Cela, bien sûr, préparera le terrain pour une éventuelle discussion concernant ma paye.

Inutile de mentir. Il a probablement une bonne idée de la fourchette de rémunérations pratiquée dans la profession. Les avocats adorent les ragots.

– Tinley Britt tient à payer les meilleurs salaires, comme vous savez. J'ai entendu dire qu'ils payaient jusqu'à cinquante mille par an...

Il secoue la tête avant même que j'aie fini ma phrase.

– Sans blague ! dit-il, abasourdi. Sans blague !

– Je n'ai pas de telles prétentions, dis-je aussitôt.

J'ai décidé de me vendre au plus bas prix possible. Mes frais sont minimes et, si j'arrive à mettre un pied dans la place et à travailler dur un an ou deux, peut-être qu'alors quelque chose de mieux se présentera.

– Vous aviez quelle somme en tête ?

– Je signerais pour la moitié, vingt-cinq mille. Quatre-vingts heures de présence par semaine, je m'occupe de tous vos dossiers pourris, je fais toute la paperasserie, toute l'intendance. MM. Ross, Perry et vous-même pourrez me confier toutes les affaires qui vous embarrassent, je vous garantis de les régler dans les six mois. Vous avez ma parole. Si vous n'êtes pas satisfait au bout d'un an, je m'en vais.

Rod entrouvre légèrement les lèvres et ses yeux roulent à la pensée de se décharger sur quelqu'un d'autre de toute la merde qui encombre son armoire. L'interphone émet un grésillement nasillard, suivi par une voix de femme.

– Monsieur Nunley, ils vous attendent pour la déposition.

Je jette un œil à ma montre. Neuf minutes. Il m'imite, fronce les sourcils, puis :

– Proposition intéressante, dit-il. Donnez-moi le temps d'y réfléchir. Il faut que j'en parle avec mes collaborateurs. Nous nous réunissons tous les jeudis matin. (Il s'est déjà levé.) En fait, nous n'avons jamais envisagé cette possibilité.

Il fait le tour de son bureau, prêt à me raccompagner.

– Monsieur Nunley, dis-je en battant en retraite, vingt-cinq mille, ce n'est pas grand-chose.

– Oh, ce n'est pas un problème d'argent, se récrie-t-il comme s'il ne pouvait être question pour eux de payer moins que Tinley Britt. C'est juste que nos affaires nous donnent toute satisfaction en ce moment. Nous faisons pas mal d'argent. Tout le monde est content. Nous n'avons pas songé à augmenter nos effectifs.

Il ouvre la porte et attend que je sorte.

– Restons en contact.

Il me suit jusqu'au vestibule et recommande à la secrétaire de bien noter mon téléphone. Une poignée de main, un mot de réconfort et je me retrouve sur le trottoir avant d'avoir eu le temps de faire ouf.

Mon bref entretien avec Roderick Nunley s'avérera l'un des plus productifs.

Il est presque dix heures. Dans une demi-heure, j'ai mon cours de code Napoléon et, cette fois, il faut que je sois présent car cela fait une semaine que je le sèche régulièrement. À vrai dire, je pourrais le sécher encore pendant trois semaines, et personne ne s'en inquiéterait. Il n'y a pas d'examen final dans cette matière.

À présent, je me déplace librement à la fac. Encore quelques jours et la plupart des étudiants auront fait place nette. Les études de droit commencent par un tir de barrage d'examens et de travail intensif, mais elles se terminent par une série d'épreuves particulièrement décontractées. Nous passons tous beaucoup plus de temps à préparer l'examen du barreau qu'à nous intéresser aux derniers cours semestriels. La majorité d'entre nous s'apprête à accéder au statut enviable de travailleur salarié.

Madeline Skinner a pris mon cas à cœur. Et elle souffre presque autant que moi de la malchance qui s'acharne. Il y a un sénateur de Memphis dont le bureau à Nashville aurait peut-être besoin d'un juriste pour rédiger des avant-projets législatifs ; trente mille, plus avantages sociaux, mais il faut être inscrit à l'ordre et avoir au moins deux ans d'expérience. Une petite société demande un avocat ayant choisi l'option comptabilité. Pas de veine, j'ai pris l'option histoire.

– Le bureau d'aide sociale du comté de Shelby aura peut-être besoin d'un conseiller juridique au mois d'août, annonce-t-elle en fouillant désespérément dans ses papiers.

– Conseiller au bureau d'aide sociale ?

– Oui. Fascinant, hein ?

– Ça paye combien ?

– Dix-huit mille.

– En quoi consiste le travail ?

– Il faut recouvrer les pensions alimentaires des pères divorcés, essayer de trouver des appuis financiers, ce genre de choses...

– Ça paraît plutôt dangereux, non ?

– C'est un job.

– Et qu'est-ce que je fais d'ici le mois d'août ?

– Vous préparez le barreau.

– Parfait, et si je bosse comme un malade et que je réussis l'examen, je me retrouve sous-payé dans un bureau d'aide sociale sordide.

– Écoutez, Rudy...

– Excusez-moi. J'ai eu une journée pénible.

Je lui promets de repasser le lendemain pour ce qui sera sûrement une réédition de la même conversation.

8

C'est Booker qui a déniché le formulaire pour moi dans les fonds de tiroir de son patron, plus précisément dans le bureau d'un associé relégué au sous-sol qui s'occupe de temps en temps des procédures de faillite.

Le formulaire est en deux parties. Actif d'un côté, dans mon cas c'est vite rempli, passif de l'autre. Il y a une case pour la situation professionnelle, une déclaration sur l'honneur à signer, etc. C'est ce qu'on appelle un règlement judiciaire simple. Les actifs sont saisis pour couvrir les dettes, qui sont épongées.

Officiellement, je ne suis plus employé au Yogi. J'y travaille toujours, mais je suis payé en liquide, au noir. Je ne vais pas partager mes maigres revenus avec Texaco. J'ai parlé à Prince de mes problèmes d'argent en les mettant sur le compte des frais de scolarité et des cartes de crédit. Il s'est délecté à l'idée de me payer en liquide et d'arnaquer le gouvernement. Le cash et les dessous-de-table, ça le connaît.

Il a proposé de me prêter de l'argent, avec des intérêts, bien sûr. Il est persuadé que je vais devenir un riche et brillant avocat d'ici peu. J'ai refusé, sans lui avouer que je risquais de bosser encore un bout de temps chez lui.

Je crois qu'il aurait tiqué devant la somme, de toute façon. Texaco me poursuit pour six cent douze dollars quatre-vingt-huit, frais de procédure compris. Mon proprio me demande huit cent neuf dollars. Mais les vrais chacals, ce sont les huissiers. Ce sont eux qui écrivent les lettres comminatoires et autres amabilités. J'en reçois de plus en plus ces jours-ci.

J'ai une Mastercard et une carte Visa qui m'ont été délivrées ici même, à Memphis, pour les fêtes de fin d'année. À l'époque, j'avais un bon job en perspective, tout allait bien et j'étais amoureux. Je m'étais mis en tête d'offrir à Sara ce qu'il y a de plus beau et de plus cher à Noël. Avec la Mastercard, j'ai acheté un bracelet en or et en argent à sept cents dollars et, avec la Visa, une paire de boucles d'oreilles anciennes à onze cents dollars. La veille du jour de la rupture, j'ai fait l'acquisition d'une bouteille de Dom Pérignon, d'une demi-livre de foie gras, de caviar, de deux ou trois fromages fins et de fruits confits pour la bagatelle de trois cents dollars. Au diable l'avarice, me disais-je, on ne vit qu'une fois.

Les deux banques avaient insidieusement déplafonné mes autorisations de découvert juste avant les fêtes. Dans la perspective d'un diplôme et d'un travail, je jugeais possible de rembourser la dette en l'échelonnant avant l'été. Je m'en veux à présent, mais j'avais calculé un plan de remboursement. C'était jouable. Avec Sara, je voyais la vie en rose.

Le surlendemain de la séparation, comme j'avais noyé mon chagrin dans de la bière, j'ai oublié le foie gras sur le frigo où il a commencé à moisir. Le jour de Noël, j'ai déjeuné seul dans mon appart, de fromage et de champagne. Je ne sais pas pourquoi, la boîte de caviar me dégoûtait et je n'y ai pas touché. Assis sur mon canapé, grignotant une large tranche de brie, un gobelet de champ' à la main, j'ai contemplé les bijoux étalés sur ma moquette et j'ai fondu en larmes.

Entre Noël et le Nouvel An, je ne me souviens plus du jour, j'ai pris la décision de rapporter les bijoux au joaillier. Mais au lieu de le faire tout de suite, j'ai envisagé l'idée de tout balancer dans le Mississippi du haut du grand pont de Memphis. Mon moral étant en dessous de zéro, j'ai cru prudent de rester à distance des ponts.

Le 2 janvier à l'aube, alors que je commençais à reprendre le dessus, en rentrant chez moi après un long footing, j'ai trouvé ma porte fracturée et l'appart cambriolé. On m'avait piqué ma vieille télé, ma chaîne stéréo, un pot rempli de pièces de vingt-cinq *cents* et, naturellement, tous les bijoux.

J'ai appelé les flics, rempli une déclaration et leur ai montré les tickets de caisse de mes achats. Le sergent a secoué la tête et m'a dit de joindre mon assureur.

En fin de compte, j'avais claqué plus de trois mille dollars avec ces cartes bleues. Aujourd'hui il faut payer l'addition.

Normalement, je dois être expulsé demain. Il y a dans la loi une disposition épatante qui permet de surseoir automatiquement à exécution dans toutes les procédures contre un débiteur. C'est la raison pour laquelle on voit de grosses sociétés, y compris mon créancier Texaco, se réfugier derrière la loi dès qu'ils ont besoin d'une protection temporaire. Mon propriétaire ne peut rien faire contre moi demain. Il ne peut même pas se fâcher au téléphone.

En sortant de l'ascenseur, je marque un temps d'arrêt et aspire une grosse bouffée d'air. Le couloir est rempli d'avocats. Il y a trois juges à plein temps pour les affaires de cessation de paiement et leurs salles d'audience respectives sont toutes à cet étage. Ils président des dizaines d'audiences par jour et à chacune d'elles interviennent plusieurs avocats. Un pour le débiteur et d'autres pour les créanciers. C'est un zoo. J'entends les défenseurs chicaner derrière les portes. Sur le montant d'une facture hospitalière, sur la valeur d'une camionnette... J'entre au greffe où j'attends dix minutes que les avocats devant moi aient rempli leur requête. Ils connaissent personnellement les filles derrière les guichets et prennent le temps d'échanger des potins ou de leur faire du plat. Ah ! ça me botterait d'être un de ces avocats et de me faire appeler par mon petit nom par ces nanas.

Un de nos profs nous a dit l'année dernière qu'avec les incertitudes économiques, le chômage, les restructurations, etc., les affaires de faillite formaient un secteur plein d'avenir.

Effectivement, ça paraît très lucratif. Je ne vois que des demandes de sursis à exécution se remplir autour de moi. À croire que tout le monde est fauché à Memphis.

Je tends ma paperasse à une employée un peu débordée, une jolie fille qui mâchonne un chewing-gum au parfum sucré. Elle m'examine de la tête aux pieds après avoir pris ma requête. Je porte une chemise à carreaux et un jean.

– Vous êtes avocat ? demande-t-elle à haute voix, m'attirant quelques regards curieux.

– Non.

– Vous êtes le débiteur ? s'étonne-t-elle, encore plus fort.

– Oui.

Un débiteur peut très bien remplir et déposer lui-même sa requête sans passer par un avocat. Mais on se garde bien d'en avertir les justiciables.

Elle hoche la tête et tamponne mon papier.

– Ça vous fera quatre-vingts dollars de frais d'enregistrement, annonce-t-elle.

Je lui tends mes quatre coupures de vingt, qu'elle inspecte avec méfiance. Je n'ai pas joint de relevé bancaire : j'ai fermé mon compte hier, éliminant ainsi un avoir de onze dollars quatre-vingt-quatre. Mon actif se résume aux biens suivants : une Toyota très fatiguée d'une valeur de cinq cents dollars ; mobilier divers : cent cinquante dollars ; collection de CD : deux cents dollars ; livres de droit : cent vingt-cinq dollars ; garde-robe : cent cinquante dollars. Tous ces biens sont considérés comme de première nécessité et par conséquent inaliénables. Je n'en dois pas moins continuer à payer les traites de mon véhicule.

– En espèces ? fait-elle en me donnant un reçu.

– Je n'ai pas de compte en banque, dis-je en criant presque.

Comme ça, les curieux alentour connaîtront toute l'histoire.

Elle me fusille du regard, j'en fais autant et, une minute plus tard, je reçois un double de la requête, avec le jour et l'heure de l'audience, ainsi que le numéro de la chambre.

Je suis presque à la porte quand je suis arrêté par un type à visage huileux et barbiche noire qui me touche le bras.

– Excusez-moi, monsieur, dit-il en me collant une carte de visite dans la main. Robbie Molk, avocat à la cour. J'ai surpris bien malgré moi votre conversation avec la guichetière du greffe. Je pensais que vous aviez peut-être besoin d'aide pour votre règlement judiciaire.

Je regarde la carte, puis sa figure, grêlée par la petite vérole. Son nom ne m'est pas inconnu. J'ai vu sa pub dans les petites annonces du journal. Il prend cent cinquante dollars pour un sursis à exécution. Oui, c'est bien lui, rôdant dans les parages du greffe comme un charognard, prêt à s'abattre sur le premier endetté qui aura le malheur de lui confier son sort.

J'empoche poliment sa carte.

– Non, je vous remercie, dis-je le plus gentiment possible. Je peux m'en charger.

– Y a plein de combines pour arranger les choses, récite-t-il mécaniquement comme il doit le faire des dizaines de fois par jour. Mais si vous ne faites rien, ça peut devenir méchant. J'ai l'habitude des règlements judiciaires, j'en fais des centaines par an. J'ai un bureau, du personnel, vous me versez deux cents dollars et je m'occupe de tout.

Tiens, c'est deux cents, maintenant. J'imagine que, si vous allez personnellement sonner chez lui, il rajoute cinquante. Ce serait facile, ici, de l'envoyer paître vertement, mais quelque chose me dit qu'il est impossible d'humilier Molk.

– Non, merci, je répète, et je franchis la porte en le repoussant.

La descente en ascenseur est lente et pénible. La cabine est bourrée d'avocats mal habillés, porteurs d'attachés-cases usés. Ils continuent à jacasser entre eux, parlant dérogations, prorogations, affaires prometteuses et moins prometteuses. Passionnants bavardages de juristes. On dirait qu'ils ne peuvent pas s'arrêter.

Brusquement, je suis frappé par une révélation. Je n'ai aucune idée de ce que je ferai l'année prochaine à la même époque. Je risque de me retrouver dans ce même ascenseur à bavasser avec ces mêmes confrères. Je serai sûrement comme eux, réduit à chasser les clients dans les couloirs des palais de justice pour leur extorquer quatre sous.

Cette pensée me donne le vertige. L'ascenseur est surchargé et mal ventilé. J'ai peur d'avoir la nausée. La cabine s'immobilise et ses occupants se précipitent dans le hall où ils se dispersent en continuant de pérorer.

Je vais faire un tour sur Mid-America. L'air frais me rafraîchit la tête. C'est une voie piétonnière avec un tramway assez insolite en pareil endroit, qui fait la navette entre le bâtiment que je viens de quitter et le palais de justice proprement dit où siègent les tribunaux de droit commun. De nombreux hommes de loi arpentent le trottoir. Je continue un peu et, en passant devant les tours du centre-ville, je me demande ce qui se passe en ce moment dans les innombrables cabinets juridiques qui s'y trouvent. C'est la jungle, là-haut. J'imagine l'ambiance, les collaborateurs qui rament vingt heures par jour parce que leur voisin en fait dix-huit ; les associés juniors intéressés aux bénéfices qui discutent de la stratégie de la boîte ; les associés seniors rassis, campés dans leurs bureaux directoriaux à la porte desquels une file de stagiaires attend les instructions.

Honnêtement, c'est ça que je recherchais quand je suis arrivé en fac de droit. Je voulais connaître la pression, la puissance émanant d'une équipe de gens intelligents, fortement motivés, travaillant toujours dans l'urgence. Le cabinet où j'ai fait un stage l'été dernier était de dimensions modestes, douze avocats seulement, mais il y avait beaucoup de secrétaires, d'assistants, d'autres stagiaires, et, par moments, le chaos avait quelque chose d'exaltant. Je n'étais qu'un petit maillon de la chaîne et il me tardait d'être un jour le patron de ma propre boîte.

J'achète une glace à un marchand ambulant et m'assieds sur un banc de Court Square. Les pigeons me regardent. Devant moi se dessine la silhouette massive de l'immeuble de la banque First Federal qui abrite les bureaux de Tinley Britt. Pour travailler là-bas, je crois que je serais capable de tuer.

Je suppose qu'il y a un Tinley Britt dans chaque ville et un dans chaque corporation. Je n'ai pas réussi à être des leurs et la haine que j'ai pour eux me minera jusqu'à la fin de mes jours.

À propos, je me dis que, puisque je suis en ville, il serait peut-être bon que j'en profite pour aller frapper aux portes. J'ai une liste d'avocats qui travaillent à leur compte ou avec un ou deux associés. Dans ce secteur horriblement saturé, une des rares choses rassurantes est le nombre de portes où l'on peut frapper. Je refuse d'admettre qu'il ne reste pas un espoir de dégoter au dernier moment un cabinet que personne n'aura repéré, où je tomberai sur un avocat, ou une avocate, peu m'importe, en manque d'un petit jeune pour faire le sale boulot à sa place.

Je parcours quelques rues, jusqu'à la tour Sterick, la première du quartier des affaires. Des centaines de juristes y travaillent. Je discute avec quelques secrétaires et distribue mes CV. Je suis effaré par la quantité de cabinets qui emploient des réceptionnistes non seulement désagréables mais grossières. On me traite souvent en paria, avant même de connaître le but de ma visite. Quelques-unes prennent mon

CV d'un air dégoûté et le jettent au fond d'un tiroir. Je suis tenté de me présenter comme un client potentiel, mari d'une jeune femme qui vient de se faire écraser par un poids lourd, un poids lourd couvert par de multiples assurances. Avec un chauffeur ivre au volant, en prime. Et même, pourquoi pas, un poids lourd d'Exxon [1]. Ce serait hilarant de voir ces petites garces bondir de leur standard le sourire aux lèvres et se précipiter pour m'offrir du café.

Je vais de bureau en bureau, souriant quand je voudrais hurler, répétant les mêmes formules aux mêmes filles : Rudy Baylor, en troisième année de droit, ce serait pour parler à M. Machin à propos d'un emploi.

– À propos de quoi ? demandent-elles souvent.

Et je souris de plus belle, présente mon CV et redemande à parler à M. Bigboss. M. Bigboss est toujours très occupé.

– On vous écrira, disent-elles, et je me retrouve en moins de deux sur le palier.

Granger est une cité de la banlieue nord de Memphis. Ses rangées de maisons en brique alignées comme des dominos témoignent de l'urbanisme galopant de l'après-guerre. À l'époque, les enfants du baby-boom construisirent plus en quinze ans qu'on ne l'avait fait en un demi-siècle. Ils avaient de bons boulots dans les usines des environs. Ils plantèrent des arbres dans les jardinets sur rue et bâtirent des vérandas dans les arrière-cours. Avec le temps cependant, ils émigrèrent plus à l'est où ils construisirent de plus beaux logements et la population de Granger se transforma lentement en un repaire de retraités, de petits Blancs et de Noirs.

Le domicile de Dot et Buddy Black est la copie conforme de tous ceux qui l'entourent. Une ou deux ares de terrain avec une maison carrée au milieu. Sur le devant, l'inévitable saule pleureur n'est pas très en forme. Une vieille Chevrolet se morfond dans le garage. Pelouse et haies sont soigneusement entretenues.

Le voisin de gauche est en train de bricoler sa moto. Il y a des pièces détachées plein sa cour et ça sent l'huile de vidange à cent mètres à la ronde. À droite, la clôture a été transformée en une barricade de plus de deux mètres de haut. Deux dobermans patrouillent derrière.

Je me gare dans leur allée, derrière la Chevrolet, et les dobermans se déchaînent.

On est en plein milieu de l'après-midi et il ne doit pas faire loin de trente-cinq à l'ombre. Ça explique que toutes les fenêtres soient ouvertes. Je m'arrête sur le seuil et frappe à petits coups sur la porte en toussotant.

1. Très grosse compagnie pétrolière.

J'ai hésité à venir ici. Je redoutais d'être confronté à Donny Ray Black. Je l'imagine, exsangue et émacié, comme sa mère me l'a décrit, et j'ai l'estomac fragile.

Elle vient à la porte, l'entrouvre et me regarde avec méfiance.

– C'est moi, madame Black. Rudy Baylor. Nous nous sommes vus la semaine dernière aux Cyprès.

Les vendeurs au porte-à-porte et autres démarcheurs doivent être un fléau permanent à Granger, car elle continue à me fixer, le visage totalement inexpressif. Elle rapproche sa tête et coince son éternelle clope entre ses lèvres pour libérer sa main.

– Vous vous rappelez ? Je m'occupe de votre litige avec Great Benefit.

– Je croyais que vous étiez un témoin de Jéhovah.

– Non, madame Black, pas du tout.

– Je m'appelle Dot. Je vous l'ai déjà dit.

– OK, Dot.

– Ils nous rendront dingues, eux et les mormons. Il y a même des scouts, le samedi, qui viennent à l'aube pour nous vendre des beignets. Qu'est-ce que vous voulez ?

– Eh bien, si vous aviez une minute, j'aimerais vous parler de votre affaire.

– Qu'est-ce qu'elle a, notre affaire ?

– Il y a deux ou trois choses que je voudrais aborder avec vous.

– Il me semble que nous avons déjà fait le tour de la question.

– Je vous assure qu'il faut que nous en rediscutions.

Elle souffle sa fumée par l'entrebâillement de la porte et se décide à ôter la chaînette de sécurité. Je pénètre dans un petit salon et la suis dans la cuisine. L'atmosphère est moite, l'odeur de tabac refroidi imprègne toute la maison.

– Quelque chose à boire ? demande-t-elle.

– Non, merci, dis-je en m'asseyant à la table.

Dot se verse un *diet-coke* avec des glaçons et s'adosse au bar. Buddy n'est visible nulle part. Je présume que Donny Ray est dans une des chambres.

– Où est Buddy ?

J'ai demandé ça gaiement, comme si c'était un vieux copain qui me manquait.

De la tête, elle montre la fenêtre donnant sur l'arrière-cour.

– Voyez cette vieille voiture, là-bas ?

J'aperçois sous un érable, dans un coin envahi de ronces et de clématites, près d'une cabane de jardinage à demi effondrée, une antique Ford Fairlane dont les deux portières sont ouvertes. Un chat dort sur le capot.

– Il est assis dans sa voiture, explique-t-elle.

On dirait que le véhicule, en grande partie caché par la végétation, n'a pas de pneus. On n'a pas dû débroussailler autour depuis des décennies.

– Où va-t-il ?

Ma question la fait sourire. Elle avale une gorgée de Coca.

– Pauvre Buddy, il ne va nulle part. Nous avons acheté cette voiture en 1964. Il reste assis dedans tous les jours du matin au soir. Avec ses chats.

Logique. Là-bas, il évite d'être enfumé par sa femme, ou déprimé par la vue de son malheureux fils.

– Pourquoi ? je demande.

Manifestement, ça ne la gêne pas d'en parler.

– Buddy n'a pas toute sa tête, je vous l'ai dit la semaine dernière.

Comment ai-je pu oublier ça ?

– Et Donny Ray, comment va-t-il ?

Elle hausse les épaules et s'assied en face de moi de l'autre côté de la petite table de cuisine branlante.

– Il a des hauts et des bas. Vous voulez le rencontrer ?

– Peut-être plus tard.

– Il reste dans son lit presque tout le temps, mais il peut marcher. J'irai peut-être l'aider à se lever avant votre départ.

– Heu... si vous voulez. Bon, écoutez, j'ai beaucoup travaillé sur votre dossier. Je l'ai lu, relu, disséqué dans ses moindres détails, et j'ai passé des jours à faire des recherches en bibliothèque. Honnêtement, je pense que vous auriez tout intérêt à poursuivre Great Benefit.

– Je croyais que c'était déjà décidé, dit-elle avec un regard dur.

Le visage de Dot, sans doute marqué par sa pénible existence avec le dingue assis dans la Fairlane, est de ceux qu'on n'oublie pas.

– Peut-être, mais il fallait que je fasse des recherches pour en être sûr. À présent, je suis certain qu'il faut attaquer, et tout de suite.

– Qu'est-ce que vous attendez ?

– Attention, n'espérez pas un verdict rapide. Nous allons nous attaquer à une puissante société. Ils ont plein de juristes, qui peuvent chicaner, retarder la procédure. C'est de ça qu'ils vivent.

– Ça prendra combien de temps ?

– On ne peut pas savoir. Des mois, peut-être des années. Nous pouvons porter plainte et les forcer à conclure un règlement à l'amiable rapidement. Eux peuvent nous obliger à aller jusqu'au procès, puis faire appel. C'est imprévisible.

– D'ici quelques mois, Donny Ray sera mort.

– Puis-je vous demander quelque chose ?

Elle crache sa fumée et acquiesce de la tête.

– Le premier refus de Great Benefit date du mois d'août

dernier, juste après le diagnostic de votre fils. Pourquoi avez-vous attendu si longtemps avant de consulter un avocat?

Avocat, c'est beaucoup dire, mais passons...

– Je n'en suis pas fière, vous comprenez. J'ai d'abord pensé que la compagnie d'assurances finirait par lui payer son traitement. Je m'obstinais à leur écrire et eux me répondaient toujours la même chose. Je ne sais pas pourquoi, je me refusais à croire à une escroquerie, par bêtise, sans doute. Nous avions payé les primes régulièrement, d'année en année, sans un seul retard. J'étais persuadée qu'ils honoreraient leur contrat. Et puis je n'avais jamais fait appel à un avocat. Jamais divorcé, ni rien. Dieu sait que j'aurais dû, pourtant. (Elle se retourne vers la fenêtre, contemple tristement la Fairlane et tout le chagrin qu'elle renferme.) Il boit un demi-litre de gin le matin, et autant l'après-midi. Ça m'est égal, remarquez, je ne l'ai pas tout le temps sur le dos à la maison, comme ça. Et ce n'est pas comme si la boisson l'empêchait d'être utile, vous comprenez?

Nous regardons tous deux la silhouette tassée sur le siège avant. L'ombre de l'érable et la broussaille protègent la voiture du soleil.

– C'est vous qui lui achetez son alcool? dis-je, comme si ça avait la moindre importance.

– Pas du tout! Il donne une pièce au gosse du voisin pour qu'il aille lui acheter sa bouteille. Il croit que je ne m'en aperçois pas.

Il y a du mouvement dans le fond de la maison. Comme il n'y a pas de ventilation, on entend le moindre bruit. Quelqu'un se met à tousser et je m'empresse de reprendre la parole.

– Écoutez, Dot, j'aimerais beaucoup prendre votre affaire en main. Je sais que je ne suis qu'un bleu, que je n'ai même pas encore quitté la fac, mais j'ai déjà passé beaucoup d'heures sur votre dossier et je le connais comme personne.

Elle me lance un regard vide, presque désespéré. Tous les avocats se valent, semble-t-elle penser. Elle me fera confiance, mais ni plus ni moins qu'à n'importe quel autre, ce qui veut tout dire. Étrange vraiment. Avec tout l'argent que dépensent les avocats en publicité, dans une profession où règne une concurrence assassine, il y a encore des gens comme Dot qui ne font pas la différence entre un novice et un as du barreau.

Je compte sur sa naïveté.

– Il va probablement falloir que je m'associe à un autre avocat pour qu'il signe les pièces à ma place, le temps que je passe mon examen et m'inscrive au barreau.

Elle n'a pas l'air d'enregistrer.

– Combien est-ce que ça coûtera? demande-t-elle, méfiante.

Je lui envoie mon sourire le plus charmeur.

– Pas un sou, Dot. Je prends tout à ma charge. Si nous obtenons quelque chose, je garderai un tiers de la somme. Pas de dommages-intérêts : pas d'honoraires. Vous n'avez rien à perdre.

Elle a l'air de tomber des nues. Elle a pourtant déjà dû entendre parler de ce système.

– Combien ?

– Nous allons plaider pour des millions, dis-je d'un ton dramatique, et je sens qu'elle est ferrée.

Malgré tout, je crois que l'appât du gain a peu de prise sur cette femme brisée. Si elle a jamais rêvé d'une vie meilleure, c'était il y a si longtemps qu'elle l'a oublié. C'est l'idée de persécuter Great Benefit et de les faire cracher qui lui plaît.

– Et vous prenez un tiers ?

– Je ne m'attends pas à obtenir des millions et des millions, mais quelle que soit la somme, je ne prendrai qu'un tiers, oui. Après paiement des frais médicaux de votre fils, bien entendu. Vous n'avez rien à perdre.

Elle frappe la table de la paume de sa main gauche.

– Alors faites-le. Je me fiche de ce que vous prendrez. Faites-le tout de suite, OK ? Dès demain.

J'ai dans ma serviette un joli contrat bien plié. Au point où j'en suis, je devrais le lui mettre sous le nez et la faire signer, mais je n'ose pas. Déontologiquement, je ne peux m'engager par écrit à défendre des gens tant que je ne suis pas inscrit au barreau et titulaire d'une carte professionnelle. Je crois que Dot tiendra parole.

Je commence à regarder ma montre, comme un véritable avocat.

– Bon, il faut que j'y aille, j'ai du travail.

– Vous ne voulez pas voir Donny Ray ?

– Peut-être la prochaine fois.

– Je me mets à votre place, remarquez. Il n'a plus que la peau sur les os.

– Je repasserai d'ici quelques jours et je resterai plus longtemps. Il nous reste beaucoup de points à voir et il faudra que je lui pose quelques questions.

– Bon, mais dépêchez-vous, OK ?

Nous papotons encore quelques minutes, des Cyprès notamment, et de tout ce qui s'y passe. Elle et Buddy s'y rendent une fois par semaine, si elle arrive à l'empêcher de boire le matin. C'est le seul moment où ils sortent ensemble de la maison.

Elle a envie de parler et moi de partir. Elle me suit dehors, examine ma Toyota sale et rouillée, dit du mal des produits d'importation, surtout japonais, et hurle plus fort que les dobermans pour les faire taire.

Debout à côté de la boîte aux lettres, elle me regarde manœuvrer puis disparaître, en tirant goulûment sur sa cigarette.

Je ne suis qu'en instance de règlement judiciaire et je peux encore dépenser mon argent avec frivolité. Je paye huit dollars un géranium en pot et l'apporte à Miss Birdie. Elle adore les fleurs, m'a-t-elle dit. Il me semble que c'est un beau geste. Un petit rayon de soleil dans la vie d'une vieille dame seule.

J'arrive au bon moment. Elle est à quatre pattes sur une de ses plates-bandes, au bord de l'allée qui mène à un garage isolé au fond du jardin. Une profusion de fleurs et d'arbrisseaux poussent le long de cette voie goudronnée. Plus loin, la pelouse est ombragée par de grands arbres aussi vieux que Miss Birdie. Il y a un clos entouré de murets en brique contenant des rangées de bacs à fleurs multicolores.

Elle reçoit mon petit cadeau avec des démonstrations de joie sans fin et me serre dans ses bras. Elle ôte ses gants de jardinage, les jette par terre et me conduit derrière la maison. Il y a là un coin idéal pour mon géranium. Elle le plantera dès demain. Un café, ça me dirait ?

– Juste un verre d'eau, merci.

J'ai encore en mémoire le goût de son eau de vaisselle instantanée. Elle me fait asseoir dans un fauteuil en osier dans la véranda et s'essuie les mains sur son tablier.

– De l'eau avec des glaçons ? demande-t-elle, toujours aussi empressée.

– Volontiers, dis-je, et elle file au petit trot dans la cuisine.

J'aperçois un toit à travers les arbres, derrière une haie de thuyas. Il y a une fontaine, au creux d'une alcôve en pierres sèches, mais sans eau. Un vieux hamac troué se balance entre deux arbres. Les mauvaises herbes ont épargné la pelouse, mais elle a grand besoin d'être tondue.

Sous le toit, il y a un garage. Je me lève pour l'observer. De face, deux portes coulissantes, fermées. Sur le côté, un appentis avec des fenêtres aveugles. Au-dessus, un petit appartement. On y accède par un escalier extérieur en bois. Le logement prend jour par deux grandes fenêtres qui regardent la villa. La vitre de l'une d'elles est cassée. Un lierre qui couvre toute la façade semble s'infiltrer à l'intérieur par cette ouverture.

L'ensemble ne manque pas d'un certain cachet.

Miss Birdie surgit par une porte à double battant, avec deux grands verres d'eau glacée.

– Comment trouvez-vous mon jardin ? demande-t-elle en s'asseyant à côté de moi.

– Magnifique, Miss Birdie. C'est tellement paisible, ici.

– C'est toute ma vie, dit-elle avec un geste circulaire, renversant sans s'en rendre compte un peu d'eau sur mes pieds. C'est ici que je passe le plus clair de mon temps. J'adore cet endroit.

– C'est ravissant. C'est vous qui faites tout le travail de jardinage ?

– Oh, pratiquement tout, oui. Je paye seulement un jeune garçon pour tondre une fois par semaine. Trente dollars, vous vous rendez compte ? Autrefois, on me la faisait pour cinq.

Elle avale son verre à grand bruit et se lèche les babines.

– C'est un petit appartement, qu'on voit là-haut ? dis-je en montrant du doigt le garage.

– C'était. Un de mes petits-fils l'a occupé quand il faisait ses études à Memphis. Je l'avais aménagé, avec une salle de bains et un coin cuisine. C'est très agréable.

– Combien de temps y a-t-il habité ?

– Pas longtemps. Mais ne parlons pas de lui, je n'en ai aucune envie.

Ce doit être un de ceux qu'elle a déshérités.

On perd toutes ses inhibitions à force de sonner aux portes, de quémander du boulot et de se faire jeter par des secrétaires mal lunées. Ça durçit la peau. On finit par tout supporter parce qu'on apprend vite que la pire chose qui puisse arriver est de s'entendre répondre non, et qu'on n'en meurt pas.

– Ça ne vous intéresserait pas de le louer, par hasard ?

J'ai risqué le tout pour le tout, sans peur d'essuyer un refus.

Son verre s'immobilise à mi-hauteur et elle contemple l'appartement comme si elle venait de le découvrir.

– À qui ? demande-t-elle.

– J'adorerais vivre ici. C'est plein de charme et ce doit être très silencieux.

– Comme un sépulcre.

– Mais juste pour quelques mois, le temps que je commence à travailler et que je m'organise.

– Vous, Rudy ? dit-elle, stupéfaite.

– Je vous assure, ça me plaît beaucoup, dis-je avec un sourire malaisé. Pour moi, c'est l'endroit idéal. Je vis seul, je suis très tranquille et je ne peux pas me permettre de payer un gros loyer. Ce serait parfait.

– Vous pouvez payer combien ? demande-t-elle sèchement, soudain très businesswoman.

Là, elle me prend au dépourvu.

– Oh, je ne sais pas. C'est vous la propriétaire. Vous demanderiez combien ?

Elle lève la tête et son regard se perd dans les feuillages des grands arbres.

– Heu, voyons, si je vous disais quatre cents, non, trois cents par mois ?

De toute évidence, Miss Birdie n'a jamais loué quoi que ce soit. Elle lance des chiffres au hasard. Encore une chance qu'elle n'ait pas commencé à huit cents.

– Allons d'abord jeter un coup d'œil, d'accord ? dis-je prudemment.

Elle s'est levée.

– C'est très en désordre, vous savez. Ça fait dix ans que je m'en sers comme débarras. Mais on peut nettoyer. Il y a un peu de plomberie à faire, je crois.

Elle me prend par la main et m'entraîne à travers la pelouse.

– Il faudra faire remettre l'eau. Je ne sais plus si le chauffage et la climatisation marchent. Il y a du mobilier, mais pas énormément. Ce sont des vieilleries dont je ne veux plus.

Elle monte les marches grinçantes.

– Vous avez besoin de meubles ?

– Pas beaucoup.

La rampe est bancale et tout le bâtiment a l'air de branler sous nos pas.

9

On se fait des ennemis à la fac. La concurrence peut devenir vicieuse. On apprend la triche et les coups bas. Ça sert d'entraînement pour le monde réel. On s'est battu à coups de poing ici quand j'étais en première année. Deux étudiants en fin d'études s'étaient insultés au cours d'un procès fictif. Ils furent exclus, puis réadmis. La fac a besoin de l'argent des droits d'inscription.

Il y a ici bon nombre de gens qui me sont antipathiques et une ou deux personnes que je déteste. J'essaie de ne haïr personne.

Sauf qu'en ce moment je hais le salopard qui m'a fait ce coup-là. Il y a dans cette ville une publication quotidienne qui recense toutes sortes de procédures juridiques et financières en cours. Ça s'intitule *Bulletin de Memphis* et comprend, outre les divorces, ventes aux enchères et autres saisies immobilières, la liste des mises en règlement judiciaire du jour. Mon ou mes généreux copains ont trouvé croustillant de faire circuler dans la fac un extrait du dernier numéro. On lit dessus : « Baylor Rudy L. étudiant ; valeur des biens insaisissables : 1,125 dollar ; créance garantie : 285 dollars, auprès de la compagnie financière Wheels and Deals ; créance non garantie : 5 136,86 dollars ; procédures en instance : plainte de Texaco pour factures impayées, expulsion de la résidence Hampton ; employeur : néant ; avocat, *pro se.* »

Pro se signifie que je ne peux pas me payer un avocat et que je me défends tout seul. L'étudiant bibliothécaire m'a remis un exemplaire de cette saloperie dès mon arrivée en me disant qu'il en avait vu traîner partout dans la fac, et même sur les tableaux d'affichage.

– Et dire qu'il y en a qui trouvent ça drôle, a-t-il commenté.

Je l'ai remercié et je me suis précipité dans ma planque au sous-sol, baissant la tête et rasant les murs, une fois de plus. Dieu merci, les cours sont bientôt finis. J'ai hâte de partir définitivement d'ici, loin de ces gens que je ne supporte pas.

J'ai un entretien prévu avec le Pr Smoot ce matin, et j'arrive dix minutes en retard. Il s'en fiche. Son bureau, comme celui de tout érudit qui se respecte, est dans une pagaille épouvantable. Son nœud papillon est de travers, son sourire franc et jovial.

Nous parlons d'abord des Black et de leur conflit avec Great Benefit. Je lui remets un rapport de trois pages sur leur cas, ainsi que mes conclusions et suggestions sur le parti à prendre. Il le lit attentivement pendant que je contemple les boules de papier chiffonné sous son bureau. Il est, me dit-il plusieurs fois, très impressionné. Selon moi, les Black doivent contacter un bon avocat et intenter un procès à Great Benefit. Smoot partage pleinement mon avis. S'il savait...

Tout ce que j'attends de lui, c'est la notation le plus favorable possible. Nous abordons ensuite le cas de Miss Birdie Birdsong. Je lui explique qu'elle mène un train de vie confortable et souhaite remanier son testament. Je garde les détails pour moi et lui tends un document de cinq pages, les dernières volontés revues et corrigées de Miss Birdie, qu'il parcourt en vitesse. Il n'y trouve rien à redire. Cette matière, problèmes juridiques du troisième âge, ne comporte pas d'examen final. Il suffit de suivre les cours, de faire son étude de cas aux Cyprès, de rédiger un rapport, et Smoot vous donne A, la meilleure note.

Smoot connaît Miss Birdie depuis plusieurs années. Il la voit deux fois par an lors de ses visites, et ça fait déjà un moment qu'elle est la reine des Cyprès. C'est la première fois qu'elle profite de cette consultation gratuite, dit-il, l'air songeur en tripotant son nœud papillon. Ça le surprend qu'elle soit riche.

Et il est carrément stupéfait d'apprendre qu'elle est sur le point de devenir ma propriétaire.

Le bureau de Max Leuberg est à l'autre bout du couloir. Il a laissé au secrétariat de la bibliothèque un message demandant à me voir. Max s'en va à la fin du semestre. Il a été détaché ici pendant deux ans et il est temps pour lui de rentrer dans son Wisconsin natal. Max me manquera sans doute un peu quand nous aurons tous deux quitté la fac, mais, pour le moment, j'ai du mal à imaginer que quiconque ici puisse m'inspirer la moindre nostalgie.

Son bureau est rempli de cartons de boissons vides en prévision du déménagement. Je n'ai jamais vu un désordre pareil. Nous passons quelques minutes plutôt gênantes à évoquer des souvenirs. Héroïque tentative pour envisager la fac sous un jour stimulant. Il a l'air affligé, comme si toute sa pugnacité l'abandonnait au moment de partir. Ce serait bien la première fois. Il désigne du doigt une pile de documents entassés dans un carton de whisky.

– Tenez, je vous ai mis ça de côté. C'est de la documentation récente sur des affaires similaires à la vôtre. Emportez-la. Ça pourra vous être utile.

Je n'ai pas tout à fait fini d'exploiter ce qu'il m'avait confié la dernière fois.

– Merci, Max, dis-je en considérant avec effroi la masse de paperasses.

– Vous avez déjà déposé votre plainte? demande-t-il.

– Heu, non. Pas encore.

– Il faut le faire. Tâchez de trouver en ville un avocat qui ait fait ses preuves dans ce domaine. J'ai beaucoup pensé à votre affaire et elle me botte de plus en plus. Les jurés vont voir rouge et voudront certainement frapper un grand coup pour sanctionner l'assureur. Quelqu'un doit prendre cette affaire à bras-le-corps et foncer.

Pour foncer, je fonce...

Il bondit de son siège et ouvre les bras.

– Dans quel cabinet allez-vous travailler? demande-t-il en se dressant sur la pointe des pieds, tel un maître de yoga. Parce que c'est une cause idéale pour faire vos armes. Vous devriez peut-être apporter l'affaire à votre cabinet, les laisser endosser officiellement la défense et faire tout le travail de base vous-même. Il y a certainement quelqu'un dans votre cabinet qui a l'expérience de ce genre de procédure. Vous pourrez m'appeler si vous voulez. Je serai à Detroit tout l'été pour travailler sur une énorme affaire contre Allstate, mais votre histoire m'intéresse énormément. Ce procès pourrait faire date. J'adorerais vous voir flanquer une correction à ces salauds.

– Allstate? dis-je, éludant prudemment la question de mon employeur. Qu'est-ce qu'ils ont fait?

Il se rassied, un large sourire illumine son visage et il croise les mains derrière la tête, savourant son récit d'avance.

– C'est hallucinant, commence-t-il, et il se lance dans l'exposé circonstancié d'une affaire mirifique.

J'aurais mieux fait de tenir ma langue.

L'expérience, limitée il est vrai, que j'ai des avocats me persuade qu'ils souffrent tous de la même détestable manie : raconter leurs souvenirs d'anciens combattants. S'ils ont vécu un grand procès, vous aurez droit à tous les détails de l'audience. Et s'ils sont sur un coup qui peut les rendre riches, il faudra que vous partagiez leur enthousiasme. Max ne dort plus depuis qu'il a l'espoir de ruiner Allstate, un des plus puissants groupes d'assurances du pays.

– En tout cas, dit-il, revenant soudain à la réalité, je peux sans doute vous aider. Je n'enseignerai pas ici l'année prochaine, mais vous trouverez mon adresse et mon téléphone dans le carton. N'hésitez pas à me joindre.

Je ramasse le carton. Il est tellement lourd que le fond manque de céder.

– Merci, dis-je en le regardant dans les yeux. Je vous suis très reconnaissant.

– J'ai envie de vous aider, Rudy. Il n'y a rien de plus excitant que d'épingler un assureur véreux.

– Je vais tout faire pour. Merci encore.

Le téléphone sonne et il attaque rageusement le combiné. Je me glisse hors de son bureau, mon fardeau dans les bras.

Miss Birdie et moi concluons un étrange marché. Elle n'a rien d'une négociatrice et n'a visiblement pas besoin d'argent. Je fais descendre le loyer à cent cinquante dollars par mois, charges comprises. De son côté, elle fournit le mobilier des quatre pièces.

En plus du loyer, je m'engage à l'aider à faire différentes corvées, essentiellement du jardinage. Je lui tondrai sa pelouse. Elle économisera donc trente dollars par semaine. Je taillerai les haies, ratisserai les feuilles, bref ce qu'on fait dans un jardin. Il a aussi été vaguement question d'arracher les mauvaises herbes, mais je n'ai pas pris ça au sérieux.

C'est un bon arrangement pour moi et je suis fier d'avoir mené les pourparlers comme un homme d'affaires. L'appartement vaut au moins trois cent cinquante par mois, j'ai donc gagné deux cents dollars. Je prévois de travailler cinq heures par semaine pour elle, soit vingt heures par mois. Compte tenu des circonstances, ce n'est pas un mauvais accord. Après trois années passées en bibliothèque, j'ai besoin d'air pur et d'exercice. Personne ne saura que je suis garçon jardinier. Et comme ça, je resterai près de Miss Birdie, ma cliente.

C'est une convention orale ; si ça ne marche pas, il faudra que je redéménage.

Il y a quelque temps, j'ai visité de jolis appartements, parfaits pour un avocat débutant. Ils demandaient sept cents dollars par mois pour deux pièces de moins de quarante mètres carrés. Et j'étais prêt à les donner. Les choses ont bien changé.

L'endroit où j'emménage à présent est une dépendance que Miss Birdie a fait construire après la maison, à l'abandon depuis dix ans. Le salon est de taille modeste, avec une moquette à longs poils orange et du papier peint vert pâle. Il y a une chambre à coucher, une kitchenette et une petite pièce derrière où l'on peut manger. Toutes les pièces sont mansardées, et l'occupant de ce grenier a intérêt à ne pas être claustrophobe.

Pour moi, c'est parfait. Tout ira bien si Miss Birdie garde ses distances. Elle m'a fait promettre qu'il n'y aurait ni fête, ni musique, ni fille, ni alcool, ni drogue, ni chat, ni chien. Elle a nettoyé les lieux elle-même, frotté les sols, lessivé les murs et évacué le maximum de bric-à-brac. Quand je suis arrivé avec le peu d'affaires que je possède, elle m'a littéralement collé aux basques dans l'escalier. Je suis sûr qu'elle me plaignait.

À peine avais-je déposé mon dernier carton qu'elle a exigé que nous prenions un café dans la véranda sans me laisser le temps de rien déballer.

Nous sommes restés assis une dizaine de minutes, juste le temps que j'arrête de transpirer, et puis elle s'est levée d'un bond en déclarant qu'il était temps d'attaquer les plates-bandes. J'ai arraché des mauvaises herbes à m'en coller un tour de reins. Au début, elle se montrait très coopérante, puis elle s'est contentée de rester debout derrière moi à désigner les touffes du doigt.

J'arrive à m'échapper du jardin pour filer au Yogi, où je dois tenir le bar jusqu'à la fermeture, vers une heure du matin.

Beaucoup de clients ce soir et parmi eux, malheureusement, un groupe d'étudiants de ma promo tassés autour de deux tables de la grande salle. C'est la dernière assemblée d'une des nombreuses fraternités de la fac, une de celles où je suis indésirable. Ceux-là s'appellent les Chevaliers du barreau, et ils se prennent beaucoup trop au sérieux. Ils affichent le style guindé des rédacteurs de la *Law Review* [1], sont ou du moins s'efforcent d'être élitistes et secrets. Ils observent des rites d'initiation psalmodiés en latin, entre autres idioties. Pratiquement tous s'apprêtent à travailler dans de grands cabinets, ou dans les services judiciaires fédéraux. Quelques-uns ont été admis à l'école de droit fiscal de New York. C'est une bande de frimeurs.

Ils sont vite éméchés et je sers pression sur pression. Le plus bruyant est une espèce de petit furet nommé Jacob Staples, un type plein d'avenir qui était déjà tricheur confirmé lorsqu'il est arrivé à la fac il y a trois ans. Staples a mis au point plus de méthodes de truandage qu'aucun étudiant dans toute l'histoire de la fac. Il a réussi à voler des sujets d'examen, il a caché des livres pour s'en réserver l'usage, il nous a piqué des exposés, il a trouvé mille excuses mensongères pour ne pas rendre ses rapports de stage à temps. D'ici peu, il gagnera des millions de dollars. C'est lui que je soupçonne d'avoir fait circuler l'extrait du *Bulletin de Memphis* me concernant. Du Staples tout craché.

Même si j'essaie de les ignorer, je surprends quelques regards narquois dans ma direction et perçois plusieurs fois les mots « recouvrement » et « insolvable ».

Mais je continue à m'affairer en sirotant ma bière sous le comptoir. À l'autre bout de la salle, Prince regarde la télé en surveillant du coin de l'œil les Chevaliers du barreau. Au programme aujourd'hui, des courses de lévriers en Floride. Il prend des paris à chaque départ. Il a pour compagnon de jeu et de beuverie un certain

1. Le plus grand périodique juridique américain.

Bruiser Stone. C'est son avocat. Un gros type ventripotent affublé de longs cheveux poisseux et d'une barbiche mal taillée. Stone doit peser dans les cent dix kilos. Quand je les observe, ils me font penser à deux gorilles assis sur un rocher en train de grignoter des cacahuètes.

En tant que juriste, Bruiser Stone a une déontologie pour le moins discutable. Leur amitié remonte au temps où Prince et lui étaient sur les bancs du même lycée au sud de Memphis. Ils ont plus d'un coup tordu à leur actif et ne se gênent pas pour soudoyer policiers et politiciens. Prince est l'homme de main, Bruiser le cerveau. Quand Prince se fait pincer, Bruiser est à la une des journaux dès le lendemain, criant au déni de justice. Au tribunal, Bruiser s'est toujours montré très efficace, parce qu'il offre des sommes rondelettes aux jurés, dit-on.

Il y a quatre ou cinq avocats dans le cabinet de Bruiser. Je n'ose imaginer dans quel abîme de désespoir il faudrait que je sois tombé pour lui demander du travail. Ce serait pire que tout, totalement honteux.

Prince pourrait facilement me tuyauter. Il adorerait me rendre ce service pour faire étalage de son influence.

Mais je suis bel et bien en train d'y penser ! Comment est-ce possible ?

10

Nous faisons pression sur Smoot pour qu'il nous laisse retourner aux Cyprès individuellement afin d'éviter l'épreuve du déjeuner collectif, et il finit par céder. Booker et moi nous glissons dans le centre un jour que Miss Birdie est en train de pérorer sur les mérites des vitamines et de l'exercice physique. Nous nous asseyons discrètement au fond de la salle. Elle nous aperçoit et, à la fin de son laïus, insiste pour que nous venions nous présenter au podium.

Booker va s'isoler dans un coin tranquille avec ses clients et leur donne des conseils à voix basse. Comme j'ai déjà revu Dot et que Miss Birdie et moi avons passé des heures à discuter de son testament, il ne me reste pas grand-chose à faire. M. DeWayne Deweese, mon troisième client lors de la précédente visite, est à l'hôpital. Je lui ai posté mes suggestions, sans doute inutiles, hélas, concernant la petite guerre personnelle qu'il mène contre l'administration des anciens combattants.

Le testament de Miss Birdie est inachevé et elle ne l'a pas signé. Depuis plusieurs jours, ce sujet lui donne quelque humeur. J'ai l'impression qu'elle s'interroge sur la nécessité de le refaire, en fin de compte. Comme elle est sans nouvelles du révérend Chandler, il se pourrait qu'elle ne lui lègue plus sa fortune. Je l'ai encouragée dans ce sens.

Nous avons eu quelques discussions à propos de son argent. Son moment préféré pour aborder le sujet, c'est quand je suis à genoux dans ses plates-bandes, les mains pleines de terre et le front ruisselant de sueur. Elle se penche alors vers moi et, d'une voix ingénue, me pose des questions du genre : « Est-ce que la femme de Delbert peut me poursuivre si je ne lui lègue rien ? » ; ou bien : « Pourquoi est-ce que je ne peux pas faire don de cet argent tout de suite ? »

Alors, j'interromps sarclage et binage, m'extirpe de l'humus, essuie mon visage et essaie de trouver une réponse intelligente. Mais d'habitude, elle a déjà changé d'idée et veut savoir pourquoi tel massif d'azalées refuse de fleurir.

Il m'est arrivé aussi d'aborder le sujet en prenant le café dans sa véranda, mais ça la rend tout de suite nerveuse. Elle se méfie instinctivement des avocats.

J'ai quand même pu vérifier un ou deux faits. Elle a bien épousé en secondes noces M. Anthony Murdine, dit Tony, mort à Atlanta il y a quatre ans. Apparemment, M. Murdine a laissé une fortune considérable, et qui a dû susciter pas mal de controverses car la succession a été mise sous tutelle par décision d'un tribunal géorgien. Je n'en sais pas plus. J'ai l'intention de contacter les avocats concernés.

Aujourd'hui, Miss Birdie veut un entretien. Ça lui donne un sentiment d'importance vis-à-vis des autres. Nous nous asseyons à une table à l'écart, près du piano.

– J'ai besoin de savoir ce qu'il faut faire avec votre testament, Miss Birdie, lui dis-je. Et si vous voulez que je le rédige correctement, il faut m'en dire un peu plus sur cet argent.

Elle roule des yeux inquiets, comme si tout le monde l'écoutait, alors que la plupart de ces pauvres vieux ne pourraient même pas l'entendre si elle criait. Elle approche la tête, une main sur la bouche.

– Bon, il ne s'agit pas de valeurs immobilières. Ce sont des fonds de placement, des obligations, des actions en commandite.

Je suis surpris de l'entendre citer sans hésiter ces différents types de placements. L'argent doit bien être là.

– Mais qui est-ce qui gère votre portefeuille ?

La question n'est pas de mise. Pour rédiger le testament, je n'ai pas besoin de savoir qui s'occupe de sa fortune. La curiosité m'égare.

– Un cabinet à Atlanta.

– Un cabinet juridique ? dis-je, effrayé d'avance.

– Oh non. Pour ça, je ne ferais aucune confiance aux avocats. C'est une société fiduciaire. Tout l'argent est entre leurs mains. Je touche les dividendes jusqu'à ma mort, le reste reviendra à mes héritiers ou aux donataires. C'est le juge qui l'a décidé.

– Mais vous touchez combien ?

La question m'a échappé. Je perds complètement les pédales.

– Ça ne vous regarde pas, Rudy.

Absolument pas, en effet. Je me suis fait taper sur les doigts. Le métier qui rentre, sans doute. J'essaie de me couvrir.

– Heu, c'est que ça pourrait entrer en ligne de compte, vous voyez, d'un point de vue fiscal.

– Je ne vous ai pas demandé de calculer mes impôts. J'ai un comptable pour ça. Je vous ai simplement demandé de refaire mon testament et, ma foi, ça m'a tout l'air d'être au-dessus de vos forces.

Bosco s'approche de la table et nous sourit. Il n'a pratiquement plus de dents. Miss Birdie lui demande poliment d'aller faire une partie de dominos et le rassure : elle sera à lui dans quelques minutes. Elle est d'une gentillesse touchante avec ses protégés.

– Je vous referai votre testament exactement comme vous l'entendez, Miss Birdie, dis-je d'un ton ferme. Mais pour ça, il faut que vous vous décidiez.

Elle se redresse, soupire comme si elle était au comble du désespoir, et serre les dents.

– Il faut que je réfléchisse encore.

– Comme vous voulez. Mais souvenez-vous qu'il y a beaucoup de choses que vous n'aimez pas dans la version actuelle. S'il vous arrivait quelque chose, vous...

– Je sais, je sais, m'interrompt-elle en gesticulant. Ne me faites pas la leçon. J'ai refait mon testament tous les ans depuis vingt ans. Je sais très bien comment ça se passe.

Bosco est en train de pleurnicher à la porte des cuisines et elle accourt le consoler. Booker, par chance, achève sa consultation au même moment. Son dernier client est le vieil homme avec qui il a passé tant de temps la fois précédente. Il n'est visiblement pas très content de ce que lui suggère Booker et j'entends ce dernier lui dire :

– Écoutez, je travaille gratuitement. Qu'est-ce que vous espériez ?

Nous prenons congé et déguerpissons en vitesse. Les problèmes juridiques du troisième âge sont désormais de l'histoire ancienne. D'ici quelques jours, les cours seront finis.

Après trois ans passés à exécrer la fac, nous voici bientôt libérés. J'ai entendu un juriste dire qu'il fallait plusieurs années pour que s'effacent les tourments endurés à la fac de droit et que seuls demeuraient ensuite les meilleurs souvenirs, comme souvent dans la vie. Lui-même ne parlait du temps glorieux de ses études de droit qu'avec des trémolos de nostalgie dans la voix.

Personnellement, je ne me vois pas déclarer un jour qu'après tout ces trois années étaient agréables. D'ici quelque temps, peut-être je serai capable d'évoquer quelques bons souvenirs avec Booker, au Yogi ou ailleurs. Je suis sûr en tout cas que nous rirons de bon cœur en nous remémorant les petits vieux des Cyprès, et toute la confiance qu'ils mettaient en nous.

Oui, ce sera sans doute drôle, mais plus tard.

Je propose de boire une bière au Yogi. C'est moi qui paierai. Il est deux heures de l'après-midi. Il pleut à verse. C'est le moment idéal pour se blottir autour d'une table et prendre un peu de bon temps. C'est peut-être la dernière fois que ça nous arrivera.

Booker voudrait bien, mais on l'attend d'ici une heure au cabinet. Marvin Shankle le fait travailler sur une affaire qui sera jugée lundi. Il va rester tout le week-end à la bibliothèque.

Shankle travaille sept jours sur sept. Son cabinet a été à l'avant-garde de la lutte pour les droits civiques à Memphis. Il en tire aujourd'hui des bénéfices importants. Ils sont vingt-deux avocats là-dedans, tous noirs, cinquante pour cent de femmes, et tous essaient de suivre le tempo d'enfer requis par le patron. Les secrétaires font quasiment les trois-huit. Shankle est l'idole de Booker et d'ici quelques semaines, je le sais, lui aussi se mettra à travailler le dimanche.

J'ai l'impression d'être un braqueur lâché dans la ville, cherchant la banque la plus vulnérable. Je trouve le cabinet qu'il me faut dans un bâtiment moderne de quatre étages des quartiers Est.

C'est un cabinet de quatre partenaires. Anciens camarades de la fac de Memphis, ils ont travaillé d'abord séparément dans de grands cabinets avant de se regrouper pour créer le leur. J'ai vu leur pub dans l'annuaire, une pleine page, ce qui vaut – d'après ce qu'on dit – quatre mille dollars par mois. Ils font de tout, du divorce au crime crapuleux, mais dans leur annonce les caractères gras sont bien sûr réservés à la mention : « Préjudices corporels ».

Quelle que soit la spécialité d'un juriste, il insistera toujours sur sa compétence dans le domaine des préjudices corporels. Pour la majorité des avocats, c'est-à-dire ceux qui ne peuvent facturer *ad vitam* leurs clients à l'heure, le seul espoir réel de gagner de l'argent, c'est de défendre les victimes d'accidents ou d'agressions divers. Prenez une personne blessée en voiture par un conducteur fautif et assuré. Préjudices subis : une jambe cassée, une semaine d'hospitalisation, perte de salaire. Si l'avocat réussit à mettre la main sur la victime avant l'assureur, il peut demander cinquante mille dollars. L'avocat fait un peu de paperasserie et abandonne les poursuites. Ça lui coûte trente heures de travail qu'il facture quinze mille dollars, soit cinq cents l'heure.

Joli coup à condition de tenir le client. Tous les avocats de la ville raffolent des préjudices corporels. Il n'est même pas nécessaire d'avoir l'expérience du prétoire : quatre-vingt-quinze pour cent des cas se règlent à l'amiable. Le truc, c'est d'arriver à faire signer le client.

Enfin, leur pub, je m'en fiche, mon seul problème, c'est de signer un contrat de travail. Il pleut à verse et je reste assis quelques instants dans ma voiture, contemplant stupidement le va-et-vient des essuie-glace. Tout ça m'écœure profondément. Je vais encore entrer là-dedans, faire mon grand sourire à la standardiste et mettre en branle le dernier plan que j'ai imaginé pour voir le patron.

Je n'arrive pas à croire que j'en suis arrivé là.

11

Ma seule excuse pour éviter la cérémonie de fin d'études, c'est que j'ai des entretiens de candidature. Des entretiens prometteurs, dis-je à Booker. Il feint de me croire. Il sait très bien que je ne fais que distribuer mes CV à droite et à gauche. Il est bien le seul qui regrette de ne pas me voir endosser ma robe et participer aux réjouissances. J'ai parlé à ma mère il y a un mois. À l'heure actuelle, elle fait du camping quelque part dans le Maine avec Hank et ne sait même pas quand j'aurai fini mes études.

J'ai entendu dire que la cérémonie était hyper-rasoir, des discours de vieilles barbes à n'en plus finir, nous exhortant à respecter la loi, à restaurer l'image de la justice, et ainsi de suite *ad nauseam*. J'aimerais mieux être chez Prince et le regarder parier sur une course de chèvres.

Booker sera là avec toute sa famille. Charlene, les enfants, ses parents, beaux-parents, oncles, tantes et cousins. Le clan Kane. Beaucoup de larmes et de photos en perspective. Il est le premier de sa famille à faire des études supérieures et qu'il soit aujourd'hui diplômé en droit les comble de fierté. Je serais presque tenté de me glisser dans la foule pour voir ses parents quand il recevra son diplôme. Je pleurerais probablement avec eux.

Je ne sais pas si la famille Plankmore prendra part aux festivités. Pour moi, la présence de Sara serait une raison supplémentaire de ne pas venir. À la seule idée qu'elle puisse embrasser S. Todd Wilcox sous l'œil des appareils photo, j'ai la chair de poule. Je suppose qu'on ne distinguerait rien sous l'ample robe traditionnelle, mais je sais que mon regard ne pourrait se détacher de son ventre.

Oui, il vaut beaucoup mieux que je disparaisse aujourd'hui. Madeline Skinner m'a confié il y a deux jours que toute la promotion était casée, sauf moi. Beaucoup ont accepté d'être payés moins que ce qu'ils voulaient. Une bonne quinzaine ont décidé de se mettre à leur compte. Ils ont emprunté de l'argent à droite et à gauche et vissé leur plaque à la porte d'un studio loué à la hâte. Madeline a les coordonnées de chacun. Inutile d'évoquer le malaise si moi, Rudy, seul diplômé chômeur de l'année, je me pointais en costume traditionnel à cette cérémonie, au milieu des cent vingt et quelques autres. Je pourrais aussi bien mettre une robe rose et un chapeau pointu. Laisse tomber...

Cela dit, depuis hier, je suis diplômé.

La remise des diplômes commence à quatorze heures. C'est l'heure précise à laquelle je pénètre dans le cabinet de Jonathan Lake. Pour la deuxième fois. On m'a déjà vu, moi et mon CV, il y a un mois. Mais là, c'est différent. J'ai un plan.

J'ai fait quelques recherches sur le cabinet Lake. Les collaborateurs ne sont pas intéressés aux bénéfices. Ils sont tous salariés. M. Lake préfère répartir lui-même les parts du gâteau. Ils sont douze, dont sept seniors habilités à plaider. Les cinq autres, plus jeunes, forment la piétaille administrative. Les premiers ont chacun une secrétaire et un assistant-juriste, et l'assistant-juriste a aussi sa secrétaire. Chaque groupe constitue une unité autonome placée sous la seule autorité de Jonathan Lake qui s'approprie les affaires qu'il veut, d'habitude les plus prometteuses. Il aime bien attaquer les obstétriciens pour non-détection de malformation fœtale. Il apprécie aussi le non-respect de la législation sur l'amiante. Il a gagné une fortune dernièrement avec ça.

Chaque collaborateur senior dirige sa propre équipe, a le pouvoir d'embaucher et de virer. Il doit engranger un maximum d'affaires nouvelles. Sa paye dépend du nombre de clients qu'il apporte.

Barry X. Lancaster est une des étoiles montantes du cabinet. Il vient d'être promu senior, après avoir arraché un verdict de deux millions de dollars contre un toubib de l'Arkansas. Il a trente-quatre ans, est divorcé, et passe sa vie au bureau. C'est un ancien de la fac de Memphis. Il a besoin d'un assistant, j'ai vu la petite annonce dans le *Bulletin de Memphis*. Si on ne veut pas de moi comme avocat, quel mal y a-t-il à se proposer comme assistant ? Ça fera une histoire épatante, quand je serai riche et célèbre ; le jeune Rudy n'arrivait pas à se caser, alors il a commencé en collant les enveloppes chez Lake. Regardez ce qu'il est devenu.

J'ai rendez-vous avec Barry X. à quatorze heures. La réceptionniste me fait répéter deux fois mon nom mais finit par me laisser passer. Elle a déjà dû m'oublier depuis la dernière fois. Des milliers de gens ont défilé à l'accueil depuis un mois. Je me dissimule derrière un magazine au fond d'un canapé en cuir, admirant le tapis persan et les poutrelles métalliques high-tech qui traversent tout l'étage d'un seul tenant. Les bureaux sont situés dans un vieil entrepôt à côté de l'ancien hôpital de Memphis. Il paraît que Lake a dépensé trois millions pour réhabiliter et décorer cet endroit à son goût. J'ai vu un article là-dessus dans une revue d'architecture.

Après quelques minutes, une secrétaire vient me chercher. Elle m'escorte jusqu'à un bureau du dernier étage à travers un labyrinthe de couloirs et de passerelles. Nous passons devant une bibliothèque dont les quatre murs disparaissent entièrement sous des rayonnages tirés au cordeau. Au milieu, un stagiaire solitaire souffre en silence entre deux piles de livres, ballotté dans une mer de théories conflictuelles.

Le bureau de Barry X. est tout en longueur, avec des murs de brique et un parquet grinçant. Il y a quelques antiquités et une marine du XIXe en guise de décoration. Nous échangeons une poignée de main. L'homme est mince, athlétique, bronzé. Je me souviens que Lake a fait installer une salle de gym, ainsi qu'un sauna sous les combles.

Barry est très occupé. Il doit pouvoir faire le point à tout moment avec son équipe, une affaire capitale sur le feu. Je vois les diodes de son téléphone clignoter sans interruption. Le tic de la montre ne l'a pas épargné, bien qu'il se veuille très maître de lui.

– Racontez-moi votre affaire, dit-il après les préliminaires. C'est un refus de prise en charge d'assurance-maladie, je crois.

Je le sens déjà méfiant, à cause de mon costume et de ma cravate qui me distinguent du citoyen lambda.

– Oui, eh bien, en réalité, je cherche du travail, dis-je avec aplomb.

Qu'est-ce que j'ai à perdre ? Tout ce qu'il peut faire, c'est me prier de prendre la porte.

Il grimace et arrache une feuille de son bloc. Le filtrage laisse à désirer. La secrétaire va en prendre pour son grade.

– J'ai vu votre annonce dans le *Bulletin de Memphis*.

– Quelles sont vos qualifications ? demande-t-il sèchement.

– J'ai fait trois ans de fac de droit.

Les assistants-juristes sont généralement moins qualifiés et n'ont pas de diplôme de fin d'études. Mais ils peuvent être beaucoup plus expérimentés.

Il me fixe quelques secondes puis secoue la tête et regarde sa montre.

– Écoutez, j'ai beaucoup de travail. Ma secrétaire va enregistrer votre candidature et je...

Soudain, je me lève d'un bond et me penche vers lui.

– Attendez, voilà ce que je vous propose, dis-je d'un ton théâtral.

Et je lui dis que je suis hypermotivé, que je termine dans les meilleurs de ma promo, que Brodnax m'a lâché, bref je lui fais la totale pendant une minute ou deux sans qu'il puisse en placer une. Puis je me rassieds, ayant eu le temps de lancer quelques phrases assassines sur Tinley Britt.

Il rumine pendant un moment en tripotant son capuchon de stylo. Impossible de savoir s'il est furieux ou étonné.

– Vous savez ce qui me fout hors de moi ? dit-il finalement d'un ton las.

– Ouais, je sais. C'est de voir des types comme moi s'incruster en baratinant la standardiste. C'est très précisément ce qui vous met hors de vous et je vous comprends. Moi aussi, ça m'exaspérerait. Mais je me dirais aussi : tiens, voici un gars qui est sur le point de devenir avocat, mais, au lieu de le payer quarante mille dollars, je peux lui faire faire tout le sale boulot pour, disons, vingt-quatre mille.

– Vingt et un.

– OK, dis-je. Je commence dès demain pour vingt et un mille. Et je travaillerai toute une année à ce tarif, vous avez ma parole, douze mois sans interruption, que je réussisse l'examen du barreau ou pas. Soixante, soixante-dix heures par semaine pendant douze mois. Pas de congés. Je suis prêt à signer un contrat.

– Nous demandons cinq ans d'expérience pour un assistant-juriste. C'est un poste clé.

– J'apprendrai vite. J'ai fait un stage dans un cabinet du centre-ville l'été dernier. Que du contentieux.

Il y a quelque chose d'abusif dans mon numéro et il vient juste de s'en rendre compte. J'ai déboulé ici armé jusqu'aux dents, il a l'impression d'être tombé dans une embuscade. Et mes réponses à tout ce qu'il dit sont tellement rapides qu'il doit penser que j'ai déjà fait le coup plusieurs fois.

Il n'est quand même pas à plaindre. Il n'a qu'à me vider, s'il le veut.

– J'en parlerai à M. Lake, dit-il, légèrement plus conciliant. Il a des règles extrêmement strictes pour l'embauche. Je n'ai pas le droit de recruter un assistant-juriste qui ne corresponde pas à nos critères.

– Ah ? Bien, dis-je tristement.

Et voilà. Je viens encore de me ramasser. Je prends un air désolé. Pour ça, j'ai acquis un certain savoir-faire. J'ai appris que les avocats, qu'ils soient ou non débordés, ont d'emblée de la sympathie pour le jeune diplômé qui ne trouve pas de travail. Une sympathie limitée, toutefois.

– Peut-être que M. Lake sera d'accord, dit-il pour adoucir ma chute. À ce moment-là, je vous promets que vous aurez le poste.

Mais je ne suis pas encore KO. Il me reste un atout.

– Il y a autre chose, dis-je. J'ai une affaire. Une excellente affaire.

Cela lui inspire une méfiance extrême.

– Quel genre d'affaire ?

– Refus d'indemnisation d'assureur.

– C'est vous le plaignant ?

– Non, je suis l'avocat. Le dossier m'est tombé dessus presque par hasard.

– Et il y a combien en jeu ?

Je lui tends un résumé de deux pages de l'affaire Black, fortement remanié et dramatisé. Depuis le temps que je travaille à ce synopsis, j'ai réussi à en faire un petit chef-d'œuvre.

Barry X. le lit attentivement, il est même encore plus concentré que tous ceux à qui je l'ai montré jusqu'à maintenant. Il le relit une deuxième fois, tandis que je contemple son mur de brique à l'ancienne d'un œil envieux.

– Pas mal, lâche-t-il enfin.

Il y a comme une lueur dans son regard et je crois qu'il est plus intéressé qu'il ne veut le montrer.

– Bon, attendez que je devine. Vous voulez un emploi et prendre part aux poursuites, c'est ça ?

– Non. Juste le boulot. L'affaire est à vous. Mais j'aimerais y travailler, et il faudra que je garde ma relation avec la cliente. Mais tous les honoraires sont pour vous.

– Une partie des honoraires. M. Lake s'en attribue pas mal, corrige-t-il avec un sourire crispé.

Honnêtement, je me fiche de la façon dont ils se répartissent l'argent. Je veux du boulot, point final. Et le vertige me prend à l'idée de bosser pour Jonathan Lake dans ce cadre prestigieux.

J'ai décidé de garder Miss Birdie pour moi. C'est une cliente moins intéressante. Elle ne consacre aucun argent aux avocats. Et puis elle vivra probablement cent vingt ans, par conséquent il est inutile de l'utiliser comme carte maîtresse. Il ne manque pas d'avocats débrouillards, c'est sûr, qui se feraient fort de lui extorquer ses sous de mille et une façons, mais je ne pense pas que ce soit le style de la maison J. Lake. Ici on préfère le contentieux. Rédiger des testaments et évaluer des biens n'est pas la spécialité maison.

Je me redresse. J'ai assez abusé du temps de Barry X.

– Écoutez, dis-je du ton le plus sincère possible. Je sais que vous êtes très occupé. Je suis clair comme de l'eau de roche. Vous pouvez faire toutes les vérifications que vous voulez à la fac. Appelez Madeline Skinner, si vous voulez.

– Sacré Madeline. Toujours fidèle au poste ?

– Toujours. Et à l'heure qu'il est, c'est ma meilleure amie. Elle se portera garante de moi si vous l'interrogez.

– Entendu. Je vous ferai signe dès que possible.

Y a intérêt.

Je me perds deux fois de suite en essayant de retrouver la porte d'entrée. Personne ne fait attention à moi, alors je prends le temps d'admirer les bureaux spacieux et lumineux. À un moment, je m'arrête à côté de la bibliothèque et lève les yeux. Trois niveaux de couloirs et de coursives s'entrecroisent au-dessus de ma tête. Il n'y a pas deux bureaux qui se ressemblent. Il y a une salle de conférences à chaque niveau. Secrétaires, assistants, employés divers vont et viennent silencieusement sur les parquets.

Pour travailler ici, j'accepterais bien moins de vingt et un mille.

Je me gare sans bruit derrière la vieille Cadillac et prends soin de ne pas claquer la portière. Je ne suis pas d'humeur à planter des chrysanthèmes. En contournant la maison, j'aperçois une gigantesque pile de sacs en plastique blanc. C'est du terreau mêlé d'écorce de pin. Chaque sac doit peser dans les trente kilos. Je me souviens alors que Miss Birdie a parlé il y a quelques jours de regarnir toutes ses plates-bandes de terre fraîche. Je n'imaginais pas ce qui s'annonçait.

Je me précipite vers mon garage, mais, arrivé en bas de l'escalier, je l'entends crier :

– Rudy, très cher, venez donc prendre le café.

Elle est debout à côté de la montagne de sacs, sourire jusqu'aux oreilles, ravie de me voir rentré. Le soir tombe et elle adore prendre le café dans sa véranda en regardant le coucher de soleil.

– J'arrive, dis-je en posant ma veste sur la rampe et en arrachant ma cravate.

– Comment allez-vous, très cher ? demande-t-elle de sa voix chantante.

C'est une nouvelle manie qu'elle a contractée. Depuis une semaine, elle m'appelle « très cher » à tout instant.

– Ça va. Je suis fatigué. Mon dos me fait encore souffrir.

Je me plains d'avoir mal au dos tous les soirs, mais elle n'a pas encore percuté.

Je m'installe à ma place habituelle, tandis qu'elle prépare son effroyable mixture dans la cuisine. La pénombre envahit peu à peu le jardin. Je compte les sacs de terreau. Huit en largeur, quatre en profondeur, huit en hauteur. Ça fait deux cent cinquante-six. À trente kilos le sac, il y en a pour sept mille six cent quatre-vingts kilos. Plus de sept tonnes et demie de terre à étaler à la main...

Nous buvons notre café à petites gorgées, très petites en ce qui me concerne. Elle veut savoir tout ce que j'ai fait aujourd'hui. Je mens. Je lui raconte que je me suis entretenu d'un important procès avec des confrères, et que j'ai révisé mon examen. Même programme pour demain. Des journées de juriste hyperchargées, quoi. Pas vraiment le moment de s'amuser à répandre des monceaux de terre dans le jardin.

Bien que nous soyons pratiquement en face de la pile de sacs, nous évitons l'un comme l'autre de les regarder. Et je n'ose pas trop non plus croiser son regard.

– Quand est-ce que vous commencerez à exercer comme avocat ? demande-t-elle.

– Je ne sais pas encore.

Et je lui explique pour la énième fois que je dois consacrer les prochaines semaines à la préparation de l'examen, c'est-à-dire m'enfermer en bibliothèque pour potasser des volumes et des volumes de procédure. Le succès est à ce prix. Impossible d'exercer tant que je n'ai pas satisfait au rite de passage de l'examen.

– C'est merveilleux, dit-elle d'une voix alanguie. Il va falloir se décider à attaquer ce terreau, ajoute-t-elle, hochant la tête et contemplant les sacs avec des yeux ronds.

Sur le moment, je ne trouve rien à répondre. Ce n'est qu'au bout d'une minute que j'articule faiblement :

– Il y en a vraiment beaucoup.

– Mais non, ça va aller. Je vous aiderai.

Ce qui signifie qu'elle donnera des instructions du bout de sa pelle et bavassera sans discontinuer.

– Oui, eh bien, demain, peut-être. Il est tard et j'ai eu une rude journée.

Elle médite là-dessus pendant quelques secondes.

– Je pensais que nous aurions pu commencer ce soir, dit-elle. Je vous aiderai.

– Mais je n'ai pas encore dîné.

– Je vais vous faire un sandwich, propose-t-elle aussitôt.

Un sandwich, pour Miss Birdie, c'est un morceau translucide de dinde reconstituée coincé entre deux fines tranches de pain de mie de régime. Pas une goutte de moutarde ou de mayonnaise, ne parlons pas de laitue ou de fromage. Pour atténuer le plus léger creux, il n'en faut pas moins de quatre, et une dizaine pour être rassasié.

Le téléphone sonne au moment où elle repart vers la cuisine. J'attends toujours la ligne séparée qu'elle promet depuis quinze jours de faire installer dans mon appartement. Pour l'instant, j'ai un poste sur sa ligne, ce qui exclut toute intimité. Elle m'a demandé de restreindre mes communications parce qu'elle a besoin que la ligne soit disponible en permanence. Pourtant, on entend rarement sonner.

– C'est pour vous, Rudy ! s'écrie-t-elle. Un avocat.

C'est Barry X. Il dit qu'il a parlé avec Jonathan Lake et qu'il est d'accord à condition que nous ayons un autre entretien. Il veut savoir si je peux venir à son bureau tout de suite. Il compte travailler toute la nuit là-bas. Et il me demande d'apporter le dossier de l'affaire dont je lui ai parlé. Il aimerait l'examiner en détail.

Pendant que nous discutons, j'observe Miss Birdie préparer très soigneusement son sandwich. Je raccroche juste au moment où elle referme les deux tranches de pain blanc.

– Faut que je file, Miss Birdie, dis-je, haletant. Il y a du nouveau à mon travail. On m'attend pour une réunion d'urgence.

– Mais le terreau...

– Désolé, je m'en occuperai demain.

Et je la plante là, le sandwich à la main. Elle n'en revient pas que je la laisse dîner seule.

Barry m'attend derrière la porte d'entrée du cabinet, fermée bien qu'il y ait encore beaucoup de monde au travail à l'intérieur. Je le suis jusqu'à son bureau et marche d'un pas plus énergique que ces derniers jours. Je ne peux m'empêcher, une fois de plus, d'admirer le luxe des lieux. Seulement maintenant, ce n'est pas en tant que visiteur mais en tant que futur membre du cabinet le plus chic de la ville que je foule parquets et tapis de prix.

Il m'offre un pâté impérial, reste de son propre dîner qu'il prend toujours à son bureau, comme ses deux autres repas quotidiens. Je me souviens qu'il est divorcé et je comprends pourquoi. Je n'ai pas faim.

Il allume son dictaphone et place un micro sur le bureau entre nous deux.

– Nous allons nous enregistrer. Ma secrétaire tapera le contrat demain. Ça vous va ?

– Bien sûr, dis-je. Tout ce que vous voulez.

– Je vous embauche donc comme assistant-juriste pour une durée de douze mois. Votre salaire sera de vingt et un mille dollars par an, payables en douze versements égaux, le quinze de chaque mois. Vous n'aurez droit à la mutuelle santé et autres avantages sociaux qu'au bout d'une année. Au terme du douzième mois, nous ferons un bilan et verrons alors s'il est opportun de vous engager comme avocat et non plus comme assistant-juriste.

– Très bien. Ça me convient.

– Vous disposerez d'un bureau et nous allons recruter une secrétaire pour vous. Vous travaillerez soixante heures par semaine, vous commencerez à huit heures du matin et finirez en fonction de votre travail. Aucun avocat ici ne travaille moins de soixante heures par semaine.

– Pas de problème.

Je travaillerais quatre-vingt-dix heures s'il le fallait. Tout plutôt que de passer mes journées dans les plates-bandes de Miss Birdie.

Il consulte soigneusement ses notes.

– Et nous serons officiellement désignés comme défenseurs dans l'affaire... heu, comment s'appelle votre client?

– Black. Affaire Black contre Great Benefit.

– Très bien. Nous représenterons donc les intérêts de la famille Black dans cette affaire. Vous travaillerez sur le dossier, mais ne pourrez réclamer d'honoraires, quel qu'en soit le montant.

– Nous sommes d'accord.

– Bon. Des questions?

– Quand est-ce que je commence?

– Maintenant. J'aimerais revoir ce dossier ce soir, si vous avez le temps.

– Bien sûr.

– Rien d'autre?

Je déglutis péniblement.

– Heu... Au début du mois, j'ai dû faire une demande de sursis à exécution de règlement judiciaire. C'est une longue histoire.

– Bon, ça n'affectera pas votre paie. J'ai oublié de vous dire que vous préparerez votre examen chez vous. Pas ici. OK?

– OK.

Il éteint le dictaphone et m'offre à nouveau un pâté impérial que je décline poliment. Je le suis jusqu'à une petite bibliothèque annexe par un escalier en colimaçon.

– On se perd facilement ici, dit-il.

– C'est fantastique, dis-je en m'extasiant devant la splendeur des locaux.

Nous nous installons à une table et commençons à étaler devant nous les divers documents du dossier Black. Mon organisation l'impressionne. Il réclame certaines pièces. Je les ai toutes sous la main. Il veut des noms et des dates précises. Je les connais par cœur. Je fais des copies de tout, un exemplaire pour lui, un pour moi.

J'ai tout ce qu'il faut, sauf un engagement signé des Black me désignant comme leur avocat. Comme Barry X. s'en étonne, je lui explique les conditions dans lesquelles j'ai eu connaissance de leur cas.

– Il faudra que nous les contactions, répète-t-il plusieurs fois.

Je m'en vais un peu après vingt-deux heures. En roulant à travers le centre-ville, je me surprends dans le rétro à sourire aux anges. J'appellerai Booker demain à la première heure pour lui apprendre la bonne nouvelle. Puis j'apporterai des fleurs à Madeline Skinner et la remercierai.

C'est peut-être un job sous-qualifié mais, du coup, je suivrai obligatoirement une courbe ascendante. Qu'on me laisse seulement un an et je gagnerai plus d'argent que Sara Plankmore, S. Todd, N. Elizabeth, F. Franklin et cent autres crétins du même genre que je fuis depuis près d'un mois. Je demande un peu de temps, c'est tout.

Je m'arrête au Yogi et prends un pot avec Prince. Je lui annonce la merveilleuse nouvelle et il me donne l'accolade en rotant. Il dit qu'il est désolé de me voir partir. Je lui dis que j'aimerais rester encore un mois ou deux, peut-être en travaillant les week-ends jusqu'à l'examen. Aucun problème, avec Prince il n'y a jamais de problème.

Je vais m'asseoir seul au fond de la salle et sirote une bière fraîche en suivant d'un œil distrait les allées et venues des rares clients. Je n'ai plus honte de moi. Pour la première fois depuis des semaines, je ne me sens plus humilié. À présent, je suis prêt à l'action, prêt à prendre ma carrière à bras-le-corps. Je rêve de me retrouver un jour confronté à Loyd Beck dans un tribunal.

12

Les grosses compagnies d'assurances ne reculent devant rien pour arnaquer les petites gens. Tout leur est prétexte à grappiller quelques dollars. Les documents que m'a confiés Max Leuberg, de ce point de vue, sont édifiants. En les épluchant, je suis frappé aussi de voir combien peu de gens se défendent. Tout se passe comme si la multiplicité des clauses annexes, appendices et addenda leur jetait de la poudre aux yeux. D'après une étude officielle, moins de cinq pour cent des demandes rejetées à mauvais escient tombent entre les mains de la justice. Face à un litige, les victimes des compagnies comme Great Benefit craignent autant les assureurs que les avocats, et la perspective de devoir comparaître au tribunal et de témoigner devant un juge suffit à les faire taire.

Barry Lancaster et moi consacrons deux journées entières à éplucher minutieusement le dossier des Black. Il a traité quelques cas analogues dans sa carrière, avec plus ou moins de succès. Il répète souvent que les jurys sont tellement conservateurs à Memphis qu'on a toutes les peines du monde à obtenir un verdict équitable. Voilà trois ans que j'entends la même chose. La ville de Memphis est un fief syndical, chose rare dans le Sud. Les endroits à forte tradition syndicale sont connus pour leurs verdicts favorables aux plaignants. Mais pour quelque obscure raison, ce n'est pas le cas ici. Aujourd'hui, Jonathan Lake, qui a pourtant obtenu une poignée de verdicts dépassant le million de dollars, préfère tenter sa chance dans d'autres États.

Je n'ai pas encore rencontré M. Lake. Il est toujours entre deux audiences et il se soucie sans doute comme d'une guigne de rencontrer ses nouveaux assistants.

J'ai pour bureau provisoire une petite salle de doc surplombant le deuxième étage. Il y a trois tables rondes et huit piles de livres dessus, ayant tous trait à des cas de faute professionnelle médicale. À mon arrivée, Barry m'a montré une jolie pièce non loin de son bureau en m'expliquant qu'elle serait à ma disposition d'ici quelques semaines. Il faut juste redonner un coup de peinture et réviser l'installation électrique.

Jusqu'à présent, je n'ai été présenté à personne dans le cabinet. C'est à cause de mon statut d'assistant, bien sûr, sans importance comparé à celui d'un avocat en titre. Les gens s'activent en permanence ici, et se montrent peu enclins à lier connaissance. Barry ne parle jamais de ses confrères et on sent bien que chaque équipe est non seulement autonome mais en concurrence avec les autres. Ce doit être un exercice périlleux d'entreprendre des poursuites quand le patron décide de superviser personnellement une affaire.

Barry arrive tous les matins avant huit heures et je poireaute à la porte de l'immeuble en attendant qu'on se décide à me donner les clefs. À l'évidence, M. Lake contrôle soigneusement l'accès à son cabinet. Je crois qu'il a gardé un mauvais souvenir d'une histoire de téléphones mis sur écoutes, il y a quelques années, au cours d'un procès particulièrement vicieux avec une mutuelle. Barry a vaguement évoqué le sujet la première fois que je lui ai réclamé les clefs. D'après lui, il faudra des semaines avant qu'on me les donne. La confiance règne...

Il m'a casé dans ma salle de doc, laissé ses instructions et abandonné pour s'occuper de ses affaires. Les deux premiers jours, il venait voir où j'en étais toutes les deux heures, environ. J'ai naturellement dupliqué l'intégralité des pièces du dossier Black et discrètement rapporté le tout chez moi, dans un superbe attaché-case que m'a offert Prince.

Sous la gouverne de Barry, j'ai fait le premier jet d'une lettre assez rude à Great Benefit, relevant très précisément leurs défaillances. Une fois tapée par sa secrétaire, elle faisait quatre pages. Il l'a sévèrement élaguée et remise sur ma table pour une nouvelle rédaction. Il est très motivé et se flatte de ne jamais se disperser quand il entreprend quelque chose.

Le troisième jour, lors d'une pause café, j'ai finalement trouvé le courage de demander mon contrat de travail à sa secrétaire. Elle a promis de s'en occuper dès qu'elle aurait le temps.

Le même jour, Barry et moi sortons du bureau à neuf heures du soir. La lettre de Great Benefit, un chef-d'œuvre de trois pages, partira demain en recommandé. Barry ne parle jamais de sa vie en dehors du travail. Je lui propose de prendre une bière et un sandwich au snack du coin, mais il refuse sèchement et me quitte sur le parking avec une rapide poignée de main.

Je file avaler quelque chose au Yogi. Le bar est plein de troisième année qui n'en finissent pas d'arroser leur succès et c'est Prince lui-même qui doit servir au comptoir, ce qu'il déteste par-dessus tout. Je le relève et lui suggère de reprendre sa place naturelle de videur. Il préfère aller s'installer à côté de son fidèle Bruiser Stone. L'avocat fume Camel sur Camel en prenant des paris sur un match de boxe. Il a encore fait la une de la presse locale ce matin. Il y a deux ans, les flics ont trouvé un cadavre dans une décharge à proximité d'un cabaret topless. Le défunt était un proxénète notoire qui cherchait à agrandir son empire. Pas de chance pour lui, il est tombé sur une chasse gardée et s'est fait décapiter. Bruiser s'en défend à cor et à cri, mais les flics sont persuadés qu'il sait précisément qui a fait le coup.

On le voit beaucoup ici ces derniers temps ; il passe ses soirées à picoler en manigançant je ne sais quoi avec Prince.

Dieu merci, j'ai maintenant un vrai boulot. J'étais presque résigné à postuler chez lui.

Nous sommes aujourd'hui vendredi, c'est mon quatrième jour chez Lake. J'ai appris la nouvelle à pas mal de gens et c'est assez agréable. Personne ne demande de renseignements, il suffit de prononcer le nom mythique et chacun voit immédiatement l'immense entrepôt transformé en loft par le célèbre Jonathan Lake et sa grande équipe de juristes invincibles.

Booker a failli fondre en larmes en apprenant la nouvelle. Il a acheté des côtes de bœuf, de la bière sans alcool, Charlene s'est mise aux fourneaux et nous avons fait la fête jusqu'à minuit.

Je n'avais pas prévu de me lever avant sept heures ce matin, mais, à l'aube, des coups persistants retentissent à la porte de mon appartement. C'est Miss Birdie qui s'excite sur la poignée de la porte d'entrée en criant :

– Rudy ! Rudy !

Je déverrouille la porte et elle se précipite à l'intérieur.

– Rudy, vous dormez ? lance-t-elle en me cherchant dans la cuisine.

Je suis en short et en T-shirt, rien d'indécent, heureusement, mais j'ai les yeux ensommeillés et les cheveux hirsutes. J'émerge difficilement.

Il fait à peine jour, ce qui n'empêche pas les bottes, tablier et gants de jardinage de Miss Birdie d'être entièrement maculés de terre.

– Bonjour, dis-je en essayant de ne pas montrer ma contrariété.

– Je vous ai réveillé ? demande-t-elle avec son sourire le plus ingénu.

– Non, non, je venais de me lever.

– Tant mieux. Nous avons du pain sur la planche.

– Tout de suite ? Mais je...

– Allons, Rudy, il est temps de s'attaquer aux sacs de terreau, sinon ils vont pourrir.

J'écarquille les yeux en me grattant la tête.

– Mais on est vendredi, dis-je d'une voix pâteuse.

– Non, on est samedi, répond-elle du tac au tac.

Nous nous regardons quelques secondes, puis je consulte ma montre, réflexe contracté après seulement trois jours de bureau.

– Nous sommes vendredi, Miss Birdie. Vendredi. Je travaille aujourd'hui.

– On est samedi, répète-t-elle obstinément.

Nouvel échange de regards. Elle baisse les yeux sur mon short, moi sur ses bottines crottées.

– Écoutez, Miss Birdie, je vous assure que nous sommes vendredi et je suis attendu à mon bureau dans une heure et demie. Nous ferons vos plates-bandes ce week-end.

Je dis ça pour la calmer, car j'avais prévu de bosser chez Lake demain matin.

– Ça va pourrir.

– Pas d'ici demain.

Du terreau en sac, pourrir ? Ça m'étonnerait.

– Demain, je voulais faire les rosiers.

– Eh bien, pourquoi ne faites-vous pas les rosiers aujourd'hui pendant que je suis au bureau ? Nous commencerons le terreau demain.

Elle retourne ça quelques instants dans sa tête, puis ses épaules tombent. Elle soupire. Elle ferait presque peine à voir tellement elle a l'air malheureuse.

– Vous me le promettez ? demande-t-elle humblement.

– Promis.

– Vous m'avez dit que vous feriez du jardinage si je baissais le loyer.

Difficile de l'oublier. Cela fait au moins dix fois qu'elle me le rappelle.

– Bon, tant pis, dit-elle, comme si elle s'avouait vaincue alors qu'elle sait pertinemment que c'est elle qui vient de marquer un point.

Elle s'éloigne en se dandinant et je l'entends fulminer dans l'escalier. Je referme la porte en me demandant à quelle heure elle viendra me tirer du lit demain.

Je m'habille et monte dans ma voiture. Quand j'arrive au cabinet, il y a déjà une demi-douzaine de véhicules dans le parking et plusieurs fenêtres sont allumées. Il n'est pas encore sept heures. J'attends dans ma Toyota jusqu'à ce qu'une autre voiture vienne se garer et m'arrange pour aborder son occupant juste au moment où il se présente devant la porte de l'immeuble. C'est un homme d'une quarantaine d'années. Il pose un gobelet de plastique en équilibre sur son attaché-case en cherchant ses clefs dans sa poche.

Il paraît étonné de me voir. Le quartier n'est pas particulièrement malfamé, mais on est tout de même dans une zone moins sûre qu'en plein centre-ville.

– Bonjour, dis-je d'une voix aimable.

– 'Jour, grogne-t-il. Je peux vous aider ?

– Oui, monsieur. Je suis le nouvel assistant de Barry Lancaster, malheureusement, je n'ai pas encore les clefs.

– Ah ? Vous vous appelez comment ?

– Rudy Baylor.

Ses mains s'immobilisent tandis qu'il réfléchit en fronçant les sourcils. Finalement il secoue la tête en faisant la moue.

– Ça ne me dit rien. Je suis le chef du personnel, et personne ne m'a parlé de vous.

– Il m'a embauché il y a quatre jours, je vous jure.

Il met la clef dans la serrure en jetant un œil craintif par-dessus son épaule. L'homme me prend pour un voleur ou un assassin. Je suis pourtant en costume, l'air très convenable.

– Désolé, mais M. Lake a des consignes de sécurité très strictes. Vous ne pouvez pas entrer ici en dehors des heures d'ouverture si vous n'êtes pas sur la liste du personnel. C'est pareil pour tout le monde. (Il entrouve la porte et se glisse rapidement à l'intérieur.) Dites à Barry de m'appeler ce matin, ajoute-t-il avant de me claquer la porte au nez.

Je n'ai aucunement l'intention de faire le pied de grue sur le trottoir en attendant l'arrivée du prochain employé. Je remonte dans ma voiture et roule jusqu'au bar le plus proche où j'avale un café en lisant le journal. Je passe ainsi une heure à tuer le temps, m'adonnant au tabagisme passif en écoutant les potins du quartier. Quand je reviens au parking, il est plein d'élégantes voitures d'importation. Je choisis de me ranger à côté d'une Chevrolet.

L'hôtesse d'accueil m'a déjà vu passer plusieurs fois mais prétend ne pas me reconnaître. Je lui demande d'appeler Barry, qui donne son feu vert, et je pénètre enfin dans le labyrinthe.

Barry est convoqué au tribunal à neuf heures et il est très pressé. J'étais décidé à exiger de lui mon incorporation au registre du personnel, mais le moment est mal choisi. Ça peut attendre un jour ou deux. Il bourre son attaché-case de liasses de documents et, pendant un instant, je me demande s'il ne compte pas sur moi pour venir l'assister au tribunal.

Ce n'est pas son intention.

– Je veux que vous alliez voir les Black et que vous reveniez avec un contrat signé. Il faut le faire tout de suite.

Il insiste lourdement en prononçant les mots « tout de suite ». Je sais ce qui me reste à faire.

Il me tend une mince chemise cartonnée.

– Le contrat est là-dedans. Je l'ai préparé hier soir. Lisez-le et arrangez-vous pour qu'il soit signé par les trois Black : Dot, Buddy et Donny Ray lui-même, puisqu'il est adulte.

J'acquiesce sans broncher. La perspective de passer la matinée chez les Black me désespère d'avance. Il va falloir que je fasse connaissance avec Donny Ray, je n'y couperai pas. J'avais vaguement l'espoir de différer cette rencontre indéfiniment.

– Et ensuite ?

– Je vais passer la journée au tribunal. Venez m'y retrouver, chambre du juge Anderson.

Son téléphone se met à sonner et il me congédie d'un geste impatient.

Ma mission n'a rien d'attrayant et j'envisage déjà le pire. La pauvre Dot va être obligée d'aller convaincre son ivrogne de mari d'abandonner sa Fairlane, sa bouteille et ses chats, le temps d'une signature. J'ai peur que ça ne tourne mal.

Pour éviter de les prendre au dépourvu, j'appelle d'une cabine. Dieu merci, c'est Dot qui répond. Je me voyais mal m'expliquer avec Buddy. Mais il n'a probablement pas le téléphone dans sa Fairlane.

Elle est très méfiante, comme toujours, mais accepte de me recevoir un moment. Sans lui demander de convoquer une assemblée générale, je lui précise bien que le document doit être impérativement signé par eux trois. Et, naturellement, je prétends être excessivement pressé. La cour. Des juges qui m'attendent...

Dès que je sors de la voiture, je suis accueilli par le même cabot que la dernière fois, hurlant derrière son grillage. Dot m'attend sur le porche, debout, la cigarette au bec, devant la courette où traînent toutes sortes d'outils. Un nuage bleuté flotte au-dessus d'elle. Elle a dû fumer encore plus que d'habitude depuis mon coup de fil.

J'affiche mon sourire le plus engageant. À peine si les rides se creusent autour de ses lèvres. Je la suis à travers le logement exigu et empestant le tabac. Je passe devant un canapé élimé au-dessus duquel de vieilles photos témoignent d'un bonheur familial révolu, et entre dans la cuisine déserte.

– Café ? demande-t-elle en me désignant une chaise.

– Non merci, juste de l'eau.

Elle emplit un verre au robinet et le pose sur la table. Nos regards se tournent lentement vers la fenêtre.

– Pas moyen de le faire sortir de son trou, aujourd'hui, dit-elle d'un ton résigné.

Je suppose qu'il y a des jours où Buddy condescend à venir dans la maison, et d'autres où il refuse.

– Pourquoi ? dis-je, comme si on pouvait expliquer son comportement.

Pour toute réponse, elle hausse les épaules.

– Vous voulez voir Donny Ray aussi, n'est-ce pas ?

– Oui.

Elle sort de la cuisine, me laissant avec mon verre d'eau tiède. J'essaie d'apercevoir Buddy dans sa Fairlane. Il est à peine visible. Le pare-brise n'a pas été nettoyé depuis des lustres et une tribu de matous pelés se prélassent sur le capot. Il est coiffé d'un genre de casquette à oreillettes, on dirait, et, d'un geste mécanique, il porte à ses lèvres une bouteille, apparemment enveloppée dans un sac de papier jaunâtre. Il s'imprègne sans hâte, par petites goulées.

J'entends Dot parler doucement à son fils. Ils s'approchent d'une démarche traînante et entrent dans la cuisine. Je me lève pour Donny Ray.

Le jeune homme, incontestablement, a déjà un pied dans la tombe. Il est affreusement émacié, il a les joues hâves, la peau fripée et blanche comme de la craie. Déjà délicat avant de tomber malade, il est aujourd'hui voûté, la poitrine creusée, et pas plus grand que sa mère. Ses cheveux et ses sourcils sont d'un noir intense et contrastent avec la pâleur de son teint. Il sourit et me tend une main décharnée que je prends sans oser la serrer trop fort.

Dot, qui le soutenait, un bras autour de la taille, l'aide à s'asseoir sur une chaise. Il est vêtu d'un jean avec des poches aux genoux et d'une chemise trop large qui ballonne autour de ses bras squelettiques.

– Enchanté, Donny, dis-je en évitant de croiser son regard fiévreux.

– Maman m'a dit du bien de vous, répond-il.

Sa voix est faible et éraillée, mais il s'exprime clairement. Je ne me doutais pas que Dot m'appréciait au point de le lui dire. Il soutient son menton des deux mains, comme si sa tête était trop lourde.

– Elle dit que vous allez attaquer ces salauds de Great Benefit et que vous les ferez payer, poursuit-il, plus désespéré que révolté.

– En effet, dis-je.

J'ouvre le dossier et sors une copie de la lettre adressée par Barry X. à Great Benefit. Je la tends à Dot, restée debout derrière son fils.

– C'est une mise en demeure qu'on leur a expédiée en recommandé, dis-je, forçant un peu la note pour avoir l'air pro. Comme il ne faut pas s'attendre à une réponse favorable, nous allons porter plainte et la procédure débutera officiellement d'ici quelques jours. Nous réclamerons sans doute un minimum d'un million de dollars de dommages-intérêts.

Dot parcourt la lettre et la dépose sur la table. Je m'attendais à une avalanche de questions sur les raisons pour lesquelles nous n'avons pas encore porté plainte, et je craignais que la discussion ne s'envenime. Mais elle passe gentiment le bras autour de l'épaule de Donny et se tourne vers la fenêtre en soupirant. J'ai l'impression qu'elle se retient par égard pour lui.

Donny Ray se tourne à son tour vers le jardin.

– Est-ce que papa va venir ?

– Il ne veut pas, répond-elle.

Je sors le contrat et le remets à Dot.

– Avant que nous portions plainte, vous devez signer ceci. C'est un engagement de votre part, nous désignant moi et mon cabinet comme vos seuls défenseurs pour le procès à venir.

Elle saisit le document de deux pages avec circonspection.

– Qu'est-ce qu'il y a d'écrit dedans ?

– Oh, les formules habituelles. C'est un contrat classique. Vous nous choisissez comme avocats, nous assurons votre défense, prenons tous les frais en charge et touchons le tiers des dommages-intérêts quel qu'en soit le montant.

– Pourquoi deux pages en petits caractères, alors ? s'étonne-t-elle en sortant une cigarette de son paquet.

– Non, ne l'allume pas ! proteste Donny Ray en agitant la main derrière lui. Pas étonnant que je meure à petit feu, ajoute-t-il en me regardant.

Elle plante la cigarette dans sa bouche, sans l'allumer, les yeux toujours fixés sur le papier.

– Et nous devons signer ça tous les trois ?

– Voilà, oui.

– Mais... puisqu'il refuse de venir ici ?

– Eh bien, va lui apporter, réplique Donny Ray avec énervement. Prends un stylo et fais-le signer là-bas, qu'on en finisse.

– C'est vrai, je n'y avais pas pensé.

– Ça ne sera pas la première fois.

Donny Ray baisse la tête et se gratte le crâne. Ces quelques mots d'emportement semblent lui avoir coupé la respiration.

– Oui, heu... je peux y aller, dit-elle, toujours hésitante.

– Mais vas-y ! Qu'est-ce que tu attends ? s'énerve encore Donny, et sa mère va farfouiller dans un tiroir à la recherche d'un stylo.

Donny Ray relève la tête et reprend sa position, le menton dans les mains. Ses poignets sont aussi fins qu'un manche de pioche.

– Je reviens dans une minute, prévient Dot, comme si elle allait faire des courses et s'inquiétait pour son garçon.

Elle ouvre la porte de la véranda et s'enfonce lentement dans l'herbe folle. Un chat perché sur l'épave la voit venir et plonge sous le châssis.

– Il y a quelques mois..., commence Donny Ray, mais il s'interrompt aussitôt et secoue longuement la tête en haletant. Il y a quelques mois, reprend-il, nous avions un document notarié qu'il a fallu aussi lui faire signer. Il ne voulait pas se déplacer. Maman a trouvé un notaire, une dame, qui a accepté de venir pour vingt dollars, mais quand elle est arrivée ici, même topo, impossible de le faire bouger. Alors maman et cette dame, qui était en jupe et talons, sont allées là-bas, malgré les ronces et les orties. Vous voyez cette grosse chatte orange sur le capot ?

– Mmm, oui.

– C'est Tigresse. C'est elle qui fait le guet dans la bande. Enfin bref, quand cette dame a tendu son bras pour donner le papier à Buddy qui était fin soûl, bien entendu, Tigresse s'est jetée sur elle. Ça nous a coûté soixante dollars de consultation médicale et une paire de collants neufs. Vous aviez déjà vu quelqu'un atteint de leucémie ?

– Non, jamais.

– Je pèse cinquante-cinq kilos. Il y a onze mois, j'en pesais quatre-vingts. La leucémie a été détectée largement à temps pour qu'on me soigne. J'ai la chance d'avoir un vrai jumeau, on pouvait me faire une greffe de moelle. L'opération m'aurait sauvé la vie, malheureusement nous n'avons pas les moyens de la payer. Nous avions une assurance... enfin, vous connaissez la suite de l'histoire. D'ailleurs, vous deviez déjà savoir tout ça, n'est-ce pas ?

– Oui. Je connais votre dossier à fond, Donny.

– Tant mieux, dit-il avec soulagement.

Nous voyons Dot chasser les chats. Tigresse, juchée sur le toit, fait mine de dormir. Les portières sont ouvertes et Dot passe la main à l'intérieur, avec le contrat.

– Je sais que vous les trouvez cinglés, tous les deux, dit-il, devinant mes pensées. Mais soyez patient avec eux. Ce sont de braves gens.

– Soyez sans crainte.

– Je suis mort à quatre-vingts pour cent, je le sais. Quatre-vingts pour cent. Si j'avais été greffé il y a... quoi ? six mois, j'aurais eu quatre-vingt-dix pour cent de chances de guérir. C'est drôle comme les docteurs manient les chiffres pour vous déclarer mort ou vivant. Maintenant, c'est trop tard.

Soudain, il suffoque, serre les poings et frissonne de tous ses membres. Son visage vire au gris pâle. On ferait n'importe quoi pour l'aider, tellement ça paraît insupportable. Il se martèle la poitrine des deux poings et je crains de le voir rendre son dernier souffle.

Il finit par reprendre haleine et s'ébroue en reniflant. À ce moment précis, je me mets à haïr la compagnie d'assurances Great Benefit Life.

Le regarder en face ne me gêne plus. Il est mon client, il me fait confiance et je le prends tel qu'il est, sans arrière-pensée.

À présent, il respire normalement. Ses yeux sont rouges et humides. On ne peut pas savoir s'il pleure ou si c'est le contrecoup de la crise.

– Excusez-moi, murmure-t-il.

Tigresse pousse un feulement qu'on entend d'ici et nous nous retournons juste à temps pour la voir valser dans les airs et retomber sur l'herbe. Apparemment, l'irritable chatte s'intéressait un peu trop à mon contrat et Dot l'a écartée de manière expéditive. Elle est en train d'engueuler Buddy qui se tasse encore davantage derrière le volant. Elle lui reprend le papier d'un geste rageur et revient à grands pas vers nous, déclenchant la panique parmi les matous.

– Mort à quatre-vingts pour cent, répète Donny Ray d'une voix enrouée. Ça fait que je n'en ai plus pour longtemps. Quelle que soit la somme que vous obtiendrez au procès, je vous demande de prendre soin d'eux. Ils ont eu une vie pénible.

Ce qu'il me dit me touche tellement que je ne sais quoi répondre.

Dot ouvre la porte et jette le contrat sur la table. La première page est légèrement déchirée en bas et la deuxième tachée au milieu. J'espère que ce n'est pas de la crotte de chat.

– Voilà, dit-elle, soulagée d'avoir accompli sa mission.

Effectivement, son mari a signé, quoique d'un gribouillis parfaitement illisible.

Je montre l'endroit où Donny et sa mère doivent signer, ils s'exécutent et l'affaire est bouclée. Nous bavardons quelques minutes, puis je commence à regarder ma montre.

Quand je les quitte, Dot est assise à côté de Donny Ray et lui serre délicatement le bras en lui répétant que ça va aller mieux.

13

Je m'étais préparé à expliquer à Barry X. que je ne pourrais pas venir au bureau samedi pour une raison qui restait à inventer, et je pensais lui proposer de travailler quelques heures le dimanche après-midi au cas où il aurait besoin de moi, mais je me suis inquiété pour rien. Barry s'absente de la ville pour tout le week-end. Comme je n'oserai pas pénétrer dans le cabinet sans lui, la question est réglée.

Miss Birdie, au lieu de tambouriner à ma porte au petit jour, préfère s'activer sous ma fenêtre, manipulant les outils qu'elle destine à mes pauvres mains. Elle jette bruyamment à terre bêches et râteaux, récure maladroitement l'intérieur de sa brouette avec une pioche, aiguise une faucille en vocalisant. Je descends finalement juste après sept heures et elle paraît surprise de me voir.

– Tiens, c'est vous, Rudy. Bonjour. Comment ça va ?

– Ça va, Miss Birdie. Et vous ?

– Bien, très bien. Splendide journée, n'est-ce pas ?

Le jour se lève à peine et il est un peu tôt pour apprécier sa splendeur. À vrai dire, il s'annonce plutôt étouffant. Tout laisse présager que la canicule va s'abattre sur Memphis, comme c'est souvent le cas l'été.

Elle m'autorise à prendre une tasse de café et un demi-toast avant de se mettre à râler à propos du terreau. Je me jette dans l'action, à son grand soulagement. Suivant ses indications, je hisse le premier sac de trente kilos dans la brouette et la suis autour de la maison, le long de l'allée, puis à travers la pelouse, jusqu'à une petite plate-forme bordant la rue. Tenant son café de sa main gantée, elle tend le doigt vers l'endroit précis où le terreau doit être déversé. Le trajet m'a complètement essoufflé, surtout les derniers mètres dans l'herbe mouillée, mais je déchire énergiquement le sac et commence à décharger son contenu avec une fourche.

Quand je viens à bout du premier sac, un quart d'heure plus tard, mon T-shirt est trempé. Retour à la maison. Elle m'emboîte le pas et nous rechargeons. La cargaison suivante est destinée à un parterre d'hortensias à côté de la boîte aux lettres.

En une heure, nous vidons cinq sacs. Cent cinquante kilos de terreau. Je sue comme un bœuf et chaque pelletée est plus dure que la précédente. À neuf heures, la température est de vingt-neuf degrés. J'arrive à lui arracher une pause à neuf heures et demie, et me relève difficilement dix minutes plus tard. Les premières courbatures se font sentir peu après, mais je me mords la langue et me contente de grimacer ostensiblement. Elle ne remarque rien.

Je ne crois pas être paresseux et à une époque, au collège, j'étais en excellente forme physique. Je faisais du jogging, passais quatre heures par semaine en salle de musculation, mais il y a eu la fac et depuis trois ans je n'ai pas pu m'entraîner. J'ai l'impression d'avoir les bras en guimauve.

Au déjeuner, elle me donne deux sandwiches à la dinde insipides et une pomme que je mange très lentement, sous le ventilateur de la véranda. J'ai mal au dos, aux jambes et aux épaules. Mes mains tremblent tandis que je grignote mon pain de mie comme un lapin.

Pendant qu'elle range la cuisine, je contemple mon appartement au-dessus du garage. J'étais si fier quand j'ai négocié ce loyer de cent cinquante dollars par mois. À quoi bon ? me dis-je à présent. Qui a plumé l'autre dans l'histoire ? Dire qu'alors j'avais vaguement honte de profiter d'une pauvre vieille... Aujourd'hui, j'aimerais l'enterrer vive sous une brouettée de terreau.

S'il faut en croire un antique thermomètre cloué au mur du garage, il fait, à une heure de l'après-midi, trente-sept degrés à l'ombre. À deux heures, mon dos refuse carrément d'obéir et je persuade Miss Birdie que je dois me reposer. Elle me regarde tristement, puis se retourne et considère la pile à peine entamée de gros sacs blancs.

– Bon, dit-elle, puisqu'il le faut.

– Une petite heure, dis-je d'une voix suppliante.

Elle a cédé, mais à trois heures et demie je me retrouve devant elle, attelé à la brouette sous un soleil de plomb.

Après huit heures d'un labeur éreintant, soixante-dix-neuf sacs du terreau qu'elle a commandé, c'est-à-dire moins du tiers, se trouvent étalés par mes soins.

Prenant les devants dès le déjeuner, je l'ai prévenue que j'étais attendu au Yogi à six heures. Mensonge. Je suis effectivement censé tenir le bar ce soir, mais de huit heures à la fermeture. Heureusement, il n'y a que moi qui le sache et je suis déterminé à arrêter le terreau avant la nuit.

À cinq heures, je plante ma pelle devant elle et décide que ça suffit. Je lui dis que j'en ai assez, que je ne peux plus me baisser tellement je souffre du dos et qu'il est temps que je parte. Elle me regarde m'éloigner avec tristesse. Elle peut toujours me virer, je m'en fiche complètement.

Tard le dimanche matin, je suis réveillé par le grondement majestueux du tonnerre et le crépitement de la pluie sur le toit du garage. J'ai les idées claires. Je n'ai rien bu chez Prince hier soir. Mais, physiquement, j'ai l'impression d'être coulé dans du béton. Je reste allongé sur le dos, le moindre mouvement m'arrache des cris de douleur. Hier après-midi, entre deux brouettes de terreau, Miss Birdie m'a demandé si je comptais faire mes dévotions avec elle, ce matin. La fréquentation de l'église ne fait pas partie du contrat que j'ai passé avec elle, mais pourquoi pas ? ai-je pensé. Si elle veut que je l'accompagne, c'est bien le moins que je puisse faire, elle est si seule dans la vie. Ça ne peut certainement pas me faire de mal.

Puis je lui ai demandé à quelle église elle allait. Abundance Tabernacle à Dallas, m'a-t-elle répondu. En direct par satellite. Elle prie avec le révérend Kenneth Chandler sans sortir de chez elle, dans la plus stricte intimité.

Du coup, j'ai refusé. Elle a paru peinée mais a vite repris le dessus.

Quand j'étais un petit garçon, bien avant que mon père sombre dans l'alcoolisme, il nous arrivait d'aller à l'église, ma mère et moi. Au début, mon père nous accompagnait, mais, comme il ronchonnait en permanence, nous avons fini par le laisser lire son journal à la maison. C'était une petite église méthodiste avec un gentil pasteur, le révérend Howie, qui racontait des histoires drôles et auprès duquel chacun se sentait comblé d'affection. Je me rappelle le plaisir de ma mère chaque fois que nous écoutions ses sermons. Il y avait plein d'enfants à l'école du dimanche et je ne voyais aucun inconvénient à être récuré et vêtu d'une chemise empesée ce matin-là pour aller à l'église.

Une fois, ma mère dut subir une intervention chirurgicale bénigne et resta trois jours à l'hôpital. Naturellement, les dames de la paroisse connaissaient tous les détails de l'opération. Durant trois jours, notre maison fut assaillie de pâtés, de gratins, de cakes et de gâteaux divers. Plus qu'il ne nous en fallait, mon père et moi, pour soutenir un siège d'une année. Ces dames organisèrent un service pour nos repas. Elles se relayèrent pour faire les courses, nettoyer la cuisine et accueillir les invités toujours plus nombreux qui continuaient à nous apporter des victuailles. Pendant toute l'hospitalisation de ma mère et dans les trois jours qui suivirent son retour, nous eûmes constamment une de ces paroissiennes à la maison afin, me semblait-il, de veiller sur toute cette mangeaille.

Pour mon père, ce fut une épreuve détestable. D'abord, il ne pouvait plus picoler en douce. Je pense que ces dames connaissaient son penchant pour la bouteille et que si elles avaient décidé de monter la garde chez nous, c'était, entre autres choses, pour l'empêcher de boire. Elles attendaient de lui qu'il les reçoive en maître de maison courtois et obligeant, ce dont il était parfaitement incapable. Au bout de vingt-quatre heures, il alla passer ses journées à l'hôpital, mais pas précisément au chevet de sa femme souffrante. Il s'installa dans le salon des visiteurs et se planta devant la télé avec une flasque de gnôle destinée à être mélangée aux boissons du distributeur.

J'ai gardé un bon souvenir de ces quelques jours. Jamais l'ambiance à la maison n'avait été aussi chaleureuse, jamais les repas si délicieux. Ces dames me dorlotaient comme si ma mère était morte et j'en redemandais. Elles remplaçaient les tantes et les grand-mères que je n'avais jamais eues.

Peu après le rétablissement de ma mère, le révérend Howie se fit évincer à la suite d'une indiscrétion que je n'ai jamais bien comprise, et la paroisse éclata en plusieurs factions. Quelqu'un insulta ma mère et nous ne mîmes plus jamais les pieds à l'église. Aujourd'hui, je crois qu'elle s'y rend de temps à autre avec Hank, son nouveau mari.

L'église m'a manqué pendant un certain temps, puis je me suis habitué à ne plus y aller. Il y a quelques années, des amis de mon ancien quartier m'ont invité à les rejoindre, mais j'étais devenu trop détaché pour chanter des psaumes avec eux. Au lycée, j'avais une petite amie catholique qui tint à m'emmener une ou deux fois à la messe, mais je suis trop protestant dans l'âme pour comprendre tant de rituels.

Miss Birdie a timidement évoqué la possibilité de travailler au jardin cet après-midi. Je lui ai répondu que nous étions le jour du Seigneur et qu'il était impie de travailler le dimanche.

Ça lui a coupé le sifflet.

14

La pluie qui tombe par intermittence durant trois jours met un terme provisoire à mes activités de jardinier. Le mardi soir, alors que je suis enfermé chez moi en train de préparer l'examen du barreau, le téléphone sonne. C'est Dot Black et je sens d'instinct que quelque chose ne va pas. Sinon elle ne m'appellerait pas à une heure si tardive.

– Je viens d'avoir un coup de fil d'un nommé Barry Lancaster. Il dit qu'il est mon avocat, m'annonce-t-elle.

– C'est exact, Dot. C'est un collaborateur du cabinet où je travaille.

J'imagine que Barry voulait vérifier quelques détails.

– Oui, eh bien, ce n'est pas ce qu'il dit. Il appelait pour savoir si Donny Ray et moi pouvions passer à son bureau demain. Il voudrait nous faire signer quelque chose. Je lui ai parlé de vous, il dit que vous ne travaillez pas avec lui. J'aimerais savoir ce que ça veut dire.

Moi aussi. Je réponds en bégayant qu'il doit y avoir un malentendu. Brusquement, j'ai l'estomac noué.

– C'est un gros cabinet, Dot, et je suis nouveau dans l'équipe, vous comprenez. Il a dû oublier mon nom.

– Pas du tout, il sait qui vous êtes. Il dit que vous avez travaillé chez eux mais plus maintenant. On s'y perd, vous savez.

Effectivement. Je m'affale dans mon fauteuil et tente de clarifier mes pensées. Il est presque neuf heures du soir.

– Écoutez, Dot, ne bougez pas, laissez-moi appeler M. Lancaster et je vous rappelle dans une minute.

– Je veux savoir ce qui se passe. Vous avez porté plainte contre ces salauds ?

– Je vous rappelle dans une minute, OK ? À tout de suite.

Je raccroche et compose d'un doigt nerveux le numéro de Lake. J'ai la pénible impression d'être à nouveau tombé dans un piège.

Je décide d'être cordial, d'entrer dans son jeu et de voir ce qu'il a à dire.

– Barry, c'est moi, Rudy. Vous avez vu mon rapport?

– Ouais, ça m'a l'air très bien, répond-il d'une voix lasse. Dites, Rudy, nous risquons d'avoir un léger problème avec votre poste.

Ma crampe d'estomac s'accentue. J'ai la gorge nouée et ne respire plus.

– Ah bon? dis-je d'une voix cassée.

– Oui. Ça se présente mal. J'ai vu Jonathan Lake cet après-midi et il n'a pas l'intention de vous embaucher.

– Pourquoi?

– Il n'aime pas l'idée qu'un avocat remplisse la fonction d'un assistant-juriste. Et effectivement, ce n'est peut-être pas une si bonne idée dans le fond. M. Lake estime, et je partage son avis, que la tendance naturelle d'un avocat dans une telle situation est d'essayer de jouer le rôle d'un collaborateur, voire de prendre sa place si l'occasion se présente. Et nous ne fonctionnons pas de cette façon. Ça ne marcherait pas

Mes yeux se ferment. J'ai envie de pleurer.

– Je ne comprends pas, dis-je.

– Je suis navré. J'ai fait de mon mieux, mais il n'a rien voulu savoir. Il dirige ce cabinet d'une main de fer et il a ses méthodes. Pour ne rien vous cacher, il m'a même engueulé pour avoir seulement songé à vous recruter.

– Je veux parler à Jonathan Lake, dis-je le plus fermement possible.

– Pas question. Il est trop occupé et, en plus, il ne voudrait pas. Il ne changera pas d'avis.

– Fils de pute!

– Écoutez, Rudy, nous...

– Vous êtes des enfoirés! dis-je en hurlant dans le combiné (et ça fait du bien).

– Calmez-vous, Rudy.

– Est-ce que Lake est au bureau en ce moment?

– Probablement, mais il ne vous...

– Je serai là dans cinq minutes.

Et je raccroche brutalement.

Dix minutes plus tard, mes pneus crissent devant l'entrepôt et je pile dans le parking, où il ne reste que trois véhicules. L'immeuble est éclairé. Barry n'a pas l'air de m'attendre.

Je martèle la porte d'entrée, mais personne ne se manifeste. Je sais qu'ils m'entendent de l'intérieur, mais ils sont trop dégonflés pour sortir de leur trou. Ils appelleront sans doute les flics si je ne pars pas tout seul.

Mais je n'en ai pas l'intention. Je tourne le coin de l'immeuble et frappe à une autre porte côté nord, puis recommence derrière, devant la sortie de secours. Je me place sous la fenêtre du bureau de Barry et l'appelle en criant. Sa lumière est allumée mais il m'ignore. Je retourne à la porte principale que je martèle à nouveau.

Un vigile en uniforme surgit de l'ombre et m'attrape à l'épaule. Je tremble de peur. Je lève les yeux vers lui. C'est un Noir d'au moins deux mètres, avec une casquette et un flingue.

– Faut dégager de là, mon vieux, me dit-il sans méchanceté d'une voix caverneuse. Allez, filez avant que j'appelle la police.

D'une brusque secousse, j'ôte sa main de mon épaule. Je m'éloigne vers le parking.

Je reste longtemps effondré dans le noir sur le canapé défoncé que m'a prêté Miss Birdie. J'essaie vainement de réfléchir et de replacer les choses dans leur contexte. Je bois deux bières tièdes coup sur coup. Je jure, je sanglote, je combine mille projets de vengeance. Je songe même à assassiner Jonathan Lake et Barry X. Ces salopards se sont ligués pour me piquer mon affaire. Qu'est-ce que je vais dire aux Black, maintenant ? Comment je vais leur expliquer ça ?

Je marche de long en large, ruminant et fulminant en attendant le lever du jour. Hier soir, j'ai jeté à la poubelle en rigolant la liste de cabinets que j'avais prévu de solliciter. À la seule idée de retourner voir Madeline Skinner, j'ai envie de rentrer sous terre.

Je finis par m'endormir. Je suis réveillé peu après neuf heures par des coups frappés à ma porte. Ce n'est pas Miss Birdie, ce sont deux flics en civil. Ils me collent leur insigne sous le nez dès que j'ouvre la porte. Je les fais entrer, sans m'affoler. Je suis en short de gym et T-shirt et me frotte les yeux en tâchant de deviner ce qui me vaut cette visite matinale.

Ils pourraient être jumeaux, la trentaine tous les deux, à peine plus vieux que moi. Ils sont en jean et baskets, portent tous les deux une grosse moustache noire et agissent comme deux figurants de série B.

– On peut s'asseoir ? demande l'un en tirant une chaise à lui, aussitôt imité par son acolyte.

– Bien sûr, dis-je avec un sourire exagéré. Mettez-vous à l'aise.

– Asseyez-vous aussi, ordonne l'autre en me désignant l'unique chaise restante.

– Voilà, dis-je, et je prends place en face d'eux.

Continuant leur numéro, ils se penchent vers moi.

– Et maintenant, dis-je, j'aimerais bien savoir ce qui se passe.

– Vous connaissez Jonathan Lake ?

– Oui.

– Vous savez où se trouve son bureau ?

– Oui.

– Est-ce que vous y êtes allé la nuit dernière ?
– Oui.
– À quelle heure ?
– Entre vingt et une heure et vingt-deux heures.
– Et qu'est-ce que vous alliez y faire ?
– C'est assez long à expliquer.
– Nous avons le temps.
– Je voulais parler à Jonathan Lake.
– Et vous lui avez parlé ?
– Non.
– Pourquoi ?
– Les portes étaient fermées. Je n'ai pas pu pénétrer dans l'immeuble.
– Vous avez tenté de rentrer par effraction ?
– Non, messieurs.
– Vous êtes sûr ?
– Oui, messieurs.
– Est-ce que vous êtes retourné là-bas après minuit ?
– Non.
– Vous êtes sûr ?
– Certain. Demandez au gardien de nuit.

À ces mots, ils échangent un regard. Quelque chose a fait tilt dans leur esprit.

– Vous avez vu le gardien ?
– Oui. Il m'a demandé de partir et c'est ce que j'ai fait.
– Vous pourriez le décrire ?
– Oui.
– Allez-y.
– Un grand Noir baraqué dans les un mètre quatre-vingt-dix, deux mètres, en uniforme, casquette, arme à la ceinture, la tenue habituelle. Demandez-lui, il vous le dira. Je suis parti dès qu'il me l'a demandé.
– On peut pas lui demander, font-ils en échangeant un nouveau regard.
– Pourquoi pas ? dis-je, redoutant le pire.
– Parce qu'il est mort.

Cela dit, ils guettent attentivement ma réaction. Je suis sincèrement choqué, comme n'importe qui le serait en pareil cas. Je sens leurs regards inquisiteurs peser sur moi.

– Il... il est mort comment ?
– Carbonisé dans l'incendie ?
– Quel incendie ?

Tous deux restent muets, hochant la tête d'un air soupçonneux en regardant la table. Soudain, l'un sort un calepin de sa poche, comme un apprenti reporter.

– Cette petite voiture, la Toyota là-bas, elle est à vous?
– Vous le savez bien. Vous avez vos ordinateurs.
– Vous l'avez prise pour vous rendre au cabinet, hier soir?
– Non, j'ai fait les trois bornes en la poussant. Quel incendie?
– Faites pas le mariole, compris?
– OK, on fait un marché. Je ne fais pas le mariole, mais vous non plus, d'accord?

L'autre embraye aussitôt :

– Nous avons le témoignage de quelqu'un qui aurait vu votre véhicule dans les parages du bureau à deux heures du matin.
– Ça m'étonnerait. Pas ma voiture.

Impossible, sur le moment, de savoir si ces deux types bluffent.

– Quel incendie? je redemande.
– Le cabinet Lake a été incendié la nuit dernière. Il est complètement détruit.
– Il ne reste rien, ajoute l'autre obligeamment.
– Et donc, vous venez me voir parce que Barry Lancaster vous a dit que je ferais un coupable idéal, c'est ça?

Je suis encore sous le choc, et en même temps excédé qu'ils me soupçonnent d'être l'incendiaire.

– On ne fait qu'écouter ce qu'on nous dit. On constate aussi les faits. Il y a mort d'homme.
– Combien de victimes?
– Juste le gardien. Le premier appel est arrivé à trois heures du matin. L'immeuble était désert. Le gardien a dû se trouver coincé quelque part quand le toit s'est écroulé.

Je regrette presque que Jonathan Lake n'ait pas été avec lui, puis je pense à tous ces magnifiques bureaux, au mobilier, aux tapis réduits en cendres.

– Vous perdez votre temps, dis-je, sentant la patience me quitter.
– M. Lancaster dit que vous étiez très mécontent quand vous êtes venu au cabinet hier soir.
– C'est vrai, mais pas fou au point de mettre le feu à l'immeuble. Je vous assure que vous perdez votre temps, messieurs.
– Il dit que vous veniez d'être viré et que vous vouliez avoir une explication avec M. Lake.
– C'est vrai aussi, mais ça ne prouve pas que j'ai incendié les bureaux. Soyez réalistes.

Il doit y avoir quelque chose de convaincant dans ma colère, car ils ne trouvent rien à répondre. L'un d'eux tire un papier plié de la poche de sa chemisette.

– J'ai ici un rapport stipulant que vous étiez recherché il y a quelques semaines pour destruction de biens. Une histoire de porte vitrée brisée dans un cabinet du centre-ville.

– Vous voyez que vos ordinateurs fonctionnent bien !
– Drôle de comportement pour un avocat.
– J'ai vu pire. Et je ne suis pas avocat. Juste assistant-juriste, ou ce que vous voudrez. Je viens de finir la fac. Et la plainte a été retirée, ce qui figure en gros caractères sur votre petit papier, j'en suis sûr. Enfin, messieurs, si vous pensez que le fait que j'aie cassé une vitre en avril dernier est lié à l'incendie de cette nuit, alors le vrai coupable peut dormir sur ses deux oreilles. Il ne risque pas de se faire prendre.

Là-dessus, l'un des flics se lève, vite imité par son collègue.

– Vous feriez bien de consulter un avocat. Pour l'instant, vous êtes le suspect numéro un.

– C'est ça, eh bien, moi je vous répète que, dans ce cas, le véritable criminel est tranquille. Ce n'est pas demain la veille qu'il va se faire prendre. Vous faites complètement fausse route, messieurs.

Ils disparaissent en claquant la porte. J'attends une demi-heure, puis monte dans ma voiture et roule vers l'entrepôt autour duquel je tourne prudemment, sans m'approcher. Je me gare, continue à pied et entre dans une épicerie d'où j'aperçois les vestiges fumants à quelque distance. Il ne reste qu'un seul mur debout. Des dizaines de gens circulent alentour, juristes et secrétaires tendant le doigt ici ou là, pompiers piétinant les décombres avec leurs grosses bottes. Un ruban jaune a été tendu autour du périmètre de l'incendie par la police. L'odeur de bois calciné est pénétrante et un nuage grisâtre flotte encore au-dessus du quartier.

Le bâtiment avait des planchers en bois et, à quelques exceptions près, les cloisons étaient en pin. Ajoutez à cela l'immense quantité de livres disséminés un peu partout dans l'immeuble, ainsi que les tonnes de papier inhérentes à l'activité juridique et l'on se fait une idée de la vitesse à laquelle a dû se propager le feu. Une chose laisse perplexe, pourtant, c'est que le cabinet était protégé par un vaste réseau d'extincteurs automatiques camouflés dans les faux plafonds. Je me souviens qu'on voyait des canalisations peintes dans chaque pièce, souvent intégrées aux structures décoratives.

Pour des raisons évidentes, Prince n'est pas très matinal. Il ferme d'ordinaire vers deux heures du matin, avant d'aller s'écrouler sur la banquette arrière de sa Cadillac. Firestone, son fidèle chauffeur et prétendu garde du corps, le ramène alors chez lui. Il est arrivé quelquefois que Firestone soit lui-même trop soûl pour prendre le volant et que je les reconduise tous les deux.

Prince arrive en général à son bureau avant onze heures, parce que le Yogi fait un peu de restauration rapide à l'heure du déjeuner. C'est là que je le trouve, vers midi, en train de brasser je ne sais quelles paperasses tout en soignant sa gueule de bois quotidienne. Il carbure aux antalgiques et à l'eau minérale jusqu'à cinq heures, heure magique à partir de laquelle il s'adonne de nouveau aux bienfaits du rhum-tonic.

Le bureau de Prince est une pièce sans fenêtre située sous la cuisine. Elle est invisible de l'extérieur, et accessible seulement par trois portes que masque un trompe-l'œil ouvrant sur un escalier dérobé. C'est une cellule carrée dont les murs sont couverts du haut en bas de photos de Prince serrant la main de sommités locales et autres créatures photogéniques. Il y a aussi beaucoup de coupures de presse encadrées ou plastifiées le montrant soupçonné, prévenu, accusé, interrogé et immanquablement déclaré innocent. Il adore se voir dans les journaux.

Il est d'humeur massacrante, comme d'habitude. Avec les années, j'ai appris qu'il valait mieux l'éviter tant qu'il n'avait pas bu son troisième verre, aux alentours de six heures du soir. Aujourd'hui, j'arrive donc six heures trop tôt. Il me fait signe d'entrer et je ferme la porte derrière moi.

– Qu'est-ce qui ne va pas? grogne-t-il.

Ses yeux sont injectés de sang. Avec ses longs cheveux bruns, sa barbe mal taillée et sa chemise ouverte sur son torse velu, il me rappelle toujours Wolfman Jack [1].

– Je suis dans le pétrin, dis-je.

– À part ça?

Je lui raconte les événements des dernières vingt-quatre heures, mon boulot perdu, l'incendie, les flics. J'insiste sur le fait qu'il y a un mort, ce qui a l'air de beaucoup chiffonner les flics. Ça paraît normal. Ce qui l'est moins, c'est que je sois leur principal suspect.

– Alors Lake a cramé, répète-t-il, songeur et pas mécontent en même temps.

Un bon incendie criminel, rien de tel pour le réjouir.

– Il ne m'a jamais particulièrement botté, ce type-là, ajoute-t-il.

– Il n'est pas mort. Il est juste momentanément sur la touche. Il reviendra.

C'est d'ailleurs un de mes principaux sujets d'inquiétude. Jonathan Lake dépense beaucoup d'argent pour les politiciens. Il soigne ses relations pour solliciter des faveurs ensuite. S'il est convaincu que c'est moi qui ai mis le feu chez lui, ou s'il a simplement besoin d'un bouc émissaire, les flics vont se jeter sur moi comme le loup sur l'agneau.

– Tu me jures que ce n'est pas toi?

– Arrête, Prince.

Il retourne ça dans sa tête, lisse sa barbe. Je sens qu'il est ravi de se trouver mêlé à cette affaire. Il y a un crime, un cadavre, une

1. Célèbre animateur de radio.

intrigue, des retombées politiques, tout ce qu'il aime. Si seulement il y avait quelques strip-teaseuses et des pots-de-vin aux flics dans l'affaire, je crois qu'il déboucherait une bouteille pour fêter ça.

– Tu ferais bien de contacter un avocat, dit-il en tortillant ses favoris.

C'est malheureusement pour ça que je suis ici. J'ai pensé appeler Booker, mais je l'ai assez embêté comme ça. Et, comme moi, il est inapte à exercer officiellement tant qu'il n'aura pas passé l'examen du barreau.

– Je ne peux pas m'en payer un, dis-je, effrayé par le vide qui s'ouvre devant moi à cette constatation.

– Laisse-moi m'en occuper, dit-il. Je vais appeler Bruiser.

– Merci, dis-je d'une petite voix. Tu crois qu'il pourra m'aider ?

Prince sourit et ouvre grand les bras.

– Bruiser fera tout ce que je lui demanderai, OK ?

– OK, dis-je en baissant les yeux.

Il prend son téléphone et compose le numéro. Il ronchonne pendant qu'on le fait patienter et obtient finalement son ami. Il lui parle vite, par formules laconiques, en bon utilisateur d'une ligne qu'il sait surveillée depuis longtemps.

– Bruiser, salut, c'est Prince. Ouais, ouais. Faudrait que je te voie d'urgence... Non, c'est un petit problème que j'ai avec un de mes gars. Ouais, ouais. Non, à ton bureau. Une demi-heure ? Ça marche.

Et il raccroche.

Je plains le pauvre agent du FBI censé retenir des éléments à charge à partir de cette conversation.

Firestone amène la Cadillac devant la porte de service et nous nous engouffrons dedans. La voiture est noire, les vitres teintées, Prince vit dans l'obscurité. Depuis trois ans que je le connais, je ne l'ai jamais vu se livrer à une activité en plein air. Il prend ses vacances à Las Vegas où il ne quitte jamais les casinos.

Je l'écoute énumérer les plus grands triomphes juridiques de Bruiser, dans lesquels il a presque toujours été impliqué. C'est un long panégyrique plutôt ennuyeux, mais, curieusement, ça me détend. Je suis entre de bonnes mains.

Bruiser a suivi les cours du soir à la fac et a fini diplômé à vingt-deux ans, record inégalé à ce jour, m'assure Prince. Gosses, ils étaient inséparables. Au lycée, ils ont commencé à claquer de l'argent au jeu, puis à boire, à draguer les filles et à se battre contre leurs rivaux. Ça se passait dans les quartiers sud de Memphis, une banlieue déshéritée aujourd'hui livrée aux promoteurs. Ils pourraient écrire un livre là-dessus. Bruiser a continué ses études jusqu'au bout, Prince s'est arrêté en cours de route et a acheté une camionnette dont il a fait sa première buvette. Je connais le reste.

Le cabinet se trouve dans une petite zone commerciale en brique rouge, avec un teinturier à un bout de la ruelle et un loueur de cassettes vidéo à l'autre bout. Bruiser a investi sagement, m'explique Prince, et il est propriétaire de tout le lotissement. Sur le trottoir d'en face se trouvent une crêperie ouverte toute la nuit et, à côté, le Club Amber, une boîte topless, avec des néons style Las Vegas. On est dans une zone industrielle, près de l'aéroport.

À part les mots CABINET JURIDIQUE imprimés en noir sur une porte vitrée au milieu de la ruelle, rien n'indique quelle profession se pratique ici. Une secrétaire en jean moulant, avec un rouge à lèvres rose pivoine nous accueille d'un sourire racoleur, mais nous ne ralentissons même pas. Je suis Prince dans un étroit couloir mal éclairé.

– Autrefois, elle travaillait en face, ricane-t-il.

J'espère pour elle que c'était à la crêperie, mais j'en doute.

Le bureau de Bruiser ressemble beaucoup à celui de Prince. C'est une grande pièce carrée où le soleil ne pénètre jamais. Sur un mur, des photos de VIP donnant l'accolade à Bruiser, le visage hilare, tourné vers l'objectif. Un autre mur est réservé aux armes à feu. Toutes sortes de carabines et de pistolets de collection, ainsi que des trophées de concours de tir. Derrière l'énorme fauteuil pivotant en cuir de l'avocat, il y a un grand aquarium. On dirait que des petits squales évoluent dans l'eau trouble.

Il est au téléphone, et il nous fait signe de nous installer en face de son imposant bureau. Nous nous asseyons et Prince ne perd pas une seconde pour m'informer.

– C'est des vrais requins, là-dedans, tu sais, dit-il, le doigt pointé au-dessus de la tête de son ami.

Des tueurs dans le bureau d'un avocat. Ça en jette, non ? Prince rigole.

J'observe Bruiser à la dérobée et tâche de ne pas croiser son regard. Le téléphone a l'air minuscule à côté de son énorme tête. Ses cheveux poivre et sel tombent en longues mèches raides sur ses épaules. Ses yeux sombres et mobiles sont entourés de gros cernes. Je me suis souvent dit qu'il devait être d'origine méditerranéenne.

Bien que j'aie servi à Bruiser des milliers de verres, je n'ai jamais vraiment discuté avec lui. Je n'y tenais pas spécialement. Aujourd'hui je n'ai plus tellement le choix.

Il termine sa conversation d'une ou deux remarques hargneuses et raccroche. Prince me présente vite.

– Oui, oui, je connais Rudy depuis longtemps, dit-il. Quel est le problème ?

Prince me regarde et je débite mon histoire.

– J'ai vu ça ce matin aux infos, intervient Bruiser quand j'arrive à l'épisode de l'incendie. J'ai déjà reçu cinq coups de fil à ce sujet ce matin. On s'agite pour un rien dans notre métier.

Je souris avec complaisance et poursuis jusqu'à l'interrogatoire des flics. J'attends maintenant ses conseils.

– Et tu étais assistant-juriste chez eux ? demande-t-il, incrédule.

– J'avais le couteau sous la gorge.

– Mais tu travailles où, maintenant ?

– Nulle part. Mon vrai problème, pour l'instant, c'est de ne pas me faire arrêter.

– Ne t'inquiète pas, je m'en occupe. Il faut que je passe un ou deux coups de fil, c'est tout, dit-il avec un sourire suffisant.

Prince m'a souvent répété que Bruiser connaissait plus de flics que le maire en personne.

– Faut qu'il soit discret, hein ? demande Prince comme si je venais de m'évader de prison.

– Ouais, te fais pas remarquer, confirme l'avocat en me regardant.

Ce type de conseil a dû être donné plus d'une fois dans ce cabinet.

– Et tu t'y connais en incendies criminels ? reprend Bruiser.

– Non, pas du tout. On ne nous a rien appris là-dessus à la fac.

– J'ai eu quelques cas. Ça peut mettre pas mal de temps avant que la qualification criminelle soit retenue. Dans un vieux bâtiment comme ça, tout peut arriver. Même si c'est quelqu'un qui a mis le feu, ils n'interpelleront personne avant plusieurs jours.

– J'aimerais vraiment éviter d'être arrêté. Surtout que je suis innocent. Je n'ai aucune envie de me retrouver dans les journaux, dis-je en regardant les coupures sur le mur.

– Je te comprends, dit-il avec une mine sérieuse. Quand est-ce que tu passes l'examen du barreau ?

– En juillet.

– Et ensuite ?

– Aucune idée. Il faut que je cherche.

Mon copain Prince intervient soudain.

– Mais dis donc, Bruiser, tu ne pourrais pas l'employer, toi ? T'as déjà pas mal d'avocats. Qu'est-ce que ça peut te faire d'en prendre un de plus ? Il est très brillant, comme étudiant, travailleur et tout. Je me porte garant. Il lui faut un boulot.

Je me tourne lentement vers Prince, qui me sourit comme s'il était le Père Noël.

– Ça serait formidable pour toi de travailler ici, lance-t-il joyeusement. T'apprendrais ce que font les vrais avocats.

Il s'esclaffe et me tape sur le genou.

Nos regards se portent vers Bruiser qui fait mine de réfléchir en fixant le plafond.

– Heu... oui, c'est sûr. Je suis toujours en quête de jeunes talents.

– Tu vois, dit Prince.

– En fait, ça tombe bien, deux de mes collaborateurs viennent de partir pour se mettre à leur compte. J'ai deux bureaux vides.

– Tu vois, répète Prince. Je t'avais dit que ça s'arrangeait.

– Mais attention, prévient Bruiser à qui l'idée semble déjà sourire. Je ne peux pas te salarier. Non, mon gars, avec moi ça ne marche pas comme ça. J'attends de mes collaborateurs qu'ils se paient eux-mêmes, qu'ils décrochent leurs propres honoraires.

Je reste sans voix. Prince et moi n'avons jamais discuté de mes conditions de travail, puisque je ne lui demandais pas d'aide de ce côté-là. Avoir Bruiser Stone pour patron ne m'emballe pas du tout. Mais je ne peux pas non plus l'insulter, avec des flics qui me surveillent et font des allusions gourmandes à la peine de mort. Je n'ose pas dire à Bruiser qu'il est suffisamment bon pour me défendre, mais trop minable pour m'embaucher.

– Ça marche comment ? je demande.

– C'est très simple, et ça rapporte, du moins pour moi. En vingt ans, j'ai tout essayé. J'ai eu plein d'associés et des dizaines de collaborateurs. Le seul système qui fonctionne, c'est d'exiger du collaborateur qu'il encaisse assez d'honoraires pour payer son salaire. Tu crois que tu peux le faire ?

– Je peux essayer, dis-je, haussant les épaules avec embarras.

– Bien sûr que tu peux, renchérit Prince, toujours attentionné.

– Tu as un budget de mille dollars par mois et tu gardes un tiers de tes honoraires. Un autre tiers sert à couvrir les frais généraux, les secrétaires, tout ça, et le dernier tiers me revient. Si tu dépasses ton budget, tu me dois la différence, mais je couvre ton déficit jusqu'à ce que tu aies une grosse rentrée. Compris ?

Pendant quelques secondes, je pèse le pour et le contre de ce système ridicule. Il n'y a qu'une chose pire qu'être au chômage, c'est d'avoir un travail qui vous fasse perdre de l'argent, avec une dette qui grossit de mois en mois. Plusieurs questions très précises qu'il est difficile de lui poser me viennent à l'esprit. Je m'apprête à en poser une lorsque Prince intervient.

– Moi, ça m'a l'air correct. C'est régulier, comme marché, et il me redonne une claque sur le genou. Tu peux te faire un paquet de fric.

– C'est à prendre ou à laisser, répète Bruiser pour couper court à toute objection.

– Combien gagnent les collaborateurs ici ? je hasarde, m'attendant à un chiffre gonflé.

Il réfléchit en plissant le front.

– C'est variable. Ça dépend de la façon dont le gars se débrouille. J'en ai un qui s'est fait près de quatre-vingt mille l'an passé. Un autre n'a fait que vingt mille.

– Et toi, ce sera trois cent mille, lâche Prince en rigolant.

– J'aimerais bien.

Bruiser m'observe de près. Il est en train de m'offrir le seul boulot restant dans toute la ville et semble deviner mes réticences.

– Quand est-ce que je peux commencer ? dis-je, comme si je mourais d'impatience.

– Tout de suite.

– Mais... et l'examen du barreau ?

– Ne t'occupe pas de ça. Tu peux toucher des honoraires dès maintenant. Je t'expliquerai comment faire.

– Tu vas apprendre plein de trucs, observe Prince, totalement emballé.

– Je vais te donner mille dollars tout de suite, déclare Bruiser, très grand seigneur. Ça t'aidera à démarrer. Et puis tu vas venir avec moi visiter les bureaux, histoire de te mettre dans le bain.

– Super, dis-je en me forçant à sourire.

Je ne sais absolument plus où j'en suis ni où je vais. Je ne devrais pas être ici, mais j'ai peur et j'ai besoin d'aide. Rien n'a été dit jusqu'à présent de ce que je vais devoir à Bruiser pour l'affaire Lake. Il n'est pas du genre à se démener gratuitement pour secourir les pauvres.

Soudain, je me sens mal. C'est peut-être le manque de sommeil et le contrecoup de l'interrogatoire de ce matin. Et aussi le fait d'être assis dans ce bureau devant ce bac bourré de requins, en train de me faire embobiner par deux des plus grands magouilleurs de la ville.

Il y a encore quelques semaines, j'étais un futur diplômé tout beau tout neuf, plein d'avenir et impatient de commencer son premier travail dans un bon cabinet, de briller dans la profession, et de faire parler de lui au barreau. Aujourd'hui, je suis là, assis dans un bureau qui pue le renfermé, faible, vulnérable et résigné. Je me prostitue à un voyou pour mille dollars par mois, et encore...

Bruiser prend un appel urgent, sans doute une strip-teaseuse coffrée pour racolage. Nous nous levons de nos sièges. Une main sur l'écouteur, il me souffle de repasser cet après-midi.

Prince est si fier de lui qu'il va exploser. En un tournemain, il a réussi à m'épargner la peine de mort et à me trouver un job. Mais j'ai beau essayer, je n'arrive pas à m'extasier avec lui, tandis que Firestone, zigzaguant dans les embouteillages, nous ramène au Yogi.

15

Je décide de me réfugier à nouveau à la fac. Je passe quelques heures parmi les livres du sous-sol à compiler de la jurisprudence pour tuer le temps. Puis je roule lentement en direction de l'aéroport, et j'arrive chez Bruiser à quinze heures trente. Le coin est encore pire que ce dont je me souvenais. Toutes les rues ou presque sont des artères à cinq voies. De chaque côté, des usines et des entrepôts entre lesquels se blottissent de petits bars obscurs, des clubs où viennent se détendre les ouvriers. C'est ici que les jets entrent en phase d'approche finale. On les entend rugir par-dessus les toits.

Le lotissement où siègent les bureaux de Bruiser s'appelle Greenway Plaza. Tandis que je me gare sur le parking jonché de détritus, je remarque deux commerces que je n'avais pas vus dans le passage. Une boutique d'alcools et un petit bar. Ça ne se voit pas du premier coup d'œil à cause des fenêtres noircies et des portes condamnées, mais les locaux du cabinet juridique occupent six ou sept logements contigus au milieu du passage. Je serre les dents et pousse la porte d'entrée.

J'aperçois la secrétaire en jean de l'autre côté d'une cloison qui s'élève à mi-hauteur du vestibule. Elle a des cheveux décolorés et un joli visage. Ses traits sont malheureusement masqués par une épaisse couche de fond de teint.

Je lui explique pourquoi je suis venu. Je m'attends à ce qu'elle m'envoie balader, mais elle est fort aimable. D'une voix sensuelle, elle m'invite à remplir une fiche de candidature. J'apprends à mon grand étonnement que le cabinet J. Lyman Stone, tel est son nom officiel, permet à ses employés de bénéficier d'une mutuelle qui couvre toutes les dépenses de santé. Je lis très attentivement toutes les clauses en petits caractères. Je redoute un piège de Bruiser.

Mais non, tout a l'air correct. Je lui demande si je peux voir le patron. Elle me prie d'attendre. Je m'assieds au milieu d'un rail de chaises en plastique adossé au mur. La réception, qui fait aussi office de salle d'attente, ressemble à s'y méprendre à celle d'un bureau d'aide sociale : carrelage usé recouvert d'une fine couche de crasse, sièges moulés bas de gamme, cloisons en placo, et l'inévitable assortiment de magazines déchirés vieux d'au moins trois ans. La secrétaire, qui s'appelle Drusila (Dru pour les intimes), tape à la machine et décroche le téléphone en même temps. Il y a énormément d'appels et elle arrive à jouer du clavier tout en répondant aux clients avec beaucoup d'efficacité.

Finalement, elle m'envoie retrouver mon nouvel employeur. Bruiser est à son bureau, plongé dans ma fiche de candidature. On dirait un expert-comptable le nez dans ses écritures. Je suis surpris par l'attention qu'il accorde aux moindres détails. Après m'avoir à nouveau souhaité la bienvenue, il m'expose les termes financiers de notre collaboration, puis me présente un contrat de travail personnalisé, avec mon nom déjà inscrit dans les blancs. Je le lis et le signe, la mort dans l'âme. Une période probatoire de trente jours est prévue avant mon embauche définitive, au cas où l'un de nous souhaiterait se dédire. Je suis soulagé, mais j'imagine qu'il y a une bonne raison à ça.

Je lui explique mon problème financier. Je suis convoqué au tribunal demain pour une première entrevue avec mes créanciers. Cela s'appelle audition du débiteur. Les gens que j'ai floués ont le droit de fouiller dans mon linge sale. Ils peuvent me poser pratiquement toutes les questions qu'ils veulent sur mes revenus, mes dépenses et mon style de vie. Mais comme il n'y a pas beaucoup d'argent en jeu, il y a de fortes chances qu'il n'y ait personne pour me cuisiner. À cause de cette convocation, j'ai intérêt à rester encore quelques jours sans emploi. Je demande à Bruiser de mettre mon contrat de côté et d'attendre que l'audition ait eu lieu avant de me payer. Comme ça n'est pas très réglo, il est ravi d'accepter.

Il me fait faire un rapide tour des locaux. Ça ressemble bien à ce que j'imaginais. Des pièces sordides annexées ici ou là en abattant des murs, au fur et à mesure du développement du cabinet. Il me présente deux jeunes femmes visiblement surmenées qui s'activent dans un réduit bourré d'ordinateurs et d'imprimantes. Pas le genre à s'être trémoussées sur des tables de cabaret.

– Je crois que nous avons six filles, actuellement, dit-il en m'entraînant plus loin.

Une secrétaire, pour lui, c'est toujours une fille.

Il me présente ensuite à quelques-uns des avocats, de braves types mal vêtus trimant dans des bureaux exigus.

– Nous ne sommes plus que cinq avocats, m'explique-t-il comme nous entrons dans la bibliothèque. Avant, nous étions sept, mais c'était trop compliqué. Même chose pour les secrétaires.

La bibliothèque est une longue salle étroite avec des livres du sol au plafond rangés sans ordre apparent. Il y a au centre une grande table couverte de livres ouverts, de papier à en-tête et de dossiers étalés dans le plus grand désordre.

– Il y en a qui travaillent vraiment comme des cochons, murmure-t-il. Alors, qu'est-ce que tu penses de mon petit domaine ?

– Impeccable, dis-je.

Je ne mens qu'à moitié. Je suis soulagé de voir que s'exerce ici une véritable activité juridique. Bruiser est peut-être un gangster aux relations influentes et un amateur de coups tordus, mais il reste un avocat. Dans ses bureaux règne l'effervescence des lieux où l'on fait des affaires.

– C'est pas aussi chic que les gros cabinets du centre-ville, évidemment, mais moi au moins, j'ai fini de payer. J'ai acheté ça il y a quinze ans. Ton bureau est par là, dit-il en tendant la main.

Nous sortons de la bibliothèque et deux portes plus loin, à côté d'un distributeur de boissons, s'ouvre une pièce ayant apparemment beaucoup servi, contenant un bureau, des chaises et un placard de rangement. On voit des chromos de chevaux au mur. Un téléphone est posé sur le bureau, ainsi qu'un dictaphone et un parapheur. Tout est propre et net comme dans une chambre d'hôtel et il flotte une odeur de désinfectant montrant que l'endroit vient d'être nettoyé.

Il me tend un trousseau de deux clefs.

– Celle-ci, c'est pour la porte d'entrée, et celle-là pour ton bureau. Tu es libre d'aller et de venir à toute heure. Fais juste attention la nuit, on n'est pas dans les beaux quartiers.

– Il faudrait qu'on discute, dis-je en prenant les clefs.

– Combien de temps ? demande-t-il en regardant sa montre.

– Donnez-moi une demi-heure. C'est urgent.

Il acquiesce d'un haussement d'épaules. Nous retournons à son bureau où il s'assied lourdement dans son fauteuil en cuir.

– C'est à quel sujet ? demande-t-il, très professionnel, en sortant le stylo et le calepin de rigueur.

Il commence à gribouiller des notes avant même que j'aie commencé.

Je lui fais un résumé de l'affaire Black qui me prend dix minutes. J'en profite pour lui raconter comment j'ai été floué par le cabinet Lake.

– Barry Lancaster s'est servi de moi pour s'approprier le dossier. Il faut qu'on porte plainte dès aujourd'hui, dis-je avec gravité, parce que, théoriquement, c'est lui qui a l'affaire en main. J'ai peur qu'il n'engage les poursuites avant nous.

Bruiser me fixe de ses petits yeux noirs. Manifestement, mon histoire l'intrigue et l'intéresse. L'idée de piquer une bonne affaire au cabinet Lake lui met l'eau à la bouche.

– Et les clients ? demande-t-il. Ils ont signé avec Lake ?

– Oui, mais je vais aller les voir et ils m'écouteront.

Et je lui sors l'avant-projet d'une plainte en bonne et due forme contre Great Benefit, sur laquelle Barry et moi avons déjà travaillé des heures durant. Il la lit avec application.

Enfin, je lui tends une lettre récusant Barry Lancaster que je compte faire signer par les trois Black. Il l'examine de près.

– C'est du bon boulot, ça, Rudy, commente-t-il, et j'ai la désagréable impression d'être un avocat marron. Bon. Tu déposes plainte cet après-midi, tu apportes aussitôt une copie aux Black, puis tu leur fais signer la lettre.

– C'est ça. J'ai juste besoin de votre nom et de votre signature en bas de la plainte. Je m'occupe du reste et je vous tiens au courant.

– OK. Lake va l'avoir dans le cul, hein ? dit-il, tapotant sur son bloc en se pourléchant d'avance. Ça me plaît. Ça peut rapporter quoi comme plainte ?

– Ça va dépendre du jury. En tout cas, ça m'étonnerait qu'il y ait une transaction. On est pratiquement certains d'aller jusqu'au jugement.

– Et tu vas te farcir la procédure tout seul ?

– J'aurai peut-être besoin d'un peu d'aide. J'imagine qu'il y en a pour un ou deux ans.

– Je vais te présenter à Deck Shifflet, un de mes collaborateurs. Il a travaillé chez un gros assureur. C'est lui qui a revu toutes mes polices.

– Super.

– Son bureau est à côté du tien. Retape-moi ça au propre, mets mon nom dessus, on va attaquer dès aujourd'hui. Mais surtout, assure-toi que le client marche bien avec nous.

– Ils me font confiance.

Et pour le rassurer, je lui peins en quelques touches Buddy caressant ses chats et chassant les taons dans sa Fairlane, Dot, la clope au bec, en faction devant sa boîte aux lettres dans l'attente d'un chèque de Great Benefit, et Donny Ray, fantomatique, soutenant sa tête avec ses mains.

– Et au fait, dis-je en me raclant la gorge, désolé de sauter du coq à l'âne, mais vous avez des nouvelles des flics ?

– T'en fais pas, répond-il avec un petit sourire, très fier de son talent de magouilleur. J'ai parlé à des gens que je connais et ils ne sont même pas sûrs que ce soit un incendie criminel. Ça prendra encore plusieurs jours.

– Bon, alors je ne risque pas de me faire arrêter en pleine nuit ?

– Mais non. Ils ont promis de m'appeler avant s'ils veulent t'embarquer. Je leur ai dit que tu ne te défilerais pas. Mais rassure-toi, ça n'ira jamais jusque-là.

Je suis effectivement rassuré. Pour ce qui est de faire pression sur les flics, je fais totalement confiance à Bruiser.

– Merci, dis-je.

J'arrive au greffe cinq minutes avant la fermeture et dépose ma plainte de quatre feuillets contre la compagnie d'assurances Great Benefit Life, et contre Bobby Ott, le courtier introuvable qui a vendu la police aux Black. Mes clients réclament une indemnité de principe de deux cent mille dollars, plus des dommages-intérêts dissuasifs de dix millions. Je n'ai aucune idée du capital réel de Great Benefit et il va me falloir du temps pour le savoir. J'ai lancé le chiffre de dix millions au hasard, parce que ça sonne bien. Voilà comment les avocats prennent leurs décisions.

Bien entendu, mon nom n'apparaît nulle part. Le défenseur officiel des plaignants s'appelle J. Lyman Stone. Sa signature prétentieuse orne la dernière page du document et lui donne un cachet d'authenticité. Je remets à l'employé le chèque des frais de dossier, un dernier coup de tampon, et l'affaire Black est lancée !

Je traverse ensuite la ville, direction Granger où je trouve mes clients à peu près tels que je les ai laissés il y a quelques jours. Buddy est dehors. Dot va chercher Donny Ray dans sa chambre et nous nous asseyons à la table de la cuisine. Je leur donne une copie de la plainte. Ils sont très impressionnés par les sommes réclamées. Dot reste longtemps en contemplation devant le papier, répétant le chiffre de dix millions, comme si elle tenait un billet de loterie gagnant.

Je suis finalement obligé d'expliquer ce qui s'est passé avec le cabinet Lake. Un conflit de stratégie, dis-je. Ils ne réagissent pas assez vite à mon gré et mon agressivité semble leur déplaire.

Les Black se moquent de tout ça. La plainte est déposée. Ils en ont la preuve. Ils peuvent la lire et la relire à satiété. Ils demandent quelle sera la prochaine étape, s'ils seront bientôt fixés, quelles sont les chances d'un règlement rapide. Ces questions m'embarrassent beaucoup. Je sais que ça va traîner pendant des mois et des mois et je me sens lâche de le leur cacher.

J'arrive à les convaincre de signer la lettre à Barry X. qui le récuse sèchement, ainsi que le nouveau contrat avec J. Lyman Stone. Je parle à toute vitesse. Je leur présente tous ces documents les uns après les autres. Assis à la même place que la dernière fois, Donny Ray et moi regardons à nouveau Dot s'enfoncer dans les broussailles pour aller arracher les signatures de son mari.

Quand je les quitte, ils ont meilleur moral qu'à mon arrivée. Ils sont satisfaits d'attaquer enfin cette compagnie si longtemps haïe. Ils sont enfin en mesure de rendre les coups qu'ils ont reçus. Ce faisant, ils rejoignent les millions d'Américains qui, chaque année, intentent un procès. Cela les remplit d'un sentiment patriotique.

Au volant de ma petite voiture en pleine heure de pointe, je songe au tourbillon dément de ces dernières vingt-quatre heures. Je viens de signer un contrat de travail fondé sur du vent. Ces mille dollars mensuels paraissent une somme ridicule et, pourtant, elle me fait peur. Ce n'est pas un salaire, c'est une avance, et je n'ai pas la moindre idée de la façon dont Bruiser compte s'y prendre pour me faire toucher des honoraires dans l'immédiat. Si j'arrive à faire rentrer de l'argent avec l'affaire Black, ce ne sera pas avant des mois, voire des années.

Je vais continuer de travailler au Yogi un petit moment. Prince me paye toujours cash, cinq dollars l'heure, plus le dîner et quelques bières.

Il y a des cabinets en ville qui exigent de leurs nouveaux collaborateurs qu'ils portent un costume trois-pièces tous les jours, qu'ils conduisent un véhicule présentable, vivent dans une maison cossue, et même qu'ils fréquentent les clubs les plus chics. Évidemment, ils les payent infiniment mieux que Bruiser me paye, mais ces collaborateurs perdent un temps fou à des choses inutiles.

Pas moi. Pas dans ma boîte. Je m'habille comme je veux, je peux venir en vélo si ça me chante, je peux voir qui je veux, personne ne me fera d'observation. Je me demande quand même la tête que je ferai le jour où je verrai l'un de mes collègues s'engouffrer dans la boîte de strip-tease d'en face à la pause café.

Je suis mon propre maître. Une délicieuse sensation d'indépendance s'empare de moi au milieu des embouteillages. Je vais survivre ! Je vais ramer pas mal de temps chez Bruiser et sans doute en apprendre bien plus sur le métier que dans un cabinet huppé. Je vais endurer la morgue et le fiel de tous ceux qui sauront que je bosse dans un endroit aussi miteux. Mais c'est supportable. Je n'en aurai que plus de mérite si j'arrive à m'en tirer.

Il fait nuit quand je me gare sur le parking de Greenway Plaza. La plupart des voitures sont parties. Sur le trottoir d'en face par contre, les véhicules d'entreprise et les pick-up des dockers s'agglutinent autour du Club Amber dont les néons jettent des flashes syncopés dans toute la rue.

Le business du sexe a littéralement explosé à Memphis. Difficile à expliquer pour une ville à ce point conservatrice et puritaine. Les gens qui veulent se faire élire ici ont intérêt à présenter une moralité irréprochable. On ne vote pas pour un candidat laxiste en matière de mœurs.

Une limousine décharge son lot d'hommes d'affaires. Ils se bousculent aussitôt à l'entrée du club. Un Américain et quatre Japonais. Ils s'apprêtent sans doute à célébrer une longue journée de négociations autour d'un verre en admirant les derniers progrès de la technologie US dans les implants de silicone.

On entend beugler la musique de l'extérieur tandis que d'autres clients arrivent.

J'ouvre la porte d'entrée du cabinet et pénètre dans les locaux. Ça a l'air désert. Ils doivent être tous en face. J'ai la nette impression que les employés de J. Lyman Stone ne sont pas des bourreaux de travail.

Toutes les portes des bureaux sont fermées, probablement à clef. Personne ne fait confiance à personne, ici. Je vais très certainement verrouiller la mienne.

Je compte rester quelques heures. Il faut que j'appelle Booker pour lui apprendre mes dernières aventures. Nous avons négligé nos révisions. Voilà trois ans que nous nous épaulons. L'examen se rapproche dangereusement. Un rendez-vous avec un peloton d'exécution.

16

Personne ne vient m'arrêter, mais je passe la nuit pratiquement sans dormir. Entre cinq heures et six heures du matin, secoué par un maelström d'idées noires, je finis par me lever. Je n'ai pas dormi quatre heures en deux jours.

Le numéro est dans l'annuaire et je le compose à six heures moins cinq. J'en suis à ma deuxième tasse de café. Au dixième coup, une voix endormie répond :

– Allô ?

– Barry Lancaster, s'il vous plaît.

– C'est moi.

– Barry, bonjour. Rudy Baylor.

Il s'éclaircit la gorge et je l'imagine se redressant dans son lit.

– Qu'est-ce qu'il y a ? dit-il d'une voix agacée.

– Navré d'appeler de si bonne heure, mais j'ai deux ou trois choses à vous dire.

– Du genre ?

– Les Black ont déposé plainte hier contre Great Benefit. Je vous enverrai une copie dès que vous aurez de nouveaux bureaux. Ils ont aussi signé une lettre pour vous récuser. Vous n'êtes plus leur avocat.

– Comment avez-vous fait pour porter plainte ?

– Ça ne vous regarde pas, Barry.

– En effet !

– Je vous enverrai une copie de la plainte. Vous comprendrez en la lisant, vous êtes un garçon malin. Vous avez une nouvelle adresse ou est-ce que l'ancienne fonctionne encore ?

– Notre boîte postale n'a pas brûlé, merci.

– Très bien. J'en profite pour vous demander de cesser de m'impliquer dans cet incendie. Je n'y suis strictement pour rien. Si vous continuez à me balancer, je vous poursuis en diffamation.

– J'en tremble à l'avance.

– C'est ça. Arrêtez de m'accuser sans preuve.

Et je raccroche. Je reste cinq minutes les yeux braqués sur mon téléphone, mais il est trop dégonflé pour rappeler.

Comme je suis très impatient de lire le récit que la presse fait de l'incendie, je me douche en vitesse et file à Greenway Plaza où je commence à me sentir un peu chez moi. Je me gare exactement à la même place qu'hier. Le Club Amber est fermé, le trottoir jonché de canettes cabossées.

À côté du cabinet se trouve un petit bar tenu par une robuste matrone allemande appelé Trudy. Je l'ai croisée hier soir en allant chercher des sandwiches. Elle m'a dit qu'elle ouvrait à six heures.

Quand je pousse la porte, elle est en train de servir du café. Nous bavardons un moment pendant qu'elle saupoudre de sucre le beignet que je lui ai commandé. Il y a déjà une douzaine de clients le long du comptoir.

Je prends un journal et vais m'asseoir à une table près de la vitrine éclairée par le soleil levant. Une photo du cabinet Lake en flammes s'étale à la une du quotidien. Au-dessous, un article décrit le drame et rappelle l'histoire du bâtiment rénové à grands frais par le célèbre avocat. Les dégâts sont estimés à trois millions de dollars. « J'ai passé cinq ans à aménager ce local avec passion, aurait déclaré Lake. J'ai tout perdu. »

Tu peux pleurer, mon vieux. Ce n'est pas moi qui te plaindrai. Je lis l'article jusqu'au bout. Nulle part la catastrophe n'est qualifiée d'incendie criminel. La police est très réservée. L'enquête ne fait que commencer. Pas un mot sur d'éventuels suspects. Je ne m'attendais pas à être dénoncé comme pyromane, mais je suis tout de même soulagé.

Assis à mon bureau, je fais semblant de m'occuper en me demandant comment et à qui je vais bien pouvoir facturer mille dollars d'ici la fin du mois, lorsque Bruiser entre comme une torpille et jette un papier sur mon bureau.

– C'est la copie d'un rapport des flics, grogne-t-il en ressortant déjà.

– Sur moi ? dis-je, horrifié.

– Mais non ! C'st le procès-verbal d'un accident. Une collision hier soir à la sortie de l'aéroport. Le conducteur devait être soûl, il a brûlé un feu rouge.

Il se retourne et me sonde d'un regard impatient.

– Est-ce que nous représentons une des... ?

– Pas encore. C'est pour ça que t'es là. À toi de nous dégoter l'affaire. Tu mènes ton enquête, tu te débrouilles pour faire signer le client. Apparemment il y a des blessures graves.

Il me laisse en plan et repart en claquant la porte. Je l'entends grommeler dans le couloir.

Le rapport de police contient divers renseignements : identité des conducteurs et des passagers, adresse, téléphone, nature des blessures, état des véhicules après le choc, déclarations des témoins. Il y a deux croquis montrant la position des véhicules avant et après l'accident. Les deux conducteurs ont été blessés et transportés à l'hôpital. Apparemment, celui qui a grillé le feu avait un taux d'alcoolémie important.

Lecture intéressante, mais qu'est-ce que je fais, moi, maintenant ? La collision a eu lieu à vingt-deux heures dix hier soir et Bruiser l'a su à la première heure ce matin. Comment a-t-il fait pour mettre ses sales pattes sur le procès-verbal ? Mystère. Je le relis, puis le contemple, la tête entre les mains, perplexe.

Un coup frappé à la porte me tire de mon hébétement.

– Entrez.

Le battant s'écarte en grinçant et un petit bonhomme passe la tête par l'entrebâillement.

– Rudy ? demande-t-il d'une voix gênée.

– Oui. Entrez.

Il se faufile à l'intérieur et vient se poser sans bruit sur la chaise en face de moi.

– Deck Schifflet, se présente-t-il, sans offrir ni sourire ni poignée de main. Bruiser m'a dit que vous vouliez me parler d'une affaire.

En même temps, il regarde par-dessus son épaule, comme si quelqu'un l'épiait derrière lui.

– Enchanté, dis-je.

Pas facile de lui donner un âge. Peut-être quarante ans, peut-être cinquante. Il n'a presque plus de cheveux, juste quelques mèches gominées aplaties sur son crâne luisant, et des pattes grisonnantes. Il porte des lunettes rectangulaires à monture en acier, aux verres épais et sales. Difficile aussi de dire si sa tête est trop grosse ou son corps trop petit, mais les deux ne vont pas ensemble. Son front est divisé en deux renflements joints par un sillon qui se creuse fortement jusqu'à l'arête du nez.

En fait, ce pauvre Deck est un des êtres les plus laids que j'aie jamais rencontrés. Son visage porte les marques d'une sévère acné juvénile. Il n'a pratiquement pas de menton. Quand il parle, son nez se plisse et sa lèvre supérieure se retrousse, révélant de trop grandes dents.

Sa chemise blanche à double poche est tachée, le col usé, et son nœud de cravate informe est aussi gros que mon poing.

– Oui, dis-je en évitant les deux yeux globuleux qui me fixent derrière les lunettes. C'est une affaire d'assurances. Vous êtes un des collaborateurs de Bruiser ?

– Heu... en quelque sorte, oui, dit-il avec son sourire chevalin. Enfin, pas tout à fait. Je ne suis pas encore avocat. J'ai fait mon droit et tout, mais je n'ai pas passé le barreau.

Un compagnon d'infortune, si je comprends bien.

– Ah bon, dis-je. Vous êtes sorti quand de la fac ?

– Il y a cinq ans. J'ai quelques problèmes avec l'examen du barreau. Ça fait six fois que je le rate.

Voilà quelque chose de désagréable à entendre.

– Ah, dis-je d'une voix étouffée, stupéfié d'apprendre qu'on puisse être collé autant de fois. Vous n'avez vraiment pas de chance.

– Et vous, vous le passez quand ? demande-t-il en jetant des regards inquiets alentour.

Il est assis à l'extrême bord de la chaise, comme s'il risquait à chaque instant de devoir se lever. Du pouce et de l'index de la main droite, il s'arrache des petits lambeaux de peau sèche sur la gauche.

– En juillet. C'est dur, hein ?

– Ouais, comme vous dites. Je ne me suis pas présenté l'année dernière. Je ne sais même pas si je réessaierai.

– Vous étiez à quelle fac ?

Question sans intérêt. Je la pose parce qu'il me rend nerveux. Je ne suis pas sûr d'avoir envie de lui parler de l'affaire Black. Quel rôle va-t-il jouer là-dedans ? Et quelle part du gâteau réclamera-t-il ?

– En Californie, répond-il avec le tic facial le plus violent que j'aie jamais vu. En cours du soir. À l'époque, j'étais marié et je travaillais cinquante heures par semaine. J'avais à peine le temps d'étudier. J'ai mis cinq ans pour avoir le diplôme. Ma femme m'a quitté. Après, j'ai déménagé ici...

Sa voix devient traînante au fur et à mesure de sa confession. Sa dernière phrase reste en suspens.

– Et ça fait combien de temps que vous travaillez pour Bruiser ?

– Presque trois ans. Il me traite comme un collaborateur à part entière. Je trouve des affaires, je m'en occupe et je lui refile sa part. Tout le monde est content. Il me confie d'habitude les affaires d'assurances parce que j'ai travaillé dix-huit ans à la Pacific Mutual. J'en pouvais plus, c'est pour ça que j'ai voulu faire mon droit.

Son débit s'alanguit à nouveau.

Je l'observe et j'attends.

– Mais qu'est-ce qui se passe quand vous devez plaider ?

Il sourit d'un air penaud.

– Eh bien, en fait, j'ai plaidé une ou deux fois moi-même. Je ne me suis pas encore fait prendre. Dans certains tribunaux, il y a tellement d'avocats qui vont et viennent qu'ils ne peuvent pas nous contrôler tous. Mais en principe, quand il y a une audience, c'est Bruiser qui y va, ou un des autres collaborateurs.

– Bruiser m'a dit qu'il y avait cinq collaborateurs dans le cabinet.

– Cabinet, c'est un bien grand mot. Il y a moi, Bruiser, Nicklass, Toxer et Ridge, mais c'est chacun pour soi. Vous verrez. À vous de trouver vos clients et vos affaires. Il y a un tiers des honoraires pour votre poche.

Encouragé par sa franchise, je continue :

– C'est rentable, pour un collaborateur ?

– Ça dépend de vos exigences, dit-il en se retournant brusquement, comme si le patron écoutait à la porte. La concurrence est rude. Moi, ça me convient parce que je peux me faire quarante mille par an en exerçant sans carte professionnelle. Mais ne le répétez pas.

Aucun danger.

– Et quel rôle allez-vous jouer dans mon affaire ?

– Bruiser a promis de me donner quelque chose s'il y a un règlement amiable intéressant. Je l'aide à préparer ses dossiers. Je suis le seul en qui il ait confiance. Personne d'autre n'a le droit de toucher à ses affaires. Il a déjà viré des collaborateurs qui essayaient de s'immiscer dans son boulot. Moi, je suis inoffensif. Tant que je n'ai pas passé le barreau, je suis obligé de rester ici.

– C'est quel genre, les autres avocats ?

– Un peu tous les genres. Il ne recrute pas les premiers de la fac, vous savez. Il ramasse des jeunes sans travail qui restent un an ou deux, se font une clientèle, des contacts, et finissent par s'établir à leur compte. Ça bouge tout le temps dans la profession.

Je ne te le fais pas dire, mon vieux.

– Je peux vous poser une question ? dis-je, certain que je ferais mieux de me taire.

– Bien sûr.

Je lui tends le rapport de police qu'il parcourt rapidement.

– C'est Bruiser qui vous l'a donné, hein ?

– Oui, il y a un quart d'heure à peine. Qu'est-ce qu'il attend de moi, à votre avis ?

– Que vous décrochiez l'affaire ! Faut trouver le gars qui s'est fait rentrer dedans, le faire signer au nom du cabinet et s'occuper de son cas.

– Mais comment est-ce que je fais pour le trouver ?

– Eh bien, il a l'air d'être à l'hôpital, d'après ce que je vois. C'est là-bas qu'on a le plus de chances de les trouver, en général.

– Vous contactez les clients dans les hôpitaux ?

– Bien sûr. Tout le temps ! Bruiser est en excellents termes avec le commissaire du quartier. C'est un de ses amis d'enfance. Il lui faxe des procès-verbaux d'accidents presque chaque matin. Bruiser les distribue dans nos bureaux pour qu'on obtienne la défense des victimes. Pas besoin d'avoir inventé la poudre.

– Mais ce type, il est dans quel hôpital ?

Il secoue la tête et lève les yeux au ciel.

– Qu'est-ce qu'ils vous ont appris, à la fac ?

– Pas grand-chose. Pas à courir derrière les ambulances, en tout cas.

– Eh bien, il va falloir vous réveiller un peu, sinon vous allez crever de faim. Regardez, vous avez ici le numéro de téléphone de la victime du chauffard. Vous appelez et, quelle que soit la personne qui réponde, vous lui dites que vous êtes de la brigade de pompiers secouristes de Memphis, ou quelque chose dans le genre, et qu'il faut que vous parliez à M. Machin, l'automobiliste accidenté. Il ne peut pas vous parler parce qu'il est à l'hôpital, OK ? Là, vous demandez quel hôpital, en disant que c'est pour votre fichier informatique. Ça marche à tous les coups. Soyez imaginatif, les gens sont crédules.

Je suis parfaitement écœuré.

– Et ensuite ?

– Ensuite, vous allez à l'hôpital et vous demandez à rencontrer le type ! Dites, vous êtes vraiment naïf, hein, excusez-moi de vous le dire. Bon, écoutez, voici ce que je vous propose. Allons acheter des sandwiches, mangeons-les dans la voiture et allons là-bas faire signer ce type tout de suite.

Je n'en ai aucune envie. J'aimerais quitter cet endroit et ne plus jamais y revenir. Malheureusement, je n'ai rien d'autre à faire pour l'instant.

– OK, dis-je à contrecœur.

– On se retrouve au parking, dit-il en se levant d'un bond. Je vais appeler pour connaître le nom de l'hôpital.

Il s'agit de l'hôpital Charity St. Peter, un véritable zoo. On y admet la plupart des grands blessés. Cet établissement public donne, entre autres choses, des soins à d'innombrables indigents.

Deck connaît l'endroit comme sa poche. Nous filons à travers la ville dans son minivan déglingué, seul bien qu'il ait conservé après son divorce, un divorce causé par des années d'alcoolisme. Aujourd'hui, il ne boit plus une goutte et montre fièrement la médaille des Alcooliques Anonymes qui ne quitte pas sa poche. Il a aussi arrêté de fumer. Mais il avoue avoir un grave penchant pour le jeu, et la prolifération de nouveaux casinos juste derrière la frontière avec le Mississippi l'inquiète beaucoup.

Son ex-femme et leurs deux enfants vivent toujours en Californie.

J'apprends tous ces détails en moins de dix minutes, en avalant un hot-dog. Deck conduit d'une main et mange de l'autre tout en gesticulant et en grimaçant sans cesse. Un morceau de poulet mayonnaise dégouline au coin de sa bouche. J'évite de le regarder.

Nous nous garons sur l'emplacement réservé au corps médical. Deck possède, Dieu sait comment, un badge de médecin. Le gardien, qui a l'air de bien le connaître, nous laisse passer avec un signe amical.

Deck m'emmène tout droit au point d'information du hall d'entrée. Des gens font la queue. En quelques secondes, il obtient le numéro de chambre de Dan Van Landel, l'homme qui nous intéresse. Deck a les pieds tournés en dedans et boite légèrement. J'ai pourtant le plus grand mal à le suivre tandis qu'il fonce vers les ascenseurs.

– Essaie de ne pas avoir l'air d'un avocat, me souffle-t-il.

Peut-on imaginer une seconde que Deck soit un juriste ?

Nous montons en silence au huitième étage et sortons sur le palier, au milieu d'une cohue d'infirmières et de visiteurs.

Deck se repère les yeux fermés, et malgré sa démarche et son physique singulier, personne ne fait attention à nous. Nous passons devant une salle d'infirmières, au croisement de plusieurs couloirs. Nous voyons encore des infirmières, des techniciens, un médecin en train d'examiner une feuille de température, passons devant un cagibi où s'entassent des lits roulants, tournons à gauche et poussons finalement la porte 886, qui donne accès à une chambre à deux lits, plongée dans la pénombre. Deck n'a même pas frappé. Dans le premier lit repose un homme, les draps remontés jusqu'au menton. Il est en train de regarder un *soap* sur une télé suspendue au-dessus du lit.

Il nous lance un regard terrifié, comme si nous venions pour lui prélever un rein. J'ai subitement honte d'être ici. Nous n'avons pas le droit de violer ainsi son intimité.

Mais Deck n'hésite pas un seul instant. Il fait preuve d'un sans-gêne insensé. Incroyable de penser que cet imposteur sans scrupules est le même petit furet qui s'est introduit timidement dans mon bureau il y a moins d'une demi-heure. Tout à l'heure, il semblait avoir peur de son ombre. À présent, on dirait que rien ne peut l'arrêter.

Nous avançons de quelques pas jusqu'à l'ouverture ménagée dans la cloison en accordéon. Deck s'approche, après s'être assuré que Dan Van Landel est seul.

– Bonjour, monsieur Van Landel, dit-il d'une voix enjouée.

Van Landel doit avoir entre vingt-cinq et trente ans. Difficile de lui donner un âge à cause des bandages qui lui enveloppent la figure. Un de ses yeux est enflé et presque fermé, l'autre a une grosse écorchure en dessous. Il a un bras dans le plâtre et la jambe gauche en traction. C'est une chance qu'il soit éveillé et que nous ne soyons pas obligés de le secouer ou de lui crier dans les oreilles. Je reste au pied du lit, à moitié caché par la cloison, priant pour qu'on ne soit pas surpris par un médecin, une infirmière ou un membre de la famille.

Deck se penche sur lui.

– Vous m'entendez, monsieur Van Landel ? demande-t-il avec l'onctuosité d'un prêtre.

L'autre, sanglé sur son lit, ne peut absolument pas bouger. Je suis sûr qu'il aimerait s'asseoir, ou s'installer un peu plus confortablement. Mais il est impuissant et nous en profitons lâchement. Je n'ose imaginer l'état de choc dans lequel il doit se trouver. Il y a un instant, il était étendu paisiblement, les yeux dans le vague, sans doute assommé autant par la douleur que par les antalgiques, et, l'instant d'après, le voici confronté au faciès le plus bizarre qu'il ait jamais vu.

Il cille plusieurs fois de suite en dévisageant cet inconnu.

– Qui êtes-vous ? murmure-t-il, les dents serrées.

Deck sourit, dévoilant ses dents monstrueuses.

– Deck Shifflet, cabinet J. Lyman Stone, répond-il avec un aplomb admirable, comme si notre présence était on ne peut plus naturelle. Vous avez déjà été contacté par un assureur ?

C'est juste pour distinguer d'emblée les bons des méchants, qu'il demande ça. Les bons, c'est nous, les méchants sont les assureurs, l'objectif étant de mettre le client en confiance.

– Non, grogne Van Landel.

– Bien. Ne leur parlez surtout pas. Ils sont là pour escroquer les gens comme vous, lui souffle Deck à l'oreille en se rapprochant encore. Nous avons vu le compte rendu de votre accident. Le responsable de la collision avait grillé un feu rouge, ça ne fait aucun doute. D'ici à peu près une heure (il regarde sa montre), nous irons photographier les lieux, interroger les témoins, enfin tout ce qui se fait d'habitude, quoi. Il faut se dépêcher avant que les enquêteurs des compagnies d'assurances ne contactent les témoins. Ils sont capables de les soudoyer pour avoir un faux témoignage. Mais auparavant, nous avons besoin de votre autorisation. Vous avez un avocat ?

Je retiens mon souffle. Si Van Landel répond qu'il a un frère avocat, terminé pour nous.

– Non, dit-il.

Deck n'a plus qu'à porter le coup de grâce.

– Eh bien, comme je vous le disais, il ne faut pas tarder. Mon cabinet traite plus d'accidents de la route qu'aucun autre à Memphis et nous obtenons des dédommagements considérables. Les compagnies d'assurances nous craignent. Nous ne demandons aucun acompte et nous prenons un tiers des indemnités, comme c'est l'usage.

Pendant qu'il débite son boniment, il sort discrètement un papier de sa serviette. C'est un contrat simplifié qui tient en une page et trois paragraphes, juste ce qu'il faut pour ferrer le poisson. Deck le brandit sous le nez de Van Landel. Le malheureux n'a plus qu'à le prendre de sa main valide et à le lire.

Le pauvre. Il vient de passer la pire nuit de son existence, heureux encore d'avoir la vie sauve, et voilà qu'il est censé déchiffrer un document juridique et prendre une décision intelligente, le tout avec un œil poché et l'esprit embrouillé.

– Pourriez-vous attendre la venue de ma femme ? demande-t-il d'un ton suppliant.

Sommes-nous sur le point d'être démasqués ? Je m'agrippe au montant du lit et, ce faisant, heurte par inadvertance un des câbles qui maintiennent l'appareillage de sa jambe cassée.

– Ahhh ! gémit-il

– Oh, excusez-moi, dis-je en retirant prestement ma main.

Deck me lance un regard assassin, puis se ressaisit.

– Où est votre femme ? demande-t-il.

– Aïe ! geint encore le malheureux.

– Excusez-moi, redis-je nerveusement, sentant la panique me gagner.

Van Landel me regarde craintivement. J'enfouis mes deux mains dans mes poches.

– Elle va arriver d'ici un moment, articule-t-il péniblement.

Deck a réponse à tout.

– Je la verrai plus tard dans mon bureau. J'ai beaucoup de choses à lui demander.

Il glisse alors son bloc-notes sous le contrat de façon que le blessé puisse signer plus aisément, et ôte le capuchon de son stylo.

Van Landel marmonne quelque chose, prend le stylo et signe. Deck s'empare du contrat, le range dans son porte-documents et tend à notre nouveau client une carte de visite, le présentant comme assistant-juriste du cabinet J. Lyman Stone.

– Deux ou trois choses importantes, maintenant, annonce Deck avec autorité. Ne parlez à personne, hormis votre médecin. Les gens de la compagnie d'assurances vont sans doute venir vous casser les pieds dès aujourd'hui pour vous faire signer toutes sortes de papiers. Peut-être même qu'ils vous proposeront une transaction. N'acceptez sous aucun prétexte et, surtout, ne signez aucun document avant de me l'avoir montré. Vous pouvez m'appeler vingt-quatre heures sur vingt-quatre. Vous trouverez au verso de ma carte le numéro de Rudy Baylor, ici présent, et vous pouvez aussi le joindre à tout moment. Nous allons travailler sur votre cas ensemble. Des questions ? Parfait, enchaîne-t-il avant que l'autre ait pu émettre un son. M. Baylor repassera pour vous faire remplir certains papiers. Dites à votre épouse de nous appeler cet après-midi. C'est très important. Nous allons vous faire gagner beaucoup d'argent, conclut-il en tapotant sa jambe valide.

Il est temps que nous décampions, avant que Van Landel

change d'avis. Nous le saluons en marchant à reculons et sortons rapidement. Une fois dans le couloir, Deck me lance, non sans fierté :

– Et voilà, mon pote, l'affaire est dans le sac !

Nous nous effaçons pour laisser passer une femme dans un fauteuil roulant et nous arrêtons devant la porte d'une chambre d'où l'on extrait un patient allongé sur un chariot. Il y a foule dans le hall.

– Et si le gars avait eu un avocat ? dis-je en recommençant à respirer normalement.

– On n'a rien à perdre, Rudy. Mets-toi bien ça dans la tête. On est venus sans rien. S'il nous avait jetés pour une raison ou pour une autre, qu'est-ce qu'on aurait perdu, hein ?

Un peu de dignité, de respect de soi. Son raisonnement est tout à fait logique et je ne réponds rien. Je marche à grands pas, évitant de le regarder souffler et clopiner à côté de moi.

– Tu vois, Rudy, à la fac, ils ne vous apprennent pas ce qu'il faut savoir. C'est du verbiage, des théories fumeuses. Des considérations morales, comme si le droit se pratiquait entre gentlemen. Tout ça c'est de la déontologie !

– Qu'est-ce que tu reproches à la déontologie ?

– Oh, rien. Rien du tout. Je crois qu'un avocat doit se battre pour ses clients, ne pas voler d'argent, essayer de ne pas mentir, tu vois, respecter les règles essentielles.

Deck et la déontologie... Nous avons passé des heures et des heures à approfondir les questions de probité et de déontologie, et d'un seul coup d'un seul, il vient de réduire tout ça aux trois grands principes : tu ne trahiras point, tu ne voleras point, tu ne mentiras point.

Nous bifurquons soudain et pénétrons dans un nouveau hall. St. Peter est un labyrinthe d'extensions et d'annexes. Deck est d'humeur à donner des leçons.

– Mais ce qu'ils oublient de t'apprendre à la fac risque de te coûter cher. Prenons ce type que nous venons de voir, là, Van Landel. J'ai l'impression que ça te gênait d'être dans sa chambre.

– Beaucoup, oui.

– Eh bien, tu as tort.

– Mais c'est contraire à la déontologie de poursuivre les clients comme ça. C'est du racolage pur et simple.

– Peut-être, et alors ? Mieux vaut que ce soit nous plutôt qu'un concurrent. Je peux te garantir qu'avant la fin de la journée un confrère prendra contact avec Van Landel pour tenter de le faire signer. C'est comme ça que ça fonctionne, Rudy, il faut t'y faire. C'est la loi de la jungle. Nous sommes très nombreux dans la profession, tu sais.

Comme si je ne le savais pas...

– Tu crois qu'il nous gardera ?

– Probablement. Jusque-là, nous avons eu de la chance. Nous lui sommes tombés dessus au bon moment. Quand on se présente à un client, d'habitude, c'est du cinquante-cinquante. Mais une fois qu'il a signé, il y a quatre-vingts chances sur cent qu'il reste avec nous. Maintenant, il faut que tu l'appelles dans quelques heures, que tu parles à sa femme et que tu proposes de revenir ici ce soir pour discuter de l'affaire avec eux.

– Moi ?

– Mais oui. Rien de plus facile. Je te passerai des dossiers du même genre, tu t'en inspireras. Pas besoin d'avoir fait dix ans d'études.

– Mais... je ne sais pas si je...

– Écoute, Rudy, décontracte-toi. Ne te laisse pas impressionner par l'hôpital. C'est notre client, désormais, OK ? Tu as le droit de lui rendre visite, personne ne peut t'en empêcher. On ne te mettra pas dehors, tranquillise-toi

Nous prenons un café dans une petite cafétéria du troisième étage que Deck préfère à celle du rez-de-chaussée parce qu'elle est à côté du service d'orthopédie. En plus, comme elle est située dans une aile qu'on vient de rénover, peu d'avocats la connaissent. Certains confrères, explique-t-il à mi-voix en examinant chaque malade, sont connus pour guetter les clients potentiels dans les cafétérias des hôpitaux. Il dit ça avec un certain dédain, comme si ce que nous faisions était infiniment plus digne. Deck fait de l'ironie sans le savoir.

Une part de mon travail de collaborateur junior du cabinet J. Lyman Stone consistera à traîner ici. L'hôpital Cumberland, quelques rues plus loin, dispose aussi d'une grande cafétéria. Quant à l'hôpital des Anciens-Combattants, il en a trois. Deck, évidemment, connaît bien ces lieux stratégiques et se fait un devoir de me transmettre sa science.

Il me conseille de commencer par St. Peter parce que c'est là que se trouve le service de traumatologie le plus important. Il me dessine un plan sur une serviette en papier, montrant l'emplacement d'autres carrefours intéressants, la grande cafétéria, un snack-bar près de la maternité au second étage, un autre au sous-sol, à côté des blocs opératoires. De nuit, c'est souvent payant, précise-t-il sans cesser d'observer les allées et venues, parce que les malades s'ennuient dans leur chambre, et ils aiment bien, quand ils le peuvent, venir se dégourdir les jambes en prenant un petit en-cas. Il y a quelques années, un des avocats de Bruiser déambulait dans la grande cafétéria à une heure du matin, quand il a alpagué un type victime de graves brûlures. Un an plus tard, l'affaire se réglait à l'amiable pour deux millions de dollars. Le seul problème, c'est que, entre-temps, le type avait changé d'avocat.

– Il nous a filé entre les doigts, constate Deck, comme un pêcheur bredouille.

17

Miss Birdie se retire dans sa chambre vers onze heures, à la fin de « M.A.S.H. [1] ». Elle m'a invité plusieurs fois à venir regarder la télé à côté d'elle après le dîner. Jusqu'à présent, j'ai toujours trouvé une bonne excuse pour refuser.

Assis sur la dernière marche de l'escalier devant la porte de mon appartement, j'attends que ses lumières s'éteignent. Je vois sa silhouette aller et venir d'une pièce à l'autre, tandis qu'elle vérifie que tout est bien fermé à clef et tire les rideaux.

Je suppose que les vieilles gens finissent par s'accoutumer à la solitude, même si personne, évidemment, ne souhaite passer ses vieux jours abandonné des siens. Quand elle était plus jeune, je suis sûr qu'elle s'attendait à vivre ses dernières années entourée de ses petits-enfants. Dans ses prévisions, ses enfants devaient sans doute habiter le voisinage et venir tous les jours prendre des nouvelles, lui offrir des fleurs ou des gâteaux secs. Non, Miss Birdie ne comptait certainement pas vieillir toute seule dans cette maison d'un autre âge peuplée de souvenirs douloureux.

Elle parle rarement de sa descendance. On voit des photos ici ou là, mais, à en juger par le style, ces portraits sont très anciens. Je suis ici depuis quelques semaines et, à ma connaissance, elle n'a eu aucun contact avec sa famille pendant tout ce temps.

Je me sens coupable de ne pas lui tenir compagnie, mais j'ai de bonnes raisons. D'abord, elle regarde sans arrêt des séries stupides que je ne supporte pas. Je le sais parce qu'elle en parle tout le temps. Ensuite, il faut que je prépare l'examen du barreau.

J'ai une autre excellente raison de garder mes distances. Miss Birdie a laissé entendre avec insistance que la maison avait besoin d'être repeinte et qu'elle pourrait s'attaquer à ce nouveau chantier

1. Série télévisée inspirée d'un film de Robert Altman.

dès que nous en aurions fini avec le terreau. « Si nous finissons un jour ! » soupire-t-elle en me regardant.

Aujourd'hui, j'ai adressé à un avocat d'Atlanta une lettre signée par moi au nom du cabinet J. Lyman Stone, demandant divers renseignements concernant les biens de feu M. Anthony L. Murdine, dernier mari de Miss Birdie. Je progresse à petits pas dans ce dossier, sans grand succès.

Les lumières de sa chambre s'éteignent enfin. Je descends avec précaution l'escalier branlant et traverse pieds nus la pelouse, au bout de laquelle un hamac rafistolé est suspendu entre deux jeunes arbres. Je ne sais par quel miracle les liens tiennent encore, toujours est-il que, l'autre nuit, je me suis balancé une heure dedans sans encombre. À travers les frondaisons, j'avais une vue magnifique sur la pleine lune. Je m'installe et commence à osciller doucement. La nuit est chaude.

Depuis l'épisode Van Landel, je fais et refais mon examen de conscience. Je suis entré à la fac de droit il y a trois ans en me disant qu'une fois titulaire de la carte du barreau j'apporterais modestement ma pierre à l'édification d'une société plus juste. C'était une noble aspiration, peut-être idéaliste, mais j'y croyais vraiment. Je savais que je ne changerais pas le monde, mais je voulais travailler entouré d'esprits brillants, je voulais réussir et je comptais forger ma réputation sur mon seul mérite, pas sur une publicité tapageuse. En acceptant quelques affaires purement commerciales au début, j'espérais gagner un peu d'argent et me consacrer ensuite à des cas humanitaires, aider les laissés-pour-compte du système sans être obsédé par les honoraires. De telles espérances sont courantes chez les débutants.

Je dois reconnaître qu'à la fac de Memphis nous avons passé énormément de temps à étudier les questions de déontologie et à en débattre. Ce sujet occupait une telle place dans le cursus qu'on aurait juré que la profession tenait vraiment à ce que le droit soit exercé avec dignité. Aujourd'hui, je suis déprimé par la triste réalité. Depuis un mois, tous les confrères, futurs confères plutôt, à qui j'ai eu affaire se sont fait une joie de me torpiller. Je suis réduit à jouer les rabatteurs dans les hôpitaux pour mille dollars par mois. Je suis écœuré, désespéré d'en être arrivé là, et stupéfait par la vitesse de ma dégringolade.

Avant d'entrer à la fac, au collège, j'avais un très bon copain, nommé Craig Balter. Nous avons partagé la même chambre pendant deux ans. Je suis allé à son mariage l'an passé. Craig poursuivait un but et un seul dans ses études : devenir professeur d'histoire dans le secondaire. Il était brillant et les cours semblaient trop faciles pour lui. Nous avions de longues discussions sur nos projets d'avenir. Je trouvais qu'il se sous-estimait en voulant enseigner et il se fâchait quand je comparais son avenir au mien. Moi je gagnerais beaucoup d'argent, tandis que lui végéterait dans son lycée avec un salaire de misère.

Craig a passé sa maîtrise et s'est marié avec une institutrice. Il enseigne maintenant l'histoire, de la troisième à la terminale. Sa femme, qui attend un bébé, est titulaire dans une petite école. Ils vivent dans une jolie maison à la campagne, avec un demi-hectare de terrain, un potager, et ce sont les gens les plus heureux que je connaisse. Leurs deux revenus additionnés doivent s'élever autour de cinquante mille dollars par an.

Mais Craig se moque de l'argent. Il fait exactement ce qu'il a toujours voulu faire alors que moi je navigue à vue. Son travail est extrêmement gratifiant. Il forme de jeunes esprits, il peut mesurer les résultats de ses efforts. De mon côté, le seul espoir que j'aurai en allant au boulot demain, c'est d'alpaguer quelque client sans méfiance vivotant dans la misère. Si les avocats avaient les mêmes revenus que les enseignants, neuf établissements d'enseignement juridique sur dix fermeraient aussitôt.

Logiquement, les choses devraient s'améliorer. Mais, auparavant, je suis encore à la merci de deux catastrophes. D'abord, je peux être arrêté ou inquiété pour l'incendie du cabinet Lake, ensuite, je peux me faire étendre à l'examen du barreau.

Ces deux éventualités, aussi noires l'une que l'autre, me tiennent éveillé dans mon hamac jusqu'à une heure avancée de la nuit.

Bruiser arrive au bureau à la première heure. Il a les yeux rouges et la gueule de bois mais porte son costume des grands jours, avec une chemise blanche et une cravate en soie. Même son épaisse crinière, d'où s'exhale une douce odeur de shampooing, a l'air apprivoisée.

Il s'apprête à aller au tribunal pour une audience préliminaire dans une affaire de trafic de drogue, et il est sur le pied de guerre. J'ai été sommé de me présenter devant son bureau pour recevoir mes instructions.

– Bien joué avec Van Landel, me dit-il, perdu dans ses papiers.

Dru s'active derrière lui, évitant de se mettre dans ses pattes. Les requins la reluquent avec avidité.

– J'ai eu l'assureur au téléphone il y a une minute, poursuit-il. Bonne couverture. La responsabilité adverse est clairement établie. Il est grièvement blessé ?

J'ai passé hier soir une heure assez éprouvante à l'hôpital en compagnie de Van Landel et de sa femme. Ils avaient beaucoup de questions à me poser. Leur principal souci était de savoir combien ils pouvaient toucher. J'avais peu de réponses claires à leur fournir mais je m'en suis sorti avec un brin de galimatias juridique. Ils ont l'air de vouloir nous garder.

– Une jambe, un bras et des côtes cassés, contusions multiples. Son médecin dit qu'il en a pour dix jours d'hôpital.

Bonne affaire pour Bruiser qui esquisse un sourire.

– Ne relâche pas la pression. Fais toutes les recherches nécessaires. Fie-toi à Deck. Ça peut rapporter gros.

Ça sera sûrement payant pour Bruiser, mais pas pour moi : les honoraires perçus ne me seront pas crédités.

– Les flics veulent prendre tes déclarations sur l'incendie, me lance-t-il en tendant la main pour attraper un classeur. Je leur ai parlé hier soir. Ils t'interrogeront ici, dans ce bureau, et en ma présence.

Il me sort ça comme si je n'avais pas le choix.

– Et si je refuse ?

– Ils t'emmèneront sans doute dans les locaux de la criminelle pour te cuisinier. Si tu as la conscience tranquille, je te conseille d'accepter de leur répondre ici. On pourra se concerter. Après ça, ils te ficheront la paix.

– Donc, ils estiment que c'est un incendie criminel ?

– Ils ont de fortes présomptions, oui.

– Qu'est-ce qu'ils attendent de moi ?

– Que tu leur dises où tu étais, ce que tu faisais, les lieux, l'heure exacte, que tu fournisses des alibis, quoi.

– Je ne peux pas répondre à tout mais je dirai la vérité.

– Eh bien, ça suffira, fait-il avec un sourire. T'en fais pas, tu seras blanchi.

– J'aimerais préparer ça par écrit.

– Faisons-le à deux heures, cet après-midi si tu veux.

J'acquiesce d'un hochement de tête silencieux. C'est bizarre, mais, vulnérable comme je le suis, je fais totalement confiance à Bruiser. Je me surprends moi-même car je me serais instinctivement méfié de lui en toute autre occasion.

– J'aurais besoin d'un peu de temps libre, Bruiser, dis-je.

Ses mains se figent et il me fixe, les yeux écarquillés. Dru, qui est en train de chercher quelque chose dans un placard, se retourne et me dévisage. Un des requins semble m'avoir entendu.

– Mais tu viens juste de commencer !

– Je sais, mais l'examen se rapproche à la vitesse grand V. Je suis très en retard dans mes révisions.

Il penche la tête de côté et caresse sa barbe. Quand il a bu et fait la noce, Bruiser a un regard terrible. Et là, ses yeux ressemblent à deux rayons laser.

– Il te faudrait quoi, comme temps ?

– Eh bien, j'aimerais venir ici chaque matin, travailler jusque vers midi et ensuite, en fonction de mes rendez-vous et des plaidoiries, m'enfermer à la bibliothèque avec mes bouquins.

J'ai essayé de mettre une petite note d'humour dans mes revendications, mais ça tombe complètement à plat.

– Tu pourrais réviser avec Deck, ironise Bruiser en ricanant. Bon, écoute, voilà ce qu'on va faire. Tu travailles ici jusqu'à midi, ensuite tu prends tes livres et tu vas t'installer à la cafétéria de St. Peter. Révise comme un dingue, d'accord, mais regarde aussi ce qui se passe autour de toi. Je tiens à ce que tu réussisses le barreau, mais je tiens encore plus à ce que nous dégotions de nouvelles affaires le plus vite possible. Prends un téléphone portable, que je puisse te joindre à tout moment. Ça te va ?

Qu'est-ce qui m'a pris de réclamer ça ? J'ai encore raté une bonne occasion de me taire.

– Oui, oui, dis-je en fronçant les sourcils.

La nuit dernière, en me balançant dans mon hamac, je me disais qu'avec un peu de chance je pourrais peut-être échapper à St. Peter. Maintenant, je suis consigné là-bas.

Les deux flics qui sont venus chez moi se présentent au cabinet et demandent à Bruiser la permission de m'interroger. Nous nous asseyons tous les quatre autour d'une petite table ronde dans un coin de son bureau. Deux magnétophones sont disposés au centre.

Ça devient très vite assommant. Je répète à ces deux clowns les choses que je leur ai dites la première fois. Ils gaspillent un temps et une énergie considérables à essayer de me coincer sur toutes sortes de détails insignifiants. Peine perdue, je leur dis la stricte vérité. Je n'ai rigoureusement rien à cacher. Au bout d'une heure, ils semblent enfin comprendre que je ne suis pas leur client.

Bruiser s'impatiente et leur demande à plusieurs reprises d'aller au fait. Ils s'exécutent, pendant un moment du moins. J'ai la nette impression qu'il leur fait peur.

Une fois qu'ils sont partis, Bruiser me garantit que je n'entendrai plus parler d'eux. Je ne suis plus du tout suspect, ils n'ont fait que couvrir leurs arrières. Il a l'intention de discuter avec leur supérieur demain matin et d'obtenir qu'on me mette définitivement hors de cause.

Je le remercie. Il me tend un petit téléphone portable qui tient dans le creux de la main.

– Garde-le sur toi en permanence, surtout pendant que tu prépares ton exam. Il se peut que j'aie besoin de toi d'urgence.

À ces mots, l'engin s'alourdit brusquement entre mes doigts.

Je suis maintenant sous sa coupe vingt-quatre heures sur vingt-quatre.

Il me renvoie dans mon bureau.

Je retourne à la cafétéria du service Orthopédie avec la ferme résolution de me planquer dans un coin, d'y potasser en gardant le maudit téléphone à portée de main, mais d'ignorer royalement les gens qui m'entourent.

La nourriture n'est pas trop mauvaise. Après sept ans de cantine et de distributeurs de sandwiches, tout me paraît bon. Je prends une omelette au fromage, un paquet de chips et une pomme. J'étale mes livres et mes polycopiés sur une table d'angle et m'installe, dos au mur.

Je commence par manger, picorant les chips en examinant les autres consommateurs. La plupart portent des tenues professionnelles, les médecins un ensemble vert pâle avec un calot, les infirmières la traditionnelle blouse blanche, les techniciens une combinaison bleue, tous avec un badge épinglé sur la poitrine. Ils sont assis par petits groupes et discutent dans leur jargon des symptômes de telle maladie ou des mérites de tel traitement. Pour des gens censés se préoccuper de diététique, ils mangent les pires choses qui soient, frites, hamburgers, nachos et pizzas... J'observe un quarteron de jeunes médecins tassés autour de leurs plateaux et me demande ce qu'ils penseraient s'ils savaient qu'il y a près d'eux un avocat en train de les espionner pour pouvoir un jour les poursuivre en justice.

En fait, personne ne s'intéresse à moi. De temps en temps, un malade entre sur des béquilles ou poussé dans une chaise roulante par un garçon de salle. Apparemment, nul autre avocat aux aguets dans les parages.

Je prends mon premier café à dix-huit heures et me plonge tête baissée dans les obligations contractuelles et le droit d'accession des biens immobiliers, deux matières qui ravivent les souffrances endurées en première année. Un travail que j'ai toujours retardé et qui ne peut plus attendre. Une heure s'écoule avant que je reprenne un café. La clientèle est plus clairsemée à présent. Je remarque deux personnes abondamment plâtrées et bandées, assises côte à côte à l'autre bout de la salle. Deck les aurait déjà abordées. Je m'en dispense.

Au bout d'un moment, je me rends compte à ma grande surprise que je suis bien dans cet endroit. C'est tranquille et personne ne me connaît. Le lieu idéal pour étudier. Le café n'est pas mauvais et coûte moitié prix à partir du deuxième. Je suis loin de Miss Birdie et donc dispensé de corvée de jardinage. Mon patron compte sur ma présence ici mais n'a aucun moyen de s'assurer que je suis bien en train de traquer le client comme il me l'a demandé.

Soudain, le téléphone émet un petit bip. C'est Bruiser qui veut juste vérifier où j'en suis. Est-ce que j'ai eu un contact prometteur?

Non, dis-je en regardant les deux magnifiques éclopés comparant leurs blessures dans leur chaise roulante. Il m'apprend qu'il a parlé à un lieutenant de police et que mon affaire est réglée. Ils se désintéressent de mon cas et vont complètement réorienter leur enquête. Bonne chasse ! conclut-il en riant. Et il me laisse, sans doute pour aller vider quelques pintes avec Prince au Yogi.

Je révise encore une heure, puis quitte ma table et monte au huitième étage pour voir Dan Van Landel. Il souffre encore mais accepte de discuter. Je l'informe que nous avons contacté l'assureur de la partie adverse et que la police du chauffard est très intéressante pour nous. Je lui répète ce que Deck m'a déjà expliqué : l'autre a tous les torts (il avait trois grammes d'alcool dans le sang, rien que ça !), et la relative gravité des blessures nous garantit de substantiels dédommagements. Par relative gravité, il faut entendre des fractures avec séquelles pouvant évoluer vers l'état magique d'invalidité permanente.

Un sourire illumine le masque douloureux de Van Landel. Il compte déjà ses sous. Mais il lui restera à affronter Bruiser au moment du partage du gâteau.

Je lui souhaite une bonne nuit en promettant de repasser demain. Un vrai service de proximité !

La cafétéria est à nouveau bondée quand je réintègre ma place. J'ai laissé sur la table une pile de livres au-dessus de laquelle se trouve un ouvrage de droit commercial dont le titre en gros caractères a capté l'attention d'un groupe de jeunes médecins assis à la table voisine. Ils me dévisagent avec méfiance quand je me rassieds et finissent par partir en échangeant des chuchotements. Je me ressers du café et m'immerge dans la procédure fédérale.

Il ne reste bientôt plus qu'une poignée de clients. Je bois du déca, à présent, et suis stupéfié par la quantité de boulot que j'ai abattue depuis quatre heures. Bruiser rappelle à dix heures moins le quart, d'une salle de bar, semble-t-il d'après le brouhaha ambiant. Il veut me voir à neuf heures demain dans son bureau, pour discuter un point de droit concernant son affaire de trafic de drogue. J'y serai.

Je détesterais que mon avocat élabore ma défense en buvant des coups dans une boîte de strip.

Le pire, c'est que Bruiser est mon avocat.

À dix heures, je me retrouve tout seul dans la cafétéria. Elle reste ouverte toute la nuit, et l'unique serveuse m'ignore totalement. Je suis absorbé dans la procédure de jugement par coutumace quand le délicat reniflement d'une jeune femme me fait soudain lever les yeux. Deux tables plus loin, une patiente est assise dans une chaise roulante, seule. Elle a la jambe droite tendue et plâtrée depuis le genou. Le plâtre a l'air frais, pour autant que je puisse en juger.

Elle est très jeune et exceptionnellement jolie. Je ne peux m'empêcher de la contempler quelques secondes avant de reprendre ma lecture. Au bout d'un instant, je la regarde à nouveau. Ses yeux noisette semblent mouillés de larmes. Elle a les traits à la fois très marqués et d'une extrême délicatesse, malgré une vilaine ecchymose sur la joue gauche, certainement provoquée par un coup de poing. Elle porte la chemise de nuit blanche de l'hôpital, sous laquelle se dessine son corps gracieux, presque frêle.

Un vieil homme en veste lilas, une de ces bonnes âmes qui travaillent bénévolement à l'hôpital, dépose gentiment un verre de jus d'orange devant elle.

– Et voilà, Kelly, lui dit-il, tel un parfait grand-père.

– Merci, répond-elle avec un pâle sourire.

– Une demi-heure, n'est-ce pas ?

Elle opine de la tête en se mordant la lèvre.

– Je peux faire autre chose pour vous ?

– Non merci.

Il lui tapote l'épaule et quitte la cafétéria.

Il ne reste plus que nous deux. Impossible de ne pas la regarder. Dès que j'essaie de me remettre au travail, mes yeux se relèvent insensiblement vers elle. Elle ne me fait pas face directement, je la vois de profil, tandis qu'elle regarde droit devant elle, les yeux perdus dans le vague. Comme elle lève son verre, je note qu'elle a des bandages aux deux poignets. Elle n'a pas encore remarqué ma présence. J'ai l'impression qu'elle ne verrait personne, même si la salle était pleine. Kelly est enfermée dans sa sphère.

C'est une fracture de la cheville, dirait-on. La quantité de ses blessures ravirait Deck. Ses bandages aux poignets sont énigmatiques. Elle est si ravissante que je ne suis pas tenté de mettre en pratique mes techniques de sollicitation. Elle a l'air très triste. Je ne veux pas aggraver les choses. Elle porte une alliance à l'annulaire de la main gauche. Je ne pense pas qu'elle ait plus de dix-huit ans.

Je tente de me concentrer cinq minutes d'affilée sur mes articles de loi, mais je la vois se tamponner les yeux avec sa serviette. Elle penche la tête de côté et je distingue de grosses larmes qui coulent sur ses joues. Elle renifle par à-coups.

Je suis emporté par mon imagination lugubre d'avocat. Je me dis qu'elle a peut-être eu un accident de voiture et perdu son mari dedans. Elle est trop jeune pour avoir des enfants, sa famille doit habiter à l'autre bout du pays et elle est là, esseulée, pleurant son mari et sa vie brisée. Ça pourrait faire un cas du tonnerre.

Je renonce à ce dramatique scénario et j'essaie à nouveau de réfléchir au texte que j'ai sous les yeux. Elle continue à sangloter sans bruit dans son coin. Quelques consommateurs vont et viennent, sans approcher de sa table, ni de la mienne. Je vide ma tasse, me lève et passe devant elle pour gagner la caisse. Pendant une seconde miraculeuse, nos regards se croisent, et je me casse presque la figure en m'appuyant sur le chariot de plateaux que je prends pour le comptoir. Je paye mon café d'une main tremblante. Je respire à fond et m'arrête devant sa table.

– Écoutez, je ne voudrais pas me mêler de ce qui ne me regarde pas, mais est-ce que je peux faire quelque chose pour vous ? Vous souffrez ?

– Non, répond-elle d'une voix à peine audible. Mais je vous remercie, ajoute-t-elle avec un petit sourire qui me donne aussitôt le vertige.

– Pas de quoi. Si vous avez besoin de quoi que ce soit, je suis là-bas, dis-je en montrant ma place du doigt, en train de réviser l'examen du barreau.

– Merci, répète-t-elle.

Je suis assez fier de m'être posé en étudiant consciencieux, en futur représentant d'une noble corporation. Je me replonge dans mes bouquins. Elle est sûrement très impressionnée.

Les minutes passent. Je feuillette mon code en l'observant à la dérobée. Elle tourne la tête vers moi et mon cœur fait un bond. J'essaie de l'ignorer le plus longtemps possible et, quand je flanche à nouveau, elle est perdue dans ses rêveries. Elle a le visage trempé de larmes, les doigts crispés sur sa serviette.

J'ai le cœur serré de la voir souffrir comme ça. Je donnerais cher pour pouvoir m'asseoir à côté d'elle, lui passer le bras autour du cou et bavarder de choses et d'autres. Si elle est mariée, où se trouve son mari ? Elle regarde encore vers moi, mais je crois qu'elle ne me voit pas.

Son ange gardien réapparaît à dix heures et demie, et elle tente de se ressaisir. Le vieil homme pose une main paternelle sur sa tête, lui dit quelques mots de réconfort que je n'entends pas et fait doucement pivoter son fauteuil. Au moment de s'éloigner, elle me lance un regard intentionnel, cette fois, et m'adresse un long sourire baigné de larmes.

J'ai envie de la suivre à distance pour repérer sa chambre mais je me retiens. Un peu plus tard, j'envisage d'aller chercher son accompagnateur et de lui poser des questions, puis j'y renonce. Je m'oblige à ne plus penser à elle. Ce n'est qu'une enfant.

Le lendemain soir, je retourne à la cafétéria et me réinstalle au même endroit. La clientèle est semblable à celle de la veille, j'entends à peu de choses près les mêmes conversations. Je rends ma visite quotidienne aux Van Landel et tâche de satisfaire leur insatiable curiosité juridique par des généralités évasives. Je guette d'éventuels rivaux amateurs de pêche en eaux troubles. Je néglige plusieurs clients potentiels qui ne demandent qu'à se faire alpaguer. Puis je travaille sagement pendant plusieurs heures, très concentré, plus motivé que jamais.

Mais je consulte régulièrement la pendule, et je suis de plus en plus nerveux à mesure que dix heures approche. Je m'interromps sans cesse pour surveiller l'entrée de la cafétéria et sursaute chaque fois qu'arrive un nouveau client. Deux infirmières dînent ensemble à une table, une autre est occupée par un technicien en train de lire un livre.

Elle entre cinq minutes après l'heure, poussée par le même charmant vieux monsieur qui l'arrête pile à la place qu'elle souhaite. Elle me sourit tandis qu'il manœuvre le fauteuil devant sa table.

– Jus d'orange, demande-t-elle.

Ses cheveux sont sévèrement tirés en arrière, comme hier, mais on dirait qu'elle s'est mis une touche de mascara et un trait d'eye-liner. Elle porte aussi du rouge à lèvres pâle et le résultat est sublime. Elle est irrésistible. Ses yeux sont clairs, rayonnants, et surtout, surtout, dépourvus de larmes.

– Une demi-heure, Kelly?

– Plutôt trois quarts d'heure, répond-elle.

– Comme vous voulez, dit-il, et il s'éclipse discrètement.

Elle aspire son jus d'orange avec une paille en regardant sa table. J'ai beaucoup pensé à elle aujourd'hui et mon plan est fin prêt.

J'attends quelques minutes en affectant d'éplucher le sommaire d'une revue de droit financier. Puis je me lève sans hâte, comme s'il était temps de faire une petite pause café.

Je m'arrête à sa table et lance :

– Vous avez l'air d'aller beaucoup mieux, ce soir.

Je crois qu'elle s'attendait à ce que je lui dise quelque chose de ce genre.

– Oui, beaucoup mieux, répond-elle avec un sourire ensorcelant, dévoilant les plus jolies dents qui soient.

Elle est d'une beauté à couper le souffle, même avec sa blessure à la joue.

– Vous voulez que je vous apporte quelque chose?

– Oui, c'est gentil. Un Coca. Ce jus d'orange est trop acide.

– Tout de suite, dis-je, et je me précipite, le cœur battant.

Je remplis deux gobelets au distributeur, les paye à la caisse et reviens les poser devant elle. L'air égaré, je regarde le fauteuil en face du sien.

– Asseyez-vous, je vous en prie.

– Vraiment?

– Oui, oui. J'en ai assez de parler aux infirmières.

Je ne me fais pas prier davantage. Je m'assieds devant elle, les coudes sur la table.

– Je m'appelle Rudy Baylor, dis-je. Et vous Kelly, n'est-ce pas ?

– Kelly Riker, oui. Enchantée.

C'était déjà un ravissement de la regarder à quinze mètres de distance, mais de près, c'est une béatitude pure et simple. Je reste muet, pétrifié, les yeux rivés à ses prunelles d'un marron soyeux où brille une petite étincelle.

– J'espère que je ne vous ai pas dérangée hier soir, dis-je, impatient d'engager la conversation.

– Pas du tout, au contraire. Je suis désolée de m'être donnée en spectacle.

Que dire, maintenant ? Il y a tant de choses que je voudrais savoir.

– Pourquoi venez-vous ici ? dis-je, comme si c'était elle l'étrangère et que j'étais de la maison.

– Ça me change de ma chambre, et vous ?

– Je prépare l'examen du barreau, l'endroit est parfait pour travailler.

– Alors vous allez être avocat.

– Eh oui. J'ai fini la fac il y a quelques semaines. J'ai trouvé une place dans un cabinet. Dès que j'aurai passé le barreau, je pourrai exercer.

Elle avale quelques gorgées et grimace en se soulevant sur les avant-bras.

– Mauvaise fracture, hein ? dis-je en montrant sa jambe de la tête.

– C'est ma cheville. Ils m'ont mis une broche.

– C'est arrivé comment ?

Cette question paraît inoffensive, et je pensais que la réponse ne pouvait qu'être facile.

Elle ne l'est pas. Elle hésite, et des larmes perlent dans ses yeux.

– Un accident domestique, dit-elle, comme si elle avait préparé d'avance cette explication qui n'explique rien.

Un accident domestique ? Qu'est-ce que ça signifie ? Est-ce qu'elle a fait une chute dans son escalier ?

– Ah, dis-je, incertain.

Ses poignets m'inquiètent car tous deux sont bandés sans être plâtrés. Ils ne paraissent ni cassés ni foulés. Sont-ils entaillés ?

– C'est une longue histoire, murmure-t-elle entre deux gorgées en détournant les yeux.

– Depuis combien de temps êtes-vous ici ?

– Deux jours. Ils attendent de voir si la broche est bien implantée. Sinon, ils seront obligés de me réopérer... (Elle s'interrompt et joue avec sa paille.) Drôle d'endroit pour étudier, non ?

– Pas tant que ça. C'est très calme, il y a du café à volonté, c'est ouvert toute la nuit. Vous portez une alliance...

Cette question me tourmente plus que toute autre.

Elle baisse les yeux sur sa main, comme si elle n'était plus sûre de la porter.

– Oui, dit-elle tristement en contemplant sa paille.

L'alliance est un simple anneau, sans diamant ni fioriture.

– Alors où est votre mari ?

– Vous posez beaucoup de questions.

– Je suis avocat, ou presque. Déformation professionnelle.

– Mais pourquoi vous me posez cette question ?

– Parce que je trouve bizarre que vous soyez toute seule dans cet hôpital, blessée comme ça, et qu'il ne soit pas avec vous.

– Il est venu, mais il est reparti.

– Ah ? Il est chez vous, avec les enfants ?

– Nous n'avons pas d'enfant. Et vous ?

– Non, ni femme ni enfant.

– Quel âge avez-vous ?

– Vous posez beaucoup de questions, dis-je en souriant. (Ses yeux pétillent.) Vingt-cinq ans, et vous ?

Elle reste songeuse quelques secondes.

– Dix-neuf.

– C'est très jeune pour être mariée.

– Ce n'était pas par choix.

– Ah, pardon.

– Ne vous excusez pas. J'avais à peine dix-huit ans quand je suis tombée enceinte. Je me suis mariée peu après, j'ai fait une fausse couche une semaine plus tard et, depuis, c'est la chute libre. Voilà. Votre curiosité est-elle satisfaite ?

– Non. Heu... oui. Pardonnez-moi. De quoi voulez-vous parler ?

– De vos études. Où est-ce que vous les avez faites ?

– À Austin Peay, d'abord, à la fac de droit de Memphis, ensuite.

– Moi, je voulais aller au collège, mais ça n'a jamais marché. Vous êtes de Memphis ?

– Je suis né ici, mais j'ai été élevé à Knoxville. Et vous ?

– Je suis d'une petite ville à une heure d'ici. Nous sommes partis quand je suis tombée enceinte. Mes parents s'estimaient déshonorés. Ceux de mon mari sont des moins que rien. Il a fallu décamper.

Il y a une sombre histoire de famille là-dessous et j'aimerais autant ne pas m'en mêler. Elle a mentionné sa grossesse à deux reprises sans y être aucunement forcée. Mais elle est seule et elle a envie de se confier à quelqu'un.

– Et vous êtes donc venus vous installer à Memphis ?

– Oui. On a débarqué ici, on s'est mariés à la mairie, puis j'ai perdu mon bébé.

– Que fait votre mari ?

– Il est cariste dans une usine textile. Il boit beaucoup. C'est un sportif raté, il rêve encore de jouer au base-ball dans une grande équipe.

Je n'en demandais pas tant. Je les imagine tous les deux, lui, jeune athlète, la star du lycée, elle, la reine des supporters, un modèle de petit couple américain moyen. Ils sont la coqueluche de leur patelin, les plus beaux, les plus mignons, promis au plus bel avenir, et filent le parfait amour jusqu'au jour où la catastrophe leur tombe dessus, faute de préservatif. Pour une raison ou pour une autre, ils refusent l'avortement. Peut-être finissent-ils le lycée, peut-être pas. Humiliés, ils quittent leur bled et vont échouer dans l'anonymat de la grande ville. Après la fausse couche, la romance fait place à la réalité.

Mais le jeune époux rêve encore de gloire et de fortune dans le sport, tandis qu'elle pleure ses années d'insouciance révolues et rêve d'une fac qu'elle ne connaîtra jamais.

– Je vous demande pardon, s'excuse-t-elle. Je n'aurais pas dû vous raconter ça.

– Mais il n'est pas trop tard. Vous êtes encore assez jeune pour poursuivre vos études.

Mon optimisme lui arrache un gloussement désabusé. Il y a longtemps qu'elle a renoncé à cette chimère.

– J'ai décroché avant la fin du lycée.

Que répondre maintenant ? Un petit prêchi-prêcha moralisateur, du genre « vous le pouvez si vous le voulez, suivez des cours par correspondance » ?

– Vous travaillez ? dis-je simplement.

– Ça m'arrive. Qu'est-ce que vous voulez faire quand vous serez avocat ? Vous avez une spécialité ?

– J'aimerais plaider le plus possible. Je veux me battre à la barre, il n'y a que ça qui m'intéresse.

– Vous défendriez des criminels ?

– Pourquoi pas ? Ils n'ont pas moins le droit d'être défendus que les autres.

– Des assassins ?

– Moui. Sauf que la plupart n'ont pas la possibilité de payer un avocat.

– Des violeurs ? Des bourreaux d'enfants ?

Je fronce les sourcils et observe une ou deux secondes de silence.

– Non.

– Des hommes qui battent leur femme ?!

– Non, jamais.

Je suis parfaitement sincère et, d'autre part, je commence à me poser de sérieuses questions sur ses blessures. En tout cas, elle approuve mes choix.

– Défendre des criminels, c'est peu courant, dis-je. Je ferai plutôt du contentieux civil.

– Des procès ?

– C'est ça, oui. Tout ce qui est litige entre individus, collectivités, entreprises.

– Des divorces, aussi ?

– J'aimerais autant éviter. Ce n'est pas passionnant.

Elle fait tout ce qu'elle peut pour me faire parler et pour détourner la conversation d'elle-même et de ses problèmes. C'est aussi bien car je la sens au bord des larmes et je veux que cette discussion dure le plus longtemps possible.

Elle veut tout savoir sur l'université, sur les cours, les profs, les loisirs, la vie du campus. Elle a vu beaucoup de films et se fait une idée romantique de ces années... Foisonnement intellectuel, étudiants en sweater applaudissant aux exploits de leur équipe, amitiés qui se nouent et durent toute une vie, etc. La pauvre ne doute de rien. Elle est d'une innocence qui séduit et inquiète en même temps. Elle s'exprime très bien, son vocabulaire est plus riche que le mien, et elle avoue d'une voix brisée qu'elle aurait fini première ou deuxième de sa classe en terminale, sans sa liaison avec Cliff Riker.

Sans grand effort, je lui raconte l'époque glorieuse de la fac, passant sous silence des choses essentielles, comme le fait que j'aie dû livrer des pizzas quarante heures par semaine pour payer mes études.

Elle veut ensuite que je lui parle de l'endroit où je travaille. Je suis en train de dépenser des trésors d'imagination pour redorer le blason du cabinet J. Lyman Stone, lorsque le téléphone, que j'ai laissé sur ma table, fait entendre sa détestable sonnerie. Je m'excuse en lui disant que c'est précisément un appel de mon bureau.

C'est Bruiser, avec Prince, tous les deux éméchés. Ils appellent du Yogi. Ils trouvent rigolo que je sois reclus ici alors qu'eux sont en train de picoler et de parier sur Dieu sait quelle course de chèvres. On entend comme un bruit de bagarre dans le fond.

– Et le business, ça donne ? hurle Bruiser dans l'appareil.

Je souris à Kelly, évidemment très impressionnée par cet appel. J'explique à Bruiser le plus calmement possible que je suis justement en train de parler à une cliente virtuelle, ce qui lui arrache un formidable éclat de rire. Il me passe ensuite Prince, encore plus soûl que lui, qui me raconte une histoire d'avocat et de racolage sur la voie publique qui se voudrait drôle. Puis il repart sur l'excellente place que j'ai dégotée grâce à lui et sur le fait que j'en apprendrai plus sur le métier avec Bruiser qu'avec cinquante professeurs. Ça dure un certain temps et, à mon grand désespoir, je vois soudain revenir l'accompagnateur de Kelly.

Je fais quelques pas vers eux et, couvrant le combiné d'une main, articule à mi-voix :

– Je suis très heureux de vous avoir rencontrée.

– Moi aussi, répond-elle en souriant. Merci pour le verre et pour la conversation.

– À demain soir ? dis-je, tandis que Prince me hurle des insanités à l'oreille.

– Peut-être.

Elle m'envoie un clin d'œil appuyé et mes genoux se mettent à trembler.

Son guide bénévole, à l'évidence, fréquente l'hôpital depuis assez longtemps pour repérer du premier coup d'œil un avocat en chasse, peut-être doublé d'un dragueur. Il fronce les sourcils en me regardant et se hâte d'enlever sa protégée. Elle reviendra, me dis-je en fermant les yeux.

Là-dessus, je coupe la communication, interrompant Prince au milieu d'une phrase. S'ils rappellent, ce dont je doute fort, je mettrai ça sur le compte de Sony.

18

Deck raffole des défis, surtout s'il s'agit de jouer les fouille-merde au téléphone avec des informateurs anonymes. Je lui donne tous les détails dont je dispose sur Kelly et Cliff Riker. Moins d'une heure plus tard, il se faufile dans mon bureau avec un sourire triomphant.

– Kelly Riker a été admise à St. Peter il y a trois jours vers une heure du matin, lit-il sur ses notes, victime de multiples blessures. La police avait été appelée à son domicile par des voisins non identifiés qui avaient fait état d'une violente dispute conjugale. Les flics l'ont trouvée étendue sur le divan du salon, sévèrement amochée. Cliff Riker, visiblement ivre et surexcité, voulait s'en prendre aux policiers avec l'outil dont il s'était servi contre sa femme, une batte de base-ball en aluminium, son arme favorite, semble-t-il. Mais ceux-ci l'ont tout de suite maîtrisé, mis en état d'arrestation, inculpé de tentative de coups et blessures sur agents de la force publique, et emmené au dépôt. Kelly a été transportée à l'hôpital en ambulance. Selon ses déclarations, son mari est revenu soûl d'un match de base-ball, une querelle a éclaté, ils se sont battus et Cliff a eu le dessus. Elle affirme qu'il l'a frappée deux fois à la cheville avec sa batte, et deux fois aussi au visage à coups de poing.

Je n'ai pas dormi de la nuit en pensant à Kelly, à son œil tuméfié et à sa jambe meurtrie. Et l'idée qu'un homme ait pu la battre aussi sauvagement me rend malade. Mais, comme Deck observe ma réaction, je m'efforce de rester impassible.

– Elle a des bandages aux poignets, fais-je remarquer, et Deck tourne fièrement sa page.

Il possède un rapport d'une autre source confidentielle, la brigade des pompiers-secouristes de Memphis, pour ne pas la nommer.

– La description de ses poignets est assez sommaire. Mais ce qu'on suppose, c'est qu'à un moment donné au cours de la bagarre il l'a plaquée au sol en la tenant par les poignets pour essayer de la pénétrer de force. Apparemment il n'était pas à la hauteur de ses prétentions, sans doute à cause d'un excès de bière. Elle était nue quand les flics l'ont trouvée, avec juste une couverture sur elle. Elle ne pouvait pas s'enfuir à cause de sa cheville brisée.

– Et lui, qu'est-ce qu'il est devenu ?

– Il a passé la nuit au trou, puis sa famille l'a fait sortir sous caution. Il est convoqué au tribunal la semaine prochaine, mais il n'aura rien.

– Pourquoi ?

– Parce qu'il y a de fortes chances qu'elle renonce à porter plainte. Ils s'embrasseront, feront la paix, et la pauvre serrera les dents jusqu'à ce qu'il recommence.

– Mais... comment le sais-tu... ?

– Parce que ça s'est déjà produit. Il y a huit mois, les flics ont reçu le même appel, à la suite d'une dispute analogue, sauf que, cette fois-là, elle s'en est mieux tirée. Juste quelques bleus. Apparemment, il n'avait pas sa batte sous la main. Les flics les ont séparés et comme c'étaient de jeunes mariés, quasiment des mômes, ils leur ont donné quelques vagues conseils, les chéris se sont fait la bise et bonsoir. Trois mois plus tard, apparition de la batte, et elle se retrouve une semaine à St. Peter avec des côtes cassées. L'affaire tombe entre les mains d'une brigade de police spécialisée dans les violences conjugales qui se prononce pour une sévère sanction à l'encontre du mari. Malheureusement, elle aime à la folie le cher ange et refuse de témoigner contre lui. Toutes les charges sont abandonnées. C'est tout le temps comme ça.

Je mets un moment à digérer ces informations sinistres. Je me doutais qu'elle avait des problèmes avec lui, mais j'étais loin du compte. Comment un homme peut-il prendre une batte en acier pour taper sur sa femme ? Et comment Cliff Riker peut-il frapper un visage aussi délicieux ?

– Ça arrive constamment, soupire Deck.

– Quoi d'autre ? je demande.

– Rien. Mais à ta place, je me méfierais. Ne t'implique pas trop là-dedans.

– Merci, dis-je, encore sous le choc. Merci beaucoup.

– Pas de quoi, vieux.

Booker a beaucoup plus révisé que moi, et ce n'est pas une surprise. Il se fait du souci à mon sujet, ce qui est touchant et ne m'étonne pas de sa part. Il a programmé une séance de révision marathon pour cet après-midi, dans la salle de conférences du cabinet Shankle.

Suivant ses instructions, j'arrive à midi pile. Les bureaux sont modernes, débordent d'activité, et ce qui surprend le plus quand on vient pour la première fois, c'est que tout le personnel est noir. Je suis passé dans pas mal de cabinets d'avocats ces derniers temps, et je n'ai vu qu'un seul avocat noir et qu'une seule secrétaire noire. Ici, au contraire, pas un seul Blanc.

Booker me fait rapidement visiter les lieux. Bien qu'on soit à l'heure du déjeuner, c'est une véritable ruche. Traitements de texte, photocopieurs, fax, téléphones, ça crépite, crache et sonne de partout. Les secrétaires mangent en hâte sans quitter leur bureau, qui disparaît sous l'amoncellement du travail en cours. Avocats et assistants se montrent accueillants, mais ils sont toujours entre deux rendez-vous. Et les usages vestimentaires sont très stricts : costume sombre et chemise blanche pour tous les hommes, tailleur à jupe longue pour les femmes. Ni couleurs vives ni fantaisie d'aucune sorte.

La comparaison avec le cabinet J. Lyman Stone s'impose avec force, et je m'empresse de la chasser de mon esprit.

Booker m'explique qu'avec Marvin Shankle la discipline est de fer. Chacun doit faire preuve d'un professionnalisme à toute épreuve, et les horaires sont draconiens. Le patron attend des employés comme des associés qu'ils donnent le meilleur d'eux-mêmes.

La salle de conférences est un îlot de tranquillité. Responsable du déjeuner, je déballe quelques sandwiches discrètement prélevés dans les cuisines du Yogi. Nous prenons juste cinq minutes pour bavarder de la famille et des copains de fac. Il me pose des questions sur mon travail, mais reste discret. Je lui ai déjà tout dit. Enfin, presque tout. Je préfère qu'il ignore ma nouvelle mission à St. Peter et les activités que j'y mène réellement.

Booker m'épate. Quel avocat fantastique il devient ! Il regarde sa montre au bout du temps imparti aux papotages, puis m'expose le programme de galérien qu'il a concocté pour nous cet après-midi. Nous travaillerons six heures de rang avec une ou deux rapides pauses café et devrons lever le camp à six heures précises, car quelqu'un d'autre a réservé la salle.

De midi et quart à une heure et demie, nous potassons les impôts fédéraux sur le revenu. Booker lit et rabâche les fiches qu'il a faites à partir de ses notes de cours. Il a toujours été plus calé que moi en droit fiscal. C'est une matière ardue qui doit être sans cesse mise à jour.

À une heure et demie, il consent à me laisser aller aux toilettes et avaler un café, puis je prends le relais avec les règles qui président à l'établissement de la preuve dans la législation fédérale. Palpitant, comme sujet ! Booker carbure au super. Son énergie est communicative et nous passons au crible des dizaines et des dizaines de pages de code assommantes sans voir le temps passer.

Être collé à l'examen du barreau est un cauchemar pour

n'importe quel jeune collaborateur dans un cabinet, mais je sens que ce serait particulièrement désastreux pour Booker. Pour moi, franchement, ce ne serait pas la fin du monde. Je serais blessé dans mon amour-propre, OK, mais je survivrais. Je mettrais les bouchées doubles et me représenterais six mois plus tard. Du moment qu'il aurait son lot mensuel de nouveaux clients, Bruiser ne dirait rien. Et si, par chance, je lui décrochais une bonne affaire à cent mille dollars, par exemple un pauvre type brûlé au troisième degré sur son lieu de travail, il se moquerait bien que j'aie ou non réussi l'examen.

Mais un échec placerait Booker en situation très délicate. J'imagine que son patron lui mènerait la vie dure. Et, au deuxième échec, il le virerait purement et simplement.

À deux heures et demie pile, Marvin Shankle pénètre dans la salle de conférences et Booker me présente à lui. C'est un homme d'une cinquantaine d'années qui respire la droiture et la correction. Il a les tempes légèrement grisonnantes. Il parle d'une voix douce, mais son regard est d'une rare intensité. Il donne l'impression de transpercer son interlocuteur, sans aucune agressivité, mais avec beaucoup de discernement. Dans les milieux juridiques du Sud, l'homme est une légende vivante, et c'est un honneur de le rencontrer.

Booker lui a demandé de nous faire un topo. Nous l'écoutons pendant une demi-heure nous parler de la lutte pour les droits civiques, sa spécialité, notamment des problèmes de discrimination à l'embauche. Nous prenons des notes, posons une ou deux questions mais, pour l'essentiel, l'écoutons sans mot dire.

Il file ensuite à une réunion, et nous passons une demi-heure à plancher sur les lois antitrusts et les monopoles. À quatre heures, nouveau topo.

Notre orateur, cette fois, s'appelle Tyrone Kipler, il sort de Harvard et c'est un spécialiste du droit constitutionnel. Il attaque lentement et commence à s'animer quand Booker se met à le bombarder de questions. J'ai le plus grand mal à me concentrer. Je me surprends même à rêver que je suis embusqué de nuit derrière une haie, armé d'une gigantesque batte de base-ball, prêt à sauter sur Cliff Riker pour lui flanquer une raclée. Je fais le tour de la table et me sers un double café.

Au bout d'une heure, environ, Kipler déborde de vitalité, stimulé par nos questions. Mais il s'interrompt soudain au milieu d'une phrase, consulte précipitamment sa montre et nous informe qu'il doit partir tout de suite, un juge l'attend quelque part. Nous le remercions et il se sauve au pas de course.

– Il nous reste une heure, observe Booker. Qu'est-ce qu'on fait ?

– Allons prendre une bière.

– Désolé, ça sera le droit de propriété ou les questions de déontologie.

Réviser les questions de déontologie ne me ferait pas de mal, mais je suis crevé, et je n'ai pas envie de m'entendre rappeler l'étendue de mes errements.

– La propriété, dis-je.

Booker traverse la salle d'un bond et s'empare des bouquins.

Il est près de huit heures du soir lorsque je m'enfonce dans le labyrinthe de couloirs qui serpente au cœur de St. Peter. J'arrive à la cafétéria et j'y trouve ma place favorite occupée par un médecin et une infirmière. Je vais me chercher un café et m'installe à côté. L'infirmière, très séduisante, jette des regards éperdus à son compagnon et, à en juger par leur dialogue discret mais tendu, on dirait que leur affaire est dans une mauvaise passe. Le médecin a une soixantaine d'années, porte des cheveux postiches et s'est fait refaire le menton. Elle est plus jeune de moitié. Elle n'aura jamais le bonheur de l'épouser. Tout juste peut-elle encore espérer être sa maîtresse.

On ne peut pas dire que j'aie follement envie de réviser. À chaque jour suffit sa peine. Une chose me motive, pourtant, c'est de savoir que Booker est resté au bureau et qu'il continue à bosser.

Les deux amants se lèvent brusquement. Elle est en larmes. Lui paraît froid, insensible. Je reprends ma place habituelle, étale livres et notes sur la table et tente de travailler.

En réalité, j'attends.

Kelly arrive quelques minutes après dix heures. Ce n'est plus le vieux monsieur qui pousse sa chaise roulante, c'est un jeune. Elle me lance un regard distant et montre du doigt une table au milieu de la salle devant laquelle l'autre l'arrête. Je le regarde. Il me regarde.

Je présume que c'est Cliff. Il est aussi grand que moi, un mètre quatre-vingts environ, solidement bâti, avec un commencement de bedaine qui trahit des excès de bière. Mais il est très carré et ses biceps gonflent les manches de son T-shirt porté serré pour mieux rouler des mécaniques. Jean moulant, cheveux bruns bouclés, trop longs pour avoir de la classe. Énormément de poil aux bras, la barbe noire. Le genre de type qui commence à se raser à quinze ans.

Il a les yeux vert pâle, une belle gueule, et fait nettement plus que dix-neuf ans. Il contourne la jambe raidie, fracassée par ses coups de batte, et fonce vers le comptoir pour chercher à boire. Kelly sait que je l'observe. Elle balaye la salle du regard, l'air de rien, et au dernier moment m'envoie un bref clin d'œil. J'en renverse presque mon café.

Pas besoin d'être devin pour imaginer les discussions qu'ils ont eues dernièrement. Menaces, excuses, supplications, nouvelles menaces. Ce soir encore, ils ont l'air de s'être copieusement engueulés. Tous deux ont les traits fermés. Ils boivent leur verre en silence.

De temps en temps, ils échangent un mot ou deux. On dirait deux adolescents qui boudent. Une petite remarque par-ci, une réponse encore plus sèche par-là. Ils se regardent quand ils ne peuvent pas faire autrement, d'un œil implacable, et, le reste du temps, contemplent le plafond ou les murs. Je me dissimule derrière mes bouquins.

Elle s'est placée de façon à me voir sans éveiller ses soupçons. Il me tourne presque complètement le dos. Il lui arrive de pivoter sur sa chaise, mais j'ai tout le temps de me gratter la tête ou de piquer du nez dans mes notes avant d'être surpris.

Après dix minutes de silence, elle lui dit quelque chose. Cinglante réponse. Dommage que je ne puisse pas les entendre. Le voilà tremblant de rage, soudainement, lui crachant sa hargne au visage. Elle réplique du tac au tac. Le ton monte et j'entends qu'ils parlent de son témoignage contre lui devant le tribunal. Elle ne paraît pas encore décidée, ce qui inquiète sérieusement Cliff. Il s'énerve de plus en plus, en vrai cul-terreux macho qu'il est, et elle lui demande de ne pas crier. Il regarde autour de lui et essaie de parler moins fort. Du coup, je n'entends plus ce qu'il dit.

Elle le calme après l'avoir provoqué, mais il semble toujours très mécontent. Il remâche sa colère, serrant les poings, tandis qu'ils recommencent à s'ignorer.

Ça ne dure pas longtemps. Elle repart à la charge, marmonnant je ne sais quoi, et je vois le dos de Cliff tressaillir. Ses mains le démangent, il passe aux insultes. Nouvelle dispute pendant une minute, suivie d'un autre temps mort. Mais Cliff n'aime pas qu'on le dédaigne et il fulmine de nouveau. Elle lui demande de se contrôler en public. Il s'emporte de plus belle. Il est perdu si elle ne retire pas sa plainte, il se voit déjà en prison, etc.

Elle dit quelque chose que je n'entends pas et, soudain, il se lève d'un bond et jette son gobelet en plastique à ses pieds. Le soda gicle à travers la pièce et asperge abondamment Kelly. Elle ferme les yeux, haletante, et fond en larmes. Cliff est déjà parti, on l'entend s'éloigner à pas bruyants en jurant dans les couloirs.

Instinctivement, je me suis dressé, mais d'un signe de tête elle me supplie de ne pas intervenir et je me rassieds. La caissière, qui a assisté à la scène, arrive avec une serviette et la tend à Kelly qui s'essuie le visage et les bras.

– Je... je suis navrée, bredouille-t-elle.

Sa chemise de nuit est trempée. Elle s'efforce de ravaler ses larmes. La caissière essuie son plâtre et sa jambe valide. Je suis à quelques mètres, mais je ne peux rien faire. Je suppose qu'elle a peur qu'il ne revienne et ne nous trouve ensemble.

Il y a beaucoup d'endroits dans cet hôpital où l'on peut s'asseoir et prendre un verre. Si elle l'a amené ici, c'est qu'elle voulait que je le voie. Et je suis pratiquement sûr qu'elle l'a provoqué afin que je sois témoin de ses crises de colère.

Nous nous regardons longuement pendant qu'elle sèche ses larmes. Kelly possède cette inexplicable aptitude féminine à produire des larmes sans avoir l'air de pleurer. Elle n'est pas secouée de sanglots, ses lèvres ne frémissent pas, ses gestes sont mesurés. Elle reste assise, perdue dans un autre monde, me fixant de ses yeux embués en se tapotant les joues avec la serviette.

Le temps passe sans que je m'en rende compte. Un vieux garçon de salle arrive en traînant la patte et passe la serpillière autour d'elle. Trois infirmières font irruption en riant aux éclats et se taisent subitement en la voyant. Elles la contemplent en écarquillant les yeux, chuchotent entre elles et me jettent des coups d'œil perplexes.

À présent, on peut raisonnablement espérer que Cliff ne reviendra plus. Les trois infirmières parties, Kelly lève mollement l'index vers moi. L'heure est venue de jouer les gentlemen.

– Je suis désolée, dit-elle, tandis que je viens m'accroupir près d'elle.

– OK, c'est fini, maintenant.

C'est alors qu'elle prononce les mots que je n'oublierai jamais :

– Vous voulez bien me raccompagner dans ma chambre ?

En d'autres circonstances, de tels propos pourraient avoir des conséquences décisives. L'espace d'un instant, mon esprit vagabonde sur une plage exotique où j'imagine deux amoureux qui décident de passer à l'acte.

En réalité, me dis-je, si par bonheur sa chambre n'est pas à deux lits, elle doit être d'une intimité toute relative. Je suppose que n'importe qui peut pousser sa porte, y compris des avocats.

Je fais pivoter sa chaise avec d'infinies précautions et nous quittons la cafétéria.

– Cinquième étage, me dit-elle par-dessus l'épaule.

Rien ne presse. Je suis fier de moi, je me sens chevaleresque. Dans le couloir, deux hommes se retournent coup sur coup sur elle, et ça me plaît beaucoup.

Nous nous retrouvons tous les deux seuls dans l'ascenseur durant quelques secondes. Je m'agenouille à côté d'elle.

– Ça va aller ?

Elle ne pleure plus du tout, maintenant. Ses yeux sont encore humides et légèrement rougis, mais elle a repris contrôle d'elle-même. Elle opine d'un petit hochement de tête et me dit :

– Merci.

Puis elle me prend la main, la serre fort et répète :

– Merci. Merci beaucoup.

L'ascenseur tressaute et s'immobilise. Un médecin entre et Kelly retire aussitôt sa main. Je me suis relevé avant l'ouverture des portes et me tiens sagement debout derrière le fauteuil, comme un mari dévoué.

Nous arrivons au cinquième. La pendule de l'étage indique onze heures moins cinq. À part quelques aides-soignants et une femme de ménage, les couloirs sont déserts. Nous passons devant le bureau et l'infirmière de garde me dévisage avec étonnement. Mme Riker est partie avec un monsieur, elle revient avec un autre.

Nous bifurquons à gauche et elle tend le doigt vers sa porte. À ma grande surprise, Kelly dispose d'une chambre pour elle toute seule, avec une fenêtre et sa propre salle de bains. Les lumières sont allumées.

Je ne sais pas vraiment quel est son degré de mobilité, mais pour le moment elle est totalement dépendante.

– Il va falloir que vous m'aidiez, dit-elle.

Je ne me le fais pas dire deux fois. Je me penche doucement vers elle et elle passe ses deux bras autour de mon cou. Elle m'attire et me presse un peu plus que nécessaire, mais je ne me plains pas. Une large auréole de Coca macule sa chemise de nuit. Pas très grave. Elle s'agrippe à moi. Elle ne porte pas de soutien-gorge. À mon tour, je la serre contre ma poitrine.

Je la soulève soigneusement de sa chaise. Sans aucune peine car elle ne doit pas peser plus de cinquante-cinq kilos, plâtre compris. Je la porte à travers la chambre en faisant très attention de ne pas heurter sa jambe fragilisée, et la dépose avec douceur sur le lit où je l'aide encore à se mettre à son aise en plaçant des oreillers derrière elle. Enfin, nous nous lâchons, à regret. Nos visages sont à quelques centimètres l'un de l'autre lorsque l'infirmière de garde entre en traînant ses sandales sur le lino.

– Qu'est-ce qui s'est passé ? demande-t-elle en montrant la chemise de nuit tachée.

– Oh, rien, c'est juste un petit accident.

L'infirmière ne tient pas en place. Elle va ouvrir un tiroir sous la télévision et en sort une chemise de nuit pliée.

– Eh bien, il faut vous changer, dit-elle en jetant le vêtement sur le lit de Kelly. Et vous devriez vous passer une éponge mouillée, aussi.

Elle s'arrête un instant, hoche la tête vers moi et ajoute :

– Qu'il vous donne un coup de main !

Je respire à fond, près de défaillir.

– Je peux le faire toute seule, assure Kelly en mettant la chemise propre sur sa table de chevet.

– Jeune homme, me dit l'infirmière, vous savez que les visites sont finies depuis longtemps. Il va falloir y aller.

Elle sort de la chambre. Je vais refermer la porte et reviens à côté du lit. Nous restons stupidement les yeux dans les yeux, ne sachant que faire.

– Où est l'éponge? je demande, et nous éclatons de rire.

Quand elle rit, deux petites fossettes adorables se creusent au coin de ses lèvres.

– Asseyez-vous ici, dit-elle en tapotant le bord du lit.

J'obéis, ravi, et comme le lit est très haut, j'ai les jambes qui se balancent dans le vide. Nous nous frôlons, sans nous toucher. Elle remonte le drap sous ses aisselles, comme pour cacher la tache de Coca.

Je sais très bien à quoi ressemble tout ça. Une femme battue reste une femme mariée tant qu'elle n'a pas divorcé. Ou tué son bourreau.

– Alors, qu'est-ce que vous pensez de Cliff? demande-t-elle.

– Vous vouliez que je le voie, hein?

– Oui, peut-être.

– Il mérite d'être flingué.

– C'est plutôt sévère pour une petite crise de colère, non?

Je détourne les yeux et réfléchis quelques instants. J'ai décidé d'être honnête avec elle. Tant qu'à discuter, mieux vaut dire ce que l'on pense.

– Non, Kelly, ce n'est pas sévère. Tout homme qui tape sur sa femme avec une batte de base-ball mérite d'être flingué.

Je l'observe attentivement. Elle ne bronche pas.

– Comment l'avez-vous su?

– Kelly, quand la police intervient quelque part, il y a des traces, des rapports, toutes sortes de paperasses, sans parler des dossiers médicaux. Qu'est-ce que vous attendez? Qu'il vous frappe à la tête avec sa batte? Il peut très bien vous tuer, vous savez. Un ou deux bons coups sur le crâne et...

– Taisez-vous! Ce n'est pas vous qui allez me dire ce que ça fait. (Elle regarde le mur et, quand ses yeux reviennent vers moi, ils sont remplis de larmes.) Vous ne savez pas de quoi vous parlez.

– Alors racontez-moi.

– Si je voulais en parler, je l'aurais fait. Vous n'avez pas le droit de fouiller dans ma vie comme ça.

– Demandez le divorce. Je vous apporterai les papiers nécessaires demain. Faites-le maintenant, à l'hôpital, pendant qu'on vous soigne pour les coups que vous avez reçus. Quelle meilleure preuve peut-il y avoir? Dans trois mois vous serez une femme libre.

Elle secoue la tête comme si j'étais complètement fou. Ce qui est probablement le cas.

– Vous ne comprenez pas.

– Peut-être. Mais je vois très bien le tableau. Si vous ne vous débarrassez pas de cette brute, d'ici un mois ou deux vous êtes morte. J'ai sur moi les coordonnées de différents groupes qui s'occupent des femmes battues.

– Des femmes battues ?

– Oui, parfaitement, des femmes battues, victimes de mauvais traitements, comme on dit. C'est votre cas, Kelly. Soyez lucide. Cette broche dans votre cheville en est la preuve et l'ecchymose que vous avez à la joue aussi. Votre mari vous bat et vous avez droit à une protection. Demandez le divorce et faites-vous aider.

Elle reste songeuse quelques secondes. Le silence tombe dans la chambre.

– Je ne pourrais pas divorcer. J'ai déjà essayé.

– Quand ?

– Il y a quelques mois. Vous ne le saviez pas ? Je suis sûre qu'il existe un dossier aux archives du tribunal. Ce n'est pas dans vos papiers ?

– Qu'est-ce qui s'est passé ?

– J'ai tout annulé.

– Pourquoi ?

– Parce que j'en avais assez de prendre des coups. Il m'aurait tuée, sinon. Il dit qu'il m'aime.

– Ça se voit, en effet. Est-ce que vous avez un père ou un frère ?

– Pourquoi ?

– Parce que, si ma sœur se faisait taper dessus par son mari, je lui casserais la gueule.

– Mon père ne sait rien. Mes parents n'ont pas accepté que je sois enceinte. Ils ne s'en remettront jamais. Ils ont méprisé Cliff du jour où il a mis les pieds à la maison et sont restés enfermés chez eux depuis que le scandale a éclaté. Je ne leur ai pas parlé depuis mon départ.

– Pas de frère ?

– Non. Personne n'a jamais pris soin de moi. Jusqu'à maintenant, du moins.

Touché au cœur, je mets quelques instants à savourer mon bonheur.

– Je ferai tout ce que je peux pour vous aider, dis-je. Mais il faut que vous demandiez le divorce.

Elle essuie ses larmes d'un revers de main et je lui tends un mouchoir en papier.

– Je ne peux pas.

– Mais pourquoi ?

– Il me tuera. Il n'arrête pas de me le répéter. La seule fois où j'ai essayé, j'ai pris un avocat qui s'est avéré archinul. Je l'avais trouvé je ne sais plus comment, dans les pages jaunes, je crois. Je pensais qu'ils se valaient tous. Il n'a rien trouvé de mieux que d'envoyer le shérif adjoint sur le lieu de travail de Cliff pour lui remettre les papiers du divorce. Évidemment, Cliff a été humilié en face de tous ses copains de beuverie. Le lendemain, je faisais ma première visite à l'hôpital. J'ai annulé la procédure la semaine suivante et il continue à me menacer tout le temps. Il me tuera.

L'angoisse et la terreur se lisent clairement dans ses yeux. Elle bouge un peu de côté et sa fracture lui arrache un cri.

– Vous pouvez mettre un coussin sous ma jambe?

– Bien sûr, dis-je, prévoyant déjà qu'il faudra baisser le drap.

– Prenez un de ceux qui sont sur cette chaise. Et passez-moi la chemise de nuit, aussi.

– Tenez. Un coup de main?

– Non. Tournez-vous, seulement, dit-elle en ôtant déjà celle qu'elle porte.

Je m'exécute, lentement.

Kelly prend son temps. Elle jette sa chemise de nuit par terre, la voilà complètement nue, à l'exception de son plâtre et d'un collant. Je pense sincèrement que je pourrais me retourner et la contempler sans qu'elle s'en offense. Cette idée me fait tourner la tête.

Qu'est-ce que je fais ici? me dis-je en fermant les yeux.

– Rudy, vous pouvez me passer l'éponge? roucoule-t-elle. Elle est dans la salle de bains. Passez-la sous l'eau chaude. Et une serviette, s'il vous plaît.

Je me retourne. Elle est assise au milieu du lit, serrant le drap sur sa poitrine. Elle n'a pas encore touché à la chemise de nuit propre.

Je ne peux m'empêcher de la dévorer des yeux. J'entre dans la salle de bains. Tout en imprégnant l'éponge, je la regarde encore dans le miroir du lavabo. Je vois la totalité de son dos par l'embrasure de la porte. La peau est soyeuse, bronzée, mais il y a une vilaine contusion entre ses épaules.

Je décide de lui faire sa toilette. Je sens qu'elle en a envie. Elle a du plaisir à flirter et veut me montrer son corps. J'en ai des fourmillements dans les doigts.

Mais nous entendons soudain une voix. C'est l'infirmière qui est de retour et s'affaire déjà autour du lit quand je sors de la salle de bains. Elle s'interrompt pour me lancer un petit sourire futé, comme si elle nous avait pris sur le fait.

– Vous avez vu l'heure qu'il est? Presque onze heures et demie. On n'est pas à l'hôtel. (Elle me prend l'éponge des mains.) Laissez-moi faire ça et sortez d'ici.

Je reste sur place, souriant à Kelly et rêvant à ces jambes que je ne toucherai pas ce soir. L'infirmière me prend par les épaules et me pousse vers le seuil.

– Allez ! Du balai ! fait-elle en faisant mine de se fâcher.

À trois heures du matin, je me glisse dans le hamac et me berce dans la nuit tranquille, la tête dans les étoiles qui scintillent entre les feuilles. Je revois chacun de ses gestes adorables, réentend sa voix angoissée et continue à rêver de caresser ses jambes.

Je dois la protéger. Elle n'a personne d'autre. Elle compte sur moi pour la secourir, puis pour l'aider à reconstruire sa vie. Ce qui se passera ensuite est évident, aussi bien dans son esprit que dans le mien.

Je sens encore la pression de ses bras autour de mon cou durant ces quelques secondes paradisiaques, et la légèreté de ce corps qui s'abandonnait dans mes bras.

Elle voulait que je la voie nue et que je passe l'éponge tiède sur son corps meurtri, j'en suis sûr. Et j'ai bien l'intention de le faire. Ce soir.

J'assiste au lever du soleil à travers le feuillage et m'endors en comptant les heures qui me séparent du moment où je la reverrai.

19

Je suis assis dans mon bureau. Et comme je n'ai rien de mieux à faire, je révise mon examen. Professionnellement, je ne vois pas ce que je pourrais entreprendre, de toute façon, tant que je ne suis pas inscrit à l'ordre.

Difficile de se concentrer. Pourquoi faut-il que je tombe amoureux d'une femme mariée à quelques jours de l'examen? Rien ne devrait me distraire de cet objectif. Pourtant, je ne fais que penser à Kelly. Pour une fille de cet âge, on ne peut pas dire qu'elle ait été très gâtée par la vie. Elle est brisée, physiquement et moralement, et certaines séquelles ne disparaîtront peut-être jamais. Quant à Cliff, il est dangereux. L'idée que son cher ange puisse être touché par un autre homme en ferait un fauve.

Je songe à tout cela, mains sur la nuque et pieds sur la table, quand Bruiser entre comme un bulldozer.

– Qu'est-ce que tu fais?

– Je révise, dis-je en rectifiant instantanément ma position.

– Je croyais que tu devais réviser l'après-midi?

– Bruiser, nous sommes vendredi, l'examen a lieu mercredi prochain. Il serait temps que je m'affole.

– Eh bien, va réviser à l'hosto. Et trouve-nous des clients. Ça fait trois jours que tu ne rapportes rien.

– Oui, mais ce n'est pas évident d'étudier et de racoler en même temps...

– Deck le fait bien.

– Deck, l'étudiant à vie...

– Je viens d'avoir un coup de fil de Leo F. Drummond. Ça te dit quelque chose?

– Non. Pourquoi?

– C'est un associé de Tinley Britt. Trente ans de métier, grande réputation à la barre. Énormément de litiges commerciaux. Très peu d'échecs, enfin tu vois le genre, avocat chevronné d'une très grosse boîte.

– Je connais Tinley Britt, merci.

– Eh bien, tu vas bientôt les connaître un peu mieux. Great Benefit les a choisis comme défenseurs. Drummond est à la tête de l'équipe chargée du dossier.

Il doit bien y avoir une centaine de cabinets qui défendent les compagnies d'assurances dans cette ville. Et au moins un millier de compagnies d'assurances. Et il faut que Great Benefit, cette boîte que je hais, s'unisse à Tinley Britt, le cabinet que je déteste plus que tout !

Curieusement, je le prends bien. Ça ne m'étonne pas tant que ça.

Je comprends soudain pourquoi Bruiser a l'air nerveux. Il est inquiet. À cause de moi, il a engagé des poursuites avec dix millions de dollars à la clef contre une grosse compagnie défendue par des juristes qui l'intimident. C'est amusant comme situation. Je n'aurais jamais cru que Bruiser puisse avoir peur de quelqu'un.

– Pourquoi appelait-il ?

– Comme ça, pour tâter le terrain. Il m'a appris que l'affaire avait été confiée à Harvey Hale. Ça ne te dit peut-être rien non plus... Eh bien, figure-toi qu'ils étaient ensemble à l'université de Yale il y a trente ans, et que Hale a fait toute sa carrière comme défenseur de compagnies d'assurances avant d'être nommé juge. Un de ses principes, c'est qu'un jugement équitable dans ce type de litige ne doit en aucun cas excéder dix mille dollars de dommages-intérêts.

– Désolé d'avoir posé cette question.

– Ça fait qu'on a en face de nous Leo F. Drummond et son armée de juristes, plus un juge qui leur est favorable. T'as un sacré boulot devant toi, c'est moi qui te le dis.

– Pourquoi moi seulement ?

– Oh, je serai là, ne t'inquiète pas. Mais c'est ton bébé. Ils vont te noyer sous un déluge de paperasses. (Il recule vers la porte.) Rappelle-toi qu'ils sont payés à l'heure. Plus ils produisent de papier, plus ils facturent d'heures.

Et Bruiser s'en va en claquant la porte, apparemment ravi que je doive me frotter à des caïds de la profession.

Il y a plus de cent juristes chez Tinley Britt et je me sens brusquement très seul.

Deck et moi prenons un bol de soupe chez Trudy. La clientèle, à midi, n'est composée que d'ouvriers. La salle pue la sueur et le graillon. C'est l'endroit préféré de Deck pour déjeuner. Il y a trouvé quelques clients, surtout des accidentés du travail. L'un d'eux a obtenu un règlement amiable de trente mille dollars. Deck a touché un tiers de vingt-cinq pour cent, soit deux mille cinq cents dollars.

Le nez dans son bol, il avoue aussi fréquenter quelques-uns des bars du voisinage. Il ôte sa cravate, essaie de se donner un petit air canaille et va boire un coup au comptoir, d'où il tend l'oreille pendant qu'autour de lui les dockers se détendent après le travail. Il peut me dire où se trouvent les meilleurs bars, les bons gisements, comme il dit. Deck n'est jamais à court d'idées pour dénicher le client.

Quant aux bars topless, oui, il y est allé, mais seulement pour accompagner ses clients. Il faut circuler, répète-t-il. Il aime les casinos du Mississippi bien qu'il estime avec raison que ce sont des lieux de perdition où les pauvres dilapident l'argent du ménage. Pour nous, c'est pourtant un terrain prometteur. La criminalité augmente. Plus les gens flambent, plus les divorces et les faillites se multiplient. Bientôt, tout le monde aura besoin d'un avocat. Bref, il y a beaucoup de perspectives encourageantes dans ce secteur et il suit ça de près. Il a d'ailleurs quelque chose en vue et me tiendra au courant.

Ce soir encore, je dîne à la cafétéria de St. Peter, le club des éclopés, comme l'appellent les internes. Salade de poulet et tarte aux pommes. Je révise sporadiquement en surveillant la pendule. À dix heures, le vieux monsieur en veste lilas fait son apparition, mais il est seul. Il s'arrête à l'entrée, parcourt la salle du regard et s'avance vers moi, le visage grave, visiblement contrarié.

– Monsieur Baylor ? demande-t-il poliment.

Et sur un signe de tête affirmatif de ma part, il dépose une enveloppe devant moi.

– Mme Riker m'a chargé de vous remettre ceci, dit-il en s'inclinant, avant de tourner les talons.

J'ouvre l'enveloppe blanche et en sors une carte sur laquelle je lis :

« Cher Rudy,

Mon médecin m'a relâchée ce matin et je suis rentrée chez moi. Merci pour tout. Priez pour nous. Vous êtes un type formidable. »

C'est signé de son nom. En post-scriptum, elle a ajouté : « S'il vous plaît, ne m'appelez pas, ne m'écrivez pas et n'essayez pas de me voir. Vous ne m'attireriez que des ennuis. Merci encore. »

Elle savait que je serais ici, fidèle au rendez-vous. Je n'ai cessé de penser à elle et de la désirer depuis vingt-quatre heures, et il ne m'est pas venu à l'esprit que son hospitalisation puisse prendre fin. J'étais sûr et certain que nous nous reverrions ce soir.

Je me mets à arpenter les couloirs comme une âme en peine. Je suis décidé à la revoir coûte que coûte. Elle a besoin de moi, je suis le seul qui puisse l'aider.

Je trouve le numéro de téléphone de Cliff Riker dans l'annuaire et appelle d'une cabine. Un message enregistré m'informe que la ligne a été coupée.

20

L'examen du barreau a lieu dans un grand hôtel de la ville. Mercredi à la première heure, nous nous retrouvons parqués dans une salle de bal plus grande qu'un terrain de foot. Nous sommes enregistrés un par un, les droits d'inscription sont payés depuis longtemps. Ça chuchote un peu dans les coins, mais dans l'ensemble on ne se parle pas. Nous avons tous une trouille bleue.

Des deux cents et quelques étudiants qui se présentent à cette session de juillet, la moitié au moins sortent de la fac de Memphis. Mes amis et mes ennemis. Booker s'installe à une table éloignée de la mienne. Nous avons décidé de ne pas nous mettre à côté l'un de l'autre. Sara Plankmore et S. Todd Wilcox sont dans un angle au fond de la salle. Ils se sont mariés samedi dernier. Tous mes vœux aux heureux époux. Todd a son air de fils de famille tiré à quatre épingles. J'espère qu'il sera collé. Et qu'elle aussi.

On sent une concurrence redoutable aujourd'hui, comme au début de la première année, quand chacun espionnait les progrès du voisin. Je fais un vague signe à quelques connaissances, souhaitant secrètement leur échec, comme ils souhaitent le mien. C'est la nature de la profession.

Lorsque nous sommes tous bien installés derrière des tables pliantes suffisamment espacées, on nous donne des instructions pendant dix minutes, puis l'examen commence, à huit heures pile.

La première épreuve consiste en une série de questions perfides sur les textes de loi dits inter-États, c'est-à-dire ceux dont l'application est commune à tous les États de l'Union. Je ne crois pas qu'on puisse être mieux préparé que je le suis. La matinée se traîne en longueur. Booker et moi déjeunons tranquillement au buffet de l'hôtel, sans dire un mot sur l'examen.

Le soir, je mange mon éternel sandwich à la dinde en compagnie de Miss Birdie dans sa véranda. À neuf heures, je suis au lit.

L'examen prend fin à dix-sept heures le vendredi, au grand soulagement de tout le monde. Nous sommes exténués. Ils ramassent une dernière fois les copies et nous libèrent. Il est question d'aller boire un verre quelque part pour fêter la fin de ces trois ans de galère et nous nous retrouvons à six au Yogi. Prince est absent ce soir, ainsi que Bruiser. Ça m'arrange bien car je détesterais que mes amis me voient en présence de mon patron. Ils me poseraient sûrement des questions sur mon boulot. Qu'on me donne seulement un an...

Nous avons appris, à la fin du premier semestre de fac, qu'il valait mieux ne jamais parler des examens après coup. Si on commence à comparer ses brouillons et ses notes, on risque de prendre douloureusement conscience de ce qu'on a raté.

Nous mangeons une pizza, buvons quelques bières, mais nous sommes trop crevés pour faire la fête. Sur le chemin du retour, Booker me dit que ces épreuves l'ont rendu malade. Il est sûr d'avoir échoué.

Je dors douze heures d'affilée. J'ai promis à Miss Birdie de m'occuper du jardin aujourd'hui à condition qu'il ne pleuve pas et, quand je m'éveille enfin, un beau soleil illumine mon grenier. Il fait chaud, humide, lourd, comme c'est presque toujours le cas ici en juillet. Après trois jours passés à se fatiguer les yeux, l'esprit et la mémoire dans une pièce sans fenêtre, je me sens prêt à transpirer au grand air. Mais j'ai une autre bonne action en tête. Je quitte le garage. Vingt minutes plus tard, je me gare devant la maison des Black.

Donny Ray attend sur le seuil. Il est en jean, baskets, T-shirt blanc, et porte une casquette de base-ball qui paraît beaucoup trop grande sur sa maigre tête. Il se déplace avec une canne mais il a quand même besoin d'une main ferme pour le soutenir. Dot et moi l'escortons sur le trottoir et l'aidons à s'installer sur le siège avant de ma Toyota. C'est la première fois qu'il sort de la maison depuis des mois. Pour Dot, c'est un soulagement. Nous la laissons seule avec Buddy et les chats.

Nous traversons la ville. Donny Ray est sagement assis à ma droite, sa canne entre les jambes, le menton appuyé dessus. Après m'avoir remercié, il ne dit plus grand-chose.

Il a quitté le lycée il y a trois ans, à l'âge de dix-neuf ans. Son frère Ron en était sorti un an plus tôt. Il n'a jamais essayé de faire des études supérieures. Il a travaillé deux ans comme employé dans une épicerie mais il a dû arrêter à la suite d'un cambriolage. Je n'en sais pas beaucoup plus sur ses expériences professionnelles, mais il a toujours vécu chez ses parents. D'après les informations contenues dans le dossier, il n'a jamais gagné plus que le salaire minimum.

Ron, par contre, a pu se hisser jusqu'à l'université. Il est actuellement en troisième cycle à Houston. Il est resté célibataire, comme son frère, et ne revient pas souvent à Memphis. Les deux jumeaux n'ont jamais été très proches, m'a dit Dot. Donny Ray avait un caractère renfermé, il aimait lire et construire des modèles réduits, tandis que Ron passait ses journées sur son vélo et a même fait partie d'une bande à douze ans. D'après leur mère, c'étaient de bons garçons tous les deux. Il y a dans le dossier plusieurs expertises médicales prouvant sans discussion possible qu'un prélèvement de la moelle osseuse de Ron aurait été idéal pour la greffe de Donny Ray.

Nous roulons en cahotant dans ma vieille guimbarde. Il regarde droit devant lui, la visière de sa casquette au milieu du front, et ne parle que si je l'interroge. Nous nous garons derrière la Cadillac de Miss Birdie. J'explique à Donny Ray que cette charmante villa, située dans ce quartier aisé, est l'endroit où j'habite. Je ne peux pas dire s'il est impressionné, mais ça m'étonnerait. Je l'aide à sortir de voiture et nous contournons les sacs de terreau pour gagner un coin ombragé de la véranda.

Miss Birdie est au courant de sa venue et elle l'attend impatiemment avec un verre de limonade. Les présentations faites, elle prend immédiatement les choses en main. Gâteaux secs ? Cake ? Quelque chose à lire ? Elle apporte des coussins qu'elle dispose autour de lui sur le banc, sans cesser de pépier, comme à son habitude. Elle a un cœur d'or. Comme je lui ai expliqué que j'avais rencontré les parents de Donny Ray aux Cyprès, elle se sent particulièrement concernée. C'est quasiment un de ses protégés.

Une fois le malade bien installé dans un îlot de fraîcheur, sa peau fragile à l'abri des morsures du soleil, Miss Birdie déclare qu'il est temps de se mettre au travail. Alors elle se retourne, considère son domaine, et fait mine de réfléchir en se grattant le menton. Puis son regard dévie lentement sur les sacs de terreau. Elle donne quelques ordres, d'une voix forte, pour que Donny Ray n'ignore rien de l'étendue de ses pouvoirs, et je passe à l'action aussitôt.

Je ne tarde pas à ruisseler de sueur, mais, cette fois, j'y trouve de l'agrément. Miss Birdie peste une heure durant contre l'humidité, puis décide de rester dans la véranda où il fait plus frais, pour bichonner ses bacs à fleurs. Je l'entends parler sans interruption à Donny Ray. Un véritable moulin à paroles. Mais lui, s'il apprécie visiblement d'être au grand air, n'est pas très bavard. Lors d'un trajet avec la brouette, je remarque qu'ils jouent aux dames. Un peu plus tard, je la vois assise douillettement à son côté, lui montrant des images dans un livre.

J'ai songé plusieurs fois à demander à Miss Birdie si elle voulait venir en aide à Donny Ray. Je suis convaincu que cette excellente femme signerait un chèque pour la greffe si elle en avait effectivement les moyens. J'y ai renoncé pour deux raisons. D'abord, il est malheureusement trop tard pour pratiquer cette intervention. Ensuite, si par malchance Miss Birdie n'a pas cet argent, ça ne ferait que l'humilier inutilement. Elle se méfie assez comme ça de l'intérêt que je porte à sa fortune présumée. Inutile d'en rajouter.

Peu après qu'on eut diagnostiqué sa leucémie, de maigres efforts furent entrepris pour réunir les fonds nécessaires à son traitement. Dot battit le rappel des amis qui s'organisèrent pour distribuer des affichettes illustrées du portrait du garçon dans tous les bars et magasins de la banlieue nord. Les résultats ne furent pas à la hauteur des espérances. Une salle polyvalente fut alors louée pour donner une grande fête de soutien, avec tombola et musique *blue grass* orchestrée par un DJ local. Ils en furent pour leurs frais de vingt-huit dollars.

Sa première chimiothérapie a coûté quatre mille dollars, dont les deux tiers furent absorbés par l'hospitalisation à St. Peter. Ils ont raclé les fonds de tiroir pour payer le reste. Cinq mois plus tard, la leucémie réapparaissait de plus belle.

Tout en maniant la fourche et la brouette, je m'efforce d'attiser mentalement ma haine contre Great Benefit. Ça ne demande pas beaucoup d'efforts pour l'instant, mais, dès que la guerre avec Tinley Britt aura commencé, j'aurai besoin de beaucoup de confiance en moi.

Le déjeuner nous réserve une agréable surprise. Miss Birdie a fait de la soupe de poulet. Ce n'est pas tout à fait ce dont je rêvais un jour comme aujourd'hui, mais ça change du sempiternel sandwich à la dinde. Donny Ray avale un demi-bol, puis déclare qu'il voudrait faire un somme. Il a envie d'essayer le hamac. Nous l'accompagnons à travers la pelouse et l'aidons à se hisser dedans. Il réclame une couverture, bien qu'il fasse plus de trente à l'ombre.

Nous revenons dans la véranda, reprenons de la limonade et nous apitoyons sur lui. Je lui parle un peu de la procédure contre Great Benefit et mets l'accent sur le fait que nous réclamons dix millions de dollars. Elle me pose des questions générales sur mon examen, avant de disparaître soudain dans la maison.

– Comment expliquez-vous ceci ? demande-t-elle en me tendant une lettre, le poing sur la hanche.

C'est l'avocat d'Atlanta à qui j'ai écrit, qui lui transmet une copie de mon courrier et lui demande s'il peut divulguer des informations la concernant. Il s'exprime de façon très formelle, indifférente, comme s'il exécutait des ordres. Dans ma lettre, j'expliquais que je représentais désormais Miss Birdie Birdsong et que, celle-ci m'ayant demandé de refaire son testament, j'avais besoin de renseignements sur la fortune de son défunt mari.

– C'est écrit là-dessus noir sur blanc, dis-je. Vous m'avez désigné comme avocat et j'essaie de m'informer pour effectuer le travail que vous m'avez demandé.

– Vous ne m'aviez pas dit que vous feriez des recherches jusqu'à Atlanta.

– Qu'y a-t-il de mal à ça ? Et qu'est-ce qui se cache là-bas, Miss Birdie ? Pourquoi en faire un secret ?

– Le juge a mis le dossier sous scellés, dit-elle en haussant les épaules, comme si cela mettait un point final à toute discussion.

– Qu'est-ce qu'il y a dans ce dossier ?

– Un tas d'ordures.

– Vous concernant ?

– Seigneur ! non !

– D'accord. Concernant qui, alors ?

– La famille de Tony. Son frère qui vivait en Floride avait énormément d'argent, voyez-vous. Plusieurs mariages, des enfants un peu partout. Toute la famille était cinglée. Ils se sont battus comme des chiens autour de son héritage. Il avait fait quatre testaments, je crois. Je ne sais pas grand-chose, mais j'ai entendu dire que ses avocats toucheraient six millions de dollars quand tout serait réglé. Une part de cet argent est revenue à Tony qui a vécu juste assez longtemps pour en hériter selon la loi de Floride. Tony ne l'a même pas su, il est mort trop tôt. Il n'a laissé que son épouse, moi. Je n'en sais pas plus.

Je me moque de savoir comment elle a touché son magot. En revanche, j'aimerais bien savoir à combien il s'élève.

– Voulez-vous que nous discutions de votre testament ?

– Pas maintenant, dit-elle en enfilant ses gants. Il reste beaucoup à faire dans le jardin.

Quelques heures plus tard, je suis assis avec Dot et Donny Ray dans leur véranda, en l'absence de Buddy, heureusement parti se coucher. Après sa journée chez Miss Birdie, Donny Ray est épuisé.

C'est un samedi soir en banlieue et des odeurs de barbecue flottent dans tout le quartier, portées par l'air chaud. On entend la voix des pater familias et de leurs invités s'élever entre les clôtures des jardinets.

Il est plus facile de rester assis sans mot dire que de les imiter. C'est ce que nous faisons tous les trois, Dot se contentant de raconter des potins sur les voisins de temps à autre, tenant sa clope d'une main, sa tasse de déca de l'autre. Le retraité d'en face s'est sectionné un doigt la semaine dernière avec sa tronçonneuse. Elle répète ça trois fois.

Je pourrais rester ici à l'écouter des heures durant. Je suis encore abruti par l'examen. Je me laisse facilement distraire. De toute façon, Kelly occupe entièrement mes pensées. Il va falloir que je trouve un moyen de la contacter sans danger pour elle. Pas évident, mais j'y arriverai. Il me faut juste un peu de temps.

21

Le palais de justice du comté de Shelby est un immeuble moderne de douze étages situé en plein centre-ville. Toutes les activités judiciaires de la ville sont regroupées ici. On y trouve à la fois les tribunaux et les locaux administratifs. Il abrite aussi les bureaux du procureur du district et du shérif. Il y a même une prison.

La cour criminelle comprend dix chambres, soit dix juges tenant chacun un registre des jugements. Les niveaux intermédiaires du bâtiment grouillent d'avocats, de policiers, de prévenus avec leurs familles. C'est une jungle épouvantable pour un juriste débutant, mais Deck s'y retrouve à merveille. Il a balisé le terrain avec quelques coups de fil judicieux.

Il me montre du doigt l'entrée de la quatrième chambre et nous convenons qu'il m'y retrouvera dans une heure. Je pousse la porte à double battant et m'assieds sur un banc du fond. Le sol est moquetté, le mobilier d'un utilitarisme accablant. Grosse affluence d'avocats sur les bancs de devant et à droite. Une douzaine de détenus attendent dans un box de comparaître devant le juge. Le procureur, une femme, remet des dossiers aux avocats.

Au deuxième rang, j'aperçois Cliff Riker, flanqué de son défenseur, tous deux penchés sur des documents. Il comparaît libre et sa femme est absente.

Le juge fait son entrée au fond du tribunal et tout le monde se lève. Quelques affaires sont réglées d'emblée, classées d'office ou bien renvoyées à une date ultérieure. Les avocats se concertent à voix basse et vont chuchoter quelque chose à l'oreille de Son Honneur qui hoche la tête.

Puis on appelle Cliff par son nom et il s'avance d'un air assuré jusqu'à la barre. Son avocat vient se placer à côté de lui avec ses dossiers. Le procureur annonce à la cour que l'inculpation contre Cliff Riker a été retirée, faute de preuves.

– Où est la victime ? interrompt le juge.

– Elle a choisi de ne pas être présente à l'audience, répond le procureur.

– Pourquoi ? demande le juge.

Parce qu'elle est dans une chaise roulante, ai-je envie de hurler.

Le procureur hausse les épaules. Elle ignore la réponse et, de toute façon, ça lui est égal. L'avocat de Cliff en fait autant, comme s'il était surpris que la jeune personne ne soit pas là pour exhiber ses blessures.

Mme le procureur est très pressée, elle a plusieurs dizaines d'affaires à traiter avant midi. Elle expose brièvement les faits, l'arrestation, l'absence de preuves à cause du refus de témoigner de la victime.

– C'est la deuxième fois que ça se produit, dit le juge en fixant Cliff d'un œil sévère. Pourquoi est-ce que vous ne divorcez pas avant de la tuer ?

– Nous essayons de nous faire aider, Votre Honneur, répond Cliff d'une voix à faire pitié, soigneusement calculée.

– Oui, eh bien, tâchez que ça aille vite. Si je vous revois ici au même chef d'accusation, je ne lèverai pas les poursuites.

– Oui, monsieur, répondit Cliff, faussement navré d'être une telle source d'ennuis.

Les papiers sont tendus au magistrat et celui-ci les signe en secouant la tête. L'affaire est classée sans suite.

Une fois de plus, la victime n'a pu faire entendre sa voix. Elle est chez elle avec une jambe dans le plâtre, mais ce n'est pas pour ça qu'elle n'est pas venue, c'est parce qu'elle ne tient pas à se refaire taper dessus. Je me demande ce que lui a coûté le retrait de sa plainte.

Cliff échange une poignée de main avec son avocat et sort du prétoire par l'allée centrale. Il passe à côté de moi et se retrouve dehors libre de ses mouvements, en toute impunité, simplement parce qu'il n'y a personne pour aider sa femme.

Cette justice à la chaîne est particulièrement frustrante. À quelques mètres devant moi, menottés et vêtus de combinaisons orange, comparaissent des violeurs, des assassins, des trafiquants de drogue. Le système a à peine le temps d'examiner leur cas et de rendre la justice par quelques mesures expéditives. Comment ce même système pourrait-il se pencher avec toute l'attention voulue sur les droits d'une femme battue ?

Pendant que je passais les épreuves du barreau, la semaine dernière, Deck donnait des coups de fil. Il a trouvé la nouvelle adresse des Riker et leur numéro de téléphone. Ils viennent de déménager dans une cité de la banlieue sud-est. Une chambre à coucher, quatre cents dollars par mois. Cliff travaille chez un affréteur non loin de notre bureau, dans un terminal où personne n'est syndiqué. Deck estime qu'il gagne dans les sept dollars l'heure. Son avocat est un de ces crève-la-faim parmi les millions qui hantent la ville de Memphis.

J'ai dit la vérité à Deck au sujet de Kelly. J'ai bien fait d'après lui parce que, quand Cliff me fera exploser la cervelle à coups de fusil, il sera là pour témoigner.

Il m'a aussi conseillé d'oublier cette fille.

– Que des emmerdes en perspective, a-t-il pronostiqué.

Il y a un mot sur mon bureau. Il faut que j'aille voir Bruiser dès que possible. Il est seul derrière son immense bureau, un de ses téléphones, celui de droite, à l'oreille. Il en a un autre sur sa gauche, et encore trois autres disséminés à travers la pièce, sans compter ceux qu'il a dans sa voiture, dans son attaché-case, et celui qu'il m'a confié afin de pouvoir me joindre vingt-quatre heures sur vingt-quatre.

Il me fait signe de m'asseoir, lève les yeux au ciel comme s'il parlait avec un abruti et poursuit la conversation à coups de grognements approbatifs. On ne voit pas les requins, endormis peut-être, ou bien tapis derrière quelque rocher. Le filtre de l'aquarium gargouille et ronronne.

Deck m'a laissé entendre que son cabinet rapportait à Bruiser entre trois cent et cinq cent mille dollars par an. C'est difficile à croire quand on voit la pagaille qui règne dans son bureau. Il a quatre collaborateurs qui ratissent les hôpitaux de la ville à la recherche de préjudices corporels juteux, plus moi, bien entendu. Deck a réussi à dénicher cinq affaires l'an passé, qui ont permis à Bruiser d'encaisser cent cinquante mille dollars. Bruiser traite aussi beaucoup d'affaires de drogue et s'est forgé une solide réputation dans le milieu des trafiquants. Mais, toujours d'après Deck, ces revenus ne sont que la partie émergée de l'iceberg. Il est impliqué dans le business X de Memphis et de Nashville, c'est certain, même si personne, et notamment le FBI qui fait pourtant des efforts désespérés pour le coincer, ne sait au juste dans quelles proportions. C'est une industrie où l'argent coule à flots, mais toujours cash, et le fisc n'en voit jamais la couleur.

Bruiser a divorcé trois fois, m'a appris Deck en mastiquant un sandwich huileux chez Trudy. Il a trois enfants, aujourd'hui adolescents, qui bien sûr vivent avec leurs mères respectives. Il aime la compagnie des strip-teaseuses, picole et flambe beaucoup trop. Enfin, ses grosses pognes ne palperont jamais assez d'argent pour le satisfaire, il est financièrement insatiable.

Il a été arrêté il y a sept ans sous l'inculpation de racket, mais les poursuites furent abandonnées au bout d'un an. Deck m'a confié ses inquiétudes au sujet de l'enquête actuellement menée par les agents du FBI sur le milieu de Memphis, une enquête où reviennent souvent les noms de Bruiser Stone et de son meilleur ami, Prince Thomas. Il paraît que Bruiser se comporte de façon un peu inhabituelle ces temps-ci. Il boit comme un trou, s'emporte facilement. Ses claquements de porte et ses grognements retentissent plus souvent qu'à l'accoutumée.

Enfin, Deck est convaincu que le FBI a mis tous les téléphones du bureau sur écoutes, y compris le mien. Et il y a de fortes chances qu'il y ait aussi des micros dans les murs. Ils l'ont déjà fait, assure-t-il gravement. Il faut même se méfier de ce qu'on dit au Yogi.

C'est sur ces considérations ô combien réjouissantes qu'il m'a quitté hier après-midi. Si je réussis l'examen, je file d'ici dès que j'ai un peu d'argent en poche.

Bruiser finit par raccrocher et frotte ses yeux fatigués.

– Jette un œil là-dessus, dit-il en poussant une liasse de papiers devant moi.

– Qu'est-ce que c'est ?

– La réplique de Great Benefit. Tu vas comprendre pourquoi c'est si pénible de s'attaquer aux grosses entreprises. Elles ont plein de fric, et font travailler plein d'avocats, qui produisent plein de papiers. Leo F. Drummond doit facturer ses services à Great Benefit dans les deux cent cinquante dollars l'heure.

Il s'agit d'une demande d'irrecevabilité accompagnée d'un mémoire justificatif de soixante-trois pages contestant le bien-fondé de la plainte des Black et soumise à l'honorable Harvey Hale.

Bruiser me regarde placidement.

– Bienvenue sur le champ de bataille.

J'ai soudain un nœud dans la gorge. J'en ai pour des jours à répondre point par point à ce mémoire.

– Impressionnant, dis-je. Je ne sais pas par quoi commencer.

– T'affole pas. Relis attentivement ton droit. Réponds au mémoire par un autre de ton cru. Fais-le vite. Ce n'est pas aussi méchant que ça en a l'air.

– Ah bon ?

– Non, Rudy, c'est de la paperasserie. Tu apprendras. Ces fumiers sont capables de pondre un mémoire comme celui-là tous les deux jours et d'exiger que la cour les entende pour la moindre vétille. Ils se foutent que leur machin soit rejeté ou pas du moment qu'ils gagnent de l'argent. Ça fait traîner la procédure. Tant que le client paye, ils ne sont jamais à court d'initiative. Ce qu'ils veulent, c'est t'avoir à l'usure.

– Je suis déjà crevé.

– Pour eux, c'est un jeu d'enfant. Drummond claque des doigts et dit : « Je veux une demande d'irrecevabilité. » Trois collaborateurs s'enferment dans la bibliothèque, pendant que deux assistants-juristes sortent des modèles de requête analogues sur leur ordinateur. En moins de deux, la nouvelle mouture est torchée. Drummond la relit attentivement et la corrige, toujours à deux cent cinquante l'heure, peut-être avec l'aide d'un associé, renvoie le texte dans les bureaux pour le faire un peu modifier, et ainsi de suite. C'est de l'arnaque pure et simple, mais Great Benefit a de l'argent et ils sont prêts à payer.

J'ai l'impression d'avoir défié un corps d'armée. Deux téléphones sonnent en même temps et Bruiser décroche le plus proche.

– Va travailler, me dit-il avant de répondre à l'appel.

J'emporte la pile de feuillets et vais m'enfermer dans mon bureau. Je lis le mémoire justificatif. La présentation est soignée et la requête au juge parfaitement rédigée. Les arguments que j'avance sont pratiquement tous réfutés les uns après les autres. Le langage est riche, clair, l'exposé aussi concis que possible. La position qu'ils défendent s'appuie sur une multitude d'autorités qui semblent toutes concorder. Il y a beaucoup de notes de bas de page, une table des matières, un index, et une bibliographie.

Il ne manque qu'une chose, c'est un formulaire tout prêt à l'intention du juge, pour qu'il signe d'avance toutes les doléances de Great Benefit.

Après avoir lu le mémoire trois fois, je me ressaisis et commence à prendre des notes. Il y a certainement une faille ou deux qu'il ne tient qu'à moi d'exploiter. La panique de tout à l'heure se dissipe peu à peu. Je me stimule en pensant au désespoir de mes clients abusés par Great Benefit, et retrousse mes manches.

M. Leo F. Drummond est peut-être un magicien du barreau, il a sûrement une légion de larbins à sa botte, mais moi je n'ai que ça à faire, je ne suis pas plus sot qu'un autre et n'ai de comptes à rendre à personne, du moins pour le moment. Il déclare ouverte une guerre de paperasses. Parfait. Avec moi, il risque d'être pris à son propre jeu.

Deck a passé six fois l'examen du barreau. Au troisième coup, il a échoué à deux points près. Ensuite, il a réessayé trois fois dans le Tennessee, « sans jamais faire aussi bien », me dit-il avec son étonnante candeur. Je ne suis pas certain que Deck veuille passer le barreau. Il gagne quarante mille dollars par an en chassant les clients pour Bruiser, et les questions de déontologie ne l'empêchent pas de dormir, pas plus que son patron, d'ailleurs. Deck n'a pas d'ardoise dans les bars, se moque de la formation continue, n'assiste à aucun séminaire, n'affronte jamais de juge, n'a aucune responsabilité publique, et ses frais généraux sont inexistants.

C'est une sangsue. Tant qu'il peut s'agripper à un avocat et utiliser son nom et son cabinet pour travailler, il reste dans la course.

Comme il sait que je ne suis pas surmené, il a pris l'habitude de passer à mon bureau vers onze heures. Nous bavardons une demi-heure, puis partons à pied déjeuner chez Trudy. Je commence à le connaître, Deck. C'est juste un petit bonhomme sans prétention qui voudrait devenir mon ami.

Nous sommes chez Trudy, dans un coin au fond de la salle, entourés de manutentionnaires en salopette. Deck me parle à voix tellement basse que je l'entends à peine. C'est drôle comme il est changeant. Outrageusement culotté dans les salles d'attente d'hôpital et, par moments, timide comme une souris. Il est en train de marmonner quelque chose qu'il veut à tout prix que j'entende, tout en jetant des regards obliques à droite et à gauche, comme s'il allait se faire attaquer.

– Il y avait un type autrefois dans le cabinet, il s'appelait David Roy, qui avait réussi à gagner la confiance de Bruiser. Ils comptaient leur pognon ensemble comme des voleurs à la tire. Un beau jour, Roy se fait rayer de l'ordre pour une malversation quelconque, et il ne peut plus exercer. (Deck s'essuie les lèvres d'un revers de main.) Pas un problème, il sort d'ici, traverse la rue et ouvre un claque. Il crame. Il en ouvre un autre, il crame. Il en rouvre un. Une guerre éclate dans le business X. Bruiser ne s'en mêle pas, trop malin, il reste toujours en marge. Ton pote Prince Thomas pareil. La guerre dure quelques années. De temps en temps, on trouve un cadavre. Et il y a encore des boîtes qui flambent. Là-dessus, Roy et Bruiser s'engueulent pour je ne sais quoi. (Deck se rapproche encore.) L'année dernière, les flics ont arrêté Roy. Tout le monde savait qu'il allait cracher, tu me suis?

J'opine discrètement, courbé vers Deck. Personne ne peut nous entendre, en revanche notre attitude mystérieuse attire quelques regards.

– Eh bien, Roy a témoigné hier devant le jury fédéral. Il paraît qu'on ne pouvait plus le faire taire.

Fin de l'histoire. Deck se redresse et me lance un regard lourd de sous-entendus. À moi d'imaginer la suite.

– Et alors? dis-je.

– Alors il y a de bonnes chances que Roy ait dénoncé Bruiser, et peut-être Prince Thomas. La tête de Roy est mise à prix, à ce qu'on dit.

– Un contrat!

– Ouais. Moins fort.

– Mais par qui?

– À ton avis?

– Pas Bruiser.

Il me fait un petit sourire finaud et lâche :

– Ce ne serait pas la première fois.

Il arrache le tiers de son sandwich de ses redoutables dents de jument et me regarde en hochant la tête. J'attends qu'il avale.

– Alors tu veux en venir où ?

– Donne-toi le choix.

– Moi ? Quel choix ?

– Tu vas peut-être devoir changer de boîte.

– Je viens d'arriver.

– Ça pourrait devenir chaud.

– Et toi ?

– Je serai peut-être obligé de partir aussi.

– Et les autres ?

– T'occupe pas d'eux, ils s'occupent pas de toi. Je suis ton seul ami.

Je passe des heures à gamberger là-dessus. Deck en sait plus qu'il n'en dit, mais, d'ici quelques sandwiches, il n'aura plus de secrets pour moi. Je le soupçonne fortement de chercher à se caser quelque part en cas de coup dur. J'ai rencontré les autres avocats du cabinet, Nicklass, Toxer et Ridge, mais ils restent dans leur coin et n'ont pas grand-chose à dire. Leur porte est toujours fermée. Deck ne les aime pas et ça m'étonnerait qu'ils le portent dans leur cœur. D'après Deck, Toxer et Ridge s'entendent bien et seraient prêts à monter leur cabinet. Nicklass est un alcoolique à la dérive.

Le pire scénario serait que Bruiser se fasse accuser et juger. L'enquête durerait au moins six mois et le procès autant. Mais il pourrait toujours exercer. Je ne crois pas qu'ils puissent le rayer du barreau s'il n'est pas condamné.

Du calme, me dis-je.

Si je me retrouve à la rue, ce ne sera pas la première fois. Je m'en suis déjà tiré.

Je prends le volant et roule en direction de chez Miss Birdie. Je longe un parc où se disputent simultanément trois matchs de base-ball sous les projecteurs.

Je m'arrête près d'un garage, entre dans une cabine téléphonique et compose le numéro. Elle répond au troisième coup.

– Allô ?

Sa voix me fait vibrer des pieds à la tête.

– Est-ce que Cliff est là ?

Si c'est le cas, je raccroche tout de suite.

– Non. Qui est à l'appareil ?

– Rudy.

Je retiens ma respiration. Elle peut me raccrocher au nez, ou me dire qu'elle m'aime. Tout est possible.

Un silence. Elle est toujours en ligne.

– Je vous ai demandé de ne pas m'appeler, dit-elle d'un ton calme, sans aigreur.

– Excusez-moi. Je n'ai pas pu m'en empêcher. Je me fais du souci pour vous.

– Ça ne peut pas marcher entre nous.

– Qu'est-ce qui ne peut pas marcher ?

– Au revoir.

Et c'est le déclic, le couperct redouté, suivi de la tonalité.

Il m'a fallu beaucoup de courage pour passer ce coup de fil et maintenant je le regrette. Je sais que son mari est une brute, mais jusqu'où ira-t-il ? S'il est jaloux – et comment un raté de dix-neuf ans avec des gros bras et rien dans la tête ne serait-il pas jaloux d'une fille aussi exquise ? – il doit surveiller ses moindres gestes. Mais irait-il jusqu'à surveiller le téléphone ?

Peu probable, mais ça suffit pour m'empêcher de domir.

Je dors depuis moins d'une heure quand mon téléphone sonne. Quatre heures du matin à ma pendule. Je décroche en tâtonnant dans le noir.

C'est Deck, surexcité, parlant à toute vitesse dans son téléphone portable. Il est au volant de son minivan cabossé, à trois rues d'ici, et fonce vers chez moi. C'est un gros truc, urgentissime, un désastre, un sublime désastre.

– Magne-toi, hurle-t-il. Habille-toi tout de suite.

Et il me dit de l'attendre au coin de la rue dans une minute.

Il est là, dans son engin, moteur tournant. Je monte et il démarre en mettant la gomme. Je n'ai même pas eu le temps de me brosser les dents.

– Mais où est-ce qu'on va, bon Dieu ?

– Un naufrage épouvantable sur le fleuve, annonce-t-il solennellement comme s'il était profondément attristé. Hier soir, vers onze heures, un chaland de pétrole a rompu ses amarres. Il a dérivé vers l'aval avant de heurter un bateau à aubes. Une promotion de lycéens fêtait la fin de sa scolarité à bord. Il y avait dans les trois cents gamins là-dedans. Le bateau a coulé près de Mud Island, en plein milieu du Mississippi.

– C'est affreux, Deck, mais qu'est-ce que tu veux qu'on y fasse, franchement ?

– Faut aller voir les blessés, les familles. Bruiser m'a appelé dès qu'il l'a su. C'est une énorme catastrophe, peut-être la pire jamais arrivée à Memphis.

– Et il y a de quoi être fier ?

– Tu ne comprends pas. Pour rien au monde Bruiser ne raterait une occasion pareille.

– Tant mieux pour lui. Il n'a qu'à mettre son gros cul dans une combinaison de plongée et aller repêcher les corps.

– Si ça se trouve, c'est une mine d'or.

Deck fonce à travers la ville. Nous n'échangeons pas un regard tandis que nous approchons du fleuve. Une ambulance nous croise, sirène hurlante. Mon pouls s'accélère. Une autre coupe subitement l'avenue où nous roulons.

Les quais sont bloqués par des dizaines de véhicules de police dont les gyrophares tournoient dans la nuit. Camions de pompiers et ambulances sont garés pare-chocs contre pare-chocs. Un hélicoptère rase le fleuve à l'aval. On voit des groupes de gens debout, immobiles, et d'autres qui vont et viennent, crient et gesticulent. On aperçoit la flèche d'une grue près de la berge.

Nous longeons le ruban protecteur tendu par les flics et rejoignons la foule de badauds qui se presse au bord de l'eau. Le drame a eu lieu il y a déjà plusieurs heures et les interventions d'urgence sont terminées. À présent, tout le monde attend. Les gens sont serrés les uns contre les autres par petits groupes, visiblement horrifiés, assis sur le parapet du fleuve, scrutant les ténèbres ou pleurant, tandis que les plongeurs s'activent à la recherche des corps. Des prêtres se signent et prient avec les familles. Des dizaines d'adolescents en smoking et robe de bal mouillés sont assis les uns à côté des autres, main dans la main, fixant le courant des yeux.

Au milieu du fleuve émerge un des flancs du bateau à aubes. Des plongeurs en tenue noir et bleu s'y accrochent. D'autres travaillent à partir de trois pontons flottants arrimés ensemble.

Un rituel est en train de se dérouler, mais il faut un moment avant de comprendre ce qui se passe. Un lieutenant de police s'avance lentement sur une passerelle et prend pied sur le quai. Dans la foule déjà sous le choc, chacun se fige et se tait. Le policier s'arrête devant une voiture de patrouille et plusieurs reporters se massent autour de lui. La plupart des gens restent assis, les doigts crispés sur leur couverture, tête baissée, absorbés dans une fervente prière. Ce sont les parents, les familles, les amis.

– J'ai le regret de vous annoncer que nous avons identifié le corps de Melanie Dobbins, dit-il.

Ses mots retentissent dans un silence de mort, interrompu dans la seconde qui suit par les sanglots déchirants de la famille. Leurs amis tombent à genoux devant eux, les serrent dans leurs bras, puis on entend s'élever la plainte lugubre d'une femme.

Les autres la regardent avec pitié, et un certain soulagement, aussi. Si la fatale nouvelle est inévitable, du moins est-elle retardée. Tout espoir n'est pas perdu. J'apprendrai plus tard que vingt et un jeunes ont survécu dans une poche d'air.

Le lieutenant repart vers les pontons où un autre corps vient d'être sorti de l'eau.

Un autre rituel, moins tragique, mais bien plus répugnant, se met en place. Des hommes au visage austère se rapprochent subrepticement, et même en jouant des coudes, des familles éplorées. Ils ont de petites cartes de visite blanches qu'ils essaient de remettre aux familles ou aux amis des victimes. Ils s'enhardissent de plus en plus, tels des vautours, en s'épiant mutuellement, l'œil féroce. Ils tueraient pour signer une affaire. Ce qu'ils veulent? Un tiers. Rien qu'un tiers.

Deck a enregistré tout ce manège bien avant moi. Il me désigne de la tête un endroit près des familles, mais je refuse de bouger. Il se fond dans la foule et disparaît bientôt dans l'ombre pour s'attaquer à ce filon.

Brusquement, je me retourne et m'enfuis en courant vers le centre-ville.

22

Nous sommes censés recevoir les résultats de l'examen par courrier recommandé. À la fac circulent des histoires de candidats attendant devant leur boîte aux lettres et s'effondrant en décachetant le pli, ou bien s'élançant fous de joie dans la rue en le brandissant comme des demeurés. Il existe là-dessus toutes sortes d'anecdotes qui paraissent drôles avant l'examen, et plus du tout maintenant.

Trente jours ont passé depuis les épreuves et toujours pas de lettre. J'ai donné l'adresse de mon domicile parce que je voulais à tout prix éviter que quelqu'un n'ouvre cette lettre chez Bruiser.

Le trente et unième jour tombe un samedi. Ce jour-là, j'ai le droit de dormir jusqu'à neuf heures avant que ma patronne ne frappe à ma porte, du manche d'un pinceau ou d'un couteau à enduire. Elle a soudainement décidé que le garage au-dessous de mon logement avait besoin d'un coup de peinture. Il me paraissait pourtant en bon état. Elle s'égosille à travers la porte, et prétend que ses œufs au bacon vont refroidir si je ne sors pas immédiatement du lit.

Je me mets au travail. Il progresse vite et bien. La peinture produit un résultat immédiat, très satisfaisant pour l'œil. Le soleil est masqué par des nuages d'altitude et j'adopte une cadence décontractée.

À dix-huit heures, elle déclare que j'ai assez peiné et qu'une merveilleuse surprise nous attend pour le dîner. Elle s'apprête en effet à nous servir une pizza végétarienne !

J'ai bossé au Yogi jusqu'à une heure ce matin et n'ai pas du tout envie d'y retourner aujourd'hui. Je n'ai rien de prévu ce soir. Je n'ai même pas songé à faire quoi que ce soit. L'idée de déguster une pizza aux légumes en compagnie d'une femme de quatre-vingts ans ne me déplaît pas, aussi triste que cela puisse paraître.

Je me rase, me mets en jean et baskets. Une curieuse odeur émane de la cuisine quand j'entre dans la villa. Miss Birdie papillonne devant ses fourneaux. Elle n'a jamais confectionné de pizza elle-même, m'avoue-t-elle, histoire de me mettre en appétit.

Ce n'est pas mauvais. Les courgettes et les poivrons jaunes croquent un peu sous la dent, mais elle les a recouverts de fromage de chèvre et de champignons. En plus, je meurs de faim. Nous mangeons dans le salon en regardant un film avec Audrey Hepburn et Cary Grant qui la fait pleurer pratiquement du début à la fin.

Le deuxième film de la soirée est avec Humphrey Bogart et Lauren Bacall. Je sens de moins en moins mes courbatures et je commence à somnoler. Miss Birdie, quant à elle, est assise bouche bée sur le rebord de son canapé et ne perd pas une image de ce film qu'elle voit régulièrement depuis cinquante ans.

Soudain, elle saute sur ses pieds.

– J'ai oublié quelque chose ! s'exclame-t-elle, et elle se précipite dans sa cuisine où je l'entends farfouiller parmi des papiers.

Elle revient en hâte, une lettre à la main, s'arrête pile devant moi et proclame :

– Rudy ! vous avez réussi le barreau !

Ce qu'elle brandit n'est autre que la feuille de papier blanc officielle, sur laquelle sont imprimés ces mots simples et majestueux : « Félicitations. Vous avez réussi l'examen du barreau. » Naturellement, le courrier est à mon nom.

Je me retourne et la fusille du regard. L'espace d'un instant, j'ai envie de la gifler pour avoir aussi grossièrement violé ma vie privée. Non seulement elle aurait dû me prévenir avant, mais elle n'a aucun droit d'ouvrir mon courrier. Elle reste plantée devant moi, souriant de toutes ses dents, les larmes aux yeux, et je n'ai pas le cœur de me plaindre. Ma colère cède rapidement devant une joie incontrôlable.

– C'est arrivé quand ?

– Aujourd'hui, pendant que vous étiez en train de passer la deuxième couche. Le facteur a frappé à ma porte et vous a demandé, mais j'ai dit que vous étiez occupé et j'ai signé à votre place.

Signer l'accusé de réception est une chose, décacheter l'enveloppe en est une autre.

– Vous n'auriez pas dû l'ouvrir, fais-je remarquer sans réelle colère.

Impossible de se fâcher en de telles circonstances.

– Je suis désolée. Je ne pensais pas que ça vous froisserait. Mais c'est quand même formidable, non ?

Sans aucun doute. Je traverse le salon sur un nuage, souriant aux anges, me gargarisant d'air poussiéreux. Tout est pour le mieux dans le meilleur des mondes...

– Il faut fêter ça, dit-elle avec un petit sourire grivois.

– Bien sûr ! dis-je.

J'ai envie de courir sur la pelouse en apostrophant les étoiles.

Elle va fouiller au fin fond d'un placard et revient hilare, une vieille bouteille à long col à la main.

– J'ai mise celle-là de côté pour les grandes occasions.
– Qu'est-ce que c'est? dis-je en la prenant.
Dans toute ma carrière de barman, je n'ai jamais rien vu de tel.
– Du brandy au melon. C'est rudement fort, vous savez, dit-elle en gloussant.

Je boirais n'importe quoi. Miss Birdie trouve deux tasses à café identiques qu'elle remplit à moitié. Le liquide est sirupeux, son odeur me rappelle un produit utilisé par les dentistes. Nous trinquons à mon succès en choquant nos tasses, cadeaux publicitaires de la Banque du Tennessee. Le brandy a la saveur d'un sirop pour enfants et brûle comme de la vodka. Elle fait claquer sa langue.

– On ferait mieux de s'asseoir, dit-elle.

Au bout de quelques minutes, Miss Birdie ronfle sur le canapé. Je coupe le son du film et me ressers une rasade. C'est vraiment corsé, comme alcool. Passé la surprise des premières gorgées, on se fait au goût. Je m'installe dans la véranda, au clair de lune, et bois lentement, souriant et louant le Seigneur pour la divine nouvelle.

Les effets du brandy au melon se font sentir encore longtemps après le lever du soleil. Je me douche, me glisse dans ma voiture et gagne la rue en marche arrière sur l'allée gravillonnée.

J'entre dans un café pour yuppies qui offre des croissants chauds, et achète l'épais quotidien du dimanche. Je l'étale devant moi sur une table du fond. Plusieurs nouvelles me concernent de près.

Le désastre du bateau à aubes occupe encore la une, comme les trois jours précédents. Quarante et un adolescents ont péri. Les avocats ont déjà entamé les procédures.

Autre information, cette fois dans la partie locale du journal, concernant les derniers développements d'une enquête sur la corruption dans la police, et ses liens avec le business X notamment. Le nom de Bruiser est cité plusieurs fois, en tant qu'avocat de Willie McSwane, un caïd local. Il est aussi mentionné comme défenseur de Bennie Thomas, mieux connu sous le surnom de Prince, tenancier de bar et ex-accusé du grand jury fédéral. Enfin Bruiser est pressenti comme prochaine cible du FBI.

Je sens le vent tourner. Le grand jury fédéral est en réunion ininterrompue depuis un mois. Chaque jour, le journal dévoile de nouvelles complicités. Deck est de plus en plus nerveux.

La troisième information est une surprise totale. À la dernière des pages affaires du journal se trouve un petit article intitulé « 161 CANDIDATS REÇUS À L'EXAMEN DU BARREAU ». C'est une brève de trois lignes suivie de la liste alphabétique des heureux élus, en très petits caractères.

Je rapproche le journal de mes yeux et consulte fébrilement la liste. Me voilà ! C'est bien moi. Plus aucun doute n'est permis. Ce n'est pas une erreur de l'administration. J'ai bel et bien réussi le barreau. Je parcours rapidement la colonne de noms qui, pour la plupart, me sont familiers depuis trois ans.

Je cherche Booker, mais il n'y est pas. Je vérifie, revérifie, et mes épaules s'affaissent. Je remets le journal à plat et lis chaque nom à mi-voix. Pas de Booker Kane.

J'ai failli l'appeler hier soir après que Miss Birdie eut retrouvé sa mémoire et m'eut appris la merveilleuse nouvelle. Mais j'ai préféré attendre qu'il m'appelle. Je me suis dit que si je n'avais pas de nouvelles d'ici quelques jours, cela équivaudrait à un aveu d'échec.

À présent, je ne sais quoi faire. Je l'imagine en train d'aider Charlene à habiller les enfants pour aller à l'église, essayant de faire bonne figure, de se convaincre que ce n'est que partie remise et qu'il le passera brillamment dans six mois.

Pourtant, je sais qu'il est anéanti, blessé, furieux contre lui-même. Il craint la réaction de Marvin Shankle et redoute la journée de demain au bureau.

Booker est un homme excessivement fier. Je l'ai toujours connu sûr de lui, persuadé qu'il réussirait tout ce qu'il entreprendrait. J'aimerais filer chez lui et partager son chagrin, mais ça ne collerait pas.

Demain, il appellera pour me féliciter. En apparence, il sera bon perdant et se jurera de faire mieux la prochaine fois.

Je relis une nouvelle fois la liste et, tout d'un coup, je me rends compte que le nom de Sara Plankmore n'en fait pas partie. Elle ne figure pas non plus sous le nom de Sara Plankmore-Wilcox. M. S. Todd Wilcox a réussi, mais sa jeune épouse est collée.

Je rigole bruyamment. C'est mesquin, c'est puéril, c'est méchant, mais je ne peux pas m'en empêcher. Elle s'est fait engrosser pour pouvoir se marier et elle n'a pas tenu le choc. Depuis trois mois, elle s'est laissé dissiper par la préparation de son mariage et le choix des couleurs pour la chambre du bébé. Elle a dû négliger un peu ses études.

Ha, ha, ha !... À moi de rire maintenant.

L'ivrogne qui a percuté Van Landel avait une assurance responsabilité civile à concurrence de cent mille dollars. Deck a convaincu l'assureur du chauffard que le préjudice subi par Van Landel excédait cette somme, et il a raison. L'assureur a accepté de faire une rallonge. Bruiser n'est intervenu qu'au tout dernier moment, pour menacer l'autre de poursuites. Deck a accompli quatre-vingts pour cent du travail, et moi quinze pour cent au plus. Nous faisons crédit à Bruiser du reste. Mais en vertu de la règle établie d'office par Bruiser, ni Deck ni moi n'auront droit à une part quelconque des profits. Bruiser a une conception bien à lui de la propriété des honoraires. Van Landel est son client parce que c'est lui qui l'a identifié en premier. Deck et moi sommes allés à l'hôpital pour le faire signer, mais nous y étions tenus en tant qu'employés du cabinet. Si nous avions trouvé l'affaire nous-mêmes et obtenu que le client nous désigne, là nous aurions droit à une partie des honoraires.

Bruiser nous convoque tous les deux dans son bureau et ferme la porte. Il me félicite pour mon succès à l'examen. Lui aussi a réussi du premier coup, dit-il. Le pauvre Deck, en entendant ça, doit se sentir encore plus idiot. Mais il n'en laisse rien voir et reste impassible, passant et repassant sa langue sur ses incisives, la tête obstinément penchée sur le côté. Bruiser parle pendant quelque temps du règlement de l'affaire Van Landel. Il a reçu un chèque d'acompte de cent mille dollars ce matin et les Van Landel doivent passer cet après-midi pour le paiement. Il considère que nous devrions peut-être aussi toucher une part.

Deck et moi échangeons un regard perplexe.

Bruiser explique qu'il a eu une bonne année, qu'il a d'ores et déjà gagné plus que l'année dernière et qu'il veut que son personnel soit content. En plus, ce règlement est intervenu très rapidement. Lui-même n'a travaillé que six heures sur le dossier.

Nous nous demandons, Deck et moi, ce qu'il a bien pu faire pendant ces six heures.

Bref, et ça vient du fond du cœur, il tient à nous offrir un petit dédommagement. Sa part est d'un tiers, soit trente-trois mille dollars, mais il ne compte pas tout garder.

– Je vais vous donner un tiers de ma part, les gars. Vous partagerez.

Deck et moi calculons en silence. Un tiers de trente-trois mille égale onze mille dollars, divisés par deux : cinq mille cinq cents chacun.

Je m'efforce de rester impassible et dis :

– Merci, Bruiser, c'est excessivement généreux.

– De rien, de rien, dit-il comme s'il était coutumier de ce genre de faveur. Disons que c'est pour récompenser ton succès.

– Merci.

– Oui, merci beaucoup, ajoute Deck.

Nous sommes abasourdis. Mais pas au point d'oublier que Bruiser empoche vingt-deux mille dollars pour six heures de boulot, ce qui doit avoisiner les trois mille cinq cents dollars l'heure.

Mais je n'escomptais pas un sou et, brusquement, je me sens riche.

– Bon travail, les gars. Maintenant, va falloir en dénicher d'autres.

Nous acquiesçons. Je recompte et dépense déjà mentalement ma fortune. Deck doit en faire autant.

– Nous sommes prêts pour demain ? me demande Bruiser.

Nous devons répondre au référé de Great Benefit à neuf heures, devant l'honorable Harvey Hale. Bruiser a eu une discussion déplaisante à ce sujet avec le juge, et cette audience ne nous dit rien qui vaille.

– Je pense, dis-je avec un tic nerveux.

J'ai préparé et déjà déposé une réfutation de trente pages, à laquelle Drummond et consorts ont immédiatement répliqué par une contre-réfutation. Bruiser a appelé Hale pour lui signifier ses objections et la conversation a dégénéré.

– Il se peut que je te laisse parler seul, alors prépare-toi, dit Bruiser.

Je déglutis péniblement. La panique me guette.

– Retourne travailler, ajoute-t-il. Ce serait bête de perdre une affaire avant même de plaider.

– J'y travaille aussi, renchérit utilement Deck.

– C'est bien. Nous irons au tribunal tous les trois. On ne sera pas de trop. Ils seront au moins une vingtaine en face.

La prospérité subite suscite des envies de luxe. Deck et moi renonçons à notre sandwich quotidien chez Trudy et décidons d'aller déjeuner dans un grill-room voisin. Nous commandons deux belles côtes de bœuf.

– C'est la première fois qu'il distribue de l'argent comme ça, remarque Deck en épiant l'entourage, pour ne pas changer, même si nous sommes au fond d'une salle totalement déserte. Quelque chose va se passer, Rudy, j'en suis sûr. Toxer et Ridge vont s'en aller d'un jour à l'autre. Bruiser est dans le collimateur du FBI. Il dilapide son argent. Ça sent le roussi. Je t'assure que je suis inquiet.

– Mais pourquoi ? Ils ne peuvent pas nous arrêter.

– Je n'ai pas peur de me faire arrêter, j'ai peur de perdre mon boulot.

– Je ne comprends pas. Si Bruiser se fait arrêter, il sortira sous caution dans les vingt-quatre heures. Le cabinet continuera à fonctionner.

– Et s'ils se ramènent avec un mandat et qu'ils perquisitionnent ? rétorque-t-il d'un ton irrité. Ils peuvent très bien le faire, tu sais. C'est déjà arrivé dans les affaires de racket. Les flics adorent fouiller les bureaux d'avocat, saisir les dossiers, emporter les ordinateurs. Les petits employés comme nous, ils s'en balancent.

Honnêtement, je n'avais jamais pensé à ça. Mon étonnement doit se voir.

– Ils peuvent parfaitement l'empêcher d'exercer, poursuit-il avec impatience. Ils n'attendent que ça. Nous serions pris entre deux feux et personne ne s'en soucierait, personne.

– Qu'est-ce que tu suggères ?

– Fichons le camp.

Je lui demande de s'expliquer, mais j'ai déjà compris : Deck est maintenant mon ami, mais ça ne lui suffit pas. Puisque j'ai réussi l'examen, je peux désormais lui servir. Deck cherche un associé ! Il me relance avant que j'aie pu placer un mot.

– De combien d'argent disposes-tu ?

– Heu... cinq mille cinq cents dollars.

– Moi aussi. Ça fait onze mille. Si nous mettons chacun deux mille, on peut louer un petit bureau cinq cents par mois, en comptant autant pour le téléphone et autres charges, et acheter un peu de mobilier pas cher. On aura un budget serré pendant six mois, ensuite on verra. J'irai chasser le client, toi tu plaideras, on partagera les bénéfices équitablement, cinquante-cinquante pour tout, les dépenses, les honoraires, la charge de travail.

Il m'a poussé dans les cordes, mais ça ne m'empêche pas de réfléchir.

– Et une secrétaire ?

– Pas besoin, réplique-t-il aussitôt, ce qui montre qu'il a déjà tout prévu. Pas pour commencer, en tout cas. On peut répondre nous-mêmes au téléphone et utiliser un répondeur. Je sais taper à la machine. Ça marchera. Dès qu'on aura gagné un peu d'argent, on embauchera une fille.

– À combien estimes-tu les frais généraux ?

– Moins de deux mille. Loyer, téléphone, abonnements divers, papeterie, photocopies, plus une centaine d'autres babioles. Mais on doit pouvoir faire des économies et fonctionner pour moins que ça. Faut à tout prix éviter le gaspillage. C'est simple comme bonjour.

Il observe ma réaction en avalant son thé glacé, avant de se pencher de nouveau vers moi.

– Écoute, Rudy, inutile de se voiler la face, on vient de se faire piquer vingt-deux mille dollars. On aurait dû encaisser ces honoraires, ça aurait couvert nos frais généraux pour un an. Tu ne crois pas qu'il serait temps de travailler pour notre compte ?

Un avocat n'a pas le droit d'établir un partenariat avec un non-avocat, c'est interdit par la déontologie. Mais à peine ai-je commencé à l'expliquer que je m'interromps, convaincu de la futilité du propos. Deck trouvera évidemment des dizaines de moyens pour tourner cette disposition.

– Le loyer me paraît bas, dis-je, juste pour voir jusqu'où il a étudié la question.

Il plisse les paupières et sourit, faisant briller ses grandes dents.

– J'ai déjà trouvé un endroit. C'est dans un vieux bâtiment, avenue Madison, au-dessus d'un antiquaire. Quatre pièces plus sanitaire exactement à mi-chemin du centre pénitentiaire et de St. Peter.

L'emplacement parfait ! Le rêve de tout avocat.

– C'est dans un quartier malfamé, fais-je remarquer.

– Pourquoi le loyer est si bon marché, à ton avis ?

– C'est en bon état ?

– Ça peut aller. Il faudra repeindre.

– Question peinture, je me débrouille.

Notre salade arrive. Je me gave de laitue, contrairement à Deck qui pignoche, trop préoccupé par son plan pour se concentrer sur son assiette.

– Il faut que me tire, Rudy. Je sais des choses que je ne peux pas révéler, et si je te dis que Bruiser va tomber de haut, tu peux me croire sur parole. Sa chance l'a quitté... (Il s'interrompt pour prendre un morceau de noix.) Si tu ne veux pas marcher avec moi, j'irai voir Nicklass cet après-midi.

Ce serait vraiment en désespoir de cause car Deck le déteste, je le sais. Je suis sûr qu'il a raison au sujet de Bruiser. Il suffit de feuilleter la presse locale deux fois par semaine pour comprendre que l'homme est en très mauvaise posture. Ces dernières années, Deck a été son plus fidèle employé, et le fait qu'il soit prêt à décamper est très alarmant.

Nous mangeons lentement sans plus rien dire, chacun guettant l'autre.

Il y a quatre mois, l'idée d'exercer avec un type comme Deck m'aurait paru impensable et même risible. Et pourtant, je suis incapable de trouver une raison pour l'empêcher de devenir mon associé.

– Tu ne veux pas de moi comme associé ? dit-il d'une voix pitoyable.

– Je réfléchis, Deck. Laisse-moi un peu de temps. Tu m'as pris au dépourvu.

– Désolé, mais il faut faire vite.

– Mais qu'est-ce que tu sais, au juste ?

– J'en sais assez pour être sûr de moi. Ne pose plus de questions.

– Donne-moi quelques heures, jusqu'à demain, au moins.

– D'accord. On va ensemble au tribunal. Alors voyons-nous de bonne heure chez Trudy. On ne peut pas discuter de ça au cabinet. Ça te laisse toute la nuit pour réfléchir. Je compte sur ta réponse demain matin.

– Entendu.

– Tu as combien de dossiers au bureau ?

Je réfléchis un instant. J'ai un épais dossier sur l'affaire Black, un autre, plutôt maigre, sur Miss Birdie, et un cas de pension d'invalidité d'ouvrier, d'ailleurs parfaitement inutile, que Bruiser a jeté sur mon bureau la semaine dernière.

– Trois.

– Sors-les du bureau. Emporte tout chez toi.

– Maintenant ?

– Oui. Cet après-midi. Et tu as intérêt à faire pareil avec tout ce à quoi tu tiens dans le bureau. Mais ne te fais pas prendre, OK ?

– Est-ce que quelqu'un nous observe ?

Il se retourne, le regard méfiant, puis hoche discrètement la tête en roulant des yeux derrière ses gros verres.

– Qui ?

– Les flics. Le cabinet est sous surveillance.

23

La petite remarque de Bruiser insinuant qu'il me laisserait peut-être parler tout seul pendant la première audience de l'affaire Black contre Great Benefit me tient éveillé une bonne partie de la nuit. J'ignore s'il bluffait, mais ça me perturbe davantage que la proposition de Deck.

Il fait encore nuit quand j'arrive chez Trudy. Je suis son premier client. Le café est sur le feu et les beignets sont chauds. Nous bavardons, mais pas longtemps. Elle a fort à faire.

Moi aussi. Je néglige les journaux et me plonge dans mes notes. De temps en temps, je jette un œil par la fenêtre en direction du parking vide. Je cherche vainement quelque civil tapi dans une voiture banalisée, fumant des cigarettes et buvant du café d'un thermos, comme au cinéma. Par moments, Deck est parfaitement crédible, à d'autres, il est aussi bête qu'il en a l'air.

Lui aussi arrive tôt. Il commande son café peu après sept heures et vient s'asseoir en face de moi. Le bar est à moitié plein, maintenant.

– Alors ? demande-t-il, sans préambule.

– Essayons un an, dis-je.

J'ai décidé que nous signerions une convention avec une clause permettant une séparation après un mois de préavis, en cas de désaccord de l'un ou de l'autre.

Aussitôt, ses dents étincellent. Il est fou de joie. Il se lève à moitié et me sert vigoureusement la main par-dessus la table. C'est un grand moment pour Deck. J'aimerais partager son enthousiasme.

J'ai également décidé que j'essaierais de lui tenir la bride, de lui faire honte quand il fond comme un charognard sur le premier désastre venu. En travaillant dur, en étant au service de la clientèle, nous pouvons gagner correctement notre vie et prospérer, du moins je l'espère. Je compte aussi l'encourager à repasser le barreau, s'inscrire à l'ordre et exercer le métier avec un peu plus de dignité.

Tout ça, naturellement, va devoir se faire progressivement.

Et je ne suis pas naïf. Exiger de Deck qu'il s'abstienne de fréquenter les hôpitaux reviendrait à exiger d'un alcoolique qu'il s'abstienne de fréquenter les bars. Mais j'essaierai.

– Tu as repris tes dossiers ? me souffle-t-il en louchant vers la porte que viennent de pousser deux chauffeurs routiers.

– Oui. Et toi ?

– Ça fait une semaine que j'embarque tout ce qui traîne.

Je préfère ne pas en entendre davantage. J'attire la conversation sur l'audience qui nous attend, mais Deck la ramène systématiquement à notre nouvelle association. À huit heures, nous partons rejoindre nos bureaux. Deck scrute tous les véhicules du parking comme s'ils étaient remplis de tireurs d'élite.

Huit heures et quart. Bruiser n'est pas encore là. Deck et moi discutons les différents points soulevés dans le mémoire de Drummond. Nous ne parlons strictement que de droit, persuadés, surtout lui, que les murs et les téléphones sont truffés de micros.

Huit heures et demie. Toujours pas de Bruiser. Il nous a pourtant bien précisé qu'il arriverait à huit heures précises pour préparer l'intervention avec nous. Le palais n'est qu'à vingt minutes, mais à cette heure-ci la circulation est imprévisible. Deck décide d'appeler chez lui. Ça ne répond pas. Dru confirme qu'il devait être là à huit heures. Elle essaie de l'appeler sur la ligne de sa voiture, sans résultat. Il compte peut-être nous rejoindre au palais, suggère-t-elle.

Je fourre le dossier dans mon attaché-case et nous quittons le cabinet à moins le quart. Comme Deck connaît le chemin le plus rapide, il conduit, mais c'est moi qui transpire. J'ai les mains moites et la gorge sèche. Si Bruiser me lâche à cette audience, je ne le lui pardonnerai jamais. À vrai dire, je lui vouerai une haine éternelle.

– Détends-toi, me lance Deck, courbé sur le volant, slalomant d'une file à l'autre et grillant feu sur feu.

Il me regarde à la dérobée et doit sûrement lire la terreur sur mon visage.

– Je suis sûr que Bruiser nous attend là-bas, dit-il sans aucune conviction. Et s'il n'y est pas, tu t'en sortiras très bien tout seul. Ce n'est qu'une demande d'irrecevabilité, après tout. Il n'y a pas de jury, tu comprends ?

– La ferme, Deck. Conduis. Et tâche de ne pas nous tuer.

– Du calme, vieux.

Nous sommes en plein centre-ville, dans les embouteillages, et je consulte ma montre avec horreur. Neuf heures pile. Deck fait reculer deux piétons et pénètre enfin dans un petit parking privé où il a ses entrées.

– Tu vois cette porte là-bas ? dit-il en tendant le doigt vers l'aile gauche de l'immense palais de justice.

– Ouais.

– Tu entres par là, tu montes un étage, la chambre de Hale est la troisième porte à droite.

– Tu crois que Bruiser est là-bas? dis-je d'une voix brisée.

– Bien sûr, dit-il sans paraître gêné de mentir.

Il écrase le frein, donne un coup de volant, et je saute en marche, manquant de m'étaler.

– J'arrive! crie-t-il.

Je monte quatre à quatre une volée de marches, passe la porte indiquée, me jette dans l'escalier et me retrouve dans les couloirs du palais.

L'intérieur du palais de justice du comté de Shelby est vieux, majestueux, parfaitement entretenu. Sols et murs sont de marbre, les portes des chambres en acajou verni. Le couloir où j'arrive est large, obscur, silencieux. Des bancs de bois courent le long des murs, sous des portraits de juristes distingués.

Je ralentis mon pas et m'arrête devant la chambre de l'honorable Harvey Hale, la huitième, précise une plaque de cuivre à l'entrée.

Pas de trace de Bruiser dans le couloir. Je pousse le battant et jette un œil dans le tribunal. Il n'y est pas.

Mais la salle d'audience n'est pas vide. Plusieurs personnes m'attendent au bout de l'allée centrale, derrière une petite grille ouverte. Un homme déplaisant, le juge Harvey Hale, je suppose, assis dans un fauteuil de cuir bordeaux dominant le prétoire, me regarde en fronçant les sourcils. Il tient son menton d'une main et pianote impatiemment de l'autre. Sur le mur, une horloge indique neuf heures douze.

À ma gauche, derrière la cloison basse qui sépare les bancs du public du box des jurés et des tables réservées aux avocats, plusieurs hommes se bousculent pour me voir. Ils ont tous la même allure, cheveux courts, costume sombre, chemise blanche, cravate rayée, masque renfrogné et fin sourire dédaigneux.

Silence glacial. Je me sens de trop. Même la greffière et l'huissier ont l'air de me considérer comme un intrus.

Je m'avance vers la barre d'un pas maladroit, les genoux en coton. Le peu de confiance que j'avais a disparu. J'ai la gorge desséchée.

– Pardonnez-moi, monsieur, mais je viens pour l'affaire Black, dis-je d'une voix tremblante.

L'expression du juge ne change pas et il continue de tambouriner des doigts.

– Et qui êtes-vous?

– Rudy Baylor, je travaille pour Bruiser Stone.

– Où est M. Stone ?

– Heu... je ne sais pas très bien. Nous devions nous retrouver ici.

Je sens quelque agitation dans l'équipe d'avocats sur ma gauche, mais je les ignore. Le juge Hale pose les deux mains à plat devant lui et secoue ostensiblement la tête.

– Faut-il s'en étonner ? dit-il dans son micro d'une voix excédée.

En choisissant de partir avec Deck, j'ai décidé d'emporter avec moi ce que j'avais de plus précieux, l'affaire Black. Elle m'appartient. Personne ne peut me la prendre. Harvey Hale, pour l'instant, n'a aucun moyen de savoir que ce sera moi et non Bruiser qui mènerai les poursuites. Malgré mon trac, je juge que le moment est venu de m'imposer.

– Je présume que vous voulez un report, dit-il.

– Non, monsieur. Je suis prêt à répondre à la requête de mon adversaire, dis-je d'une voix claire, la mieux timbrée possible.

Je passe la grille et dépose mon dossier sur une table placée à ma droite.

– Vous êtes avocat ?

– Eh bien, je viens juste de passer le barreau.

– Mais est-ce que vous avez votre carte professionnelle ?

Je ne comprends pas comment j'ai pu oublier ce détail. Je crois que j'étais tellement fier d'avoir réussi l'examen que ça m'est complètement sorti de la tête. Et puis, même si j'étais censé prendre la parole, je pensais que Bruiser se chargerait de l'essentiel de l'intervention.

– Non, monsieur. Nous prêtons serment la semaine prochaine.

Un de mes ennemis se racle bruyamment la gorge, histoire d'attirer l'attention du juge. Je tourne la tête et découvre un gentleman distingué en costume bleu marine, en train de se lever cérémonieusement de sa chaise.

– Plaise à la cour, commence-t-il machinalement. Pour mémoire, je suis Leo F. Drummond, du cabinet Tinley Britt, défenseur de la compagnie Great Benefit Life.

C'est dit à haute et intelligible voix, les yeux levés vers son cher ami et ex-condisciple de Yale. La greffière reprend sa lime à ongles.

– Et, poursuit-il en tendant le bras vers moi, nous regrettons de ne pouvoir accepter la participation de ce jeune homme aux débats. Un peu de sérieux, il n'est même pas inscrit à l'ordre...

Je sens que je vais le détester copieusement. Tout me déplaît en lui, depuis son intonation suffisante jusqu'à sa raie au milieu. Ce n'est qu'une audience préalable, me dis-je pour me donner du courage, non un procès public.

– Votre Honneur, dis-je, enhardi par la colère, je serai en règle la semaine prochaine.

– Non, ça ne suffit pas, Votre Honneur, dit Drummond, scandalisé, en ouvrant les bras.

– J'ai passé l'examen du barreau, Votre Honneur.

– Bel exploit ! ironise sèchement Drummond.

Je le regarde droit dans les yeux. Il est debout parmi ses quatre confrères, trois assis à la table, leur calepin posé sous leurs yeux, le quatrième derrière eux. Tous me fixent avec morgue.

– Je ne sais pas si c'est un exploit, monsieur Drummond, mais demandez à Shell Boykin ce qu'il en pense.

Ma réponse ne vole pas haut, mais elle jette un froid. J'observe le tressaillement de la lèvre de Drummond. Ses acolytes baissent la tête en soupirant. Shell Boykin est un des deux étudiants de ma promotion ayant eu l'insigne privilège d'être recruté par Tinley Britt. Voici trois ans que nous nous méprisons cordialement. Son nom ne figurait pas sur la liste du journal de dimanche que je ne me féliciterai jamais assez d'avoir épluchée en détail. Quelque chose me dit que l'illustre cabinet doit être légèrement gêné d'avoir un collé parmi ses jeunes recrues.

La lippe dédaigneuse de Drummond s'accentue tandis que je lui adresse mon sourire le plus faux. Nous nous mesurons du regard quelques instants, et j'en tire une leçon infiniment utile. Ce n'est qu'un homme. C'est peut-être un vétéran du barreau et il peut se targuer d'un palmarès impressionnant, mais c'est un homme comme les autres. Et il ne va certainement pas venir me gifler, parce que s'il le faisait je lui casserais la figure. Quant à son quarteron d'avocats, il ne peut rien faire non plus. Les parties sont logées à la même enseigne, et ma table est aussi grande que la leur.

– Asseyez-vous, tous les deux ! grogne Hale dans son micro.

Je trouve une chaise et obtempère.

– Une question, monsieur Baylor, reprend le juge. Qui représentera votre cabinet dans cette affaire ?

– Moi, Votre Honneur.

– Et M. Stone ?

– Je ne sais pas. Mais cette affaire m'appartient et les Black sont mes clients. M. Stone a signé la plainte pour moi, parce que je n'avais pas encore passé le barreau.

– Très bien, allons-y. Madame la greffière, veuillez noter, dit-il, et celle-ci se penche sur sa machine. Nous examinons aujourd'hui une demande d'irrecevabilité de la défense. La parole est à vous, monsieur Drummond. Je vous laisse quinze minutes, votre adversaire disposera du même temps, puis je verrai s'il y a lieu de délibérer. Je ne veux pas y passer la matinée. Sommes-nous d'accord ?

Tout le monde hoche la tête. La table de la défense ressemble à une rangée de canards dans un stand de tir. Leo Drummond vient se placer sur une petite estrade au milieu de la salle et entame son exposé. Il est lent, méticuleux et très vite ennuyeux. Il résume les principaux points déjà développés dans son fastidieux mémoire. Selon ses dires, Great Benefit est indûment poursuivie car la police incriminée ne couvre pas les greffes de moelle osseuse, d'une part, et ne s'applique pas à l'adulte qu'est Donny Ray Black, d'autre part.

Franchement, j'espérais mieux. Je pensais qu'un type de la classe de Leo Drummond aurait un peu plus de mordant. Jusqu'à ce matin, j'attendais avec impatience la joute verbale entre Drummond, le très respectable et chevronné juriste, et Bruiser, le baroudeur de prétoire.

Mais si je n'étais pas aussi nerveux, je crois que je m'endormirais. Drummond dépasse son quart d'heure sans faire la moindre pause. Le juge Hale garde les yeux baissés sur je ne sais quoi, sans doute un magazine. Vingt minutes. Deck a entendu dire que Drummond facturait deux cent cinquante dollars l'heure pour le travail de bureau, et trois cent cinquante l'heure de plaidoirie. C'est largement au-dessous des prix pratiqués à New York et à Washington, mais, pour Memphis, c'est plutôt cher. Ce n'est pas pour rien qu'il s'exprime lentement et se répète sans cesse. À ce tarif, c'est rentable d'être redondant, et même assommant.

Ses trois collaborateurs gribouillent fébrilement sur leur calepin, dans un effort estimable pour retranscrire intégralement l'exposé de leur chef. C'en est presque comique. En d'autres circonstances, je crois que j'aurais carrément éclaté de rire. Ils ont commencé par faire des recherches, puis ils ont rédigé un mémoire, ils l'ont récrit plusieurs fois, après quoi ils ont répondu au mien, et maintenant ils transcrivent scrupuleusement l'argumentation de Drummond, elle-même tirée de leurs mémoires successifs. Il est vrai qu'ils sont payés pour ça. D'après Deck, Tinley Britt facture dans les cent cinquante dollars l'heure le travail de bureau de ses collaborateurs, probablement un peu plus lors des audiences. S'il a raison, nos trois robots griffonnent inutilement au prix de deux cents dollars l'heure chacun. Six cents dollars. Plus trois cent cinquante pour Drummond. La comédie à laquelle j'assiste revient donc à peu près à mille dollars l'heure.

Le quatrième homme, celui qui est assis derrière les collaborateurs, est plus vieux, à peu près de l'âge de Drummond. Comme je ne le vois pas prendre de notes, j'imagine qu'il ne travaille pas chez Tinley Britt. Ce doit être un représentant de Great Benefit, sans doute un de leurs conseillers juridiques.

J'avais oublié Deck, mais il vient me taper sur l'épaule avec son bloc-notes. Il a quelque chose à me dire. Sur la page de tête du carnet, je lis : « Ce type est chiant comme la pluie. Réponds-lui en collant à ton texte. Dix minutes maxi. Tu n'as pas vu Bruiser ? »

Je secoue discrètement la tête. Comme si Bruiser pouvait être arrivé sans se faire remarquer...

Après trente et une minutes, Drummond termine son monologue. Ses lunettes sont perchées sur le bout de son nez. On dirait un maître de conférences donnant un cours magistral. Il revient en pavoisant à la table de la défense, immensément satisfait de sa logique imparable et de ses puissantes facultés de synthèse. Ses comparses l'accueillent par des hochements de tête approbateurs et se répandent en chuchotements extasiés sur son admirable intervention. Quelle bande de lèche-cul ! Pas étonnant qu'il souffre d'une hypertrophie de l'ego.

Je monte sur l'estrade à mon tour, place mes notes devant moi et regarde le juge Hale qui semble très curieux de m'entendre. Je suis terrifié mais, au point où j'en suis, je n'ai plus qu'à me jeter à l'eau.

Ma cause est limpide. La fin de non-recevoir de Great Benefit a privé mon client du seul traitement médical qui pouvait lui sauver la vie. Donny Ray Black va mourir par la faute de la compagnie. Nous sommes dans notre droit et ils ont tous les torts. Le souvenir de son visage anémié me conforte dans mon indignation. Ça me rend fou.

Les défenseurs de Great Benefit vont gagner une fortune pour brouiller les pistes, mélanger les faits et faire diversion auprès du juge, puis des jurés, de toutes les façons possibles. C'est leur gagne-pain. C'est pourquoi Drummond vient de discourir pour ne rien dire pendant plus d'une demi-heure.

Quant à moi, je m'en tiendrai à une version plus concise à la fois des faits et de la loi. Mon exposé se limitera à une présentation explicite du préjudice subi. Espérons qu'au bout du compte quelqu'un finira par apprécier ma sobriété.

Je commence nerveusement par quelques rappels de principe sur les demandes d'irrecevabilité. Le juge Hale me dévisage avec perplexité comme si j'étais le plus grand imbécile qu'il ait jamais vu. Mais au moins, il se tait. J'essaie de ne pas croiser son regard.

D'une façon générale, il est rare qu'on fasse droit aux demandes d'irrecevabilité quand les deux parties ont un différend clair et net. Je m'exprime maladroitement. J'ai une boule dans l'estomac. Mais je reste confiant. Nous avons toutes les chances de remporter cette manche.

Je poursuis en me fondant sur mes notes, sans révéler grand-chose de nouveau. Son Honneur se montre bientôt aussi las de m'écouter qu'il l'était d'écouter Drummond. Il se replonge dans sa lecture. Quand j'ai fini, Drummond réclame encore la parole pour réfuter mes dires. Ses collègues gesticulent.

Drummond perd encore de précieuses minutes à clarifier quelque point qui demeure incompréhensible pour quiconque ne jouit pas de ses lumières, et se rassied enfin.

– J'aimerais m'entretenir avec les deux parties en privé, annonce Hale en se levant, et il s'éclipse par la porte du fond.

Comme j'ignore où se trouve le bureau particulier de Son Honneur, je me lève et attend que M. Drummond veuille bien me montrer le chemin. Nous nous rejoignons sur l'estrade et il me pose confraternellement la main sur l'épaule en me félicitant pour ma brillante prestation.

Quand nous pénétrons dans le cabinet du juge, celui-ci a ôté sa robe. Debout derrière son bureau, il nous désigne deux chaises.

– Veuillez vous asseoir.

La pièce est sombre et austère. Lourds rideaux grenat aveuglant les fenêtres, moquette grise, rayonnages de gros volumes reliés du sol au plafond.

Nous nous asseyons. Il médite quelques instants puis s'adresse à moi après un profond soupir.

– Votre plainte m'ennuie, monsieur Baylor. Je n'irai pas jusqu'à la qualifier d'abusive, mais sa pertinence ne saute pas aux yeux, c'est le moins qu'on puisse dire. J'en ai vraiment assez de ce genre de procédure.

Il s'interrompt et me regarde comme si j'étais censé lui répondre immédiatement, mais je ne sais pas du tout quoi dire.

– Je suis enclin à faire droit à la requête, dit-il en ouvrant un tiroir dont il extrait plusieurs flacons de comprimés qu'il aligne sur son bureau. Peut-être auriez-vous plus de succès auprès de la cour fédérale, à vous de voir. En tout cas, je vous suggère d'essayer auprès d'une autre juridiction. Je ne tiens pas à ce que votre dossier encombre mon armoire.

Il sort différents comprimés, au moins une douzaine, qu'il dispose devant lui.

– Veuillez m'excuser, j'en ai pour une minute, dit-il, et il disparaît derrière une petite porte au fond du cabinet, qu'il verrouille bruyamment.

Je reste assis, médusé, contemplant ses maudites boîtes de pilules en espérant qu'il s'étouffe avec. Drummond n'a pas encore dit un mot, mais il se lève comme s'il répondait à un signal. Il vient s'asseoir sur le coin du bureau et me sourit d'un air protecteur.

– Écoutez, Rudy, je suis un avocat très cher travaillant dans un cabinet très cher, dit-il d'un ton paternel. Quand on nous confie une affaire comme celle-ci, nous commençons par nous livrer à quelques calculs afin d'estimer le coût global de la défense. Avant de faire quoi que ce soit, nous soumettons le devis à notre client. J'ai eu pas mal d'affaires semblables et, croyez-moi, j'arrive en général à évaluer les frais à une dizaine de dollars près. (Il se redresse légèrement avant d'assener sa conclusion.) J'ai dit à Great Benefit que si nous allions jusqu'au bout dans ce procès, cela leur coûterait entre cinquante mille et soixante-quinze mille dollars.

Il attend que je manifeste mon étonnement face à cette somme rondelette, mais je me contente de regarder sa cravate. On entend la chasse d'eau se déclencher derrière la porte.

– Et Great Benefit m'a donc autorisé à vous offrir, à vous et à votre client, la somme de soixante-quinze mille dollars, moyennant un règlement amiable.

Je pousse un gros soupir. Différentes visions se bousculent dans ma tête, notamment celle d'un chèque de vingt-cinq mille dollars représentant mes honoraires. Je le vois déjà, il est à portée de main.

Oui, mais minute. Si son vieux copain Harvey s'apprête à repousser ma plainte, pourquoi me propose-t-il cet argent ?

Et soudain, je pige tout ! Le numéro du mauvais flic et du bon flic. Harvey baisse les enchères, fait tout pour me décourager, pour m'effrayer, même, sur quoi Leo s'amène et fait patte de velours. Je me demande combien de fois ils ont joué cette scène.

– Notre offre est valable seulement pendant quarante-huit heures. À prendre ou à laisser immédiatement, nous jouons cartes sur table. Si vous refusez, c'est la troisième guerre mondiale.

– Mais pourquoi ?

– Simple calcul de trésorerie. Great Benefit économise de l'argent et ne court pas le risque d'un verdict désagréable. Ils n'aiment pas être poursuivis. Leurs cadres ne veulent pas perdre de temps à déposer et à comparaître. Ce sont des gens discrets et ils préfèrent éviter ce genre de publicité. Il y a une concurrence féroce dans ce métier et ils ne veulent pas que leurs adversaires aient vent de cette histoire. Ils ont d'excellentes raisons pour souhaiter un règlement amiable. Et vous avez tout intérêt, vous et votre client, à empocher cette somme sans discuter. C'est exempt d'impôts, presque en totalité, vous savez.

Il est tout miel. Je pourrais mettre en avant le bien-fondé de notre cause pendant des heures et lui démontrer, preuves en main, que son client est de mauvaise foi, il se contenterait de m'écouter en souriant et en hochant la tête. Autant crier à l'oreille d'un sourd. Pour l'instant, il n'attend qu'une chose, c'est que je prenne son fric.

La porte se rouvre et Son Honneur surgit de ses petits cabinets privés. À présent, c'est Leo qui a besoin de soulager sa vessie et nous prie de l'excuser. Leur petit numéro est parfaitement rodé.

– Surtension artérielle, marmonne Hale à part lui, et il s'assied à son bureau après avoir rangé sa pharmacopée.

Puisse-t-il crever de congestion.

– Pas très excitant, votre plainte, jeune homme. Peut-être puis-je m'en remettre à Leo pour vous faire une offre de règlement amiable. Ça fait partie de mon travail, vous savez. D'autres juges ont une approche différente, mais j'essaie toujours de favoriser une transaction dès le début. C'est beaucoup plus pratique. Ces messieurs de Cleveland peuvent vous proposer un dédommagement intéressant pour ne pas avoir à payer à Leo mille dollars la minute.

Ce trait d'esprit lui arrache un éclat de rire. Il vire au rouge vif et se met à tousser.

Je vois Drummond comme si j'y étais, l'oreille collée à la porte des toilettes, essayant de ne rien perdre du dialogue. Ça ne m'étonnerait pas qu'il y ait un micro planqué quelque part.

Je le regarde se racler les bronches jusqu'à ce qu'il ait les larmes aux yeux. Le silence revenu, je dis :

– Il vient de m'offrir le montant des frais de la défense.

Hale est un comédien roué. Il mime impeccablement la surprise.

– Combien ?

– Soixante-quinze mille.

Il en reste bouche bée.

– Nom d'un chien ! Mon garçon, si vous n'acceptez pas, vous êtes fou !

– Vous croyez dis-je, me prenant au jeu.

– Soixante-quinze mille, Seigneur, mais c'est une fortune ! Ça m'étonne de Leo.

– C'est un type bien.

– Prenez cet argent, mon garçon. J'ai du métier, je vous jure, faites-moi confiance, prenez-le.

La porte s'ouvre et Leo nous rejoint. Son Honneur le regarde en écarquillant les yeux.

– Soixante-quinze mille dollars ! répète-t-il, et l'on jurerait à son expression alarmée que l'argent sera soustrait du budget de son tribunal.

– Je ne fais que transmettre la proposition de mon client, explique Leo.

Il a les mains liées, bien entendu. Il n'a aucun pouvoir de décision.

Ils continuent à se renvoyer la balle quelque temps. Comme je n'arrive pas à raisonner, je m'exprime le moins possible. Je quitte la pièce, flanqué de Leo, un bras passé autour de mon épaule.

Je retrouve Deck dans le couloir. Il est en train de téléphoner d'une cabine et je m'assieds sur un banc à côté pour essayer de retrouver mes esprits. Ils s'attendaient à affronter Bruiser. Auraient-ils joué le même jeu avec lui ? Franchement, je ne crois pas. Comment ont-ils fait pour préparer une embuscade contre moi aussi vite ? Ils auraient probablement utilisé un autre scénario avec Bruiser.

Je suis convaincu de deux choses : premièrement, Hale est sérieux quand il parle d'annuler la plainte. C'est un vieillard malade qui siège depuis suffisamment longtemps pour être insensible aux pressions, d'où qu'elles viennent. Il se moque royalement de savoir si ce qu'il fait est juste ou pas. Et ce pourrait être très difficile de s'adresser à une autre juridiction. Notre plainte est bel et bien en péril. Deuxièmement, Drummond est pressé de conclure un arrangement amiable. Il tremble de peur parce que son client s'est fait prendre la main dans le sac, en train de commettre une fort vilaine action.

Deck a donné pas moins de onze coups de fil depuis vingt minutes, et Bruiser reste introuvable. Sur la route du retour, je lui raconte l'étonnante scène dans le cabinet du juge Hale. Pour Deck, pas de doute, il faut prendre l'argent. Il a un très bon argument : Donny Ray Black ne peut plus être sauvé, quelque prix qu'on y mette, donc mieux vaut accepter l'argent et améliorer un peu la vie de Dot et de Buddy.

Deck dit aussi qu'il a entendu beaucoup d'histoires sordides à propos de plaintes déposées auprès de Hale et systématiquement tombées aux oubliettes. Il déteste les plaignants, répète-t-il. Ça risque d'être difficile d'avoir un procès équitable.

– Prends l'oseille et tire-toi, me dit-il.

En arrivant au cabinet, nous trouvons Dru en larmes. Tout le monde est à la recherche de Bruiser, se lamente-t-elle entre deux hoquets hystériques. Le mascara dégouline sur ses joues. Ça ne lui ressemble pas, il n'est pas comme ça, répète-t-elle sans arrêt. Il se passe quelque chose de grave.

Étant lui-même un voyou, Bruiser a pour habitude de traîner avec des gens douteux, voire dangereux. Deck et moi ne serions pas spécialement surpris si son corps criblé de balles était retrouvé dans le coffre d'une voiture à l'aéroport. Il y a du règlement de compte dans l'air.

J'appelle au Yogi et demande à parler à Prince. Billy me répond. C'est un serveur que je connais. Au bout de quelques minutes, j'apprends que Prince a disparu, comme son alter ego. Là-bas aussi, ils ont téléphoné un peu partout, sans résultat. Billy est nerveux, préoccupé. Les flics sortent à l'instant du bar. Qu'est-ce qui se passe ?

Deck va de bureau en bureau pour rallier les troupes. Nous nous réunissons dans la salle de conférences, Deck et moi, Toxer et Ridge, quatre secrétaires et deux larbins que je n'ai jamais vus. Nicklass, l'autre avocat, a quitté la ville, semble-t-il. Chacun compare les notes qu'il a prises lors de la dernière réunion avec Bruiser. Y avait-il quelque chose de louche ? Que devait-il faire aujourd'hui ? Qui devait-il rencontrer ? Qui lui a parlé en dernier ? Il règne une atmosphère de panique, de confusion, que les sanglots incessants de Dru n'aident pas à dissiper. Elle n'en démord pas : il se passe quelque chose de gravissime.

La réunion se termine d'elle-même tandis que nous regagnons nos bureaux respectifs les uns après les autres et nous enfermons à clef. Deck, bien entendu, me suit dans le mien. Nous discutons pendant quelques minutes, de choses insignifiantes, redoutant la présence de quelque micro. À onze heures et demie, nous filons du cabinet par la porte de derrière.

Nous n'y remettrons plus jamais les pieds.

24

Deck savait-il précisément ce qui allait se passer, ou bien a-t-il fait preuve d'un don de prophétie hors du commun ? Je ne le saurai jamais. C'est quelqu'un d'assez discret, il n'a pas l'habitude de jouer de double jeu et s'exprime sans arrière-pensée. Mais, sans se laisser influencer par les apparences, on peut quand même lui trouver une certaine bizarrerie, qui confine au mystère. Je le soupçonne d'avoir entretenu avec Bruiser une relation beaucoup plus étroite que ce qu'il veut bien dire. Je pense aussi que si Bruiser nous a fait une fleur après le règlement de l'affaire Van Landel, c'est parce que Deck a fait pression sur lui. Bruiser envoyait, depuis un certain déjà, des signaux discrets annonçant son effondrement.

Toujours est-il que je ne suis pas spécialement étonné d'entendre le téléphone sonner chez moi à trois heures vingt du matin. C'est Deck. Il m'apprend plusieurs nouvelles. Les flics ont fait une descente au cabinet peu après minuit. Bruiser a quitté Memphis. Nos ex-bureaux ont été placés sous scellés et les agents du FBI vont sans doute vouloir interroger tout le personnel du cabinet. Enfin, ô surprise, Prince Thomas s'est également évanoui dans la nature avec son ami avocat.

– Non mais, tu vois un peu le tableau, glousse Deck au téléphone. Ces deux porcs avec leur tignasse crasseuse et leur tronche bouffie essayant de se faufiler incognito dans les aéroports...

Ils seront inculpés ce matin, paraît-il, après le lever du soleil. Deck propose que nous nous retrouvions à midi dans nos nouveaux bureaux. J'accepte, n'ayant pas d'autre endroit où aller.

Je reste une demi-heure à ressasser tout ça les yeux au plafond, avant de gagner le hamac du jardin, pieds nus dans l'herbe mouillée. Le personnage de Prince suscitait beaucoup de rumeurs. Il aimait l'argent liquide et, dès mon premier séjour au Yogi, une serveuse m'avait averti que quatre-vingts pour cent de la recette n'étaient jamais déclarés. Le passe-temps favori des employés consistait à spéculer sur les sommes qu'il réussissait à escamoter.

Il dirigeait d'autres entreprises. Lors du procès d'une affaire de racket il y a quelques années, un témoin a déclaré que quatre-vingt-dix pour cent des profits de l'exploitation de certains bars topless étaient disponibles en cash et que, là-dessus, soixante pour cent échappaient au fisc. Si Bruiser et Prince détenaient un ou plusieurs desdits clubs, ils possédaient une mine d'or.

On disait aussi que Prince avait une maison au Mexique, des comptes bancaires aux Caraïbes, une maîtresse en Jamaïque, une ferme en Argentine, et Dieu sait quoi encore, je ne me souviens plus. Il y avait, à ce qu'on prétend, une mystérieuse porte dans son bureau souterrain et, derrière, des cartons remplis de coupures de vingt et cent dollars.

S'il est en fuite, j'espère qu'il est en sûreté, qu'il a réussi à emporter un bon paquet de son précieux argent et qu'il ne se fera jamais prendre. C'est mon ami, quoi qu'on puisse lui reprocher.

Dot me fait asseoir à la table de sa cuisine, sur la même chaise et à la même place que d'habitude, et me sert du café dans le même gobelet. Il est tôt et une odeur tenace de bacon flotte dans la pièce mal rangée. Buddy est là-bas, dehors, dit-elle en tendant le bras. J'évite de regarder dans sa direction.

Donny Ray dépérit à vue d'œil, m'apprend-elle. Il n'est pas sorti du lit depuis deux jours.

– Hier, nous sommes allés pour la première fois au tribunal, dis-je.

– Déjà ?

– Ce n'était pas pour le procès. C'était pour une audience préliminaire. La compagnie voudrait faire annuler la plainte. C'est contre ça que nous nous battons.

J'essaie de rester simple, mais je ne suis pas sûr qu'elle enregistre. L'air mélancolique, elle regarde par la fenêtre, du côté opposé à la Fairlane. J'ai comme l'impression qu'elle se fiche de tout ça.

D'une certaine façon, c'est rassurant. Si le juge Hale agit comme je le redoute et si nous n'arrivons pas à porter plainte devant une autre cour, alors l'affaire sera finie. Peut-être toute la famille a-t-elle renoncé. Peut-être ne m'en voudraient-ils même pas si nous étions déboutés.

En venant ici, j'ai décidé de ne pas parler du juge Hale et de ses menaces. Ça ne ferait que compliquer les choses. Nous aurons le temps d'en discuter plus tard, quand nous aurons épuisé tous les autres sujets.

– Great Benefit a fait une offre de règlement amiable.

– Quel genre d'offre ?

– De l'argent.

– Combien ?

– Soixante-quinze mille. Ils estiment que c'est ce que leur coûtera la défense et offrent donc la même somme pour tout régler définitivement.

Un peu de rouge lui monte aux joues et elle serre les mâchoires.

– Ces salauds-là croient pouvoir nous acheter maintenant, hein ?

– Oui, c'est ce qu'ils croient.

– Donny Ray n'a pas besoin d'argent. Il avait besoin d'une greffe de moelle l'année dernière. Aujourd'hui, c'est trop tard.

– Je suis d'accord.

Elle prend son paquet de cigarettes sur la table et en allume une. Ses yeux sont rouges et humides. Je me trompais il y a un instant. Cette mère n'a pas baissé les bras. Elle a soif de vengeance.

– Qu'est-ce qu'ils veulent qu'on fasse de leurs soixante-quinze mille dollars ? Donny Ray sera mort, il n'y aura plus que lui et moi, fait-elle avec un geste dépité vers la Fairlane.

– Les fils de pute ! reprend-elle après une pause.

– Je suis d'accord.

– J'imagine que vous avez accepté ?

– Bien sûr que non. Je ne peux pas accepter une transaction sans votre aval. Nous avons jusqu'à demain matin pour prendre une décision.

Si, par malheur, la demande d'irrecevabilité devait être approuvée par le juge, nous aurions le droit de faire appel. Ça pourrait traîner encore pendant un an ou plus, mais nous aurions une chance d'avoir gain de cause. Il n'y a pas le feu. Je préfère en discuter plus tard.

Nous restons tous les deux sans mot dire pendant un bon moment, chacun absorbé dans ses pensées. J'essaie de mettre un peu d'ordre dans mes idées. Dieu sait ce qui lui passe à travers la tête. Pauvre femme.

Elle écrase sa cigarette dans le cendrier et dit :

– Nous ferions bien d'en parler avec Donny Ray.

Je la suis jusqu'à la porte de sa chambre qui est fermée. Un panneau DÉFENSE DE FUMER y est accroché. Elle toque doucement et nous entrons. La chambre est propre, bien rangée et une odeur d'antiseptique flotte à l'intérieur. Un ventilateur tourne sur la commode. La fenêtre est entrouverte, les volets tirés. Il y a une télévision au bout du lit et la petite table de chevet est couverte de boîtes de médicaments.

Donny Ray est étendu sur le dos, raide comme une planche, un drap remonté sur son corps chétif. Il m'adresse un large sourire dès qu'il me voit et tape sur le lit pour m'indiquer de venir m'asseoir à côté de lui. Dot m'imite de l'autre côté.

Il m'assure que tout va bien, qu'il se sent en meilleure forme aujourd'hui, en luttant pour garder son sourire. Juste un peu fatigué, c'est tout. Sa voix est sourde, alanguie, ses mots sont parfois à peine audibles. Il m'écoute attentivement raconter l'audience d'hier et expliquer l'offre de règlement amiable. Dot lui tient la main droite.

– Est-ce que vous croyez qu'on peut faire monter les enchères ? demande-t-il.

C'est une question dont nous avons débattu, Deck et moi, en déjeunant hier. Great Benefit est passée d'un seul coup de zéro à soixante-quinze mille, ce qui n'est pas rien. Nous estimons tous les deux qu'ils sont capables de monter jusqu'à cent mille. Mais je n'oserais faire preuve d'un tel optimisme vis-à-vis de mes clients.

– J'en doute. Mais on peut essayer, quitte à essuyer un refus, ce qui ne serait pas dramatique.

– Vous prendrez combien ? demande-t-il, et je lui explique la règle du tiers stipulée dans le contrat qu'ils ont signé.

Il regarde sa mère et dit :

– Ça fait cinquante mille pour toi et p'pa.

– Que veux-tu que nous fassions de cinquante mille dollars ? répond-elle.

– Vous pourriez finir de payer la maison, acheter une nouvelle voiture, économiser pour vos vieux jours.

– Je ne veux pas de leur sale fric.

Donny Ray ferme les yeux et somnole quelques instants. Je contemple les flacons de pilules. Quand il rouvre les yeux, il me prend le bras, qu'il essaie de serrer, et dit :

– Et vous, Rudy, vous avez envie d'accepter l'offre ? Il y a une part de la somme qui vous revient, après tout.

– Non, je n'ai pas envie d'accepter, dis-je en les regardant droit dans les yeux l'un après l'autre. Ils n'offriraient pas cet argent s'ils n'étaient pas inquiets. Je veux dénoncer ces gens.

Tout avocat a le devoir de donner à son client les meilleurs conseils, sans considérer son intérêt personnel. Il ne fait aucun doute que je pourrais entraîner les Black à accepter l'offre. Je pourrais facilement les convaincre que le juge Hale s'apprête à passer notre affaire à la trappe et qu'il faut sauter sur l'occasion. Je pourrais esquisser un scénario catastrophe. Ces gens qu'on a tellement roulés me croiraient sur parole.

Oui, ce serait facile. Et je partirais avec vingt-cinq mille dollars d'honoraires en poche, ce qui, pour le moment, dépasse tout ce que je peux imaginer. Mais j'ai triomphé de cette tentation ce matin en retournant la question au fond de mon hamac. Je suis en paix avec moi-même.

Au point où j'en suis, il n'en faudrait pas beaucoup plus pour me pousser à quitter le métier de peur de vendre mes clients.

Je laisse Dot dans la chambre de son fils et quitte les Black en espérant de tout mon cœur que je ne serai pas obligé de revenir demain avec la nouvelle que leur affaire a été classée sans suite.

Il y a au moins quatre hôpitaux dans les parages immédiats de St. Peter. Il y a aussi une école d'infirmières, une école de stomatologie et d'innombrables cabinets de médecins. La communauté médicale de Memphis s'est regroupée dans un périmètre qui n'excède pas une demi-douzaine de rues, entre les avenues de l'Union et Madison. Sur Madison même se trouve un bâtiment de huit étages, juste en face de St. Peter, qui s'appelle résidence Peabody, du nom d'un célèbre philanthrope, et n'abrite que des cabinets de médecins. Ils vont et viennent entre l'hôpital et leur cabinet au moyen d'un tunnel aérien surplombant l'avenue. Parmi eux, un certain Dr Eric Craggdale, chirurgien orthopédique, dont le cabinet est au troisième étage.

J'ai passé une série de coups de fil anonymes à ce cabinet hier, et obtenu le renseignement que je cherchais. De l'immense hall de St. Peter, au premier étage, je surveille le parking de la résidence Peabody. À onze heures moins vingt, j'aperçois une Coccinelle Volkswagen débouchant de l'avenue Madison, qui vient se garer sur le parking surchargé. Kelly en sort.

Elle est seule, comme je l'espérais. J'ai appelé chez l'employeur de son mari il y a une heure en demandant à parler à Cliff et j'ai raccroché dès qu'il a répondu. Je distingue à peine le haut de sa tête tandis qu'elle s'extirpe péniblement du véhicule. Elle marche avec des béquilles entre les rangées de voitures et pénètre dans le bâtiment.

Je prends l'escalier mécanique, monte un étage et traverse l'avenue Madison par le tunnel vitré. Je suis anxieux, mais je ne me presse pas.

La salle d'attente est à moitié pleine. Elle est assise, dos au mur, en train de feuilleter un magazine. Je remarque qu'elle a un plâtre plus léger qui lui permet de marcher. La chaise à sa droite est libre. Je m'y assieds avant même qu'elle m'ait reconnu.

Son visage exprime d'abord le trouble, puis s'illumine d'un grand sourire. Elle jette quand même quelques regards inquiets alentour. Personne ne fait attention à nous.

– Continuez à lire votre journal, dis-je à voix basse en m'emparant d'un numéro du *National Geographic*.

Elle lève son *Vogue* devant ses yeux et demande :

– Qu'est-ce que vous faites ici ?

– J'ai mal au dos.

Elle secoue la tête en soupirant et regarde à nouveau autour d'elle. À sa gauche, il y a une dame qui aimerait bien nous observer, mais sa minerve l'en empêche. Ni Kelly ni moi ne connaissons qui que ce soit dans cette salle, alors pourquoi s'inquiéter ?

– C'est qui, votre docteur ? demande-t-elle.
– Craggdale.
– Très drôle.
Kelly Riker était déjà ravissante à l'hôpital, dans sa chemise de nuit, la joue tuméfiée, et sans maquillage. Mais aujourd'hui, je n'arrive pas à détacher mes yeux de son visage. Elle porte une chemise blanche à col boutonné, légèrement empesée, le genre de vêtement unisexe qu'elle pourrait avoir emprunté à un copain de lycée, et un bermuda beige roulé au-dessus des genoux. Ses longs cheveux bruns lui tombent jusqu'au milieu du dos.
– Il est bon ? je demande.
– C'est juste un toubib.
– Vous l'avez déjà vu ?
– Ne recommencez pas, Rudy. Je ne veux pas discuter de ça. J'aimerais que vous partiez.
Sa voix est calme, mais ferme.
– Oui, eh bien, j'ai beaucoup réfléchi à tout ça. J'ai passé énormément de temps à penser à vous et à ce que je devais faire.
Je m'interromps, pendant que passe devant nous un homme en chaise roulante.
– Et alors ? dit-elle.
– Je ne sais toujours pas quoi faire.
– Je crois que vous devriez me laisser.
– Vous ne pensez pas ce que vous dites.
– Si, je le pense.
– Non, je suis sûr que non. Ce que vous attendez de moi, c'est que je reste dans les parages, et que je vous appelle de temps en temps. Comme ça, quelqu'un prendra soin de vous la prochaine fois qu'il vous rompra les os. Voilà ce que vous voulez.
– Il n'y aura pas de prochaine fois.
– Qu'est-ce qui vous fait croire ça ?
– Il a changé. Il essaie d'arrêter de boire. Il a promis de ne plus me frapper.
– Et vous le croyez ?
– Oui.
– Il a déjà fait ce genre de promesse.
– Laissez-moi, je vous en prie. Et ne m'appelez plus, OK ? Ça ne fait qu'aggraver la situation.
– Pourquoi ? Pourquoi est-ce que ça aggrave la situation ?
Elle hésite une seconde, pose le magazine sur ses genoux et me regarde.
– Parce que plus les jours passent, moins je pense à vous.
Ça fait du bien, incontestablement, de savoir qu'elle a pensé à moi. Je plonge la main dans ma poche, j'en retire une carte de visite

avec mon ancienne adresse. J'écris mon téléphone au dos et la lui tends.

– Entendu. Je ne vous appellerai plus. Si vous avez besoin de moi, mon numéro de téléphone est là-dessus. Je voudrais être au courant s'il vous frappe à nouveau.

Elle prend la carte, je dépose un rapide baiser sur sa joue et quitte la salle d'attente.

Au sixième étage du même bâtiment se trouve un grand cabinet regroupant plusieurs cancérologues. Le Dr Walter Kord est le médecin traitant de Donny Ray. À ce stade, il se contente de prescrire quelques antalgiques et autres palliatifs, en attendant la mort de son patient. C'est Kord qui a ordonné la première chimiothérapie et les examens qui ont montré que Ron Black était un donneur parfait pour la greffe de son frère jumeau. Il sera un témoin capital lors du procès, si nous arrivons jusque-là.

Je laisse une lettre de trois pages à sa réceptionniste. Je souhaiterais lui parler, quand il aura le temps, et de préférence sans devoir payer une consultation. En règle générale, les médecins haïssent les avocats, mais Kord et moi sommes du même côté. Je n'ai rien à perdre à essayer d'entamer le dialogue.

C'est avec une certaine anxiété que je poursuis ma route le long de l'avenue Madison, oubliant la circulation et tentant vainement de déchiffrer les numéros effacés au-dessus des porches. Le quartier, de plus en plus déshérité au fur et à mesure qu'on s'éloigne du centre, a été brusquement déserté autrefois, mais il semble aujourd'hui renaître un peu. Les immeubles de deux ou trois étages, à façade de brique percée de baies vitrées, ont été bâtis ensemble et sont collés les uns aux autres, à l'exception de quelques-uns, séparés par d'étroits passages. Beaucoup sont encore obstrués par des planches qui en interdisent l'accès. D'autres ont brûlé il y a des années. Je passe devant deux restaurants, l'un avec une terrasse sur le trottoir sous un auvent, mais sans clients, une teinturerie, un fleuriste.

Le magasin d'antiquités « La Chasse au trésor » fait le coin d'un immeuble à l'aspect relativement salubre. Il y a un store rouge au-dessus de la devanture et le parement de brique a été repeint en gris sombre. Le bâtiment comprend deux niveaux, et je me rends compte en levant les yeux vers le deuxième que je suis arrivé devant mes nouveaux locaux.

Comme je ne trouve aucune autre porte, j'entre chez l'antiquaire. Je repère une cage d'escalier dans le petit vestibule. Une faible lumière s'en échappe.

Deck m'attend en haut des marches, le sourire aux lèvres.

– Alors, c'est pas beau ? s'exclame-t-il avant que j'aie pu voir quoi que ce soit. Quatre pièces, plus les toilettes. Pas mal, hein ?

Il me tape sur l'épaule et s'élance en tournant comme une toupie dans l'appartement, les deux bras écartés.

– Ici, je pense que nous pourrions faire l'accueil, et peut-être installer une secrétaire le moment venu. Il faut juste passer un coup de peinture. Tous les planchers sont en vrai bois, dit-il en tapant des pieds, comme si ça ne se voyait pas. Trois mètres soixante sous plafond, cloisons en placo, faciles à repeindre. (Il me fait signe de le suivre et nous enfilons un étroit couloir.) Voilà, nos bureaux sont ici, de chaque côté. Comme cette pièce-là est plus grande, j'ai pensé qu'elle te revenait.

Je pénètre dans mon nouveau bureau. Je suis agréablement surpris. Cinq mètres sur cinq, environ, avec une fenêtre donnant sur la rue. C'est propre et le vieux parquet est joli.

– Et il y a une troisième pièce là-bas derrière. Je me suis dit qu'on pourrait l'utiliser comme salle de réunion. Je pourrais y bosser aussi. Mais je rangerai toujours derrière moi, promis.

Deck fait tout ce qu'il peut pour me contenter. J'en ai presque de la peine pour lui. Détends-toi, vieux, ils sont parfaits tes bureaux. Bien joué.

– Au fond, les toilettes. Il faudra lessiver et repeindre. Peut-être refaire un peu de plomberie, aussi. (Il revient dans l'entrée.) Alors, qu'est-ce que tu en penses ?

– Super, Deck. C'est très bien. Qui est le propriétaire ?

– Les brocanteurs d'en dessous. Un vieux couple. Au fait, ils ont toutes sortes de trucs qui pourraient nous intéresser. Tables, chaises, lampes, et même des vieux meubles de rangement. C'est bon marché, pas trop moche, ça cadre même assez bien avec le style du cabinet, je trouve. En plus, ils veulent bien qu'on les paye par mensualités, avec le loyer. Ils sont plutôt contents qu'il y ait quelqu'un d'autre dans l'immeuble. Je crois qu'ils ont été cambriolés plusieurs fois.

– Pas très encourageant, ça.

– C'est vrai. Il faudra faire attention. (Il me tend des échantillons de couleur.) Je pense qu'on devrait peindre en blanc cassé. C'est plus facile à appliquer, et ça pèsera moins sur notre budget. Les types du téléphone viennent demain. L'électricité est déjà branchée. Et regarde un peu ici.

Une table carrée se dresse à côté de la fenêtre, avec plusieurs papiers éparpillés dessus, et une petite télé noir et blanc au milieu.

Deck est déjà passé chez l'imprimeur. Il me tend différents échantillons de papier à lettre, avec mon nom en caractères gras en haut, et le sien sur le côté, suivi de la mention : « assistant-avocat ».

– J'ai fait faire ça dans une imprimerie en bas de la rue. C'est très raisonnable. Il leur faut deux jours pour exécuter la commande. À mon avis cinq cents feuilles et autant d'enveloppes, ça serait pas mal. Tu vois quelque chose qui te convient ?

– Je regarderai ça tranquillement ce soir.

– Quand veux-tu que nous attaquions la peinture ?

– Eh bien, peut-être que...

– À mon avis, on doit pouvoir le faire en une journée, si on se contente d'une seule couche, évidemment. J'irai chercher le matériel cet après-midi et j'essaierai de commencer tout de suite après. Tu pourras me donner un coup de main ?

– Bien sûr.

– Il nous reste quelques décisions à prendre. Le fax... Est-ce qu'on en prend un tout de suite, ou est-ce qu'on attend ? Tu te rappelles que les gars du téléphone viennent demain. Et puis la photocopieuse ? Personnellement, je pense qu'on peut s'en passer pour l'instant. On gardera nos originaux, et j'irai faire des doubles chez l'imprimeur chaque soir. Par contre, il nous faudrait un répondeur. Un modèle de bonne qualité coûte environ quatre-vingts dollars. Je peux m'en occuper, si tu veux. On va devoir ouvrir un compte bancaire, aussi. Je connais un directeur d'agence à la First Trust, il dit qu'il peut nous donner trente chèques gratuits par mois et deux pour cent d'intérêts sur nos dépôts. Pas mal, non ? Il faut se dépêcher de commander les chéquiers parce qu'on aura des factures à payer rapidement. Bon Dieu ! j'ai failli oublier ! s'écrie-t-il soudain après avoir consulté sa montre.

Et il se précipite sur la télé qu'il allume.

« ... sieurs inculpations ont été prononcées il y a une heure dans les affaires de corruption des quartiers nord. Une centaine de chefs d'inculpation ont été retenus contre les nommés Bruiser Stone, Bennie " Prince " Thomas, Willie McSwane et autres... »

Le reportage des infos de midi est déjà commencé. La première image que nous voyons est un plan de nos anciens bureaux. En direct. Des agents montent la garde devant la porte d'entrée. Les scellés n'ont pas encore été apposés. Le reporter explique que les employés du cabinet sont libres d'aller et de venir dans les lieux, mais qu'ils ne peuvent rien emporter. On voit ensuite l'entrée du Vixens, un club topless que le FBI a fermé après y avoir perquisitionné.

– Les flics ont déclaré que Bruiser et Prince étaient compromis dans l'exploitation de trois boîtes semblables, m'apprend Deck, ce que le reporter confirme peu après à l'écran.

Viennent ensuite des images d'archives montrant le visage renfrogné de notre ex-patron au détour d'un couloir du palais, lors d'un ancien procès. Des mandats d'arrêt ont été lancés contre MM. Stone et Thomas, mais ceux-ci restent introuvables. Un des responsables de l'enquête est interviewé et, d'après lui, les deux fuyards ont déjà quitté la région. Les recherches se poursuivent activement.

– Cours, Bruiser, cours, mon vieux, dit Deck.

L'histoire fait du bruit parce qu'elle met en cause différents malfrats locaux, un avocat flambeur et noceur, plusieurs policiers de Memphis et le milieu du proxénétisme. Et la cavale des deux principaux protagonistes lui ajoute beaucoup de piment. Prince et Bruiser ont visiblement réussi leur sortie, et la presse a du mal à le digérer. D'autres séquences défilent, montrant l'arrestation de policiers, une autre boîte de strip, avec des danseuses nues filmées au-dessous de la ceinture, et le procureur général annonçant les inculpations aux médias.

Puis il y a un plan qui me crève le cœur. Ils ont fermé le Yogi, mis des chaînes aux poignées de la porte et posté deux agents à l'entrée. L'endroit est présenté comme le quartier général de Prince Thomas, la tête du gang. Les flics du FBI paraissent surpris de ne pas avoir trouvé de grosses sommes d'argent lors de leur descente la nuit dernière.

Le reportage occupe l'essentiel des informations de la mi-journée.

– Je me demande où ils sont, fait Deck pensivement en éteignant le téléviseur.

Nous passons quelques instants à gamberger là-dessus en silence.

– Qu'est-ce qu'il y a là-dedans ? dis-je en désignant un gros classeur au pied de la table.

– Mes dossiers.

– Des choses intéressantes ?

– Ça peut nous permettre de payer les factures pendant deux mois. J'ai quelques accidents de voiture, des pensions d'invalidité, et j'ai aussi un cas de décès que j'ai piqué à Bruiser. En fait, c'est lui qui m'a confié le dossier la semaine dernière en me demandant de vérifier les polices d'assurance qu'il y a dedans. Il est resté dans mon bureau et... j'en ai profité.

Je ne serais pas surpris qu'il y ait dans ce classeur d'autres dossiers subtilisés par Deck dans les tiroirs de Bruiser, mais je n'irai pas vérifier.

– Tu crois que les flics voudront nous voir ? je demande.

– Je me suis posé la question. Nous ne savons rien et nous n'avons rien emporté qui les intéresse. Alors pourquoi s'inquiéter ?

– Je suis quand même un peu inquiet.

– Moi aussi.

25

Je sais que Deck a du mal à contrôler son exaltation, ces jours-ci. Le fait d'avoir son propre cabinet et d'encaisser la moitié des honoraires sans être inscrit au barreau comble un de ses vieux rêves. Il n'y croyait plus. Si je ne le dérange pas, il aura entièrement remis les bureaux à neuf d'ici une semaine. Je n'ai jamais vu une telle énergie. Peut-être est-il un peu trop enthousiaste, mais je lui fiche la paix.

Pourtant, lorsque le téléphone sonne à l'aube pour la deuxième nuit consécutive et que j'entends sa voix dans le récepteur, j'ai du mal à garder mon sang-froid.

– Tu as vu les journaux ? demande-t-il de but en blanc.

– Je dormais, Deck.

– Excuse. Tu ne vas pas y croire. Bruiser et Prince occupent toute la une.

– Est-ce que ça ne pourrait pas attendre une heure ou deux, Deck ? Si tu veux te lever à quatre heures du matin, c'est ton droit, mais ne m'appelle pas avant sept... non, pas avant huit heures.

– Désolé. Mais écoute, il y a mieux.

– Quoi ?

– Devine qui est mort la nuit dernière.

– Mais comment veux-tu que je devine qui est mort ? Aucune idée, dis-le-moi.

– Harvey Hale.

– Harvey Hale !

– Ouais, mon gars. Arrêt cardiaque. On l'a retrouvé flottant le cul à l'air dans sa piscine.

– Le juge Hale ?

– Ouais. Ton vieux copain.

Je m'assieds au bord du lit en essayant de clarifier mes idées.

– C'est à peine croyable.

– Ouais, j'imagine que tu es désespéré. Il y a tout un article sur lui en première page du supplément local, avec une grande photo. Il est très chic dans sa robe d'apparat. Quel crétin !

– Quel âge avait-il ? dis-je, comme si cela avait la moindre importance.

– Soixante-deux. Il siégeait depuis onze ans. Sacré pedigree. Tout est dans le journal. Faut absolument que tu voies ça.

– Ouais, entendu. À plus tard, Deck.

Le journal me paraît un peu plus lourd que d'habitude, ce matin, et je suis sûr que c'est parce qu'il est consacré pour une bonne moitié aux exploits de Bruiser et de Prince. Les révélations succèdent aux révélations.

Je passe les gros titres et, en pages intérieures, je découvre une très ancienne photo de l'honorable Harvey Hale. Tout le monde y va de ses regrets et condoléances, notamment son vieux condisciple et ami Leo F. Drummond.

Les considérations relatives à sa succession sont particulièrement intéressantes. Le gouverneur va désigner un remplaçant qui siégera jusqu'aux prochaines élections. La population du comté est moitié blanche, moitié noire, mais sept seulement des dix-neuf juges du district sont des Noirs, ce qui déplaît à pas mal de gens. L'an passé, un des vieux juges blancs est parti à la retraite et de fortes pressions ont été exercées pour qu'il soit remplacé par un Noir. En vain.

Le principal candidat, fait notable, n'était autre que Tyrone Kipler, le diplômé de Harvard associé dans le cabinet de Booker qui nous a fait un cours de droit constitutionnel quand nous préparions l'examen. Bien que le juge Hale soit mort depuis à peine douze heures, on parle déjà de Kipler comme de son successeur naturel. Le maire de Memphis, qui est noir et ne mâche pas ses mots, a déclaré que lui et d'autres dirigeants feraient tout pour appuyer sa désignation.

Le gouverneur, qui était en déplacement, n'a pas encore eu l'occasion de s'exprimer, mais c'est un démocrate et il compte être réélu l'an prochain. Il fera sûrement le bon choix, cette fois.

À neuf heures pile, je suis au greffe du tribunal, en train de consulter les minutes de l'affaire Black contre Great Benefit. Je pousse bientôt un soupir de soulagement. Hale n'a pas eu le temps de déclarer notre plainte irrecevable. Nous sommes toujours dans la course.

Il y a une couronne mortuaire sur la porte de la salle d'audience. Comme c'est touchant...

J'appelle chez Tinley Britt d'une cabine et demande Leo F. Drummond, qui répond, à mon grand étonnement, au bout de quelques instants. Je lui exprime ma sympathie pour la perte de son ami et lui annonce que mes clients refusent son offre de transaction. Il semble surpris, mais n'a pas grand-chose à ajouter. Le pauvre a suffisamment de soucis.

– À mon avis, vous faites une erreur, Rudy, dit-il d'une voix calme, comme s'il était de mon côté.

– C'est possible, mais c'est la décision de mes clients, pas la mienne.

– Eh bien, tant pis, soupire-t-il. Ce sera la guerre.

En tout cas, il ne propose pas plus d'argent.

Booker et moi nous sommes parlé deux fois au téléphone depuis que nous avons reçu les résultats de l'examen. Comme prévu, il minimise son échec. Un revers mineur, un contretemps. Et comme prévu, il est sincèrement content pour moi.

Quand j'arrive dans le petit restaurant où nous nous sommes donné rendez-vous, il est assis à une table du fond. Nous nous saluons comme si nous ne nous étions pas vus depuis des mois. Nous commandons du thé et des crevettes, sans même regarder le menu. Ses enfants vont bien. Charlene est formidable.

Booker est assez excité, en fait, car il est possible qu'il soit reçu malgré tout. Je n'avais pas compris à quel point il était passé près du but. Sa note globale est d'un point inférieure au minimum requis. Il a fait appel et le jury va réexaminer son cas.

Marvin Shankle a évidemment très mal pris son échec. S'il ne réussit pas la prochaine fois, le cabinet sera obligé de se séparer de lui. Quand il parle de Shankle, Booker a du mal à dissimuler son angoisse.

Je lui demande des nouvelles de Tyrone Kipler. Booker estime que sa nomination est pratiquement acquise. Kipler a parlé au gouverneur ce matin et les choses ont l'air de prendre une excellente tournure. La seule difficulté est d'ordre financier. Comme associé du cabinet Shankle, il gagne entre cent vingt-cinq mille et cent cinquante mille dollars par an. Or le salaire de juge n'est que de quatre-vingt-dix mille dollars. Kipler a une femme et plusieurs enfants, mais Marvin Shankle tient absolument à le voir siéger.

Booker se souvient très bien du cas Black. En vérité, il se souvient surtout de Dot et de Buddy lors de notre premier entretien aux Cyprès. Je le mets au courant des derniers développements de l'affaire. Il rit en apprenant que c'est précisément la huitième chambre, au siège de magistrat vacant, qui est en charge du dossier. Je lui relate l'audience d'il y a trois jours et explique comment l'honorable Harvey Hale et son camarade de Yale, Drummond, ont cherché à m'avoir. Il m'écoute très attentivement quand je lui parle des jumeaux et de la greffe qui n'a pu être effectuée par la faute de Great Benefit.

– Pas de problème, répète-t-il plusieurs fois en souriant. Si Tyrone est nommé, il saura tout de l'affaire Black.

– Tu pourrais lui en parler un peu ?

– Lui en parler un peu ? Je vais lui faire un sermon, tu veux dire. Il ne peut pas supporter Tinley Britt et déteste les compagnies d'assurances, il plaide sans arrêt contre elles. À qui crois-tu qu'elles s'attaquent ? Aux Blancs des classes moyennes ?

– À tout le monde.

– Tu as raison. Je me ferai un plaisir d'en parler à Tyrone. Et il m'écoutera, sois sans crainte.

Les crevettes arrivent et nous y ajoutons du Tabasco, surtout Booker. Je lui parle de mes nouveaux bureaux, mais pas de mon nouvel associé. Il pose de nombreuses questions sur mon ancien employeur. Toute la ville parle de Bruiser et de Prince.

Je lui raconte tout ce que je sais en embellissant certains détails.

26

En ces temps de cours encombrées et de juges débordés, feu l'honorable Harvey Hale a laissé un registre de jugements particulièrement ordonné, et sans le moindre cas laissé en suspens. Il y a quelques bonnes raisons à cela. D'abord il était paresseux et préférait jouer au golf. Ensuite, comme il soutenait des positions ultra-libérales favorables aux grosses entreprises, il avait tendance à annuler systématiquement les plaintes portées contre elles. C'est pourquoi la plupart des avocats défendant des particuliers dans ce type d'affaires l'évitaient.

Car il existe certains moyens pour ne pas comparaître devant tel ou tel juge, des petits trucs connus des vieux routiers du barreau, qui ont su devenir intimes avec les employés du palais. Je ne comprendrai jamais pourquoi Bruiser, qui avait vingt ans de carrière et connaissait toutes les ficelles du métier, m'a laissé déposer la plainte des Black sans me mettre en garde contre le juge Hale. Encore un point que j'aimerais éclaircir avec lui si jamais nous nous revoyons.

Mais Hale n'est plus et la partie redevient équitable. Un dossier réclamant une action urgente va bientôt échoir à Tyrone Kipler.

En réponse à des années de critiques formulées tant par les juristes que par les justiciables, les règles de procédure ont été modifiées récemment afin d'accélérer le déroulement de la justice. Les sanctions contre les dépôts de plainte abusifs ont été alourdies. Le temps imparti aux procédures préliminaires a été limité. Les juges ont davantage de latitude pour simplifier les chicaneries excessives et sont également encouragés à favoriser les transactions. De nombreux articles de loi et réglementations sont entrés en vigueur afin de rationaliser la justice civile.

Parmi toutes ces nouvelles mesures, il en est une connue sous le nom de « procédure accélérée », conçue pour que certaines affaires soient jugées plus rapidement que d'autres. L'expression procédure accélérée est venue aussitôt s'ajouter à notre jargon professionnel. Les parties concernées peuvent demander que leur cas soit examiné selon cette procédure, mais cela arrive rarement. Il n'est pas courant, en effet, que le défenseur ou la défenderesse accepte de précipiter sa comparution devant le tribunal. Le juge a donc le pouvoir d'ordonner cette procédure, en général quand l'objet du litige est clair, les faits nettement définis, les adversaires irréconciliables, et qu'il ne manque plus que le verdict d'un jury.

Comme l'affaire Black contre Great Benefit est ma seule cause digne de ce nom, je compte demander la procédure accélérée. Je m'en ouvre à Booker un matin autour d'un café. Il en parlera à Kipler. La justice en marche.

Le lendemain, Kipler est nommé par le gouverneur. Il me convoque dans l'ancien cabinet de Hale, que l'on est en train de déménager. Livres et objets personnels du défunt s'entassent dans des cartons. Les étagères poussiéreuses sont dégarnies, les rideaux ouverts. Le bureau de Hale a été emporté, et Kipler et moi discutons sur des chaises pliantes.

Kipler a moins de quarante ans, c'est un homme réservé, parlant d'une voix douce, avec des yeux qui ne cillent jamais. Il est fort intelligent. On le dit promis à une brillante carrière de juge fédéral. Je commence par le remercier d'avoir contribué à mon succès à l'examen.

Puis nous parlons de choses et d'autres. Il a quelques mots courtois pour le juge Hale mais s'étonne du peu de consistance de son registre de jugements. Il a déjà revu toutes les affaires en cours et s'apprête à intenter quelques actions rapides.

– Et vous pensez qu'une procédure accélérée serait souhaitable dans l'affaire Black ? demande-t-il en pesant soigneusement ses mots.

– Oui, monsieur. L'objet du litige et les faits sont clairs et nets. Il n'y aura pas beaucoup de témoins.

– Combien de dépositions ?

Je n'en ai programmé aucune.

– Je ne sais pas très bien. Moins de dix.

– Vous risquez d'avoir des problèmes avec les pièces justificatives. Ça arrive constamment avec les compagnies d'assurances. J'en ai poursuivi des quantités et je peux vous dire qu'elles ne vous remettent jamais tous les documents. Nous mettrons pas mal de temps à réunir toutes les pièces auxquelles vous avez droit.

Ce « nous » résonne agréablement à mes oreilles. Mais rien d'anormal à cela. Le métier d'un juge consiste à appliquer la loi. Il est de son devoir d'assister toutes les parties dans leurs efforts pour rassembler le maximum de preuves avant le procès. Je pense quand même que Kipler est un peu de notre côté. Ce n'est pas une injustice, Drummond a bien tenu Hale en laisse pendant de longues années.

– Faites votre demande de procédure accélérée, dit-il en prenant quelques notes. La défense va s'y opposer, naturellement. Il y aura une audience. Je ferai droit à votre demande, à moins que votre adversaire ne me présente des arguments très solides. Je vous donnerai quatre mois pour réunir vos pièces, rédiger les questions, procéder aux auditions des témoins, etc. Ensuite, je fixerai une date pour le procès.

Je prends une grande aspiration. C'est carrément serré, comme délai. L'idée d'affronter Leo F. Drummond face à un jury dans si peu de temps me terrifie.

– Nous serons prêts, dis-je, sans même savoir quelle sera ma prochaine démarche.

J'espère que j'ai l'air un peu plus sûr de moi que je ne le suis.

Nous bavardons encore quelque temps, puis je prends congé. Il me prie de l'appeler si j'ai besoin de renseignements.

Une heure plus tard, je décroche presque mon téléphone. Une volumineuse enveloppe m'attendait quand je suis arrivé au bureau. Elle vient de Tinley Britt. Pleurer son vieil ami n'a aucunement empêché Drummond de s'activer. La machine à requêtes fonctionne à plein régime.

Il a déposé une demande d'arrêt de la procédure pour insolvabilité, petite gifle pour moi et mon client. Comme nous sommes pauvres tous les deux, Drummond fait mine de s'interroger sur notre capacité à payer les frais judiciaires au cas où nous perdrions le procès et serions condamnés aux dépens. Il a aussi rédigé une requête demandant à la cour de nous infliger une sanction à moi et à mon client pour dépôt de plainte injustifiée.

La première demande est purement formelle. La seconde est franchement indécente. Toutes les deux s'appuient sur de longs et fastidieux mémoires justificatifs soigneusement tapés, annotés et indexés.

En les relisant attentivement, je m'aperçois que Drummond a rédigé tout cela pour me prouver quelque chose. Ces deux demandes ont très peu de chances d'être satisfaites. Je crois qu'elles sont uniquement destinées à me montrer l'impressionnante quantité de paperasses que les collaborateurs de Tinley Britt sont capables de produire en un temps record pour des motifs parfaitement futiles. Comme chaque partie est censée répondre aux requêtes de la partie adverse, et puisque je refuse un règlement amiable, Drummond me fait savoir que je suis en passe de succomber sous une avalanche de papiers.

Jusqu'à présent, la sonnerie de notre téléphone n'a pas encore retenti. Deck est parti quelque part, je préfère ne pas savoir où. J'ai tout mon temps pour préparer mes réponses aux requêtes vicieuses de l'ami Drummond. Je suis motivé par les souffrances de mon pauvre client. Donny Ray n'a que moi pour le défendre et il faudra plus que quelques liasses de papier pour me faire reculer.

J'ai pris l'habitude de passer un coup de fil à Donny Ray tous les après-midi, généralement vers cinq heures. Après mon premier appel, il y a quelques semaines, Dot m'a dit que cela comptait beaucoup pour lui et, depuis, je tâche de l'appeler chaque jour. Nous avons des sujets de conversation variés mais nous n'abordons jamais ni sa maladie ni le procès. J'essaie de me rappeler quelque chose de drôle qui me soit arrivé dans la journée et de lui raconter. Ces appels réguliers, je le sais, sont devenus un temps fort dans sa triste existence.

Il a une bonne voix aujourd'hui. Il est sorti de son lit, il est resté longuement assis sous le porche et il aimerait beaucoup aller quelque part une heure ou deux, sortir un peu de la maison et s'éloigner de ses parents.

Je passe le prendre à sept heures. Nous dînons dans un restaurant des environs. Il s'attire quelques regards, mais il s'en moque. Nous parlons de son enfance et il me raconte des souvenirs amusants de l'époque héroïque de Granger, au temps où des bandes de gamins déchaînés écumaient le quartier. Nous rions tous les deux. C'est probablement la première fois que ça lui arrive depuis des mois. Mais la conversation le fatigue. Il touche à peine à son assiette.

Juste avant la nuit, nous entrons dans un parc près du champ de foire. Deux parties de base-ball se disputent sur des terrains adjacents. J'observe attentivement les joueurs en pénétrant au ralenti dans le parking. Je cherche une équipe habillée en jaune.

Nous nous installons sur une pelouse, au pied d'un arbre. Il n'y a personne près de nous. J'ai sorti deux chaises pliantes de mon coffre, venues du garage de Miss Birdie, et j'aide Donny Ray à s'installer sur l'une d'elles. Il est capable de marcher tout seul, il essaie d'être le plus autonome possible.

L'été touche à sa fin, mais la nuit est chaude. L'humidité est presque palpable et ma chemise me colle au dos. Un petit drapeau rouge déchiré pend, immobile, en haut du piquet qui se dresse au centre du terrain. La pelouse est bien entretenue, avec un pourtour de gazon épais fraîchement tondu et un carré central bien ras. Il s'agit d'un match âprement disputé entre deux équipes de première division. Les joueurs sont bons. En tout cas, ils sont persuadés de l'être.

Les PFX Freight, en maillot jaune, affrontent les Army Surplus, en vert, au surnom de « Gunners » inscrit dans le dos. Et ils en veulent. Les joueurs se bousculent, s'encouragent mutuellement en criant, j'en vois même un se jeter sur son adversaire. Ils plongent tête la première, se disputent avec les arbitres, lancent leur batte en l'air quand ils manquent leur coup.

J'ai joué au base-ball au lycée, mais ce sport ne m'a jamais emballé. L'unique objectif consiste à frapper la balle et à l'envoyer au-delà de la limite. La plupart des joueurs que je vois ici n'ont pas plus de vingt ans. Ils sont en bonne forme physique, très sûrs d'eux et très frimeurs. Gants, poignets de force, noir de fumée sur les joues et autres accessoires... ils sont plus équipés que des pros ! Tous ces garçons attendent d'être découverts par un sélectionneur national. Ils y croient encore.

Quelques-uns sont plus âgés. On les reconnaît à leur ventre proéminent et à leur foulée moins rapide. Ils s'essoufflent à sprinter entre les bases et à rattraper les balles au vol, sans crainte du ridicule. Mais ils sont encore plus enragés que les jeunes, ils ont quelque chose à prouver.

Donny Ray et moi parlons peu. Je lui achète du pop-corn et un soda à la buvette.

Je m'intéresse tout particulièrement au troisième batteur des PFX, un joueur musclé et rapide, toujours en train de chambrer l'équipe adverse. Entre deux tours de batte, il va dire un mot à sa petite amie. Kelly sourit – d'où je suis, je vois ses dents et ses fossettes –, et Cliff s'esclaffe. Il dépose un rapide baiser sur ses lèvres, puis court rejoindre son équipe.

Un gentil couple de tourtereaux. Cliff adore la bécoter devant ses coéquipiers. Ils s'aiment à la folie.

Elle se penche au bord de l'enceinte, ses béquilles à côté d'elle. Elle est seule au pied des tribunes, à l'écart des autres supporters. Elle ne peut pas me voir, je suis assis à l'autre bout du terrain. Je porte quand même une casquette au cas où.

Je me demande ce qu'elle ferait si elle me reconnaissait. Rien, sans doute. Elle m'ignorerait.

Je devrais être content de la voir apparemment heureuse, en meilleure santé et réconciliée avec son mari. Les coups semblent avoir cessé, et je m'en réjouis. La vision de son mari en train de la frapper avec sa batte me rend malade. Pourtant, cruelle ironie, je sais que Kelly ne sera à moi que si ça recommence.

Je me méprise pour y avoir seulement pensé.

Cliff saisit sa redoutable batte pour le troisième lancer. Il expédie la balle à une hauteur phénoménale, largement au-dessus des pylônes. C'est un superbe coup. Il fanfaronne autour des bases et hurle je ne sais quoi à Kelly en s'arrêtant à la troisième. C'est un athlète impressionnant, il domine nettement les autres joueurs.

Je n'ose imaginer ma terreur s'il s'avisait de me frapper à coups de batte.

Peut-être a-t-il réellement arrêté de boire. Il est possible qu'il ne lui tape pas dessus quand il est sobre. J'ai peut-être tort de m'en mêler.

Au bout d'une heure, Donny Ray donne de sérieux signes de fatigue. Il veut rentrer se coucher. En le reconduisant, je lui parle de sa déposition. J'ai rédigé aujourd'hui une requête demandant à la cour de m'autoriser à enregistrer d'urgence son témoignage qui sera capital lors du procès. D'ici peu, en effet, mon client sera trop affaibli pour supporter deux heures de questions-réponses en face d'une équipe de juristes. Le temps presse.

– Il faudrait que ça se passe le plus vite possible, me dit-il d'une voix éteinte quand nous arrivons devant chez lui.

27

La scène pourrait me faire rire si je n'étais pas si nerveux. Je suis sûr en tout cas qu'elle amuserait un observateur impartial, mais personne ne sourit dans ce tribunal, surtout pas moi.

Je suis seul à la table des plaignants, mes requêtes et celles de la partie adverse bien empilées devant moi. Mes notes sont consignées dans deux calepins stratégiquement disposés à portée de main. Deck est assis derrière, non pas à la table où il pourrait être utile, hélas, mais sur une chaise à cinq ou six mètres de moi. J'ai l'impression d'être tout seul.

De l'autre côté de l'allée centrale, la table de nos adversaires présente un lourd bataillon de défenseurs. Leo F. Drummond est assis au milieu, bien entendu, en face du tribunal, entouré de ses collaborateurs. Drummond a la soixantaine et trente-six ans d'expérience du prétoire. T. Pierce Morehouse a trente-neuf ans, diplômé de Yale, associé chez Tinley Britt, quatorze ans d'expérience. B. Dewey Clay Hill troisième du nom a trente et un ans, diplômé de l'université de Columbia, pas encore associé, six ans d'expérience. M. Alec Plunk junior a vingt-huit ans, deux ans d'expérience, et s'il fait aujourd'hui sa première incursion dans les rangs de la défense, c'est sans nul doute parce qu'il sort de Harvard. L'honorable Tyrone Kipler qui préside l'audience est également un ancien de Harvard. Kipler est noir et Plunk aussi. Les avocats noirs diplômés de Harvard ne courent pas les rues à Memphis. Il se trouve que Tinley Britt en compte un parmi ses troupes et, s'il est ici, c'est évidemment pour établir un lien avec Son Honneur. D'autre part, si tout se passe bien, nous serons un jour confrontés à des jurés. La moitié des électeurs du comté sont noirs et on peut donc raisonnablement escompter qu'il y aura autant de Noirs que de Blancs dans le jury. La présence de M. Alec Plunk junior servira, espère-t-on, à développer une connivence tacite entre lui et certains jurés.

S'il y avait une femme cambodgienne dans le jury, je pense que Tinley Britt n'hésiterait pas à embaucher une stagiaire cambodgienne pour l'amener au tribunal.

Le cinquième défenseur de Great Benefit est Brandon Fuller Grone, dont l'identité, inexplicablement, ne comporte ni initiales ni quantième du nom. Je n'arrive pas à comprendre pourquoi il ne se présente pas sous le nom de B. Fuller Grone I, II ou III, comme tout avocat qui se respecte dans un cabinet prestigieux. Il a vingt-sept ans, et il est sorti de la fac de Memphis il y a deux ans, premier de sa promotion. C'était une légende vivante quand je suis arrivé là-bas, et je me suis servi du plan de sa copie d'examen pour bachoter.

Sans tenir compte des deux années passées par Alec Plunk junior comme clerc au cabinet d'un juge fédéral, la défense totalise cinquante-huit ans d'expérience à la barre des tribunaux civils.

J'ai reçu ma carte professionnelle il y a moins d'un mois et mon unique collaborateur s'est fait coller six fois de suite à l'examen du barreau.

J'ai fait tous ces calculs tard hier soir en effectuant des recherches à la bibliothèque de la fac de Memphis. Je ne peux décidément pas m'en arracher. Le cabinet juridique Rudy Baylor possède en tout et pour tout dix-sept volumes de droit, tous rescapés de la fac et quasiment tous inutiles.

Derrière les avocats sont assis deux messieurs au visage grave qui doivent être cadres supérieurs chez Great Benefit. J'en connais un. Il était déjà là lors de la première audience. Je n'accorde pas plus d'attention que la dernière fois à ces types qui m'inquiètent assez peu. J'ai d'autres chats à fouetter.

Je n'en mène pas large, mais, si c'était Harvey Hale qui siégeait, je ramperais sous terre. En fait, je ne serais probablement pas ici.

Quoi qu'il en soit, c'est l'honorable Tyrone Kipler qui préside aux débats. Hier, au cours d'un des nombreux échanges téléphoniques que nous avons eus récemment, il m'a appris qu'il vivrait aujourd'hui son baptême du feu en tant que magistrat. Il a déjà signé des ordonnances et accompli quelque routine administrative, mais c'est la première fois qu'il siège pour arbitrer un différend.

Le lendemain de la prestation de serment de Kipler, Drummond a déposé une requête demandant que l'affaire soit portée devant la cour fédérale. Il soutient que Bobby Ott, le courtier qui a vendu la police aux Black, ne peut pas faire l'objet de poursuites, ici à Memphis. D'après nous, Ott réside dans l'État du Tennessee. Il est défendeur dans cette affaire. Les Black, qui résident aussi dans le Tennessee, sont les plaignants. Pour que la juridiction fédérale s'applique, il faut que les personnes physiques représentant les deux parties soient des ressortissants d'États différents, ce qui n'est pas le cas, selon nous. Pour cette raison, nous considérons la demande de Drummond comme irrecevable.

Tant que Harvey Hale siégeait, ce tribunal était compétent pour juger notre affaire. Mais, Kipler lui ayant succédé, la vérité et l'équité deviennent du ressort de la cour fédérale. C'est un peu gros. Kipler a pris cette manœuve comme une offense personnelle et je le comprends.

Nous sommes ici les uns et les autres pour défendre nos requêtes respectives. En plus de celle dont il vient d'être question, Drummond a déjà fait sa demande d'arrêt de la procédure pour insolvabilité et sa demande de sanction pour dépôt de plainte injustifié. Estimant cette dernière particulièrement gonflée, j'ai répondu en demandant à mon tour qu'il soit sanctionné pour allégations abusives. Ce tir croisé de requêtes établit un front secondaire dans la plupart des litiges et, selon Deck, mieux vaut ne pas être le premier à ouvrir les hostilités. Je me méfie un peu des conseils de Deck en la matière. Il reconnaît lui-même ses limites. Comme il a coutume de le dire : « N'importe qui peut cuisiner une truite. Le véritable artiste, c'est celui qui la pêche. »

Drummond vient se placer sur la petite estrade centrale. Nous procédons par ordre chronologique et il va donc commencer par la question de l'insolvabilité qui en elle-même ne requiert que fort peu d'explications. Il estime que les frais de justice peuvent s'élever à mille dollars si le procès a lieu et, en toute bonne foi, n'est-ce pas, il se demande si moi et mes clients serions capables d'assumer de tels frais au cas où nous serions condamnés aux dépens.

– Permettez-moi de vous interrompre un instant, monsieur Drummond, intervient Kipler d'une voix tempérée. J'ai sous les yeux votre requête, ainsi que le mémoire justificatif qui lui est annexé. (Il les prend sur son bureau et les brandit devant l'avocat.) Je vous écoute depuis près de cinq minutes et vous n'avez fait que répéter mot pour mot ce qui est écrit là-dessus noir sur blanc. Avez-vous quelque chose à ajouter ?

– Eh bien, Votre Honneur, en tant que défenseur, je suis habilité à...

– Oui ou non, monsieur Drummond ? Je suis parfaitement capable de vous lire et de vous comprendre. Vous écrivez fort bien d'ailleurs, il faut en convenir. Mais si vous n'avez rien à ajouter, pourquoi sommes-nous ici, je vous le demande ?

Je suis sûr que Drummond ne s'est jamais fait rembarrer comme ça, pourtant il fait comme si de rien n'était.

– J'essaie juste de faciliter la réflexion de la cour, Votre Honneur, répond-il avec un sourire.

– Votre requête est rejetée. Veuillez passer à la suivante.

Drummond enchaîne sans coup férir.

– Très bien. La requête suivante est une demande de sanction contre notre adversaire. Nous alléguons...

– Requête rejetée, dit Kipler.

– Pardon ?

– Je dis que votre requête est rejetée.

Derrière moi, Deck pousse un petit gloussement. À la table de la défense, les quatre avocats se penchent simultanément sur leur bloc-notes, sans doute pour y inscrire en grosses lettres le mot REJETÉE.

– Les deux parties ont introduit des demandes de sanction et je les rejette toutes les deux, dit Kipler en regardant Drummond droit dans les yeux.

Interrompre un avocat qui parle pour trois cent cinquante dollars l'heure, ce n'est pas rien... Drummond envoie un regard noir à Kipler et le juge a l'air d'apprécier la situation.

Mais Drummond est un pro et un dur à cuire. Jamais il ne laisserait voir que le magistrat d'un si petit tribunal l'exaspère.

– Très bien. Je poursuis donc avec notre demande de renvoi.

– Parfait, allons-y, dit Kipler. Tout d'abord, voudriez-vous m'expliquer pourquoi vous n'avez pas introduit cette requête lorsque le juge Hale était en fonction ?

Drummond s'attendait à cette question. Il a préparé son coup.

– Eh bien, Votre Honneur, l'affaire venait de nous être soumise et nous étions encore en train d'effectuer des recherches pour savoir dans quelle mesure M. Bobby Ott était impliqué. Maintenant que nous avons eu le temps de faire ce travail, nous considérons que M. Ott a été cité à comparaître uniquement pour que cette affaire échappe à la juridiction fédérale.

– Si je comprends bien, vous avez toujours souhaité que ce soit la cour fédérale qui statue dans cette affaire ?

– Oui, monsieur.

– Même du temps de Harvey Hale ?

– C'est exact, Votre Honneur, répond Drummond avec conviction.

L'expression de Kipler montre clairement qu'il n'en croit pas un mot, pas plus d'ailleurs que quiconque dans le prétoire. C'est un détail mineur, mais l'important est que Kipler l'ait mis en évidence.

Imperturbable, Drummond poursuit laborieusement son argumentation. Il a affronté des centaines de juges dans sa carrière et ceux-ci ne lui font absolument pas peur. Moi, il me faudra encore des années et d'innombrables procès devant d'innombrables tribunaux pour que ces hommes drapés dans leur robe noire cessent de m'intimider.

Drummond s'exprime pendant une dizaine de minutes et il va enfin en arriver au point précis illustré dans son mémoire lorsque Kipler l'interrompt à nouveau.

– Monsieur Drummond, pardonnez-moi, mais vous souvenez-vous que je vous ai demandé il y a quelques minutes si vous aviez quelque chose de nouveau à présenter à la cour ce matin?

Drummond se fige, mains écartées et bouche ouverte, fusillant le juge du regard.

– Vous vous rappelez? insiste Kipler. Je vous ai fait cette remarque il y a moins d'un quart d'heure.

– Je pensais que nous étions ici pour expliciter nos requêtes, répond Drummond d'un air pincé.

Il tient le coup, mais sa voix a légèrement flanché.

– Ah, mais tout à fait! Si vous avez quoi que ce soit de nouveau à ajouter ou bien peut-être quelque point obscur à éclaircir, je serai ravi de vous entendre. Mais jusqu'à présent, vous n'avez fait que ressasser tous les arguments que vous avez consignés par écrit et que j'ai sous les yeux.

Un coup d'œil sur la gauche me permet d'entrevoir une série de mines déconfites. Leur champion est malmené et ce n'est pas beau à voir.

Une chose me frappe soudainement, c'est que tous ces types en face de moi prennent cette affaire terriblement au sérieux, ce qui me semble inhabituel. J'ai fréquenté pas mal d'avocats au cours de mon stage l'été dernier et toutes leurs affaires se ressemblaient plus ou moins et se succédaient sans histoire. Ils travaillaient dur, facturaient leurs services le plus cher possible et acceptaient les verdicts sans sourciller, sachant que des dizaines d'autres affaires les attendaient derrière.

Mais ici, je sens un vent de panique parcourir les rangs de la défense. Ce n'est certainement pas moi qui leur fais cet effet. Dans ce genre de procès, il est courant que la partie poursuivie désigne deux défenseurs. Ils fonctionnent toujours en duo. Quels que soient le litige, les faits et les aléas de la procédure, on sait d'avance qu'il y aura deux avocats qui plaideront à tour de rôle.

Mais cinq? Ça paraît disproportionné. Il y a quelque chose d'anormal là-dessous. Ces types sont terrifiés.

– Votre demande de renvoi est rejetée, monsieur Drummond. C'est ce tribunal et nul autre qui statuera, dit Kipler avec autorité.

Cette décision est très mal prise par mes adversaires, mais ils s'efforcent de n'en rien laisser paraître.

– Autre chose? demande Kipler.

– Non, Votre Honneur.

Drummond rassemble ses papiers et descend de la tribune. Je

le suis du coin de l'œil. En arrivant à la table de la défense, il croise un instant les regards sévères des deux cadres de Great Benefit, et je surprends une lueur d'effroi dans le sien. Moi-même, j'en ai la chair de poule.

Kipler embraye aussitôt.

– À présent, les plaignants souhaitent introduire deux requêtes. La première est une demande de procédure accélérée. La deuxième suggère qu'il soit procédé d'urgence à la déposition de Donny Ray Black. Les deux étant liées, en quelque sorte, que diriez-vous de les traiter ensemble, monsieur Baylor ?

Je suis déjà debout.

– Bien sûr, Votre Honneur.

Comme si j'allais m'y opposer...

– Pourriez-vous nous résumer ça en dix minutes ?

Compte tenu du carnage auquel je viens d'assister, j'opte instantanément pour une autre tactique.

– Eh bien, Votre Honneur, les textes de mes requêtes parlent d'eux-mêmes. Je ne vois vraiment pas ce que je pourrais ajouter.

Kipler me gratifie d'un large sourire, l'air de dire : qu'il est intelligent, ce jeune homme ! et se tourne sans plus tarder vers la défense.

– Monsieur Drummond, vous vous opposez à la procédure accélérée. Quel est le problème ?

Branle-bas de combat du côté de la défense. Les avocats se concertent à voix basse et, finalement, c'est T. Pierce Morehouse qui se lève en tripotant son nœud de cravate.

– Votre Honneur, permettez-moi de m'exprimer au nom de notre client pour vous dire que cette affaire, si elle doit se conclure par un débat public, demandera un assez long temps de préparation. À notre avis, la procédure accélérée ne peut que gêner inutilement l'action des deux parties.

Morehouse parle avec circonspection, en pesant soigneusement ses mots.

– Absurde, lance Kipler en le regardant durement.

– Pardon ?

– Je dis que c'est absurde. Permettez-moi de vous poser une question, monsieur Morehouse. En tant que défenseur, avez-vous déjà accepté une procédure accélérée dans une affaire quelconque ?

L'avocat encaisse le coup et se balance d'un pied sur l'autre.

– Mais, je, heu... oui, bien sûr, Votre Honneur.

– Soit. Veuillez m'indiquer les références de l'affaire en question, ainsi que le tribunal concerné.

T. Pierce consulte désespérément du regard son confrère B. Dewey Clay Hill troisième du nom, lequel, à son tour, regarde

M. Alec Plunk junior avec consternation. Drummond, quant à lui, refuse de lever les yeux, préférant s'absorber dans l'examen de quelque pièce d'une importance capitale.

– Désolé, Votre Honneur, mais il faudra que je vous recontacte pour vous donner ces précisions.

– Veuillez m'appeler cet après-midi avant quinze heures. À défaut, c'est moi qui vous appellerai. Je suis très curieux d'en savoir plus sur cette mystérieuse affaire.

Les épaules de T. Pierce s'affaissent tandis qu'il exhale un long et douloureux soupir, comme frappé d'un direct à l'estomac. J'entends déjà vrombir les ordinateurs cherchant vainement dans les archives de Tinley Britt un cas de procédure accélérée agréé par la défense.

– Bien, Votre Honneur, acquiesce-t-il d'une petite voix.

– La procédure accélérée, comme vous le savez, est à mon entière discrétion. Je fais droit à la requête du demandeur. La réponse de la défense devra me parvenir sous huitaine. La procédure accélérée prendra alors effet pour une durée de cent vingt jours à dater d'aujourd'hui.

Tout le monde s'agite dans l'équipe de Great Benefit. Des papiers circulent de main en main. Drummond et ses collaborateurs échangent des chuchotements en fronçant les sourcils. Les cadres de la compagnie se concertent en petit comité. C'en est presque risible.

T. Pierce Morehouse fait mine de se rasseoir mais reste quelques centimètres au-dessus de sa chaise, prêt à se relever pour la requête suivante.

– La dernière requête, reprend Son Honneur en fixant les rangs de la défense, sollicite la déposition d'urgence de Donny Ray Black. En toute bonne foi, messieurs, je ne vois pas comment vous pourriez vous y opposer. Lequel d'entre vous souhaite-t-il répondre ?

En complément de ma requête, j'ai annexé une déclaration sur l'honneur signée du Dr Kord dans laquelle il affirme sans détour que Donny Ray Black n'en a plus pour longtemps à vivre. La réponse écrite de Drummond consiste en un savant méli-mélo, duquel il ressort en substance qu'il est beaucoup trop occupé pour qu'on l'embête avec ça.

T. Pierce se redresse lentement, ouvre les bras et il n'a pas encore dit un mot que Kipler passe à l'attaque.

– Ne me dites pas que vous connaissez mieux son état de santé que son propre médecin.

– Non, monsieur.

– Et ne me dites pas que vous et vos confrères vous opposez sérieusement à cette requête.

Son Honneur ne faisant pas mystère de ses intentions, T. Pierce se fait plus conciliant.

– C'est juste une question d'emploi du temps, Votre Honneur. Nous n'avons même pas eu le temps de déposer notre réponse écrite.

– Je sais parfaitement ce que vous allez répondre. Je ne m'attends pas à une surprise. Et vous avez eu tout le temps de rédiger et de déposer le reste. Maintenant, veuillez nous donner une date. (Il se tourne soudain vers moi.) Monsieur Baylor ?

– N'importe quand, Votre Honneur, dis-je, tout sourire. N'importe quand.

Quel avantage de n'avoir qu'une seule affaire en cours !

Les cinq avocats de la défense sortent leur agenda noir et se mettent à le consulter fébrilement à la recherche de l'impossible date.

– Mon emploi du temps est complet, Votre Honneur, déclare Drummond sans se lever.

L'existence d'un grand avocat ne gravite qu'autour d'une seule chose : son emploi du temps. Drummond est tout simplement en train de nous signifier avec arrogance que son programme est surchargé dans l'immédiat et qu'il ne veut pas qu'on lui inflige un rendez-vous supplémentaire.

Ses quatre affidés, sourcils en bataille, opinent du chef en se frottant le menton. Tous, bien entendu, ont aussi un programme archiplein qui ne leur laisse pas la moindre minute.

– Avez-vous une copie de la déclaration du Dr Kord ? demande Kipler.

– Oui, répond Drummond.

– Vous l'avez lue ?

– Oui.

– Est-ce que vous en contestez le bien-fondé ?

– Eh bien, heu...

– Oui ou non, monsieur Drummond ? Est-ce que vous contestez l'exactitude et le bien-fondé de cette déclaration ?

– Non.

– Parfait. Vous reconnaissez donc que cet homme est sur le point de mourir. Est-ce que vous admettez que nous devons enregistrer son témoignage au plus vite afin que les jurés puissent ultérieurement le voir et entendre ce qu'il a à dire ?

– Bien sûr, Votre Honneur. C'est juste que... je vous le répète, mon emploi du temps ne me...

– Que diriez-vous de jeudi prochain ? coupe Kipler, et un silence de mort s'abat sur les rangs de la défense.

– Ça me convient, Votre Honneur, dis-je d'une voix forte, dans l'indifférence générale.

– Dans une semaine, précise Kipler en les observant d'un œil méfiant.

Drummond fouille dans ses papiers et finit par trouver un document qu'il examine.

– J'ai un procès à la cour fédérale qui commence lundi, Votre Honneur. Voici la convocation à l'audience préliminaire, si vous voulez la voir. La durée prévue est de deux semaines.

– Où ?

– Ici, à Memphis.

– Possibilités de règlement amiable ?

– Faibles.

Kipler consulte son propre agenda quelques instants.

– Et si nous disions samedi prochain ?

– Ça me convient, redis-je, à nouveau ignoré de tous.

– Samedi ?

– Oui, le 29.

Drummond regarde T. Pierce, auquel il incombe visiblement de fournir l'excuse suivante. Il se relève lourdement, son carnet de rendez-vous à la main, et dit :

– Je suis navré, Votre Honneur, mais je dois m'absenter de la ville ce week-end.

– Pour quelle raison ?

– Pour un mariage.

– Votre mariage ?

– Non. Celui de ma sœur.

D'un point de vue stratégique, ils ont avantage à différer la déposition jusqu'au décès de Donny Ray Black afin d'empêcher le jury de voir son visage squelettique et d'entendre sa voix de supplicié. Et à cinq, il ne fait pas de doute qu'ils sont capables de fournir suffisamment d'excuses pour ajourner ce témoignage jusqu'à ce que je meure moi-même de vieillesse.

Le juge Kipler le sait.

– La déposition est fixée au samedi 29, annonce-t-il. Désolé si cela ne convient pas à la défense, mais Dieu sait que vous êtes assez nombreux pour représenter votre client. Vous n'êtes pas à un ou deux défenseurs près.

Sur quoi il referme son agenda et, penché, les coudes sur la table, vers les avocats de Great Benefit, demande :

– Avez-vous d'autres points à soulever ?

Le sourire sarcastique qu'il leur adresse alors est certes cruel, mais il n'a rien de mesquin. Il vient de repousser sans vergogne quatre ou cinq de leurs requêtes, à juste titre, me semble-t-il. J'estime qu'il a parfaitement rempli sa fonction. Et je sais qu'il y aura d'autres séances dans ce prétoire, d'autres réunions préliminaires, d'autres audiences, et que j'aurai doit, moi aussi, à mon lot de rebuffades.

Drummond s'est levé et il contemple en haussant les épaules l'étalage de papiers devant lui. Je suis convaincu qu'il a envie de dire quelque chose comme : « Je ne vous remercie pas, monsieur le juge. » Ou bien : « Pourquoi n'accordez-vous pas tout de suite un million de dollars de dommages-intérêts au plaignant, pendant que vous y êtes ? » Mais, comme toujours, il se comporte en professionnel aguerri.

– Non, Votre Honneur, ce sera tout pour le moment, dit-il tranquillement comme si Kipler lui avait été d'un immense secours.

– Monsieur Baylor ? demande le magistrat.

– Non, monsieur, dis-je en souriant.

À chaque jour suffit sa peine. C'était ma première escarmouche juridique et les grosses têtes se sont fait massacrer. Inutile de forcer ma chance. Moi et le vieux Tyrone, là-haut, leur avons botté les fesses.

– Très bien, dit-il, l'audience est levée. Et surtout, monsieur Morehouse, n'oubliez pas de m'appeler pour me donner les références de cette procédure accélérée faite avec votre consentement.

T. Pierce pousse un gémissement plaintif.

28

Après un mois d'activité avec Deck, les résultats sont moyens. Nous avons touché mille deux cents dollars d'honoraires, quatre cents de Jimmy Monk, un voleur à l'étalage traduit devant le tribunal municipal, deux cents pour un cas de divorce tombé dans les mains de Deck par quelque obscure combine, et cinq cents d'un travailleur spolié de ses indemnités de licenciement. Deck avait piqué ce dossier à Bruiser le jour de notre départ. Les cent dollars restants viennent d'un couple de retraités entrés dans mon bureau par mégarde en fouinant chez l'antiquaire. Je leur ai rédigé un projet de testament. Nous avons d'abord bavardé de la pluie et du beau temps puis, de fil en aiguille, ils ont fini par évoquer leur problème d'héritage et je les ai fait patienter, le temps de taper le document. Ils m'ont payé en espèces et j'ai tout de suite reporté ce gain sur le livre de comptes scrupuleusement tenu par Deck. J'ai gagné mes premiers honoraires, sans enfreindre les règles de la déontologie.

Côté dépenses, nous avons déboursé cinq cents dollars de loyer, quatre cents pour le papier à lettres et les cartes de visite, huit cents pour la location des téléphones, première mensualité comprise, trois cents d'acompte pour les bureaux et autres meubles vendus par les propriétaires, deux cents d'inscription au barreau, trois cents pour des petites fournitures annexes, sept cent cinquante pour un fax, quatre cents pour l'installation et le premier mois de location d'un ordinateur bon marché, enfin cinquante dollars pour une petite annonce dans un journal de quartier.

Au total, nous avons dépensé quatre mille deux cent cinquante dollars ; heureusement, ce sont des frais de démarrage non renouvelables. Deck a tout chiffré au centime près. Une fois que nous serons lancés, d'après lui, nos frais généraux ne devraient pas excéder mille neuf cents dollars par mois. Il prétend que ça commence très fort et se déclare optimiste.

Difficile d'être indifférent à son enthousiasme. Toute son existence tourne autour du cabinet. Il vit seul, loin de ses enfants, dans une ville qui n'est pas la sienne. Et il ne doit pas passer beaucoup de temps à faire la fête. La seule tentation qu'il ait mentionnée, ce sont les casinos du Mississippi.

Il arrive d'habitude une heure après moi et reste pratiquement toute la matinée enfermé dans son bureau où il téléphone des heures durant à Dieu sait qui. Je suis certain qu'il poursuit des clients virtuels, qu'il tente d'obtenir des rapports d'accidents ou fait le tour de ses connaissances. Il me demande chaque jour si j'ai des choses à taper à la machine. On s'est vite rendu compte, en effet, qu'il était infiniment plus doué que moi pour ça. Il essaie aussi d'être le premier à décrocher le téléphone, à préparer le café, à donner un coup de balai, ou à changer l'encre de l'imprimante. Deck n'est pas fier et veut seulement que je sois content.

Il ne prépare pas l'examen du barreau. J'ai abordé cette question une seule fois et il a vite changé de sujet.

En fin de matinée, il fait d'habitude des plans pour se rendre dans quelque endroit indéterminé où l'attendent de mystérieuses affaires. Je suppose, bien qu'il ne m'en parle jamais, qu'il va draguer le failli ou le petit délinquant dans les couloirs du palais. Le soir, il fait sa ronde dans les hôpitaux.

Il a suffi de quelques jours pour que nous établissions nos quartiers respectifs à l'intérieur de l'appartement. Deck trouve que je devrais consacrer mes journées à chasser le client, comme lui. Il est désolé de me voir si peu combatif. Il en a assez de mes rappels à l'ordre déontologiques. C'est la loi de la jungle, dans ce métier. On n'a rien sans rien, me répète-t-il. Si tu restes assis dans ton fauteuil, tu crèveras de faim.

D'un autre côté, Deck a besoin de moi puisque je détiens la carte professionnelle indispensable pour exercer. Même si nous partageons l'argent, il sait que notre association n'est pas équilibrée. C'est pour ça qu'il se montre si dynamique et si obligeant. Il sait qu'il ne trouvera jamais un meilleur marché.

Il suffit d'une seule affaire, clame-t-il sans arrêt. C'est le fantasme de chacun dans la profession. Un gros coup, un seul, et on peut partir à la retraite. C'est la raison pour laquelle tant d'avocats se dépensent en racolages sordides, font des pubs en couleurs dans les pages jaunes et dans la presse, sur les bus et le mobilier urbain, du démarchage téléphonique et j'en passe. Il faut juste se pincer le nez pour ne pas sentir la puanteur et ignorer les sarcasmes des confrères établis. L'affaire mirifique, l'affaire du siècle, est peut-être au coin de la rue. Pour nous, Deck veut décrocher le gros lot.

Pendant qu'il arpente le pavé de Memphis, j'essaie de

m'occuper. La communauté urbaine est divisée en cinq petites municipalités, chacune a son tribunal et chaque tribunal a sa liste d'avocats commis d'office. Des jeunes débutants censés défendre les petits délinquants sans le sou. Les magistrats aussi sont de jeunes juristes qui travaillent à mi-temps. La plupart sortent de la fac de Memphis et gagnent moins de cinq cents dollars par mois. Ils consacrent quelques heures par semaine à juger les délits de plus en plus nombreux commis dans les banlieues. Je suis allé rendre visite à ces messieurs et plaider ma cause de défenseur en mal de clients. Les résultats sont mitigés. On m'a désigné pour représenter six indigents inculpés de délits divers allant de la détention de drogue au menu larcin, en passant par les injures à représentant de la force publique. Je touche cent dollars au mieux pour chaque cas. Leurs affaires devraient être réglées d'ici deux mois. Il faut compter quatre heures de travail minimum pour chaque cas, le temps de rencontrer le client, de discuter avec lui pour savoir si nous plaiderons coupable ou non coupable, de négocier avec le ministère public et de faire acte de présence à l'audience. Ça fait donc vingt-cinq dollars l'heure, taxes et frais non déduits. Pas grand-chose, mais c'est mieux que rien et ça m'occupe. Je rencontre des gens, je fais circuler ma carte et je demande à mes jeunes délinquants de dire à leurs amis que Rudy Baylor réglera tous leurs problèmes juridiques. Je frémis à l'idée des galères qu'ils doivent affronter, divorce, surendettement, inculpations multiples et variées. C'est la misère ordinaire des ghettos, pain quotidien du jeune avocat fauché.

Deck veut que nous fassions de la pub dès que nous en aurons les moyens. Selon lui, il faudrait qu'on se fasse connaître comme spécialistes des préjudices corporels. L'idéal serait des annonces sur le câble, tôt le matin de préférence, pour toucher les classes laborieuses au petit déjeuner, avant qu'elles n'aillent risquer leur peau à l'usine, sur les chantiers ou sur la route. Il a un autre filon : une radio rap noire. Ce n'est pas la musique qui l'intéresse, mais le nombre d'auditeurs et le fait qu'il n'y ait, bizarrement, aucun avocat parmi les annonceurs. Avocat rap... quel créneau fantastique!

Que Dieu nous aide!

J'ai pris l'habitude de traîner au greffe. Je papote avec les employés, je tâte le terrain. Les minutes des procédures sont accessibles au public et le fichier est informatisé. J'ai vite appris à m'en servir. J'ai consulté plusieurs anciennes affaires de Leo F. Drummond. La plus récente date d'il y a dix-huit mois, la plus vieille de huit ans. Great Benefit n'est impliquée dans aucune, mais ce sont toutes des affaires où il a défendu des compagnies d'assurances. Chaque fois, ils sont allés jusqu'au procès, qui s'est toujours soldé par un verdict favorable à ses clients.

J'ai passé beaucoup d'heures ces trois dernières semaines à compiler ces archives. En m'appuyant sur des pages de notes et sur les centaines de copies que j'ai faites, j'ai préparé une longue liste de ces questions écrites que l'on envoie à la partie adverse, à charge pour celle-ci d'y répondre, également par écrit et sous serment. Il y a d'innombrables façons de tourner ces questions et je me suis inspiré de la formulation de Drummond pour rédiger mon propre interrogatoire. En m'aidant des mêmes sources, j'ai aussi dressé la liste exhaustive des documents que Great Benefit sera mise en demeure de nous fournir. Dans certains cas, les opposants de Drummond étaient fort bons, dans d'autres, pitoyables. Mais il a toujours fini par avoir gain de cause.

J'examine tout, ses requêtes, ses dépositions, ses plaidoiries, et celles des plaignants. Le soir, je relis ses mémoires au lit. Je mémorise les comptes rendus des audiences préliminaires. J'ai même lu les lettres qu'il a adressées à la cour.

Après un mois de cajoleries et de subtiles allusions, j'ai fini par persuader Deck d'aller faire un saut en voiture à Atlanta. Il a passé quarante-huit heures là-bas, à fourrer son nez un peu partout, culotté comme il sait l'être. Il a dormi deux nuits dans un hôtel borgne, concentré sur la mission que je lui avais confiée.

Il est revenu avec les informations que j'attendais. La fortune de Miss Birdie ne dépasse guère quarante-deux mille dollars. Son second mari a effectivement hérité d'un frère qu'il ne voyait plus depuis des lustres et qui vivait en Floride, mais sa part du gâteau était inférieure à un million de dollars. Avant d'épouser Miss Birdie, Anthony Murdine avait eu deux autres femmes qui lui avaient donné six enfants. Ceux-ci, plus les avocats, plus le fisc, ont dévoré la plus grande partie du magot. Miss Birdie a touché quarante mille dollars. Pour une raison inconnue, elle les a confiés à une grande banque de Géorgie sous forme de fonds de placement. Cinq ans plus tard, cet investissement a produit environ deux mille dollars d'intérêts.

Seules quelques pièces du dossier de succession restent inaccessibles par arrêt du tribunal. En tannant une ou deux personnes bien choisies et en fouinant au greffe, Deck a fini par découvrir le pot aux roses.

– Désolé, soupire-t-il, après m'avoir fait son rapport et remis les copies des jugements.

Je suis déçu, bien entendu, mais ça ne m'étonne pas tellement.

À l'origine, la déposition de Donny Ray devait avoir lieu dans notre nouveau cabinet. Une perspective particulièrement angoissante. Nos locaux ne sont pas misérables, mais leur taille est très modeste et le mobilier plutôt rare. Il n'y a pas de rideaux aux fenêtres et la chasse d'eau de nos minuscules WC a tendance à se déclencher à l'improviste.

Ce n'est pas que j'aie honte de cet endroit dont le petit cachet vieillot me plaît assez. C'est le modeste bureau d'un débutant promis à une ascension irrésistible. Mais il ne peut que susciter la morgue des snobinards de Tinley Britt habitués à un cadre luxueux. Et cette épreuve me déprimait à l'avance. J'y étais résigné, pourtant, et il ne nous restait qu'à trouver suffisamment de chaises pour faire asseoir tout le monde autour de la table de conférence.

Le vendredi, veille de la déposition, Dot m'apprend que Donny Ray est cloué au lit et ne peut quitter la maison. Il s'est beaucoup inquiété à cause de cette déposition et il est très affaibli. S'il ne peut sortir de chez lui, il ne reste pas une infinité de solutions. J'appelle Drummond qui, naturellement, regrette de ne pouvoir accepter de transférer la déposition de mon cabinet à la résidence de mon client. Il dit que c'est la règle, qu'il faut que je la reporte à plus tard et convoque à nouveau tout le monde. Ce qu'il ne dit pas, ce qu'il aimerait par-dessus tout, c'est que ce témoignage soit enregistré après les funérailles de l'intéressé. Je raccroche et appelle le juge Kipler. Quelques minutes plus tard, celui-ci appelle Drummond et après un bref échange, assez vif, j'imagine, il est décidé que la déposition aura lieu demain comme prévu, chez Dot et Buddy Black. Curieusement, Kipler prévoit d'y assister. C'est très inhabituel, mais il a ses raisons. Donny Ray est gravement malade et ce sera peut-être notre seule chance d'entendre son témoignage. Dans ces conditions, le temps est un facteur crucial. Lors des dépositions où se joue une bataille très importante, il n'est pas rare qu'on fasse appel à l'arbitrage d'un magistrat et que ce dernier tranche ou effectue la conciliation par conférence téléphonique. Si le juge ne peut être joint et si le différend persiste, la déposition est annulée et reprogrammée. Kipler craint que Drummond et consorts ne tentent de semer la confusion en nous chicanant pour une vétille et ne saisissent ce prétexte pour partir en claquant la porte.

Mais, si Kipler est présent, la déposition se déroulera sans la moindre anicroche. Il jugera du bien-fondé des objections et obligera Drummond à jouer le jeu sans tricher. Et puis, me dit-il, je n'ai rien d'autre à faire ce jour-là.

Je crois aussi qu'il est un peu inquiet à mon sujet (et il a raison !), sachant que c'est ma première déposition.

Vendredi soir, chez moi, je n'arrive pas à m'endormir. J'essaie d'imaginer à quoi va ressembler une déposition chez les Black. La maison est sombre, humide, et l'éclairage inexistant, ce qui est désastreux car le témoignage de Donny Ray va être filmé en vidéo. Il faut absolument que les jurés puissent lire sur son visage le tragique de sa situation. Il n'y a pratiquement pas de ventilation, or la température ces jours-ci approche les trente-cinq degrés. Enfin, j'ai du mal à imaginer comment cinq ou six avocats, un juge, un greffier, un opérateur vidéo et Donny Ray vont pouvoir s'asseoir ensemble où que ce soit à l'intérieur de cet endroit.

Je finis par m'endormir, mais je fais des cauchemars dans lesquels Dot nous asphyxie dans un énorme nuage de fumée bleue, et Buddy nous balance des bouteilles de gin vides à travers la fenêtre.

J'arrive chez les Black une heure avant le rendez-vous. La maison me paraît encore plus exiguë et étouffante que dans mon souvenir. Donny Ray est assis dans son lit. Son moral est meilleur. Il se dit prêt à endurer l'épreuve qui l'attend. Nous avons déjà parlé pendant des heures de ce qui allait se passer. Il y a une semaine, je lui ai communiqué la liste détaillée de nos questions et de celles que Drummond lui poserait certainement. Il répète qu'il est fin prêt, mais on le sent nerveux. Dot prépare du café et lessive les murs. D'après son fils, elle a passé la nuit à briquer la maison pour la visite de ces messieurs. Buddy traverse le salon pendant que je déplace le canapé. Il a fait une toilette complète pour l'occasion et enfilé une chemise propre dont les pans, pour une fois, demeurent invisibles. Je n'ose imaginer comment Dot a réussi à obtenir cette métamorphose.

Mes clients font tout pour être présentables et je suis fier d'eux.

Deck arrive avec toute une cargaison de matériel. Il a emprunté à un ami un vieux caméscope trois fois plus gros que les modèles actuels mais qui, paraît-il, marche correctement. C'est la première fois qu'il rencontre les Black. Ceux-ci le dévisagent d'un air méfiant, Buddy surtout, préposé à l'époussetage de la table à café. Deck passe en revue le salon, la cuisine, les chambres, et, en revenant, il me glisse à l'oreille qu'il n'y a tout simplement pas assez d'espace. Il dresse un trépied dans le vestibule et renverse une chaise, s'attirant un regard furieux de Buddy.

La maison est encombrée de guéridons, de tables basses et autres meubles des années 60, surchargés de bibelots. La température monte de minute en minute.

Le juge Kipler arrive à son tour, salue les Black et se met à suer à grande eau.

– Allons voir un peu dehors, propose-t-il au bout de quelques minutes.

Il me suit dans le jardinet derrière la maison. Près de la clôture du fond, dans le coin opposé à la Fairlane, se dresse un chêne, probablement planté à l'époque de la construction de la maison, et qui donne beaucoup d'ombre. Deck et moi suivons Kipler sur la pelouse, fraîchement tondue, mais non ratissée. La vieille guimbarde avec sa famille de chats sur le capot attire son attention.

– Pourquoi ne pas se mettre ici ? demande-t-il sous l'arbre.

Derrière la clôture se trouve une haie suffisamment dense pour prévenir la curiosité des voisins. Trois pins de belle taille complètent l'ombrage au sud, et il y a largement assez de lumière.

– Ça me semble très bien, dis-je, bien qu'à mon humble avis, une déposition en plein air soit une première.

– Avons-nous une rallonge ? demande-t-il.

– Oui, j'en ai apporté une de trente mètres, répond Deck, et il file aussitôt la chercher.

L'ensemble du terrain doit faire dans les vingt-cinq mètres sur trente. De là où nous sommes, on aperçoit la Fairlane, avec Tigresse, la maîtresse chatte. Elle siège majestueusement sur le toit et suit nos évolutions, les yeux mi-clos.

– Allons chercher des chaises, dit Kipler en retroussant ses manches, parfaitement maître de la situation.

Pendant que Deck s'escrime à tirer son fil, Dot, le juge et moi transportons quatre chaises de la cuisine au jardin. Buddy a disparu. Dot nous autorise à utiliser ses meubles d'extérieur, puis elle retrouve trois fauteuils en osier tachés et moisis dans le débarras.

Après quelques minutes de cette besogne, Kipler et moi ruisselons de sueur. Et nous avons attiré l'attention. Quelques voisins sont sortis de chez eux et nous observent du trottoir avec une grande curiosité. Un Noir en jean apportant des chaises sous le chêne des Black ? Un étrange petit bonhomme à la tête démesurée en train de se démener avec un câble électrique qu'il a trouvé le moyen d'emmêler autour de ses chevilles ? Qu'est-ce que c'est que ce cirque ?

Deux greffières arrivent un peu avant neuf heures. C'est malheureusement Buddy qui leur ouvre la porte. Dot les rattrape alors qu'elles rebroussaient chemin et les conduit dans le jardin à travers la maison. Heureusement, elles sont en pantalon, et non en jupe. Elles entreprennent tout de suite Deck au sujet du matériel et du branchement électrique.

Drummond se présente à neuf heures pile, accompagné seulement de deux confrères, B. Dewey Clay Hill troisième du nom et Brandon Fuller Grone. Ils sont vêtus comme des jumeaux : blazer bleu marine, chemise blanche en coton, pantalon bien repassé et mocassins. Seules leurs cravates ne sont pas assorties. Drummond, lui, n'en porte pas.

Ils nous trouvent assemblés dehors, Deck, Kipler et moi, rouges et transpirant comme des bœufs. Ils ont l'air d'être stupéfiés par l'environnement. Qu'ils pensent ce qu'ils veulent ! C'est le cadet de mes soucis.

– Seulement trois, aujourd'hui ? dis-je en les accueillant, ce qui ne semble nullement les amuser.

– Vous vous assiérez ici, dit Son Honneur en leur désignant les trois meilleures chaises. Attention aux fils.

Deck a suspendu des câbles dans les branches du chêne et Grone, en particulier, a l'air de craindre l'électrocution.

Dot et moi aidons Donny Ray à s'extraire de son lit et l'escortons à travers la maison jusque dans le jardin. Il est très faible. Il essaie courageusement de marcher tout seul. Comme nous approchons de l'arbre, je surveille l'expression de Drummond qui voit le jeune leucémique pour la première fois. Mais, à part son éternelle moue arrogante, l'avocat ne laisse rien paraître. Je suis démangé par l'envie de lui dire : « Regardez bien, Drummond, voyez ce qu'a fait votre client. » Mais il n'y est pour rien. La décision de refuser la prise en charge a été arrêtée bien avant que Drummond en ait connaissance et par une personne qui reste à identifier chez Great Benefit. Mais il est le seul pour l'instant sur lequel je puisse déverser ma haine.

Nous installons Donny Ray sur un fauteuil à bascule garni d'un coussin. Dot le dorlote et fait en sorte qu'il soit le plus confortable possible. Il respire difficilement et son visage est moite. Il a l'air encore plus mal en point que d'habitude.

Je lui présente poliment les participants. Comme il est trop faible pour distribuer des poignées de main, il se contente de hocher la tête en souriant.

Nous braquons le caméscope directement sur son visage, l'objectif distant d'environ un mètre vingt. Deck s'efforce de régler l'appareil. Une des greffières, titulaire d'une licence d'opératrice vidéo, essaie de l'évincer. On entendra nos voix, mais nous serons hors champ, le jury ne verra qu'un seul visage : celui de Donny Ray.

Kipler nous assigne nos places, moi à la droite du malade, Drummond à sa gauche, lui-même s'assiéra à côté de moi. Chacun prend sa place et avance sa chaise pour s'approcher du témoin. Dot reste debout derrière le caméscope et surveille chaque mouvement de son fils.

Dévorés de curiosité, les voisins se penchent par-dessus la porte du jardin pour suivre la scène, à moins de dix mètres de nous. Quelque part dans la rue, une radio hurle un tube techno, mais ça ne nous gêne pas, du moins pas encore. C'est samedi matin et le bourdonnement des tondeuses et des débroussailleuses résonne dans tout le voisinage.

Donny Ray avale une gorgée d'eau et tente de ne pas se laisser intimider par les quatre avocats et le magistrat. Leurs regards convergent sur lui. Le but de cette déposition est évident : le jury doit l'entendre parce qu'il sera mort quand le procès débutera. Il est censé éveiller la sympathie, la compassion. Il y a encore quelques années, la déposition se serait déroulée autrement. Un greffier aurait enregistré les questions et les réponses, tapé au propre le témoignage, et nous aurions lu celui-ci aux jurés à l'audience. Mais, grâce aux techniques modernes, de nombreux témoignages, surtout ceux de malades condamnés, sont désormais filmés, puis projetés à l'intention des jurés. Celui-ci sera aussi sténographié selon la procédure classique, suivant le vœu de Kipler. Par ce moyen, chaque partie, ainsi que le juge, disposera d'une référence rapide sans avoir à regarder toute la vidéo.

Le coût de cette déposition dépendra de sa durée. Comme les greffiers facturent à la page, Deck m'a bien recommandé d'être concis et direct dans mes questions. Cette déposition est à notre charge, puisque c'est nous qui l'avons demandée. Il estime qu'elle nous coûtera environ quatre cents dollars. On n'est pas plaideur dans les affaires civiles sans mettre la main au portefeuille.

Kipler demande à Donny Ray s'il est prêt, puis il prie une des greffières de lui faire prêter serment. Il jure de dire la vérité. Puisqu'il s'agit de mon témoignage et que je l'interroge pour rassembler des preuves, mes questions devront se conformer aux règles qui président à l'établissement de celles-ci. C'est un interrogatoire fermé, par opposition à l'interrogatoire ouvert dans lequel le témoin peut s'exprimer librement, et son interlocuteur le sonder de toutes les façons possibles. Je suis un peu fébrile, mais très rassuré par la présence de Kipler.

Je demande à Donny Ray de décliner son identité complète, nom, prénom, adresse, date de naissance, plus quelques précisions sur ses parents et sa famille. C'est la routine. Aucune difficulté, ni pour lui ni pour moi. Il répond lentement, en fixant l'objectif, conformément à mes instructions. Il connaît d'avance toutes les questions que je vais lui poser, et la plupart de celles de Drummond. Il tourne le dos au tronc du chêne, un décor plutôt joli. De temps à autre, il s'éponge le front avec un mouchoir, ignorant nos regards.

Il a vraiment l'air d'un mourant, bien que je ne lui aie pas demandé de forcer le trait. Je crains qu'il n'ait plus que quelques jours à vivre.

Devant moi, à moins d'un mètre, Drummond, Grone et Hill, leur calepin posé sur les genoux, notent chaque mot prononcé par le témoin. Je serais curieux de savoir combien ils facturent une déposition le samedi. Dix minutes ne se sont pas écoulées que les blazers sont ôtés et les cravates desserrées.

Au cours d'une longue pause, la porte de la cuisine claque soudainement et Buddy apparaît, trébuchant dans la courette. Il a sa chemise blanche troqué contre un vieux pull rouge troué, et tient à la main un sac en papier ne laissant aucun doute sur son contenu. J'essaie de me concentrer sur mon témoin mais je ne peux m'empêcher de le suivre du coin de l'œil, tandis qu'il traverse le jardin en nous jetant des regards méfiants. Je sais très exactement où il va.

La portière de la Fairlane est ouverte, et il s'installe lourdement derrière le volant, provoquant la fuite précipitée de quelques chats. Le visage de Dot se durcit. Elle me regarde nerveusement. Je secoue discrètement la tête, l'air de dire : « Laissez-le tranquille, il ne fait de mal à personne. » Elle le tuerait.

Donny Ray et moi parlons de ses études, de sa brève expérience professionnelle, du fait qu'il n'a jamais quitté le domicile familial, n'a jamais été inscrit sur aucune liste électorale, n'a jamais été condamné. C'est nettement moins ardu que ce que j'avais imaginé hier soir en me balançant dans mon hamac. Je commence à avoir l'assurance et l'intonation d'un véritable avocat.

Je lui pose ensuite une série de questions soigneusement préparées sur sa maladie et sur le traitement qu'il n'a pu recevoir. Je fais très attention, car il ne doit pas répéter ce que lui a dit son médecin et ne peut pas non plus extrapoler ou énoncer un point de vue médical. Ce serait témoigner sur la foi d'autrui. D'autres témoignages, je l'espère, couvriront cet aspect lors du procès. Les yeux de Drummond s'allument. Il enregistre chaque réponse, l'analyse en vitesse, puis attend la suivante, totalement imperturbable.

La résistance de Donny Ray, tant morale que physique, a ses limites, de même qu'il y a des limites à l'attention et à la sensibilité des jurés. Je termine en moins de vingt minutes. Pas la moindre objection de la partie adverse. Deck m'envoie un clin d'œil. Je suis le meilleur.

Leo F. Drummond se présente à Donny Ray avant d'expliquer qui il représente et combien il regrette d'être ici, pures formalités destinées au jury. Sa voix est doucereuse, un rien condescendante. Il essaie de montrer qu'il est capable d'une grande compassion.

Juste quelques questions, cependant. Donny Ray n'a-t-il vraiment jamais quitté cette maison, ne serait-ce qu'une semaine ou un mois, pour aller vivre ailleurs ? Comme il a plus de dix-huit ans, ils aimeraient bien prouver qu'il est parti au moins une fois de chez ses parents. Ça lui ôterait le droit d'être pris en charge par la police à laquelle ils ont souscrit.

– Non, monsieur, répond poliment Donny Ray d'une petit voix souffreteuse.

Drummond interroge alors Donny Ray sur d'autres assurances

éventuelles. Le témoin a-t-il jamais acheté sa propre police d'assurance-maladie ? N'a-t-il jamais travaillé dans une entreprise disposant d'une mutuelle pour ses employés ? Deux ou trois autres questions du même acabit suscitent chaque fois la même réponse négative.

Drummond a connu des centaines de dépositions semblables et même si le cadre de celle-ci est un peu inattendu, il sait précisément jusqu'où il peut aller. Toute indélicatesse, toute brusquerie à l'encontre du témoin serait très mal perçue par le jury. En fait, c'est l'occasion pour lui de charmer les jurés en se montrant plein de compassion pour le pauvre petit Donny Ray. Il est conscient, du reste, que celui-ci n'a pas beaucoup d'informations utiles à lui donner. Inutile de l'accabler.

Drummond termine dix minutes plus tard. Je n'ai rien à ajouter. La déposition est close, déclare Kipler. Dot se précipite vers son fils pour lui tamponner le visage avec une serviette mouillée. Il me regarde, quêtant mon approbation, et je lève le pouce en souriant. Les avocats de la défense, pressés de s'éclipser, reprennent leur veste et leur attaché-case.

Le juge Kipler commence à rapporter les chaises dans la maison. À chaque passage, il jette un coup d'œil intrigué en direction de la Fairlane. Tigresse trône au milieu du capot, apparemment endormie. En réalité elle est prête à sauter sur les intrus qui se risqueraient à l'approcher. Espérons qu'il n'y aura pas de sang. Dot et moi aidons Donny Ray à regagner sa chambre. Comme nous passons dans l'entrée, j'aperçois Deck, ce brave Deck qui ne rate jamais une occasion de faire du zèle, en train de distribuer ma carte de visite aux voisins par-dessus la barrière.

29

Quand j'arrive chez moi, une femme m'attend dans mon appartement. J'ouvre la porte et elle est là, debout au milieu du salon, en train de lire un de mes magazines. Elle fait un bond en me voyant, laisse tomber le journal et me dévisage, bouche bée.

– Qui êtes-vous ? hurle-t-elle.

Elle n'a pas du tout l'air d'être venue cambrioler.

– J'habite ici. À qui ai-je l'honneur ?

– Oh, Seigneur ! fait-elle, haletant avec beaucoup d'exagération, une main sur le cœur.

– Qu'est-ce que vous fichez ici ? dis-je, fort mécontent.

– Je suis la femme de Delbert.

– Connais pas. Comment êtes-vous entrée ?

– Qui êtes-vous ?

– Rudy Baylor. Je vis ici. C'est un appartement privé.

Elle balaye rapidement la pièce du regard en roulant des yeux, l'air de dire : « Tu parles d'un appartement ! »

– Birdie m'a donné les clefs en me disant que je pouvais visiter.

– Impossible !

– Vous ne me croyez pas ? Tenez, et elle sort une clef de la poche de son short moulant, qu'elle me tend. Je m'appelle Vera et j'arrive de Floride. On vient juste rendre visite à Birdie quelques jours.

Je ferme les yeux, et je me vois en train d'étrangler Miss Birdie.

Et puis, soudain, je me souviens. Delbert est le plus jeune fils de Miss Birdie, celui qu'elle n'a pas vu depuis trois ans, qui ne l'appelle et ne lui écrit jamais. Pas moyen de me souvenir si cette Vera est la femme que Miss Birdie qualifie de traînée, mais ça lui irait fort bien. La cinquantaine, excessivement bronzée, comme les habitués des plages de Floride, elle arbore un rouge à lèvres orange qui luit au milieu de son visage anguleux. La peau de ses bras est flétrie et son short gaine ses jambes de sauterelle desséchée. Elle est chaussée d'abominables sandales de latex jaune.

– Vous n'avez pas le droit d'être ici, dis-je, essayant de me radoucir.

– Remettez-vous, dit-elle en passant près de moi pour gagner la porte, répandant une odeur d'ambre solaire bas de gamme. Birdie veut vous voir.

Et elle sort de chez moi, faisant claquer ses sandales sur les marches de l'escalier.

Miss Birdie est assise sur son canapé, bras croisés, plongée dans la contemplation d'une de ces séries abêtissantes dont elle raffole, indifférente au reste du monde. Vera farfouille dans le frigo. Une autre créature hâlée est assise à la table de la cuisine. C'est un grand type avec des cheveux teints frisottés, des rouflaquettes à la Elvis Presley, des lunettes à monture dorée et des bracelets, également dorés, à chaque poignet. Le maquereau type.

– C'est vous, l'avocat, j'parie, dit-il alors que je referme la porte.

Sur la table devant lui sont étalés différents papiers qu'il est en train d'examiner.

– Je m'appelle Rudy Baylor, dis-je en restant debout, à l'autre bout de la table.

– Moi, c'est Delbert Birdsong. Je suis le cadet de Birdie.

Il doit friser les soixante ans, bien qu'il s'efforce désespérément d'en paraître quarante.

– Enchanté.

– Et moi donc ! Asseyez-vous, dit-il en me montrant une chaise.

– Pour quoi faire ?

J'ai comme l'impression que ces gens viennent de passer plusieurs heures ici à se disputer. J'aperçois Miss Birdie de dos. Impossible de dire si elle nous écoute ou si elle écoute la télé. Le volume est au minimum.

– C'est juste histoire de vous mettre à l'aise, répond Delbert, comme s'il était chez lui.

N'ayant rien trouvé dans le frigo, Vera vient nous rejoindre.

– Il m'a engueulée, se plaint-elle d'un ton larmoyant. Il m'a dit de sortir de chez lui. Grossier personnage !

– Ah, c'est comme ça ? dit l'autre en me regardant.

– Désolé, mais j'habite dans cet appartement et j'aimerais ne plus vous y voir. C'est privé.

Il roule des épaules en s'appuyant contre le dossier de la chaise, un sourcil levé. Voilà un type qui doit avoir l'habitude des rixes dans les bars.

– Ça appartient à ma mère.

– Oui, eh bien, votre mère se trouve être ma propriétaire. Je lui paye un loyer tous les mois.

– Combien ?

– Ça ne vous regarde absolument pas, cher monsieur. Je n'ai pas signé de bail avec vous.

– Ça doit bien valoir dans les quatre, cinq cents dollars par mois, un endroit comme ça.

– C'est votre avis. Vous en avez d'autres à formuler ?

– Ouais. Vous n'êtes qu'un morveux.

– D'accord. C'est tout ? Votre femme vient de me dire que Miss Birdie voulait me voir.

J'ai dit ça suffisamment fort pour qu'elle m'entende, mais Miss Birdie ne bouge pas d'un poil.

Vera prend une chaise et s'assied à côté de Delbert. Ils échangent un regard entendu. Delbert soulève le coin d'une feuille, ajuste ses lunettes, lève les yeux sur moi et dit :

– Vous avez été fourrer votre nez dans le testament de ma mère ?

– C'est une affaire qui ne concerne qu'elle et moi.

Un coup d'œil sur la table me permet de reconnaître la première page d'un testament, le dernier en date, rédigé par mon prédécesseur. C'est extrêmement troublant car Miss Birdie a toujours affirmé qu'elle n'avait jamais parlé de son argent à ses deux fils, Delbert et Randolph. Or ce testament fait état d'une somme de près de vingt millions de dollars. Delbert le sait, désormais. Ces dernières heures, il a dû lire et relire le document. Le paragraphe trois, si j'ai bonne mémoire, lui léguait trois millions.

Plus troublante encore est la question de savoir comment il a pu mettre la main sur ce testament. Miss Birdie n'a pas pu le lui montrer de son plein gré.

– C'est tout de même un monde, dit-il. Et on s'étonne après ça que les gens détestent les avocats. Je viens prendre des nouvelles de maman et qui est-ce que je trouve installé chez elle ? Un sale petit morveux d'avocat. Ça vous ferait plaisir, vous ?

Probablement pas.

– J'habite légalement dans cet appartement, dis-je. C'est un domicile privé, avec une porte fermée à clef. Si jamais je vous y retrouve, j'appelle la police.

Brusquement, je me souviens qu'il y a une copie du testament de Miss Birdie dans un dossier sous mon lit. Je serais surpris qu'ils l'aient trouvé là. Mais je me sens tout à coup très mal à l'aise à l'idée qu'ils aient découvert le pot aux roses à cause d'un indélicatesse de ma part.

Je commence à comprendre son silence obstiné.

Comme j'ignore le contenu des précédents testaments, je ne peux pas savoir si Delbert et Vera sont excités à la perspective de devenir millionnaires, ou bien déçus de ne pas toucher plus. Et pour rien au monde, je ne leur dirais la vérité.

Ma menace d'appeler les flics fait doucement rigoler Delbert.

– Je vous repose la question, dit-il, imitant gauchement Brando dans *Le Parrain*. Avez-vous préparé un nouveau testament pour ma mère ?

– C'est votre mère. Pourquoi ne lui posez-vous pas la question ?

– Elle ne veut pas dire un mot, intervient Vera.

– Parfait. Moi non plus. C'est strictement confidentiel.

Delbert n'a pas l'air de très bien comprendre ma remarque. Il est trop bête pour attaquer sous un autre angle et, comme il est aussi ignorant, il se demande s'il ne risque pas d'enfreindre la loi.

– Je vous conseille de ne pas vous mêler de nos affaires de famille, dit-il d'un ton qui se voudrait menaçant.

Je m'apprête à partir. Auparavant, d'une voix forte, j'appelle :

– Miss Birdie !

Elle continue à faire la sourde oreille, puis, d'un geste lent, tend la main pour attraper la télécommande et monte le volume.

Tant pis pour elle. Je me tourne vers Delbert et Vera et, l'index pointé vers eux, les mets en garde.

– Si vous essayez encore de pénétrer chez moi, j'appelle immédiatement la police. C'est compris ?

Delbert gonfle les joues et Vera se met à pouffer.

Je m'en vais en claquant la porte.

Impossible de dire si on a touché aux affaires que j'ai laissées sous mon lit. Le testament de Miss Birdie est toujours à sa place. Voilà plusieurs semaines que je ne l'ai pas regardé. Tout a l'air en ordre.

Je ferme la porte à clef et coince le dossier d'une chaise sous la poignée.

J'ai pour habitude d'aller au bureau de bonne heure, vers sept heures et demie, non parce que je suis accablé de travail, mais parce que j'aime prendre mon café tranquillement dans la solitude et le silence. Je passe au moins une heure chaque jour à organiser et coordonner les prochaines étapes de l'affaire Black. Deck et moi essayons de ne pas nous marcher sur les pieds, mais c'est parfois difficile. Le téléphone commence à sonner plus souvent.

J'aime la paix qui règne dans cet endroit au lever du jour.

Lundi, Deck arrive tard, presque à dix heures. Nous bavardons pendant quelques minutes. Il voudrait déjeuner tôt avec moi pour me parler. C'est important, dit-il.

Nous partons à onze heures et nous rendons à quelques rues du cabinet, dans une coopérative bio avec une petite salle de restaurant dans le fond. Deux pizzas aux légumes et du thé à l'orange arrivent sur nos tables en un temps record. Deck est très nerveux, ses tics faciaux sont encore plus prononcés que d'habitude, un rien lui fait tourner la tête.

– Il faut que je te dise quelque chose, marmonne-t-il d'une voix de conspirateur.

– Vas-y, Deck, il n'y a personne, dis-je en lui montrant la salle vide.

– Samedi, juste après la déposition, j'ai pris l'avion et je suis allé à Dallas, puis à Las Vegas.

Super. Il a recommencé à jouer. Il doit être fauché...

– Dimanche matin, j'ai eu Bruiser au téléphone. Il m'a dit qu'il fallait que je revienne à Memphis illico. Le FBI m'aurait suivi. Il m'a dit aussi de t'avertir que les flics surveillaient toutes tes allées et venues, parce que tu étais la seule personne qui ait travaillé à la fois pour lui et pour Prince.

J'avale presque mon thé de travers.

– Tu... tu sais où est Bruiser ?

– Non. Parle moins fort, veux-tu.

– Ils sont à Vegas ?

– Ça m'étonnerait. Je crois qu'il m'a envoyé là-bas pour mettre le FBI sur une fausse piste.

Mille questions se bousculent dans ma tête. Je me retiens de les poser. J'aime mieux le laisser parler. Nous nous regardons sans dire un mot pendant une bonne minute.

Honnêtement, je voyais Bruiser et Prince à Singapour ou en Australie pour le restant de leurs jours.

– Pourquoi est-ce qu'il t'a contacté ? finis-je par demander.

Il balance la tête en se mordant la lèvre et se décide :

– Heu... il semble... approche-toi. Il semble, souffle-t-il, qu'ils aient laissé de l'argent derrière eux et qu'ils en aient besoin.

– Ils sont encore ensemble, alors.

– Apparemment.

– Et qu'est-ce qu'ils attendent de toi ?

– Il ne m'a pas donné de détails, mais je crois qu'ils comptent sur nous pour les aider à récupérer ce fric.

– Sur nous ?

– Ouais.

– Toi et moi, tu veux dire ?

– Eh oui.

– Combien ?

– Ça, il ne l'a pas dit, mais, pour qu'ils prennent le risque de se manifester, tu peux être sûr qu'il y en a un paquet.

– Et il est où, cet argent ?

– J'ai pas de précisions là-dessus non plus, mais Bruiser dit que c'est que du cash, planqué quelque part.

– Et ils veulent qu'on aille le chercher ?

– Exact. Ça se présente comme ça, si j'ai bien compris : l'argent est caché je ne sais où en ville, pas loin d'ici, si ça se trouve. Les flics ne savent absolument pas où, sinon ils l'auraient déjà trouvé. Bruiser et Prince nous font confiance, ils se disent qu'on est installés, maintenant, et qu'on ne sera donc pas tentés de leur piquer le fric. Je crois qu'ils s'imaginent qu'on n'a qu'à charger les billets dans une camionnette, les leur apporter, et que tout le monde sera content.

Comment démêler là-dedans les fantasmes de Deck de ce que Bruiser lui a vraiment demandé ? Je ne veux même pas le savoir. Tout de même, je suis curieux.

– Et qu'est-ce qu'il offre en échange de ce... service ?

– On en a pas vraiment parlé. Je suppose qu'ils nous laisseraient un petit pourcentage, mais on pourrait se servir avant.

Deck voit loin. C'est déjà tout organisé dans sa grosse tête.

– Pas question, Deck. Laisse tomber.

– Ouais, j' m'en doutais, fait-il tristement, capitulant tout de suite.

– C'est trop risqué.

– Ouais.

– Ça a l'air super comme ça, mais en fait on risque la taule.

– Je sais, je sais. Fallait que je te le dise, c'est tout.

Il regarde d'un air absent la glace à l'anis qu'on nous apporte dans des coupelles transparentes. Le serveur s'éclipse sans bruit. Nous restons tous les deux à fixer nos desserts en réfléchissant. Que je sois le seul employé des deux fugitifs, j'y avais pensé, mais, franchement, je ne me croyais pas suivi. J'aimerais connaître certains détails. Comment Bruiser a-t-il contacté Deck ? Qui a payé son voyage à Vegas ? Est-ce la première fois qu'ils se parlent ? Pourquoi Bruiser s'inquiète-t-il à mon sujet ?

Deux questions surnagent dans cette soupe. D'abord, pourquoi Bruiser ne fait-il pas appel à n'importe quel convoyeur du milieu pour lui apporter son argent ? Pourquoi nous ? Ensuite, quel est le rôle exact de Deck, là-dedans ? Il sait des choses qu'il ne dit pas. Il voulait me sonder et il a fait semblant de renoncer à cet argent. Il a un plan.

J'attends toujours le courrier avec une certaine angoisse. C'est Deck qui le monte en arrivant après moi le matin. Aujourd'hui, il y avait encore une grosse enveloppe de Tinley Britt que j'ai décachetée en retenant mon souffle. Elle contenait une série de questions écrites, une mise en demeure de fournir tout document relatif à l'affaire en notre possession, enfin une demande de reconnaissance de faits. Certains faits sont énoncés par écrit par la partie adverse, et considérés comme définitivement établis s'ils ne sont pas démentis par l'autre partie dans le mois suivant. Je trouve en outre un avis de déposition de Dot et Buddy pour mardi en huit, à notre cabinet. Normalement, dans ce genre de situation, les confrères discutent cinq minutes au téléphone pour fixer la date et le lieu d'un commun accord. C'est de la courtoisie professionnelle. Drummond a oublié ses bonnes manières, ou, plutôt, il a choisi de frapper brutalement. Je vais exiger un autre lieu et une autre date. Question de principe.

Pour une fois, l'enveloppe ne contenait aucune requête. On verra demain. Mon propre questionnaire est presque fini et le courrier de Drummond me pousse à l'action. Il faut que les scribouillards prétentieux de Tinley Britt sachent que je n'ai pas peur de cette guerre de paperasses. Ils finiront bien par comprendre que je n'ai que ça à faire.

Quand j'arrive chez Miss Birdie, il y a deux nouvelles voitures rangées dans l'allée, deux Pontiac reluisantes, avec des autocollants Avis sur la vitre arrière. J'entends des voix dans la maison et je marche sur la pointe des pieds, espérant rentrer chez moi incognito. Peine perdue. Ils sont tous autour de Miss Birdie, en train de prendre le thé dans la véranda.

– Tiens, le voilà ! beugle Delbert dès qu'il me voit. Venez par ici, Rudy.

C'est plus un ordre qu'une invitation. Il se lève lentement à mon approche, ainsi qu'un autre homme que je ne connais pas. Delbert me montre du doigt son voisin.

– Rudy, voici mon frère Randolph.

Nous échangeons une poignée de main.

– Ma femme, June, dit Randolph en me montrant une poule sur le retour assez semblable à Vera, cheveux décolorés en prime.

Petit hochement de tête de ma part. Elle y répond par un sourire torride.

– Miss Birdie, dis-je en m'inclinant poliment devant ma propriétaire.

– Bonsoir, Rudy, répond-elle gentiment.

Son fils Delbert est assis à côté d'elle sur le canapé en osier.

– Asseyez-vous avec nous, me dit Randolph en désignant une chaise vide.

– Non, je vous remercie, il faut que je passe chez moi vérifier si personne n'est entré par effraction.

Je dis cela en regardant Vera. Elle est assise derrière le canapé, à l'écart des autres et à l'opposé de June. Ce ne doit pas être un hasard.

June doit avoir entre quarante et quarante-cinq ans. Son mari a bien la soixantaine. Je me rappelle ce qu'avait dit Miss Birdie, maintenant. C'est elle, la « traînée » qui court après l'argent.

– Ça va, on n'y est pas allés, dans votre appartement, fait Delbert d'un ton irrité.

Contrairement à son frère, Randolph vieillit avec dignité. Il n'est pas gras, il n'a pas les cheveux teints et ne porte pas de bijoux. Chemise de golf, bermuda, chaussettes et baskets blanches. Et, comme les autres, il est bronzé. Il pourrait parfaitement passer pour un cadre supérieur à la retraite, sauf qu'on dirait qu'il a gagné sa femme dans un stand de tir.

– Jusqu'à quand allez-vous rester ici, Rudy? demande-t-il.

– Je ne savais pas que je devais partir.

– Je n'ai pas dit que vous deviez partir, c'est juste pour savoir. Maman me dit qu'il n'y a pas de bail, alors je me renseigne.

– Mais pourquoi?

Les choses évoluent vite. Jusqu'à hier, Miss Birdie n'avait jamais parlé de bail.

– Parce que, dorénavant, je compte aider maman à gérer ses affaires. Le loyer est très bas.

– Ça, oui, renchérit June.

– Votre mère ne s'en est jamais plainte, n'est-ce pas, Miss Birdie?

– Non, en effet, répond-elle d'un air mystérieux, comme si elle y avait songé mais n'avait jamais trouvé le temps de s'en occuper.

Je pourrais invoquer tout le travail d'entretien et de jardinage que j'ai fait, mais je n'ai pas envie de me justifier auprès de ces idiots.

– Eh bien, vous voyez, dis-je, tant que la propriétaire est contente, tout va bien.

– On voudrait pas que maman se fasse exploiter, déclare Delbert.

– Écoute, Delbert..., balbutie son frère.

– Quelqu'un exploite votre mère? dis-je. Qui ça?

– Heu... personne, mais...

– Ce qu'il veut dire, coupe Randolph, c'est qu'à partir de maintenant les choses vont changer. Nous sommes venus pour aider maman, et on se fait du souci pour ses affaires, c'est tout.

Je regarde Miss Birdie, elle est rayonnante. Ses deux fils sont ici, ils prennent soin d'elle, ils protègent leur maman. Miss Birdie est une femme heureuse malgré le mépris évident qu'elle a pour ses deux belles-filles.

– Très bien, dis-je. Mais laissez-moi tranquille, et ne rentrez pas chez moi.

Je tourne les talons et m'éloigne à grands pas. Je les laisse sur leur faim, car ils voulaient probablement parler avec moi et me poser quelques questions. Je m'enferme dans mon appartement, mange un sandwich et me penche par la fenêtre après avoir éteint les lumières.

Je les entends jacasser au loin. Hier dans la journée, Delbert et Vera ont débarqué de Floride, pour une raison que je ne m'explique pas. Ils sont tombés sur le testament de leur mère dans des conditions que je ne m'explique pas davantage, ont découvert qu'elle avait vingt millions à léguer, et maintenant les voilà très inquiets au sujet de la fortune maternelle. Puis ils découvrent qu'un avocat vit dans la propriété, et ça les inquiète aussi. Delbert appelle Randolph, floridien comme lui, et Randolph accourt, sa poupée de foire aux basques. Ils passent la journée à interroger Miss Birdie et s'érigent finalement en protecteurs de leur maman chérie.

Au fond, tout ça me laisse parfaitement indifférent. Ce conseil de famille et cette réconciliation me font quand même doucement rigoler. Je me demande combien de temps ils mettront à découvrir la réalité.

Pour le moment, Miss Birdie est heureuse et je m'en réjouis pour elle.

30

J'arrive très en avance à mon rendez-vous de neuf heures avec le Dr Kord. Pendant une heure environ, je relis le dossier médical de Donny Ray. Le salon d'attente se remplit de cancéreux et j'évite de les regarder.

À dix heures, une assistante vient me chercher. Je la suis dans une salle de soins sans fenêtre. Pourquoi choisir la cancérologie parmi toutes les spécialités médicales ? Il faut bien des cancérologues. Pourquoi choisir le droit, aussi ?

Je m'assieds sur une chaise, mon dossier sur les genoux, et attends encore cinq minutes. Des voix se font entendre dans le couloir, puis la porte s'ouvre. Un homme à qui je donne trente-cinq ans apparaît.

– Monsieur Baylor ? me dit-il, la main tendue.

– C'est moi.

– Walter Kord, bonjour. Je suis pressé. Pourrions-nous régler ça en quelques minutes ?

– Je crois.

– Excusez-moi, j'ai beaucoup de patients, dit-il avec un bref sourire.

Les médecins détestent les avocats et je les comprends.

– Merci pour votre déclaration écrite. Elle nous a beaucoup servi. Nous avons déjà pu faire témoigner Donny Ray.

– Très bien.

Il a une tête de plus que moi et me contemple avec des yeux ronds comme si j'étais un simple d'esprit.

Je fronce les sourcils, le regarde bien en face et dis :

– Nous voudrions vous faire déposer aussi.

– Je suis très occupé.

Sa réaction est typique des médecins. Ils ont les dépositions en horreur. C'est pour les éviter qu'ils préfèrent faire des déclarations écrites sous serment. Pour les obliger à témoigner en personne, il arrive que les avocats se servent d'un moyen redoutable : l'assignation. Nous avons le pouvoir d'assigner à peu près n'importe qui. Nous avons donc un certain pouvoir sur les médecins et c'est une des raisons pour lesquelles ils nous détestent.

– Je m'en doute, docteur. Ce n'est pas pour moi, c'est pour Donny Ray.

Il soupire bruyamment et réfléchit un instant, les yeux baissés.

– Je demande cinq cents dollars de l'heure pour une déposition.

Ça ne me choque pas. Je m'y attendais. D'après ce qu'on nous a appris en fac, ça aurait pu être pire. Je suis venu le supplier.

– Je n'en ai pas les moyens, docteur. J'ai ouvert mon cabinet il y a un mois et demi et j'ai à peine de quoi manger. L'affaire Black est ma seule affaire digne de ce nom.

La franchise a parfois des effets surprenants. Ce type gagne probablement un million de dollars par an et il est immédiatement désarmé par ma candeur. Je lis la pitié dans son regard.

– Je vous enverrai une facture, OK ? Vous paierez quand vous pourrez.

– Merci infiniment, docteur.

– Allez voir ma secrétaire et fixez une date avec elle. Est-ce que ça pourra avoir lieu ici ?

– Naturellement.

– Bien. Je file. Bonne journée.

Deck s'entretient avec une cliente quand je rentre au cabinet. Sa porte est ouverte et il me fait signe de venir. Mme Madge Dresser, qu'il me présente, voudrait divorcer. Elle a pleuré, si j'en juge par ses yeux rougis. C'est une femme entre deux âges, corpulente, bien habillée. Je me penche au-dessus de Deck, et il me glisse une note sur une page de bloc : « Elle a de l'argent. »

Nous passons une heure avec Madge. Son histoire est sordide. Alcool, violences, adultère, faillite, enfants à la dérive, et rien n'est de sa faute. Elle a voulu divorcer il y a deux ans et son mari a tiré dans la porte de son avocate. C'est un fou d'armes à feu, un type très dangereux. Je regarde Deck en l'écoutant, mais il détourne les yeux.

Elle a déjà payé six cents dollars cash et promet davantage. Nous entamerons sa procédure dès demain. Elle est entre de bonnes mains au cabinet de Rudy Baylor.

Madge à peine partie, le téléphone sonne.

– Rudy Baylor.

– Oui, Rudy, ici Roger Rice, du barreau de Memphis. Je ne pense pas que nous nous soyons rencontrés.

J'ai vu quasiment tous les avocats de la ville quand je cherchais du boulot, et son nom ne me dit rien.

– Non, en effet. Je suis nouveau dans la profession.

– Oui, j'ai dû appeler les renseignements pour avoir votre numéro. Écoutez, j'ai actuellement dans mon bureau MM. Randolph et Delbert Birdsong et leur mère. Je crois comprendre que vous connaissez ces gens.

Je la vois très bien, assise entre ses deux fils, souriant aux anges.

– Oui, oui, je connais bien Miss Birdie.

– Ah, bon, heu... Je suis dans la pièce d'à côté, là, ils n'entendent pas. Dites-moi, je travaille sur le testament de Miss Birdie, et il y a une sacrée somme en jeu, là-dedans. Ils disent que vous avez déjà essayé de lui en faire un.

– C'est exact. Je lui ai rédigé un testament il y a quelques mois, mais franchement elle n'a pas l'air pressée de le signer.

– Ah bon ?

– Oui, c'est une histoire à rebondissements.

Je commence à lui expliquer que Miss Birdie a d'abord souhaité léguer sa fortune au révérend Kenneth Chandler.

– Est-ce qu'elle l'a, cet argent ?

Je ne peux pas lui dire la vérité. Sans le consentement de Miss Birdie, ce serait une faute professionnelle grave. Et puis l'information dont Rice a besoin a été obtenue par des moyens ambigus, quoique légaux. J'ai les mains liées.

– Heu... qu'est-ce qu'elle vous a dit, au juste ?

– Pas grand-chose. Il semblerait que sa fortune soit quelque part à Atlanta. Je crois qu'il s'agit de la succession de son deuxième mari, mais, dès que je lui en parle, elle se rétracte comme une pieuvre.

Pas de doute, c'est bien Miss Birdie.

– Et elle vous a dit pourquoi elle voulait un nouveau testament ? dis-je.

– Elle veut tout laisser à sa famille, enfants et petits-enfants. Je voudrais juste savoir si son argent existe.

– Je n'en suis pas sûr. Il y a des pièces bloquées au tribunal à Atlanta. Il semble que les biens du défunt aient été mis sous séquestre. Je n'en sais pas plus.

Rice n'est pas plus avancé. Je lui promets de lui faxer les coordonnées du confrère d'Atlanta.

Il y a encore d'autres véhicules de location, ce soir, sur l'allée gravillonnée de Miss Birdie. Je suis obligé de me garer dans la rue, ce qui me met en fureur. Je me glisse dans la pénombre sans me faire voir de la famille Birdsong, assemblée dans la véranda.

À coup sûr, ce sont les petits-enfants. De ma fenêtre, tout en mordant dans un sandwich au poulet, je les vois et les entends discuter. Les voix de Delbert et de Randolph dominent nettement les autres, parfois agrémentées du rire cristallin de leur mère.

Ils ont dû se passer le mot vite fait, bien fait : Dépêchez-vous ! Grand-mère a des millions en banque. On est sur le testament, mais elle veut le refaire. Venez vite ! il est temps d'être gentil avec grand-mère !

31

La déposition de Dot aura lieu au tribunal, conformément au souhait du juge Kipler. Après la décision unilatérale de Drummond, j'ai purement et simplement refusé de fixer un autre rendez-vous. Kipler s'en est mêlé et l'affaire a été réglée en un clin d'œil.

Pendant la déposition de Donny Ray, tout le monde a pu voir Rudy assis dans sa Fairlane. J'ai expliqué à Kipler et à Drummond qu'à mon avis il était inutile de le faire témoigner. Le pauvre n'a pas toute sa tête, comme dit sa femme, et cette histoire embrouillée d'assurances le dépasse complètement. Il n'y a rien dans le dossier qui le concerne, ni de près ni de loin. Je ne l'ai jamais entendu articuler une seule phrase complète. Il ne pourrait pas supporter une déposition prolongée et, en plus, il risquerait d'agresser les avocats.

Dot le laisse à la maison. J'ai passé deux heures hier à la préparer aux futures questions de Drummond. Comme elle témoignera au procès, il ne s'agit pas ici de rassembler des preuves. C'est un interrogatoire ouvert. Drummond pourra la sonder à son gré, lui poser pratiquement toutes les questions qu'il veut. Ça risque de durer des heures.

Cette fois encore, Kipler a tenu à être présent. Nous nous retrouvons dans la salle d'audience, assis à l'une des tables des avocats. Il donne ses instructions à l'opératrice vidéo et à la greffière. Il est chez lui dans ce tribunal et veut que tout soit parfaitement organisé.

Je pense sincèrement qu'il a peur que Drummond ne me lamine si nous sommes seuls, moi et ma cliente, face à lui. Entre l'avocat de Great Benefit et le juge, la tension est si forte qu'ils peuvent à peine se regarder. Pour moi, c'est le rêve.

Dot, la malheureuse, est assise à un bout de la table, les mains tremblantes. Elle attend comme une suppliciée le feu roulant de questions. Je suis à ses côtés, mais je sens que ça la rend encore plus nerveuse. Elle porte son plus beau chemisier et un jean presque neuf. Je lui ai expliqué qu'elle n'avait pas besoin de se mettre sur son trente et un. L'enregistrement vidéo ne sera pas montré au jury. Le jour du procès, pourtant, il faudra impérativement qu'elle porte une robe. Dieu sait ce que nous ferons de Buddy.

Kipler est assis de mon côté de la table, le plus loin possible de nous, à côté du caméscope monté sur pied. De l'autre côté se trouvent Drummond assisté de trois avocats seulement, B. Dewey Clay Hill, M. Alec Plunk junior et Brandon Fuller Grone.

Deck se balade quelque part dans le palais, toujours à traquer le client. Il m'a dit qu'il passerait peut-être plus tard.

Nous sommes donc cinq avocats plus un magistrat à regarder fixement Dot, alors qu'elle prête serment. À sa place, j'aurais la tremblote aussi. Drummond nous gratifie d'un sourire carnassier. Il se présente à Dot avant d'expliquer en cinq minutes le but d'une déposition. Nous sommes à la recherche de la vérité, dit-il. Il s'engage à ne pas tenter de l'induire en erreur ou de l'embrouiller. Elle est libre de me consulter à tout moment. Drummond n'est pas pressé. L'horloge, qui égrène les minutes, est son alliée.

La première heure est employée à questionner Dot sur ses antécédents familiaux. Bien entendu, Drummond s'est très bien préparé. Il passe lentement d'un sujet à l'autre, études, employeurs, domiciles successifs, passe-temps favoris, et pose les questions les plus inimaginables. Du pinaillage inutile. Mais c'est son rôle dans ce genre de déposition. Il faut harceler le témoin plus ou moins au hasard en espérant qu'il finira par livrer quelque détail embarrassant, même si ça remonte à sa petite enfance. Si Drummond trouvait quelque chose de particulièrement croustillant, par exemple une grossesse pendant l'adolescence, ça ne lui servirait strictement à rien. Inutilisable à l'audience, totalement hors sujet. Mais les règles de la déposition autorisent ce jeu absurde et son client le paye des fortunes pour qu'il fouille dans le noir.

Kipler annonce une suspension de séance et Dot file d'un trait dans le couloir, la cigarette au bec. Nous faisons le point tous les deux, serrés derrière une borne-fontaine.

– Vous vous en sortez très bien, dis-je, et je le pense sincèrement.

– Ce fils de pute va me poser des questions sur ma vie sexuelle ? grogne-t-elle.

– Probablement.

Une vision de Dot et de Buddy au lit me traverse fugitivement l'esprit. J'en suis presque honteux.

Dot tire avidement bouffée sur bouffée, comme si c'était sa dernière cigarette.

– Vous pouvez l'arrêter ?

– S'il divague vraiment trop, oui. Mais, je vous l'ai dit, il a le droit de demander pratiquement ce qu'il veut.

– Quel fouille-merde !

La deuxième heure est aussi assommante que la première. Drummond s'intéresse maintenant aux finances des Black et rien ne nous est épargné, conditions d'achat de leur maison, de leurs véhicules, y compris la Fairlane, de leur mobilier, ainsi de suite. Kipler perd patience et prie Drummond de changer de sujet. Nous en apprenons beaucoup sur Buddy, ses blessures de guerre, ses emplois, sans oublier bien sûr ses passe-temps quotidiens, sur lesquels Drummond insiste lourdement.

Kipler grince des dents et redemande à Drummond s'il n'aurait pas, par hasard, quelque question pertinente en réserve.

Peu après, Dot s'absente pour aller aux toilettes. Je lui ai dit de le faire chaque fois qu'elle se sentirait fatiguée. Elle grille trois cigarettes coup sur coup dans le couloir. Debout à son côté, je l'encourage à tenir bon en chassant la fumée.

Vers le milieu de la troisième heure, nous abordons enfin la question de la plainte. J'ai apporté une copie de toutes les pièces du dossier, en particulier les rapports médicaux de Donny Ray, qui forment une pile séparée sur ma table. Kipler a déjà pu les consulter. Nous sommes dans la situation rare et enviable de n'avoir aucun document compromettant. Nous n'avons rien à cacher, au contraire. Drummond peut chercher, tout est là, à sa disposition.

D'après Kipler et Deck, il est assez fréquent, dans ce genre d'affaire, que les compagnies d'assurances omettent de révéler certaines choses à leurs propres défenseurs. Surtout si elles ont beaucoup à se reprocher, comme c'est le cas ici.

Quand nous apprenions la jurisprudence en fac, on nous a présenté des cas de malfaiteurs en col blanc convaincus d'avoir dissimulé des documents à leurs avocats, et qui se sont fait pincer pour cette raison.

Je brûle d'impatience tandis que nous entamons l'examen des documents. Kipler aussi a l'air de saliver d'avance. Drummond a déjà réclamé ces pièces dans ses questions écrites, mais j'ai encore une semaine pour y répondre. Je veux voir la tête qu'il fera en découvrant la lettre « stupide ».

Nous supposons qu'il a pris connaissance de la plupart, sinon la totalité des pièces accumulées sur la table en face de Dot. Il tient les documents de son client, j'ai obtenu les miens des Black. Beaucoup doivent se recouper. En fait, j'ai déposé une mise en demeure de produire les pièces identique à la sienne. Quand il me répondra, je lui enverrai en échange une copie des pièces que je détiens depuis trois mois. C'est la navette procédurière habituelle.

Plus tard, si tout se passe comme prévu, j'aurai accès à une autre série de documents provenant du siège de la compagnie à Cleveland.

Nous commençons par le formulaire de renseignements rempli par les Black le jour de la signature de la police, et par la police elle-même. Dot les tend à Drummond qui les parcourt rapidement, avant de les passer à Hill qui, à son tour, les fait circuler parmi ses confrères. Ces trois clowns prennent un temps infini à examiner ces deux maudits documents qu'ils possèdent depuis des mois (mais le temps c'est de l'argent, n'est-ce pas ?), après quoi la sténographe les enregistre comme pièces à conviction.

Le document suivant est la première lettre de refus. Elle passe de main en main et le même protocole se répète avec les courriers suivants. Je lutte contre l'assoupissement.

Vient enfin la fameuse lettre. J'ai recommandé à Dot de la remettre tranquillement à Drummond sans aucun commentaire. Si jamais il ne l'a pas vue, je veux qu'il soit pris totalement au dépourvu. Mais c'est difficile pour elle à cause de la phrase insultante qu'elle contient. Drummond la prend et lit :

« Chère madame Black,

À plusieurs reprises déjà, notre compagnie a réfuté votre demande par courrier. Nous réitérons notre refus pour la huitième et dernière fois. Seriez-vous totalement stupide ? »

Drummond a trente ans de prétoire à son actif, et c'est un comédien roué. Pourtant, je vois immédiatement qu'il n'a jamais lu cette lettre. Son client ne l'a pas jointe au dossier. Il est frappé de plein fouet. Il entrouvre la bouche, écarquille les yeux, et trois grosses rides se creusent dans son front. Il relit la lettre.

Puis, spontanément, il fait quelque chose qu'il regrettera sans doute plus tard. Il relève la tête et me regarde. Bien entendu, je n'ai pas cessé de l'observer d'un œil plutôt sarcastique, l'air de dire : « la main dans le sac, hein, mon grand ? ».

Il prolonge ensuite son agonie en se tournant vers Kipler. Son Honneur, qui guette le moindre tressaillement de cil sur son visage, ne peut que constater l'évidence : Drummond est totalement décontenancé par ce qu'il a en main.

Il se ressaisit de son mieux, mais le coup a porté. Il tend la lettre à Hill, à moitié endormi, qui ne se doute pas que son patron est en train de lui passer une bombe. Nous l'observons quelques secondes, le temps qu'elle explose.

– Veuillez interrompre l'enregistrement, demande Kipler, aussitôt obéi par la greffière et l'opératrice vidéo. Monsieur Drummond, il est clair que vous n'avez jamais eu cette lettre entre les mains. J'ai le pressentiment que ce n'est pas le premier document escamoté par votre client, et que ce ne sera pas le dernier. J'ai assez poursuivi d'assureurs pour savoir que certaines pièces ont une fâcheuse tendance à se volatiliser comme par enchantement. (Il se penche vers Drummond et pointe l'index vers lui.) Si je vous prends, vous et votre client, à cacher des documents aux plaignants, je vous sanctionnerai tous les deux. Je vous imposerai une lourde pénalité qui sera versée à votre adversaire, correspondant aux frais de justice et au taux horaire de facturation que vous appliquez à votre client. Est-ce que vous comprenez ce que je dis ?

Ce serait bien ma seule chance d'être jamais payé deux cent cinquante dollars l'heure.

Drummond et consorts vacillent encore sous le choc. J'imagine l'effet dévastateur qu'aura cette lettre sur les jurés, et je suis sûr qu'ils y pensent aussi.

– Est-ce que vous m'accusez de dissimuler des documents, Votre Honneur ?

– Pas encore, répond Kipler sans retirer son doigt. Pour l'instant, ce n'est qu'un avertissement.

– Je pense que vous devriez vous récuser dans cette affaire, Votre Honneur.

– C'est une requête ?

– C'en est une, oui, Votre Honneur.

– Requête rejetée. Autre chose ?

Drummond fouille dans ses papiers, histoire de gagner quelques secondes, et la tension décroît. La pauvre Dot, qui se demande ce qu'elle a bien pu faire pour provoquer cette scène, est pétrifiée. Je suis assez tendu moi-même.

– Reprenons l'enregistrement, dit Kipler, sans quitter Drummond des yeux.

Nouvelle série de questions-réponses, suivie d'une nouvelle transmission de documents.

Nous nous arrêtons pour déjeuner à midi et demi et revenons une heure plus tard. Dot est exténuée.

Kipler prie assez sèchement Drummond de bien vouloir presser le mouvement. L'avocat essaie, mais c'est difficile. Il a fait ça si longtemps et gagné tellement d'argent par ce moyen qu'il serait capable de poser des questions pour l'éternité.

Ma cliente adopte une stratégie qui me ravit. Elle explique à tout le monde, hors procès-verbal, qu'elle a un problème de vessie, rien de grave, mais, mon Dieu, vous savez ce que c'est, à près de soixante ans, ce sont des choses qui arrivent. Plus la journée avance, plus elle a besoin d'aller aux toilettes. Drummond en profite pour lui poser une douzaine de questions sur son incontinence, mais Kipler finit par le museler. Tous les quarts d'heure environ, Dot s'excuse et quitte le prétoire. Elle prend tout son temps.

Je suis certain que sa vessie fonctionne parfaitement et qu'elle va se cacher dans un coin pour fumer comme un sapeur. Ces interruptions lui permettent de se détendre et ont aussi l'avantage de miner Drummond et son équipe.

À trois heures et demie, le juge met fin à la déposition. Elle aura duré six heures et demie.

Pour la première fois depuis plus de deux semaines, toutes les voitures de location sont parties. Seule reste la Cadillac de Miss Birdie, derrière laquelle je me gare, comme autrefois. Je fais le tour de la maison. Personne.

Ils ont fini par lever le siège. Je n'ai pas parlé à Miss Birdie depuis le jour de l'arrivée de Delbert et nous avons différentes choses à nous dire. Je ne suis pas fâché, je veux juste discuter avec elle.

Comme je monte l'escalier du garage, une voix d'homme me fait tourner la tête.

– Rudy, vous auriez une minute ?

C'est Randolph qui m'appelle, depuis la véranda.

Je laisse ma veste et mon attaché-case sur les marches et vais le rejoindre.

– Asseyez-vous, me dit-il, il faut qu'on parle.

Il a l'air d'excellente humeur.

– Où est Miss Birdie ? je demande.

Toutes les lumières de la maison sont éteintes.

– Elle, heu... elle est partie pour quelque temps. Elle voudrait passer un moment avec nous, en Floride. Elle a pris l'avion ce matin.

– Quand rentrera-t-elle ?

Ça ne me regarde pas, mais la question m'a échappé.

– Je ne sais pas. Elle ne voudra peut-être pas revenir ici. Écoutez, Delbert et moi allons prendre ses affaires en main, maintenant. Dernièrement, nous l'avions un peu ignorée, voyez-vous. C'est elle qui a voulu que nous gérions son patrimoine. Et nous aimerions que vous restiez ici. En fait, nous avons un arrangement à vous proposer. Vous demeurez ici, vous gardez la maison, entretenez la propriété, et nous vous faisons grâce du loyer.

– Qu'entendez-vous par entretenir la propriété ?

– Juste les choses indispensables, rien de contraignant. Maman dit que vous l'avez beaucoup aidée à jardiner, cet été. Vous n'avez qu'à continuer comme ça. Nous ferons suivre le courrier, vous n'aurez qu'à m'appeler si vous avez un problème. C'est un bon marché, Rudy.

Effectivement, c'est inespéré.

– Entendu, j'accepte.

– Bien, maman vous apprécie beaucoup, vous savez. Elle dit

que vous êtes honnête et qu'on peut compter sur vous... malgré votre métier !

Et il s'esclaffe, enchanté de son bon mot.

– Et la voiture ?

– Je la prendrai demain pour retourner là-bas. (Il me tend une grosse enveloppe.) Voici les clés de la maison, avec le téléphone de l'assureur, de l'installateur de l'alarme, et mes coordonnées.

– Où va-t-elle habiter ?

– Chez nous, près de Tampa. Nous avons une jolie petite maison avec une chambre d'ami où elle sera très bien. Et puis, comme deux de mes enfants habitent dans les environs, elle aura de la compagnie.

Ils vont se mettre en quatre pour dorloter leur grand-mère, je les vois comme si j'y étais. Ça leur donne bonne conscience, ça leur ferait même plaisir, à condition qu'elle ne vive pas trop longtemps. Ils comptent déjà leurs millions. J'ai du mal à retenir un sourire.

– Tant mieux, dis-je. Elle est restée seule trop longtemps.

– Elle vous aime vraiment, Rudy. Vous avez été très gentil avec elle.

C'est dit sincèrement, d'une voix douce avec une pointe de tristesse qui me touche.

Une dernière poignée de main et nous nous faisons nos adieux.

Couché dans mon hamac, je chasse les moustiques en contemplant la lune. Je doute sérieusement de jamais revoir Miss Birdie, et sens un vide en moi, comme si je venais de perdre une amie. Ces gens vont la garder comme on garde un trésor, ils sont prêts à la séquestrer jusqu'à sa mort pour qu'il ne lui vienne pas l'idée de toucher à son testament. J'ai quelque remords de ne pas leur avoir dit la vérité, mais c'est un secret professionnel.

En même temps, l'histoire de Miss Birdie a quelque chose de drôle, qui me fait sourire. La voilà enfin partie de cette grande bicoque vide. Elle va être entourée et choyée par ses enfants et petits-enfants, ce dont elle a un besoin presque maladif. Je la revois aux Cyprès, travaillant son auditoire, chantant à tue-tête pour l'encourager, discourant sur tout, gourmandant Bosco pour l'embrasser cinq minutes plus tard. Elle a le cœur sur la main, mais elle a aussi un gigantesque besoin d'être aimée.

J'espère que le soleil du golfe du Mexique lui fera du bien et qu'elle sera heureuse. Je me demande qui la remplacera aux Cyprès.

32

Si Booker a choisi ce restaurant chic, il a sûrement une bonne nouvelle à m'annoncer. Couverts d'argent, nappe et serviette en lin, il doit y avoir quelque gros client là-dessous.

Il arrive cinq minutes en retard, ce qui ne lui ressemble pas du tout. Mais c'est un homme très occupé, ces temps-ci.

– Ouf, je suis reçu au barreau, m'apprend-il d'entrée de jeu.

Pendant que nous buvons de l'eau minérale, il me raconte l'histoire mouvementée de son appel auprès du jury. On a revu sa copie, sa note a été relevée de trois points et il est aujourd'hui avocat à part entière. Je ne l'ai jamais vu aussi radieux. De toute notre promotion, deux étudiants seulement ont fait appel de leurs résultats avec succès. Sara Plankmore n'était pas du lot. Booker a entendu dire que sa note à l'examen était minable et que son poste au cabinet du procureur général était compromis.

Malgré ses protestations, je commande une bouteille de champagne et demande au serveur de me remettre personnellement l'addition. Riche comme je suis, c'est bien naturel !

Nos assiettes arrivent, emplies de portions de saumon minuscules mais magnifiquement présentées. Nous les admirons longuement. Shankle fait ramer Booker comme un forcené quinze heures par jour, mais Charlene est une femme d'une patience infinie. Elle sait qu'ils doivent faire des sacrifices s'ils veulent récolter les fruits du travail de Booker plus tard. Je me félicite de ne pas avoir d'enfant pour le moment.

Nous parlons de Kipler, qui a parlé à Shankle. Les avocats ont un mal fou à garder un secret. Shankle a laissé entendre à Booker que Kipler lui avait dit que le copain de fac de son jeune associé, c'est-à-dire moi, avait une cause qui valait potentiellement des millions. Kipler semble convaincu que Great Benefit a le dos au mur et que la seule inconnue est le montant des dommages-intérêts que fixeront les jurés.

Voilà les potins les plus réjouissants que j'aie entendus depuis longtemps.

Booker me demande sur quels autres dossiers je suis. Kipler insinue, semble-t-il, que je n'ai pas grand-chose d'autre à faire.

Il a un plan pour moi, qu'il m'explique au dessert. La deuxième plus grande chaîne de magasins de meubles de Memphis, qui s'appelle Ruffin, appartient à des Noirs. Ils ont des points de vente dans toute la ville. C'est une marque très connue, à cause du matraquage publicitaire qu'ils font à la télé et des soldes monstres qu'ils organisent. Ils réalisent environ huit millions de chiffre d'affaires par an, me dit Booker, et Marvin Shankle est leur avocat. Ils ont leur propre système de crédit et beaucoup de leurs clients sont en cessation de paiement. C'est relativement normal dans ce genre d'activité. Le cabinet Shankle est littéralement submergé de dossiers de recouvrement de créance pour le compte de Ruffin.

Est-ce que ça m'intéresserait d'en avoir quelques-uns ?

Ce n'est évidemment pas dans l'espoir de poursuivre de malheureux débiteurs qui se sont laissé tenter par de l'ameublement bon marché que les étudiants se bousculent dans les facs de droit. Le client ne veut pas récupérer les meubles, il veut juste son argent. Dans la plupart des cas, les sommations restent sans réponse et le mauvais payeur ne se présente jamais, de sorte que l'avocat est obligé de faire saisir les biens personnels ou le salaire, ce qui peut se révéler dangereux. Il y a trois ans, un avocat de Memphis a été victime d'une tentative d'assassinat par un jeune homme furieux dont la paye venait d'être ainsi confisquée.

Pour que ce soit rentable, un avocat doit se charger d'un bon paquet d'impayés, car les sommes escomptées dans chaque cas sont infimes. L'avocat est aussi en droit d'exiger le versement des frais de justice.

Ce n'est pas passionnant, mais c'est un moyen de gagner un peu d'argent, de quoi payer les frais généraux, et c'est pour cela que Booker me fait cette proposition.

– Je peux t'en refiler une cinquantaine, me dit-il, avec tous les papiers afférents. Je t'aiderai à traiter les premiers dossiers, si tu veux. Il y a deux trois trucs à connaître.

– Combien ça rapporte, en moyenne ?

– C'est difficile à dire, parce qu'il y a des recouvrements qui ne te rapporteront pas un sou. Le débiteur a quitté la ville, ou bien il est en faillite. Mais, grosso modo, je dirais que chaque cas rapporte dans les cent dollars.

Cinquante fois cent dollars font cinq mille dollars, me dis-je.

– Il faut compter quatre mois pour régler chaque affaire, m'explique Booker. Je pourrais t'en passer une vingtaine par mois, si ça te convient. Tu les présentes toutes ensemble au tribunal, même chambre, même magistrat, comme ça tu ne te déplaces qu'une seule fois. C'est de la paperasserie à quatre-vingt-dix pour cent.

– D'accord, dis-je. Merci beaucoup. Il y a d'autres choses dont vous voulez vous débarrasser ?

– Peut-être. Je me renseignerai.

Le café arrive et nous nous livrons au passe-temps favori des avocats : parler des autres avocats, en l'occurrence nos anciens camarades lâchés depuis quelques mois dans le monde réel.

Booker revient de loin. C'est un autre homme !

Deck est capable de se faufiler à l'intérieur d'une pièce par une porte mal fermée sans faire le moindre bruit. Il me fait le coup tout le temps. Je suis à mon bureau, plongé dans une tâche quelconque, et subitement, voilà Deck devant moi. Je préférerais qu'il frappe avant d'entrer, bien sûr, mais je ne veux pas me fâcher pour ça.

Il est là, en face de mon bureau, du courrier plein les bras. Il remarque la pile de nouveaux dossiers dans un coin.

– Qu'est-ce que c'est que ça ? demande-t-il.

– Du travail.

Il prend un dossier.

– Ruffin ?

– Oui, monsieur. Nous sommes promus défenseurs d'un des plus grands marchands de meubles de la ville.

– Des recouvrements de créance, dit-il d'un air dégoûté.

Il rêve sans doute de nouveaux naufrages.

– C'est un boulot honnête, Deck.

– C'est ramer pour pas grand-chose.

– Va courir après tes ambulances.

Il dépose mon courrier et s'éclipse aussi silencieusement qu'il était entré. Je respire à fond avant d'ouvrir une lourde enveloppe à en-tête de Tinley Britt. La liasse de documents légaux qu'elle contient fait au moins cinq centimètres d'épaisseur.

Drummond a répondu à mes questions écrites, réfuté une nouvelle fois la justification de notre plainte et fourni certains des documents que j'exigeais. Il va me falloir des heures pour dépouiller tout ça, et encore plus de temps pour essayer de deviner ce qu'ils ont volontairement omis.

Ses réponses à mon interrogatoire sont particulièrement importantes. Je dois faire déposer un porte-parole de la compagnie et il a désigné un certain Jack Underhall, du siège de Cleveland. J'ai aussi demandé les titres officiels et adresses de différents membres du personnel de Great Benefit, dont les noms apparaissent à plusieurs reprises dans les papiers de Dot.

J'ai cité six personnes à comparaître en me servant d'un formulaire que m'a donné Kipler et choisi une date dans une semaine en sachant pertinemment que Drummond s'y opposera. Il m'a fait la même chose pour la déposition de Dot ; c'est de bonne guerre. Il va protester auprès de Kipler, mais je serais surpris qu'il obtienne satisfaction.

Je m'apprête à aller passer quelques jours à Cleveland au quartier général de Great Benefit. Je ne le fais pas de gaieté de cœur, j'y suis contraint. Ce sera un déplacement cher, voyage, hébergement, nourriture, frais de greffier, etc. Je n'en ai pas encore discuté avec Deck, sur qui je compte par ailleurs pour nous dégoter rapidement un ou deux accidentés de la route.

Je viens d'inaugurer un troisième classeur pour ranger le dossier de l'affaire Black. Tout repose dans une grosse boîte cartonnée par terre à côté de mon bureau. Je la contemple souvent dans la journée en me demandant si je sais ce que je fais. Qui suis-je, pour rêver d'un triomphe à la barre, pour rêver d'humilier le grand, l'invincible Leo F. Drummond ?

Je n'ai jamais prononcé un mot devant un jury.

Comme Donny Ray était trop affaibli pour me parler au téléphone il y a une heure, je me déplace jusqu'à Granger. Nous sommes fin septembre. Je ne me souviens plus du jour exact, mais je sais que cela fait un an environ que son mal a été détecté. Dot a les yeux rougis quand elle m'ouvre la porte.

– Je crois qu'il va bientôt nous quitter, me dit-elle entre deux sanglots.

Je ne pensais pas qu'il pouvait avoir l'air plus cadavérique qu'il ne l'était déjà, pourtant, c'est le cas. Il dort dans sa chambre plongée dans la pénombre. À travers les volets tirés, le soleil bas sur l'horizon projette des losanges lumineux sur les draps blancs de son petit lit. La télé est éteinte. Le silence règne dans la pièce.

– Il n'a rien pu avaler aujourd'hui, me souffle-t-elle en baissant les yeux sur lui.

– Il souffre beaucoup ?

– Pas trop. Je lui ai fait deux piqûres.

– Je vais m'asseoir un peu près de lui, dis-je en prenant une chaise pliante.

Dot sort de la chambre. Je l'entends renifler dans le couloir.

Il n'est pas mort, mais c'est tout comme. Je me concentre sur sa poitrine, essayant vainement de déceler un mouvement respiratoire. La chambre s'obscurcit encore. J'allume une petite lampe sur une table à côté de la porte et il remue très légèrement. Ses paupières se soulèvent, puis se referment.

Ainsi meurent les citoyens dépourvus d'assurance-maladie. Dans une société qui foisonne de médecins tous plus riches les uns que les autres, d'hôpitaux flambant neufs, de gadgets médicaux ultramodernes, dans cette pépinière de prix Nobel, la mort lente d'un Donny Ray privé de soins est extravagante, inique, scandaleuse.

On aurait pu le sauver. Il avait le droit, un droit absolu, indiscutable, d'être pris en charge par Great Benefit quand il a contracté sa terrible maladie. Au moment où on a diagnostiqué la leucémie, il était couvert par une police d'assurance que ses parents avaient honnêtement payée. Great Benefit était tenue, contractuellement, de couvrir son traitement.

Un jour, bientôt j'espère, je rencontrerai la personne responsable de sa mort. Qui que ce soit, modeste sous-fifre obéissant aux ordres, ou vice-président donnant les ordres. Je voudrais pouvoir prendre maintenant une photo de Donny Ray et la montrer ce jour-là à cet homme ou à cette femme pitoyable.

Donny Ray émet un faible toussotement et bouge encore un peu. Je crois qu'il essaie de me faire comprendre qu'il est toujours en vie. J'éteins la lumière. Je me rassieds à son chevet.

Je suis seul, je suis désarmé, terriblement anxieux, je n'ai aucune expérience, mais je sais que notre cause est *juste*. Si les Black ne gagnent pas ce procès, c'est à désespérer du système entier.

Un réverbère s'allume quelque part dans la rue et un rayon de lumière glauque filtré par les volets s'étale sur le torse du garçon qui se soulève légèrement. On dirait qu'il cherche à s'éveiller.

Les moments que je passerai dans cette chambre à l'avenir sont comptés. Je regarde son corps squelettique aux contours à peine visibles sous les draps, et je me jure de le venger.

33

Le juge qui siège aujourd'hui, drapé dans son ample robe noire, est de mauvaise humeur. L'audience est consacrée aux référés et il va devoir écouter une multitude de requêtes dans des dizaines d'affaires différentes. Le tribunal grouille d'avocats.

Nous passons en premier parce que Kipler est inquiet. J'ai cité six employés de Great Benefit à comparaître pour des dépositions qui doivent commencer lundi prochain à Cleveland. Drummond y a fait objection, comme on pouvait s'y attendre. Il a d'autres obligations. Mais il n'y a pas que lui qui soit pris. Les six employés aussi. Tous indisponibles, beaucoup trop occupés, ils n'ont pas le temps !...

Là-dessus, Kipler a pris son téléphone, appelé Drummond en ma présence, et les choses ont mal tourné, du moins pour la défense. Drummond a une excuse valable, une audience qui a lieu le même jour, et il nous a faxé sa convocation pour se justifier. Mais ce qui a particulièrement énervé le magistrat, c'est que Drummond prétende être dans l'impossibilité de passer trois jours à Cleveland avant deux mois. Et puis les six employés ont aussi un agenda surchargé et il faudra peut-être des mois avant de pouvoir les réunir !

Kipler fait comparaître Drummond aujourd'hui pour lui botter les fesses officiellement. Cela fait quatre jours que je lui parle régulièrement au téléphone, et je sais très bien ce qui va se passer. Il y a de l'électricité dans l'air. Personnellement, je n'aurai pas grand-chose à dire.

– Allons-y, dit Kipler. Madame la greffière, veuillez noter.

Les avocats de la défense, ils sont quatre aujourd'hui, se penchent aussitôt sur leur calepin.

– Affaire 214668, Black contre Great Benefit. Le plaignant a notifié leur citation à comparaître à six des employés de la compagnie précitée, y compris le porte-parole désigné par celle-ci, pour le lundi 5 octobre au siège de ladite compagnie, à Cleveland, Ohio. La défense a fait objection au motif qu'elle avait d'autres engagements souscrits antérieurement. C'est bien cela, monsieur Drummond?

– Oui, Votre Honneur, répond Drummond en se levant lentement. Je crois avoir déjà soumis à la cour une copie de ma convocation devant la cour fédérale pour une affaire débutant précisément lundi. Je suis le principal défenseur dans cette affaire.

Drummond et Kipler se sont déjà disputés au moins deux fois sur cette question. L'important à présent, c'est que leur dialogue figure dans les minutes de l'audience.

– Et quand pensez-vous pouvoir vous rendre libre? demande Kipler d'un ton lourd de sarcasme.

Je suis seul à la table des plaignants, Deck ayant mieux à faire en ville. Il y a au moins quarante avocats tassés sur les bancs derrière moi, tous les yeux fixés sur le grand Leo F. Drummond qui s'apprête à mordre la poussière. Ils doivent se demander qui est ce jeune inconnu, si bon qu'il a mis le juge dans sa poche.

Drummond se balance d'une jambe sur l'autre, l'air embarrassé.

– Heu... je suis confus, Votre Honneur, mais mon emploi du temps est vraiment complet. Je...

– Pas avant deux mois, je vous ai bien entendu, n'est-ce pas? demande Kipler, comme s'il était inconcevable qu'un seul avocat soit aussi surmené.

– Oui, monsieur. Deux mois.

– Et vous dites que vous êtes pris par des procès?

– Des procès, des dépositions, des requêtes, des conciliations. Je ne demande qu'à vous montrer mon agenda.

– Gardez-vous-en, monsieur Drummond, ce n'est absolument pas le moment. Voici ce que nous allons faire, et je vous prie de m'écouter attentivement car ce que j'ai à vous dire vous sera notifié par écrit sous la forme d'une injonction de la cour. Je vous rappelle, cher monsieur, que cette affaire fait l'objet d'une procédure accélérée, ce qui n'est pas une simple formalité dans le tribunal que je préside. J'entends que ces dépositions aient lieu sans délai. Les six témoins déposeront donc lundi matin à la première heure à Cleveland, comme prévu initialement. (Drummond s'effondre sur sa chaise et commence à prendre note.) Et si vous ne pouvez être présent, j'en suis désolé mais, au dernier pointage, vous aviez quatre confrères en charge du dossier, MM. Morehouse, Plunk, Hill et Grone, et j'ajoute qu'ils ont tous beaucoup plus d'expérience que M. Baylor qui vient juste de s'inscrire au barreau. Je comprends bien que vous souhaitiez envoyer plus d'un avocat à Cleveland, mais l'important est que vous puissiez représenter votre client, et je suis sûr que vous y parviendrez, compte tenu des effectifs de votre cabinet.

Cette déclaration jette un froid terrible dans le prétoire. Derrière moi, les confrères sont pétrifiés. Beaucoup attendent ce moment depuis des années.

– Les six employés cités voudront donc bien se présenter au siège de leur compagnie lundi à neuf heures et se tenir à la disposition de M. Baylor jusqu'à ce que celui-ci les libère. Great Benefit Life est habilitée à offrir ses services dans le Tennessee, par conséquent ces messieurs relèvent de ma juridiction et je leur ordonne expressément de coopérer.

Drummond et ses acolytes se tassent encore plus sur leur siège et écrivent encore plus vite.

– Par ailleurs, l'avocat des plaignants a exigé la communication de certaines pièces. (Kipler s'interrompt pour lancer un regard noir en direction de la défense.) Écoutez-moi bien, monsieur Drummond, je ne vous conseille pas de jouer à cache-cache avec ces documents. Je tiens à ce que la vérité, toute la vérité, soit faite dans cette affaire. Lundi et mardi, je serai à côté de mon téléphone et, si M. Baylor m'appelle pour me dire qu'il n'a pas obtenu ces documents, je vous garantis que vous aurez de mes nouvelles. Vous m'entendez ?

– Oui, Votre Honneur, répond Drummond.

– Pouvez-vous faire comprendre cela à votre client ?

– Je pense, Votre Honneur.

Kipler soupire et se détend un peu. Un silence de mort règne dans le prétoire.

– Réflexion faite, monsieur Drummond, je veux bien jeter un œil à votre agenda, si vous êtes toujours d'accord, bien entendu.

Comme Drummond l'a proposé il n'y a pas cinq minutes, il ne peut plus se défiler. Il s'agit d'un gros carnet relié en cuir noir où sont consignés jour après jour les événements, grands ou petits, qui émaillent l'existence d'un ténor du barreau. C'est très personnel, aussi, et j'imagine que Drummond l'a proposé juste pour bluffer, comme à son habitude.

Il se lève, va l'apporter au juge d'une démarche très digne et attend. Kipler le feuillette rapidement, sans s'attarder aux détails. Il cherche des journées libres. Drummond reste planté devant lui, prenant son mal en patience.

– Je vois que vous n'avez rien de prévu pour la semaine du 8 février.

Et Kipler montre à Drummond son agenda, ouvert à la page en question. Il approuve de la tête sans rien dire. Le juge lui rend son bien et Drummond regagne sa place.

– Veuillez noter que le procès est fixé à la date du 8 février prochain, annonce le magistrat.

Je respire à fond, essayant d'avoir l'air sûr de moi. Quatre mois, cela paraît amplement suffisant, mais pour quelqu'un qui n'a jamais poursuivi personne, même pas le responsable d'un carambolage, c'est un compte à rebours terrifiant qui commence. J'ai appris tout le dossier par cœur, je connais la procédure sur le bout des doigts, j'ai lu et relu des dizaines d'ouvrages sur l'art et la manière de mener avec profit un interrogatoire et un contre-interrogatoire, pourtant je n'ai pas la moindre idée de la façon dont les choses vont se dérouler à partir du 8 février.

Kipler nous congédie, et je me dépêche de rassembler mes affaires. Les regards de plusieurs confrères qui attendent leur tour s'attardent sur moi pendant que je traverse le tribunal.

Mais qui est ce type? doivent-ils se demander.

Bien qu'il ne m'en ait jamais parlé, j'ai fini par comprendre que Deck était en relation avec deux privés qu'il avait connus quand il travaillait chez Bruiser. L'un d'eux, Butch, est un ancien flic qui partage le goût de Deck pour les casinos. Ensemble, ils vont à Tunica une ou deux fois par semaine, pour flamber au poker ou au black jack.

Butch a réussi, je ne sais pas comment, à localiser Bobby Ott, le courtier qui a vendu leur police aux Black. Il l'a trouvé à la maison d'arrêt du comté de Shelby où il purge une peine de dix mois pour émission de chèques sans provision. Une enquête plus approfondie a révélé qu'Ott venait de divorcer et faisait l'objet d'une procédure de règlement judiciaire.

Deck était navré d'avoir manqué cet excellent client. Ott a des problèmes juridiques à n'en plus finir. Que d'honoraires perdus!...

Je commence par me faire fouiller des pieds à la tête à l'entrée de la prison par un gros malabar de gardien. Puis un subalterne quelconque vient me chercher pour me conduire au parloir. C'est un local carré avec des caméras montées à chaque coin et une cloison au milieu qui sépare les détenus de leurs visiteurs. Nous parlerons à travers une paroi vitrée, ce qui ne me dérange pas. J'espère que l'entretien sera de courte durée. Au bout de cinq minutes, Ott apparaît, accompagné d'un gardien. La quarantaine, plutôt chétif, des lunettes à fine monture d'acier sur le nez, les cheveux coupés très court, comme un marine, et vêtu du survêtement bleu réglementaire de l'administration pénitentiaire, il m'examine avec méfiance en s'asseyant de l'autre côté de la cloison. Quelques instants plus tard, le gardien nous laisse seuls.

Je glisse ma carte de visite dans une ouverture pratiquée sous la vitre blindée.

– Bonjour, Rudy Baylor, du barreau de Memphis.

Cette entrée en matière ne lui laisse rien présager de bon, je suppose, mais Ott prend les choses avec philosophie, il essaie même de me sourire. Ce type gagnait autrefois sa vie en vendant des assurances au porte-à-porte dans les cités de banlieue. Malgré sa déveine, on voit qu'il sait se montrer sympathique, et même persuasif s'il le faut.

– Enchanté, dit-il. Qu'est-ce qui vous amène ?

– Ceci, dis-je, et je sors de mon attaché-case une copie de la plainte, que je glisse sous la paroi. Il s'agit d'une plainte que j'ai déposée de la part d'une famille d'anciens clients à vous.

– Qui ça ? demande-t-il, prenant la plainte et regardant l'assignation qui figure sur la première page.

– Dot et Buddy Black, et leur fils Donny Ray.

– Great Benefit, hein ?

Deck m'a expliqué que beaucoup de ces courtiers à la petite semaine travaillaient pour plusieurs compagnies.

– Vous permettez que je prenne le temps de la lire ?

– Je vous en prie. Vous êtes cité à comparaître. Allez-y.

Il parle et se comporte de manière pondérée, sans gaspiller la moindre énergie. Il lit très lentement, tournant les pages à contrecœur. Pauvre type. Non seulement il a divorcé, mais tous ses biens ont été saisis et il purge une peine de prison par-dessus le marché. Et maintenant, je porte plainte contre lui et me ramène ici avec une demande de réparation de dix millions.

Mais il semble imperturbable. Il finit sa lecture et place la plainte sur le comptoir devant lui.

– Vous savez que je suis protégé par la loi sur les faillites, dit-il.

– Oui, je sais.

Pas vraiment, en fait. D'après son dossier, il a rempli sa demande de sursis à exécution en mars, deux mois avant que je dépose la mienne. Aujourd'hui, son règlement judiciaire est en cours et, en principe, il est inattaquable, bien que la question soit controversée. Une chose est sûre : ce type est fauché comme les blés.

– Nous avons été forcés de vous poursuivre nommément parce que c'est vous qui avez vendu la police aux Black.

– Oui, je comprends. Vous faites votre boulot.

– C'est ça. Vous sortez quand ?

– Dans dix-huit jours. Pourquoi ?

– Il se pourrait que nous ayons besoin de prendre votre déposition.

– Ici ?

– Peut-être.

– Pourquoi se précipiter ? Laissez-moi sortir d'abord et je vous ferai votre déposition.

– Je vais réfléchir.

Cette brève visite est un divertissement pour lui et il n'est pas pressé de me voir repartir. Nous bavardons encore quelques minutes de la vie en prison, puis je l'abandonne à son triste sort.

Je n'étais jamais monté dans les étages de la maison de Miss Birdie. C'est aussi poussiéreux et moisi qu'en bas. J'ouvre la porte de chaque chambre, allume l'interrupteur, jette un coup d'œil à l'intérieur, referme la porte et éteins la lumière. Le plancher du couloir craque sous mes pas. Du premier étage un étroit escalier donne accès au second, mais je ne me sens pas le courage d'y aller.

La maison est beaucoup plus vaste que je ne le pensais. Et beaucoup plus cafardeuse aussi pour une personne seule. Je n'arrive pas à comprendre comment elle faisait pour vivre dans un tel isolement. J'ai un profond sentiment de culpabilité et regrette de n'avoir pas passé plus de temps en sa compagnie, de ne pas m'être assis plus souvent à côté d'elle devant sa maudite télé, de n'avoir pas mangé davantage de ses sandwiches à la dinde et bu de son café instantané.

Le rez-de-chaussée paraissant aussi dépourvu de voleurs que les étages, je me tourne vers la porte de la véranda. Sans Miss Birdie, cet endroit n'a plus d'âme. Je ne me rappelle pas avoir été réconforté par sa présence, mais c'était agréable de la savoir ici, dans la grande maison, au cas où j'aurais eu besoin de quelque chose. À présent, je me sens abandonné.

Je flâne dans la cuisine. Mon regard s'arrête sur le téléphone. C'est un vieux modèle avec un cadran à trous, et je suis démangé par l'envie de composer le numéro de Kelly. Si elle répondait je trouverais bien quelque chose à lui dire. Et si c'était lui, je raccrocherais. La provenance de l'appel pourrait être retrouvée, mais je n'habite pas ici.

J'ai pensé à elle aujourd'hui plus qu'hier. Cette semaine plus que la précédente.

J'ai besoin de la voir.

34

Je suis assis dans le minivan de Deck qui me conduit à la gare routière. Il fait un temps lumineux, magnifique. On pressent l'arrivée de l'automne. Dieu merci, la chaleur suffocante est derrière nous pour quelques mois. Memphis est un endroit délicieux en octobre.

Un aller-retour en avion pour Cleveland coûte un peu moins de sept cents dollars. Nous estimons qu'une nuit dans un hôtel pas trop cher mais offrant un minimum de sécurité reviendra à quarante dollars. Pour la nourriture, je me contenterai de sandwiches. Je suis frugal de nature. Comme c'est nous qui faisons la déposition, les frais sont à notre charge. Le greffier le moins cher que j'aie pu contacter à Cleveland demande cent dollars par jour de présence, plus deux dollars la page de transcription. Il n'est pas rare que ces témoignages, une fois minutés, s'étendent sur cent pages et plus. Nous aurions aimé avoir un enregistrement vidéo, mais c'est hors de question.

Pas question non plus de voyager en avion. Le cabinet Rudy Baylor n'a tout simplement pas les moyens de payer le billet à son patron. Jamais je ne m'aventurerais sur la route avec la Toyota. Si jamais elle tombait en panne, je serais coincé et la déposition devrait être reportée. Deck m'a vaguement proposé son engin, mais pour faire mille six cents kilomètres je m'en méfie autant que de ma voiture.

Les bus Greyhound sont très fiables, bien que terriblement lents. L'essentiel est d'arriver à destination, ce qui est toujours le cas. Ce n'est pas l'idéal mais tant pis. Je ne suis pas si pressé que ça, et puis je verrai du pays. Je m'y résigne pour une multitude de raisons, la moins mauvaise étant économique.

Deck est peu bavard. Je crois qu'il a honte de notre pauvreté. Et il sait qu'il devrait m'accompagner. Je vais être confronté à des témoins hostiles et à une masse de documents nouveaux qui devront être examinés et digérés sur-le-champ. Ce serait réconfortant d'avoir un allié dans la place.

Nous nous quittons au parking de la gare. Il promet de s'occuper du cabinet et de trouver des affaires, ce dont je ne doute pas un instant. Je le vois repartir en direction de l'hôpital St. Peter.

Je ne suis jamais monté dans un bus Greyhound. Dans la gare routière, petite mais propre, les voyageurs du dimanche matin affluent, des personnes âgées et des Noirs pour la plupart. Je trouve le bon guichet et reçois mon billet contre la somme de cent trente-neuf dollars.

Le bus part à huit heures pile et file d'abord à l'ouest, vers l'Arkansas, puis au nord, direction Saint Louis. Par chance, le désagrément d'avoir quelqu'un à côté de moi m'est épargné.

Le bus est presque plein, il ne reste que trois ou quatre places libres. Nous devons arriver à Saint Louis dans six heures, être à Indianapolis à sept heures du soir, et à Cleveland à onze heures. Quinze heures de route !... La déposition commence demain matin à neuf heures.

Je suis certain que mes adversaires de Tinley Britt dorment encore. Quand ils se lèveront, un magnifique petit déjeuner les attendra dans leur véranda, avec le journal du dimanche. Peut-être certains iront-ils ensuite à l'église, avant de faire un plantureux déjeuner, suivi d'une partie de golf. Vers cinq heures du soir, leur femme les accompagnera à l'aéroport, ils s'embrasseront, puis ces éminents juristes s'envoleront dans un jet, en première classe, bien sûr. Une heure plus tard, ils atterriront à Cleveland où ils seront accueillis par quelque grosse huile de Great Benefit qui les conduira au meilleur hôtel de la ville dans sa voiture avec chauffeur. Après un succulent dîner arrosé des meilleurs vins, ils s'enfermeront dans une confortable salle de conférences où ils conspireront contre moi jusqu'à la fin de la soirée. Et à l'heure où je me présenterai à la réception de quelque motel, ils se retireront dans leur chambre et se coucheront, frais et dispos pour la bataille de demain.

L'immeuble de Great Benefit est situé dans une riche banlieue de Cleveland. J'explique à mon chauffeur de taxi qu'il me faut un motel bon marché dans les environs. Il sait exactement où aller. Il s'arrête devant le Plaza Inn. Il y a un McDonald's sur le trottoir d'en face, et un magasin de location de cassettes vidéo. Ce ne sont que fast-food, sex-shops, enseignes au néon, galeries commerciales et motels tout le long de la rue. Le mien a l'air sûr.

Il y a beaucoup de chambres libres. Je paye trente-deux dollars en espèces pour la nuit et demande une facture, comme Deck m'a recommandé de le faire.

À minuit moins deux, je suis au lit, les yeux au plafond. Je me rends compte qu'en dehors du réceptionniste il n'y a pas un seul être au monde qui sache où je me trouve. Personne ne peut me contacter.

Bien entendu, je n'arrive pas à m'endormir.

Depuis que je me suis mis à détester Great Benefit, je me suis fait une certaine idée du siège de la compagnie. Je voyais un grand bâtiment moderne avec beaucoup de baies vitrées, une fontaine devant l'entrée principale, des mâts avec des drapeaux aux couleurs de la société, le nom et le logo de celle-ci, en lettres d'or sur une plaque de bronze. Partout, le luxe et l'opulence.

Eh bien, ce n'est pas exactement ça. L'immeuble est facile à repérer car l'adresse figure en gros caractères noirs sur le mur de béton : 5550 Baker Gap Road. Mais le nom de Great Benefit n'apparaît nulle part. En fait, le siège de la compagnie est impossible à identifier de l'extérieur. Ni fontaine ni drapeaux, rien qu'un cube de cinq étages, très moderne et incroyablement laid. La façade, d'un gris terne, est percée de fenêtres aux vitres teintées.

Je pénètre dans un petit hall. Il y a une rangée de pots de fleurs en plastique le long d'un mur et, de l'autre côté, une ravissante hôtesse d'accueil attablée à un standard. Elle a des écouteurs sur les oreilles et un micro au bout d'un arceau, à quelques centimètres de ses lèvres. Sur le mur derrière elle, les noms de trois sociétés, sans plus de précisions : PinnConn Group, Green Lakes Marine et Great Benefit Life. Qui possède quoi ? Mystère. À chaque raison sociale correspond un logo prétentieux.

– Bonjour, je suis Rudy Baylor et j'ai rendez-vous avec M. Paul Moyer, dis-je poliment.

– Un instant, s'il vous plaît. (Elle appuie sur un bouton et attend quelques secondes.) Monsieur Moyer, votre rendez-vous est là.

Son bureau ne doit pas être loin car il arrive moins d'une minute après et se précipite sur moi, la main tendue, en m'accueillant d'un « Comment allez-vous, Rudy ? » des plus civils. Je le suis dans un couloir jusqu'aux ascenseurs. Il est à peine plus âgé que moi et parle sans arrêt, de choses plus futiles les unes que les autres. Nous sortons au quatrième et je suis déjà complètement désorienté dans cette abomination architecturale. L'ambiance est feutrée : moquette, tableaux aux murs, éclairages hallogènes. Sans cesser de bavasser, Moyer ouvre une lourde porte capitonnée au bout d'un couloir et m'introduit dans une salle de conférences.

Bienvenue dans le temple du fric. Une immense table ovale en bois verni occupe le milieu de la pièce, entourée d'une bonne cinquantaine de chaises en cuir. Un lustre clinquant est suspendu au plafond et j'aperçois un bar dans un coin sur ma gauche. À ma droite, une table roulante avec café, biscuits, et, rassemblés autour, huit conspirateurs, en costume sombre, chemise blanche, cravate à rayures et chaussures noires. Ma nervosité se mue en tremblements. Où est Tyrone Kipler ? J'ai besoin de lui. En ce moment, même la présence de Deck serait un soulagement.

Quatre de ces messieurs sont mes adversaires habituels de Tinley Britt. Le cinquième est le représentant de la compagnie déjà vu lors des audiences à Memphis ; quant aux trois autres, que je ne connais pas, ils se figent dès qu'ils me voient, le verre ou l'assiette à la main et me contemplent bouche bée. Je crois que j'ai interrompu une importante conversation.

T. Pierce Morehouse est le premier à reprendre contenance.

– Entrez donc, Rudy, se croit-il obligé de dire.

De la tête, je salue B. Dewey Clay Hill troisième du nom, Alec Plunk junior et Brandon Fuller Grone. Je serre la main des autres, que Morehouse me présente au fur et à mesure, et dont j'oublie instantanément les noms, sauf Jack Underhall, déjà venu dans le tribunal de Kipler. C'est un des juristes attitrés de Great Benefit, et c'est lui qu'ils ont désigné comme porte-parole de la compagnie.

Après une bonne nuit de sommeil, mes opposants ont les yeux limpides et le teint frais. On jurerait que leurs vêtements bien repassés sortent d'une penderie et non d'un sac de voyage. Moi, en revanche, j'ai les yeux rougis et ma chemise est froissée. Mais ce n'est pas ce qui me préoccupe le plus.

Le greffier arrive et T. Pierce nous entraîne vers une extrémité de la table. Le doigt tendu, il nous désigne nos places respectives après quelques hésitations. Le siège au bout de la table est réservé au témoin. Je m'assieds sagement sur ma chaise et essaie de la rapprocher de la table, chose malaisée car elle pèse une tonne. En face de moi, bien qu'à au moins trois mètres de distance, les quatre représentants de Tinley Britt ouvrent leurs attachés-cases dans un grand concert de fermoirs et de fermetures Éclair, que suit un déballage non moins bruyant de documents. En quelques secondes, la table se couvre de papiers.

Les quatre cadres de la compagnie s'attardent derrière le greffier. Ils ne savent pas trop quoi faire, et attendent les instructions de T. Pierce. Son dossier et son bloc enfin disposés devant lui, celui-ci déclare :

– Bon, Rudy, nous pensons que le mieux serait de commencer par la déposition de notre porte-parole, Jack Underhall.

Je m'y attendais et j'avais déjà prévu de m'y opposer.

– Eh bien, moi, je ne le pense pas, dis-je avec nervosité.

J'essaie désespérément d'avoir l'air décontracté, bien que je sois en terrain étranger et entouré d'ennemis. Il y a plusieurs raisons à mon refus de faire témoigner Underhall en premier, à commencer par le fait que c'est ce qu'ils veulent. Ceci est *ma* déposition, me dis-je et me redis-je.

– Pardon ? dit T. Pierce.

– Vous m'avez bien entendu. Je voudrais commencer par Jackie Lemancysk, employé au service Sinistres. Mais, auparavant, je souhaiterais avoir communication de votre dossier.

Le cœur d'une affaire litigieuse, c'est le dossier tenu par le service Sinistres, l'ensemble des courriers et documents conservés au siège de l'entreprise incriminée. Dans un cas de mauvaise foi patente, comme ici, ce dossier constitue l'historique des différentes manœuvres, intimidation, falsification, qui caractérisent l'escroquerie. J'ai droit à ces pièces et j'aurais dû les recevoir il y a dix jours. Drummond a fait l'innocent et prétendu que c'était son client qui traînait les pieds. Kipler a alors signé une injonction de la cour leur ordonnant sans équivoque de me remettre ce dossier dès mon arrivée ce matin.

– Nous pensons qu'il serait préférable de commencer par M. Underhall, répète T. Pierce, sans grande assurance.

– Ce que vous pensez m'est égal, dis-je. (Et j'ajoute, d'un ton railleur :) Voulez-vous qu'on appelle le juge ?

Même si Kipler n'est pas avec nous, sa présence hante l'assemblée. Il a ordonné en termes très clairs que les six témoins cités se tiennent à ma disposition à partir de neuf heures ce matin, et bien précisé que l'ordre des dépositions était à ma seule discrétion.

– Heu... nous... comment dirais-je ? bafouille T. Pierce en regardant nerveusement les quatre cadres de la compagnie qui ont subrepticement reculé vers la porte et contemplent leurs pieds en se dandinant. Il y a un problème avec Jackie Lemancysk.

– Quel genre de problème ?

– Elle ne travaille plus ici.

Je suis abasourdi. La bouche grande ouverte. Je ne sais quoi répondre.

– Quand est-ce qu'elle est partie ? dis-je finalement.

– À la fin de la semaine dernière.

– Quel jour ? Nous étions au tribunal jeudi dernier. Vous le saviez à ce moment-là ?

– Non. Elle est partie samedi.

– A-t-elle été licenciée ?

– Elle a démissionné.

– Où est-elle, maintenant ?

– Elle n'est plus employée ici, vous comprenez ? Nous ne pouvons pas la présenter comme témoin.

Je me penche sur mes notes, cherchant d'autres noms.

– Bon, et Tony Krick, du même service ?

Nouvelles manifestations de gêne collective.

– Il est parti aussi, répond T. Pierce. Il y a eu des compressions d'effectifs.

Encore un coup à l'estomac, que je mets un certain temps à encaisser, tout en me demandant comment riposter.

Great Benefit n'a pas hésité à virer des gens pour les empêcher de répondre à mes questions.

– Quelle coïncidence ! dis-je.

Plunk, Hill et Grone gardent obstinément les yeux baissés sur leurs calepins. Je me demande ce qu'ils peuvent bien noter.

– Notre client est contraint régulièrement à des compressions d'effectifs, explique T. Pierce, sérieux comme un pape.

– Et Richard Pellrod, chef de service de Jackie Lemancysk ? Compression d'effectifs ?

– Non. Il est ici.

– Et Russell Krokit ?

– M. Krokit nous a quittés pour rejoindre une autre société.

– Je m'en doutais. Compression d'effectifs, n'est-ce pas ?

– Non.

– Ah bon ? A-t-il démissionné, comme Jackie Lemancysk ?

– C'est cela, oui.

Russell Krokit était directeur des Sinistres à l'époque où il a signé la lettre « stupide ». Malgré mon anxiété, j'attendais avec impatience de recueillir son témoignage.

– Et Everett Lufkin, vice-président des Sinistres ? Licenciement ? Départ volontaire ?

– Non. Il est ici.

Suit un long silence. Chacun fait mine de s'affairer pour détendre l'atmosphère. Ma plainte a provoqué une grave hémorragie dans le personnel de Great Benefit. Je note soigneusement les défections.

– Vous avez le dossier ?

T. Pierce tend le bras derrière lui et attrape une pile de papiers qu'il pousse vers moi à travers la table. Toutes les pièces ont été photocopiées et rassemblées dans différentes chemises.

– C'est en ordre chronologique ?

Kipler a expressément exigé un tel classement.

– Je crois, répond T. Pierce en jetant un regard inquiet à ses clients.

– Donnez-moi une heure, dis-je en soupesant l'épais dossier. Nous reprendrons ensuite.

– Bien sûr. Il y a une petite salle de réunion derrière, dit-il en montrant le mur dans mon dos.

Underhall et lui me conduisent dans la pièce contiguë. Je m'installe à une table et me plonge aussitôt dans le dossier.

Une heure plus tard, je réintègre la salle de conférences. Ils sont en train de discuter à voix basse en buvant du café.

– Il va falloir que nous appelions le juge, dis-je, et T. Pierce réagit au quart de tour.

– Par ici, dit-il en montrant la pièce que je viens de quitter.

J'appelle le bureau de Kipler sur un poste, tandis qu'il écoute sur un autre. Le juge répond au deuxième coup.

– Il y a un problème, Votre Honneur, dis-je après l'avoir respectueusement salué.

– Quel genre de problème ?

T. Pierce, l'oreille collée au combiné, contemple le sol d'un air absent.

– Eh bien, des six témoins que j'ai cités et dont vous avez vous-même exigé la comparution, trois ont soudainement disparu. Soit ils ont démissionné, soit ils ont été licenciés, mais ils ne sont pas ici. C'est arrivé à la fin de la semaine dernière.

– Qui ça ?

Je suis sûr qu'il a le dossier sous les yeux, avec la liste des témoins.

– Jackie Lemancysk, Tony Krick et Russell Krokit ne travaillent plus ici. Pellrod, Lufkin et Underhall ont miraculeusement survécu à l'hécatombe.

– Et le dossier ?

– Je l'ai. J'ai vérifié son contenu.

– Et alors ?

– Alors il manque au moins un document, dis-je, surveillant T. Pierce du coin de l'œil.

Il fronce les sourcils, comme s'il n'en croyait pas ses oreilles.

– Quel document ?

– La lettre injurieuse de M. Krokit. Je n'ai pas eu le temps de vérifier le reste en détail.

Les avocats de Great Benefit ont vu la lettre en question pour la première fois la semaine dernière. Le double que Dot a remis à Drummond pendant sa déposition comportait trois coups de tampon « COPIE » que j'avais donnés à dessein pour qu'on en connaisse la provenance si elle réapparaissait plus tard. L'original est en sûreté, dans mes archives personnelles. Drummond et ses troupes ne pouvaient pas prendre le risque de transmettre leur copie tamponnée à la compagnie pour que celle-ci la reverse tardivement au dossier.

– Pierce, vous m'entendez ? demande Kipler. C'est vrai, ce que dit M. Baylor ?

L'avocat est réellement embarrassé.

– Désolé, Votre Honneur, je ne peux pas vous dire. J'ai parcouru le dossier, mais heu... enfin, ça doit être vrai. Je n'ai pas tout vérifié.

– Vous êtes dans la même pièce, tous les deux ?
– Oui, répondons-nous en même temps.
– Bien. Pierce, veuillez sortir. Rudy restez en ligne.
T. Pierce veut dire quelque chose, mais il se ravise et quitte la pièce, gêné.
– OK, Votre Honneur, je suis seul.
– Dans quel état d'esprit sont-ils ?
– Plutôt tendus, je dirais.
– Ça ne m'étonne pas. Bon, écoutez, voici ce que nous allons faire. En éliminant des témoins et en dissimulant des pièces, ils se sont exposés à des sanctions que j'ai seul le pouvoir de leur infliger. Ils l'auront bien mérité. Pour commencer, toutes les dépositions auront désormais lieu ici, à Memphis. Faites juste témoigner Underhall, personne d'autre. Posez-lui toutes les questions possibles et imaginables, harcelez-le, tâchez de le coincer sur le départ des trois témoins gênants. Ne le ménagez pas. Quand vous aurez fini avec lui, rentrez directement ici. Je vais les convoquer pour une audience à la fin de cette semaine et nous verrons bien ce qui se trame là-dessous. Et pendant que vous y êtes, demandez-leur de joindre au dossier toutes leurs notes de service internes.
J'écris ce qu'il dit au fur et à mesure.
– Repassez-moi Pierce, maintenant. Et ne lui faites pas de cadeau.

Jack Underhall est un petit bonhomme râblé avec une moustache bien taillée, qui parle en avalant ses mots. Il jette un peu de lumière sur les coulisses de Great Benefit. La compagnie est une filiale de PinnConn, société à capitaux privés dont les propriétaires sont difficiles à coincer. Je le questionne longuement sur les affiliations et ramifications diverses des trois sociétés domiciliées dans l'immeuble. C'est, comme je m'y attendais, un embrouillamini inextricable. Nous parlons une heure durant des structures et de l'organigramme du groupe, depuis le PDG jusqu'à la base. Nous évoquons les produits, les services, les ventes, les marchés, le personnel. Ses réponses ne manquent pas d'intérêt, mais elles sont inexploitables. Il me présente les deux lettres de démission des témoins manquants et m'assure que leur départ n'a aucun rapport avec notre affaire.

Je le tarabuste pendant trois heures, avant de lâcher prise. Je m'attendais à passer au moins trois jours à Cleveland, enfermé dans une pièce avec l'équipe de Tinley Britt, à me chamailler avec des témoins plus récalcitrants les uns que les autres et à potasser des kilos de documents la nuit. Mais je quitte les lieux peu après deux heures, pour n'y plus jamais revenir, chargé de documents inédits que Deck va se faire un plaisir de passer au crible. Je sais maintenant que ces ordures vont être obligées de venir dans mon fief, de témoigner dans un tribunal de ma ville, sous la présidence d'un juge intègre et favorable à ma cause.

Du coup, le trajet du retour en bus me paraît beaucoup plus rapide.

35

Deck possède une carte de visite professionnelle qui le présente comme « assistant-avocat », espèce nouvelle à mes yeux. Il rôde dans les couloirs aux portes des tribunaux municipaux et s'efforce d'accoster les petits délinquants qui attendent leur première comparution. Il repère des types qui tiennent leur convocation à la main, l'air apeuré, et se met à leur débiter son baratin. C'est ce que Deck appelle le « piqué du faucon », une technique couramment pratiquée par les innombrables avocats qui hantent le promenoir du palais. Il m'a proposé une fois de l'accompagner pour que je m'initie à ladite technique, mais j'ai décliné.

À l'origine, Derrick Dogan était une proie toute désignée pour le « piqué du faucon », mais la prédation a tourné court quand il a demandé à Deck :

– Assistant-avocat ? Bon Dieu, qu'est-ce que c'est que ça ?

Toujours prompt à répondre par une formule toute faite, Deck n'a pas réussi à satisfaire sa curiosité et s'est sauvé sans demander son reste. Mais Dogan a conservé sa carte. Un peu plus tard le même jour, un automobiliste de dix-huit ans qui roulait à tombeau ouvert lui est rentré dedans à un carrefour. C'est ainsi que, vingt-quatre heures à peine après avoir envoyé paître Deck, Dogan composait le numéro du cabinet depuis sa chambre à l'hôpital St. Peter. C'est Deck qui a pris l'appel à un moment où j'étais en passe de succomber sous une masse de documents communiqués par Great Benefit. Quelques minutes après, nous foncions vers l'hôpital. Dogan voulait parler à un véritable avocat, pas à un assistant-avocat.

Nous trouvons Dogan seul dans sa chambre, une jambe, un poignet et plusieurs côtes cassés, le visage contusionné. Il est jeune, pas plus de vingt-cinq ans, et ne porte pas d'alliance. Je prends les choses en main, en authentique avocat que je suis, et lui sers le boniment habituel. Il ne doit surtout pas parler, ni aux assureurs ni à quiconque en dehors de nous. Mon cabinet, sachez-le, chez monsieur, traite plus d'accidents de la circulation qu'aucun autre à Memphis. Deck sourit. Je suis un bon élève.

Dogan signe un contrat et une autorisation qui nous permettra d'avoir accès à son dossier médical. Comme il souffre beaucoup, nous n'insistons pas. L'essentiel est que son nom figure sur le contrat. Nous lui faisons nos adieux et promettons de repasser le voir demain.

À midi, Deck a réussi à obtenir une copie du rapport de l'accident et a déjà pu parler au père du jeune chauffard. Sa compagnie d'assurances est la State Farm, une grosse boîte. Le père croit savoir que la police couvre les dommages à hauteur de vingt-cinq mille dollars. Lui et son fils sont vraiment navrés de ce qui s'est passé. Pas de problème, répond Deck, qui, lui, semble s'en féliciter.

Un tiers de vingt-cinq mille égale huit mille et des poussières. Nous déjeunons dans un merveilleux restaurant, en plein quartier chic, le Dux. Je bois du vin et Deck prend un dessert. C'est un grand moment dans la courte histoire du cabinet Baylor. Nous comptons et recomptons notre argent, et tirons des plans sur la comète pendant trois heures.

Le jeudi suivant, trois jours après mon retour de Cleveland, nous nous retrouvons au tribunal de Kipler à cinq heures trente de l'après-midi. Son Honneur a choisi cet horaire tardif pour que le grand Leo F. Drummond puisse nous rejoindre dans la foulée de sa trépidante journée de plaidoiries, afin de se faire taper sur les doigts. À son arrivée l'équipe de la défense est complète. Ils sont là tous les cinq, affichant leur air supérieur, bien que tout le monde sache qu'ils vont en prendre pour leur grade. Jack Underhall est ici, mais ses trois confrères de Great Benefit ont préféré rester à Cleveland. Franchement, je les comprends.

– Je vous avais prévenu au sujet de ces documents, monsieur Drummond, gronde Kipler, cinq minutes à peine après le début de l'audience. Je pensais pourtant avoir été clair. J'avais même pris soin de rédiger mes instructions. Que s'est-il passé ?

Ce n'est probablement pas la faute de Drummond. Ses clients jouent au plus malin avec lui et je suppose qu'il leur a déjà fait comprendre qu'il n'appréciait pas du tout cette façon de faire. Leo F. Drummond a beaucoup d'amour-propre. Il ne supporte pas d'être humilié. J'ai presque pitié de lui. Il est en plein procès à la cour fédérale, un procès avec X millions de dollars à la clef, ne dort probablement que trois heures par nuit, doit réfléchir à trente-six mille choses en même temps, et il faut maintenant qu'il retourne au prétoire pour défendre les magouilles d'un client qui n'en fait qu'à sa tête.

J'ai *presque* pitié de lui...

– Il n'y a pas d'excuse, Votre Honneur, dit-il, et pour une fois tout le monde le croit sur parole.

– Quand avez-vous appris que ces trois témoins ne travaillaient plus chez votre client ?

– Samedi après-midi.

– Avez-vous essayé d'en avertir l'avocat des plaignants ?

– Oui, j'ai essayé, mais je n'ai pas réussi à le joindre. Nous avons même appelé la compagnie aérienne pour tenter de lui faire parvenir un message. Sans succès.

Pas de chance pour eux. C'est Greyhound qu'il fallait appeler.

Kipler ne cache pas son indignation. Il soupire et secoue ostensiblement la tête, l'air outragé.

– Veuillez vous asseoir, monsieur Drummond, dit-il.

Je n'ai pas encore prononcé un mot.

– Messieurs, voici ce que j'ai décidé, annonce le magistrat. Lundi en huit, nous nous réunirons ici même pour procéder aux dépositions. Les personnes suivantes comparaîtront côté défense : Richard Pellrod, chef de service aux Sinistres, Everett Lufkin, vice-président des Sinistres, Kermit Aldy, vice-président de la Production, Bradford Barnes, vice-président de la Gestion, et M. Wilfred Keeley, président-directeur général.

Kipler m'avait préalablement demandé de dresser la liste des cadres que je souhaitais voir témoigner.

De l'autre côté de l'allée centrale, les défenseurs accusent le coup.

– Ni excuses, ni retard, ni report, poursuit le juge. Naturellement, ces messieurs se déplaceront à leurs frais. Les dépositions auront lieu dans l'ordre choisi par le défenseur des plaignants et dureront aussi longtemps que celui-ci le jugera utile. Tous les frais, y compris les honoraires de greffier, copies comprises, seront à la charge de Great Benefit. Trois jours minimum sont à prévoir pour ces dépositions.

« En outre, une copie de tous les documents exigibles sera remise aux plaignants mercredi prochain au plus tard, soit cinq jours avant les dépositions. Ces documents devront être soigneusement photocopiés et classés par ordre chronologique sous peine de sanctions. Et puisque nous en sommes au chapitre des sanctions, j'ordonne à la compagnie défenderesse de défrayer M. Baylor, à titre de pénalité, de son voyage inutile à Cleveland. Monsieur Baylor, combien coûte un aller-retour Memphis-Cleveland en avion ?

– Sept cents dollars, dis-je, sans mentir.

– Classe affaires ou loisirs ?

– Classe loisirs.

– Monsieur Drummond, vous avez envoyé quatre confrères à Cleveland. Ils étaient en classe affaires ou en classe loisirs ?

Drummond consulte du regard T. Pierce qui se recroqueville sur son siège comme un gamin pris en flagrant délit de tricherie.

– En classe affaires.

– Je m'en doutais. Et combien coûte le billet ?

– Treize cents dollars.

– Combien avez-vous dépensé pour votre nourriture et votre hébergement, monsieur Baylor ?

En fait, moins de quarante dollars. Mais ce serait terriblement embarrassant de l'admettre devant tout le monde. Dommage, pour le coup, que je ne sois pas descendu dans un palace.

– Environ soixante dollars, dis-je, tâchant d'évaluer le juste milieu entre luxe et misère.

Je serais surpris que leurs chambres aient coûté moins de cent cinquante dollars la nuit.

Les sourcils froncés, Kipler note scrupuleusement ces dépenses, tout en faisant cliqueter sa calculette mentale.

– Combien de temps a duré votre voyage ? Dans les deux heures pour chaque trajet ?

– À peu près, oui.

– Ce qui nous fait huit cents dollars, à raison de deux cents dollars l'heure. D'autres dépenses ?

– Deux cent cinquante dollars d'honoraires de greffier.

Il inscrit la somme, fait l'addition, vérifie une dernière fois et dit :

– Le défendeur est condamné à verser à M. Baylor la somme de deux mille quatre cent dix dollars de pénalité, payables dans les cinq jours, sous astreinte de doublement cumulatif de ladite somme par journée de retard. C'est bien compris, monsieur Drummond ?

Je ne peux réprimer un sourire.

Drummond se lève lentement, les mains écartées.

– J'élève une objection contre cette mesure, dit-il, maîtrisant à grand-peine son exaspération.

– Je prends note de votre objection. Votre client a cinq jours, pas un de plus.

– Nous n'avons aucune preuve que M. Baylor ait voyagé en classe affaires.

Qu'un avocat de la défense conteste tout systématiquement, c'est dans l'ordre des choses. Pour lui, la chicanerie est une seconde nature. Et une manœuvre lucrative. Mais payer une telle somme est une bagatelle pour Great Benefit, et Drummond devrait se rendre compte que cela ne l'avancera à rien de faire obstruction pour un oui ou pour un non.

– L'aller-retour pour Cleveland vaut largement treize cents dollars, monsieur Drummond, c'est évident. Je maintiens la pénalité.

– M. Baylor n'est pas payé à l'heure, rétorque l'avocat.
– Est-ce que vous insinuez que son temps n'a aucune valeur ?
– Non.

Ce qu'il insinue, c'est que je ne suis qu'un crève-la-faim d'apprenti juriste et que mon temps à moi ne vaut rien, comparé à celui de ses confrères.

– Dans ce cas, vous le dédommagerez au tarif de deux cents dollars l'heure. Estimez-vous heureux, je pensais vous asteindre à l'indemniser pour chaque heure qu'il a passée à Cleveland.

Dommage. Pour un peu, je doublais mes gains.

Drummond lève les yeux au ciel et se rassied. Kipler le fusille du regard. Cela ne fait que quelques mois qu'il siège et il est déjà célèbre pour son aversion contre les grosses entreprises. Il n'a pas hésité à infliger de sévères pénalités dans d'autres affaires en cours, ce qui a beaucoup fait jaser dans les milieux judiciaires.

– Rien d'autre ? demande-t-il.
– Non, Votre Honneur, dis-je, histoire de montrer que je suis toujours là.

Encore quelques murmures de protestation à la table des défenseurs, puis Kipler assène le coup de marteau traditionnel qui clôt les débats. Je me hâte de ranger mes affaires et sors du prétoire.

Pour dîner, je mange un sandwich au bacon chez les Black, en compagnie de Dot. Le soleil sombre lentement derrière les arbres du jardin et derrière la Fairlane occupée par Buddy qui refuse de se joindre à nous. Face à la mort imminente de son fils, il passe de plus en plus de temps à boire dans sa voiture. Il vient seulement s'asseoir quelques minutes chaque matin au chevet de Donny Ray, le quitte généralement en pleurant et s'isole pour le restant de la journée. Dot et moi ne nous en plaignons pas.

Je lui parle du procès, des manœuvres de Great Benefit et de l'étonnante équité dont fait preuve le juge Tyrone Kipler, mais ça ne l'intéresse guère. La femme endiablée que j'ai connue il y a six mois aux Cyprès semble avoir renoncé à se battre. Elle pensait sincèrement alors qu'un avocat, n'importe lequel, même moi, pouvait contraindre Great Benefit à céder. Un miracle pouvait encore survenir. Aujourd'hui, elle n'a plus d'espoir.

Dot se reprochera éternellement la mort de Donny Ray. Elle sait qu'elle aurait dû consulter un avocat dès le premier refus de la compagnie, elle me l'a avoué plusieurs fois, au lieu de répondre elle-même par courrier. Effectivement, je pense que, menacée de poursuites, Great Benefit aurait payé, ce pour deux raisons : d'abord, ils savaient très bien qu'ils avaient tort sur toute la ligne ; ensuite, ils ont offert soixante-quinze mille dollars pour régler le conflit à l'amiable dès qu'ils ont compris que l'affaire s'envenimait. Ils crèvent de trouille, ça se voit, leurs avocats crèvent de trouille, leurs cadres à Cleveland crèvent de trouille.

Dot me sert une tasse de déca, avant de me laisser pour aller surveiller son mari. Je vais boire mon café dans la chambre de Donny Ray qui dort, lové sous les draps. Une seule petite lampe est allumée dans un coin et je m'assieds à côté, tournant le dos à la fenêtre ouverte, par où pénètre un peu d'air frais. Tout est calme dans le voisinage et dans la chambre.

Le testament de Donny Ray est un simple texte de deux paragraphes. Il cède tout à sa mère. Je le lui ai préparé il y a une semaine. Comme il ne doit ni ne possède rien, c'est un acte inutile. Mais ça le tranquillise. Il a aussi programmé ses funérailles. Dot a pris toutes les dispositions nécessaires. Il veut que j'aide à porter le cercueil.

Je prends le livre que je lis par intermittence depuis deux mois. C'est un volume réunissant plusieurs romans, vieux d'il y a trente ans, un des seuls bouquins de la maison. Je le laisse toujours à la même place et en lis quelques pages à chacune de mes visites.

Il geint faiblement et frémit dans son sommeil. Je me demande ce que Dot fera le matin où elle entrera dans sa chambre et le trouvera sans vie.

Elle nous laisse seuls maintenant, quand je veille sur son fils. Je l'entends faire sa vaisselle. J'ai l'impression que Buddy est rentré dans la maison. Je lis une heure. Je m'interromps de temps en temps pour regarder Donny Ray. S'il s'éveille, nous bavarderons un peu, ou bien j'allumerai la télé. Je ferai n'importe quoi pour le soulager.

Soudain, j'entends une voix inconnue dans le salon, puis on frappe à la porte. Il me faut un certain temps pour reconnaître l'homme qui se tient sur le seuil. C'est le Dr Kord, venu faire sa visite à domicile. Nous nous saluons au pied du lit avant de nous approcher de la fenêtre pour discuter.

– Je passais juste voir comment ça allait, dit-il à mi-voix.

– Asseyez-vous, dis-je en montrant l'une des deux chaises de la pièce.

Nous nous installons l'un à côté de l'autre, les yeux tournés vers le condamné.

– Vous êtes ici depuis longtemps? demande-t-il.

– Deux heures, à peu près. J'ai dîné avec Dot.

– Il s'est réveillé?

– Non.

Nous restons paisiblement assis dans la pénombre, le cou caressé par l'air du jardin. Dans nos métiers respectifs, nous sommes toujours à courir après la montre, mais ici on perd la notion du temps.

– J'ai réfléchi à votre procès, souffle-t-il. Est-ce que vous savez quand il aura lieu?

– Le 8 février.

– C'est sûr ?

– Ça m'en a tout l'air.

– Vous ne pensez pas que ce serait plus efficace si je témoignais en personne à l'audience, au lieu de faire une déposition ?

– Si, bien sûr.

Kord a plusieurs années de pratique derrière lui. Il sait ce que c'est qu'un procès et une déposition. Il se penche en avant, les coudes sur les genoux.

– Bon, eh bien, oublions la déposition et faisons comme ça. Rien ne vaut un témoignage en direct. Je vous ferai grâce de ma facture.

– Merci. C'est très généreux.

– Je vous en prie. C'est le moins que je puisse faire.

Nous restons un long moment à méditer en silence. À part quelques bruits discrets dans la cuisine, on n'entend rien dans la maison. Kord n'est pas du genre à discuter à bâtons rompus.

– Vous savez à quoi je passe mon temps ? demande-t-il finalement.

– Non.

– À diagnostiquer des cancers, puis à préparer les gens à la mort.

– Pourquoi avez-vous choisi la cancérologie ?

– Vous voulez savoir la vérité ?

– Bien sûr, allez-y.

– C'est parce qu'il y a une forte demande dans cette spécialité.

– Il faut bien que quelqu'un s'en charge, j'imagine.

– Ce n'est pas si dur que ça, en fait. J'aime beaucoup mon travail... (Il s'interrompt un instant pour regarder son patient.) Pourtant, ce cas-là est vraiment éprouvant. C'est atroce de voir un malade privé de soins. Si les greffes de moelle n'étaient pas si chères, nous aurions peut-être pu faire quelque chose. Je n'aurais ménagé ni mon temps ni mes efforts, mais c'est une intervention à deux cent mille dollars. Aucun hôpital, aucune clinique dans le pays ne peut payer une somme pareille.

– Vous devez haïr les compagnies d'asurances.

– Oui, je les déteste.

Il marque une longue pause et reprend :

– Il faut absolument qu'ils soient condamnés.

– Je fais tout pour.

– Vous êtes marié ? demande-t-il en se redressant et en consultant sa montre.

– Non. Et vous ?

– Non plus. Divorcé. Allons prendre une bière.

– Volontiers. Où ça?
– Vous connaissez le Murphy Oyster?
– Bien sûr.
– Retrouvons-nous là-bas.
Nous sortons de la chambre sur la pointe des pieds, saluons Dot qui se balance dans un rocking-chair en fumant devant sa maison, et les quittons pour aujourd'hui.

Je suis profondément endormi quand le téléphone sonne, à trois heures vingt du matin. Ou bien Donny Ray est mort, me dis-je, ou bien un avion s'est écrasé et Deck est sur le coup. Qui d'autre pourrait m'appeler à une telle heure?
– Rudy? fait une voix chantante au bout du fil.
– Miss Birdie!
Je me redresse et allume.
– Navrée de vous réveiller.
– Pas grave, Miss Birdie. Comment allez-vous?
– Ils sont méchants avec moi.
Je ferme les yeux et ma tête retombe sur l'oreiller. Pourquoi ne suis-je pas surpris?
– Qui ça? je demande, uniquement pour dire quelque chose.
– C'est June la plus infecte de tous, dit-elle, comme s'ils étaient ligués contre elle.
– Vous habitez avec Randolph et June?
– Oui, et ils sont horribles avec moi. Je n'ose plus manger ce qu'ils mettent dans mon assiette.
– Pourquoi?
– J'ai peur qu'il n'y ait du poison dedans.
– Allons, Miss Birdie!
– Je vous assure, ils attendent que je meure, c'est tout. Vous savez que j'ai signé à Memphis un nouveau testament qui leur laisse ce qu'ils veulent. À mon arrivée à Tampa, ils ont été très gentils avec moi pendant quelques jours. Les petits-enfants passaient me voir tout le temps avec des fleurs ou des chocolats. Et puis Delbert m'a emmenée faire un bilan médical. Le docteur m'a examinée et lui a dit que je me portais comme un charme. Je crois qu'ils ne s'attendaient pas à ça. Du jour au lendemain, leur attitude a complètement changé. June est redevenue la petite traînée qu'elle n'a jamais cessé d'être. Randolph s'est remis à jouer au golf, il n'est jamais à la maison, et Delbert non plus ne vient plus me voir. June et Vera se détestent. Les petits-enfants n'ont pas de travail, ils vont et viennent.
– Pourquoi m'appelez-vous à cette heure, Miss Birdie?
– C'est que... je suis obligée de téléphoner en cachette. Hier, June m'a dit que je ne devais plus me servir du téléphone. Je suis allée

voir Randolph qui m'a permis de donner deux appels par jour. Ma maison me manque, Rudy. Tout va bien, là-bas ?

– Très bien, Miss Birdie.

– Je ne peux plus rester ici. Ils m'ont reléguée dans une petite chambre au fond de la maison, avec une salle de bains minuscule. J'ai l'habitude de beaucoup d'espace, vous savez, Rudy.

– Oui, je sais, Miss Birdie.

Elle attend que je lui propose d'aller la rechercher, mais ce n'est pas le moment. Voilà moins d'un mois qu'elle est partie. D'une certaine façon, ça lui fait du bien.

– Et Randolph me presse de signer une procuration à je ne sais quel avocat pour pouvoir agir à ma place. Qu'est-ce que vous en pensez ?

– Je ne conseille jamais à mes clients d'accepter ce genre de chose, Miss Birdie. Ce n'est pas une bonne idée.

En fait, je n'ai jamais eu de client confronté à ce problème, mais il me paraît évident que ce serait contraire à ses intérêts.

Pauvre Randolph. Il se donne un mal de chien pour mettre la main sur les millions présumés de sa mère. Que ferait-il s'il apprenait la vérité ? Miss Birdie trouve que les choses vont mal. Qu'elle attende encore un peu...

– Mon Dieu, je ne sais plus, dit-elle d'une voix mourante.

– Ne signez pas ça, Miss Birdie.

– Il y a autre chose. Hier... zut ! il y a quelqu'un qui vient. Je vous laisse.

Et elle raccroche. J'imagine June armée d'une ceinture de cuir, châtiant Miss Birdie coupable de s'être indûment servie du téléphone.

Finalement, cet appel ne m'a rien appris de significatif. C'était presque comique. Mais, si Miss Birdie veut que je la ramène chez elle, je le ferai.

Je me rendors sans trop de difficulté.

36

Je compose le numéro de la maison d'arrêt et demande la personne à qui j'ai parlé lors de ma première visite à Ott. Le règlement exige que toutes les visites reçoivent son feu vert préalable. Je veux revoir le courtier avant que nous prenions sa déposition.

Je l'entends pianoter sur son clavier.

– Bobby Ott n'est plus ici, m'annonce-t-elle.

– Quoi ?

– Il est sorti il y a trois jours.

– Il m'a dit il y a une semaine qu'il lui restait dix-huit jours à purger.

– Je suis navrée. Il n'est plus ici.

– Où est-ce qu'il est allé ?

– Vous plaisantez, ou quoi ?

Et elle raccroche.

Ott s'est envolé. Il m'a menti. Nous avions eu beaucoup de chance de retrouver sa trace, et, maintenant, il se cache de nouveau.

Le coup de fil que je redoutais me surprend un dimanche matin chez moi, à l'heure du café et du journal. Dot a trouvé le corps inanimé de son fils il y a une heure. Il s'est endormi hier soir pour ne plus se réveiller.

Sa voix tremble légèrement, mais elle contrôle son émotion. Nous parlons un peu et je m'aperçois que j'ai la gorge sèche et les yeux humides.

– Il est mieux où il est maintenant, répète-t-elle plusieurs fois, avec un certain soulagement.

Je lui dis que je suis désolé et promets de passer la voir dans l'après-midi.

Je traverse la pelouse en direction du hamac et m'appuie au tronc d'un chêne pour essuyer mes larmes. Je m'assieds sur le bord de la toile, les pieds par terre, et, tête baissée, je murmure une dernière prière pour Donny Ray Black.

J'appelle le juge Kipler chez lui et lui apprends la triste nouvelle. L'enterrement a lieu demain après-midi, ce qui pose un problème. Les dépositions des employés du siège doivent commencer demain matin à neuf heures et se poursuivre pratiquement toute la semaine. Je suis sûr que ces messieurs de Cleveland sont déjà à Memphis, sans doute dans le bureau de Drummond en ce moment même, en train de répéter devant une caméra vidéo. Je l'en crois capable, exigeant comme il est.

Kipler me demande d'être quand même au tribunal à neuf heures. Il trouvera une solution. Pour ma part, je suis prêt et le lui dis. J'ai rédigé et fait taper par Deck un large éventail de questions destinées à chaque témoin et Son Honneur lui-même m'a fait quelques suggestions.

Kipler me laisse entendre qu'il pourrait reporter les dépositions car il a deux audiences importantes demain.

Comme il voudra. Aujourd'hui tout m'est égal.

Quand j'arrive chez les Black, tout le voisinage est déjà là pour présenter ses condoléances à la famille. Dans la rue, les voitures stationnent pare-chocs contre pare-chocs. De vieux messieurs traînent dans la courette, d'autres sont assis sur le perron. Je me fraye un chemin à travers la foule en distribuant sourires et hochements de tête. Je trouve Dot debout dans sa cuisine, à côté du frigo. La maison est pleine de monde. La table de la cuisine et le buffet sont couverts de gâteaux et de plats cuisinés.

Dot et moi nous enlaçons avec retenue. Je lui redis à quel point je suis désolé et elle me remercie d'être venu. Ses yeux sont rouges. Je la sens lasse d'avoir trop pleuré. Elle tend la main vers les victuailles en me disant de me servir. Je la laisse avec un groupe de voisines du quartier.

Soudainement, j'ai faim. Je remplis une grande assiette en carton de poulet et de *coleslaw* que je vais manger seul dans le jardin. Buddy, par bonheur, n'est pas dans son épave. Dot l'a sans doute enfermé dans une chambre pour qu'il lui fiche la paix. Je mange lentement en écoutant les bavardages feutrés qui s'échappent des fenêtres ouvertes de la cuisine et du séjour. Quand mon assiette est vide, je vais la remplir et retourne me cacher dans le jardin.

J'y suis bientôt rejoint par un jeune homme dont les traits me sont étrangement familiers.

– Je suis Ron Black, le frère jumeau de Donny Ray, me dit-il en s'asseyant sur une chaise à côté de moi. Et vous, vous êtes l'avocat, n'est-ce pas ?

– Enchanté. Oui, c'est moi, Rudy Baylor. Je suis désolé pour votre frère.

– Merci.

Il est mince, pas très grand. Dot et Donny Ray parlaient peu de Ron. Il a quitté le domicile familial tout de suite après le lycée, s'est installé loin de Memphis et a toujours gardé ses distances. Dans une certaine mesure, je le comprends.

Il n'est pas d'humeur à se confier. Ses phrases sont courtes, forcées, mais nous finissons tout de même par aborder la question de la greffe. Il confirme ce que je savais déjà : qu'il était d'accord pour qu'on lui fasse un prélèvement de moelle et que le Dr Kord lui avait dit qu'il était le donneur idéal. Je lui explique qu'il devra répéter tout cela aux jurés d'ici quelques mois. Il ne demande que ça. Il me pose quelques questions sur le procès, mais ne semble pas curieux de savoir combien d'argent il y a à gagner.

Je ne doute pas qu'il soit profondément peiné, bien qu'il porte son deuil avec dignité. Je fais allusion à leur enfance, j'espère qu'il me racontera quelques-uns des bons tours que deux frères jumeaux ne manquent pas de jouer à leur entourage. Rien. Bien qu'il ait grandi ici, il a visiblement tiré un trait sur son passé et je parierais que demain, à cinq heures, il aura repris son avion pour Houston.

Les visiteurs se dispersent peu à peu, mais la nourriture reste. J'avale deux morceaux de gâteau au chocolat en compagnie de Ron pendant qu'il sirote un soda. Au bout de deux heures, me sentant fatigué, je m'excuse et prends congé.

Le lundi suivant, l'escouade habituelle de visages graves et de costumes stricts se retrouve massée autour de Leo F. Drummond au fond du tribunal.

Je suis mort d'angoisse, je suis épuisé, j'ai les mains qui tremblent, mais je suis prêt et mes questions écrites sont dans ma serviette. Même étranglé par le trac, je serai toujours capable de les lire et de les obliger à répondre.

C'est assez divertissant de voir ces gros pontes transis de peur, tassés comme des moutons sous l'orage. J'imagine leur fureur contre les juristes en général et contre nous en particulier : Drummond, Kipler et moi, quand ils ont appris qu'ils devaient tous comparaître ici aujourd'hui, et non seulement témoigner, mais passer des heures, des jours à attendre que j'en aie fini avec eux.

Kipler fait son entrée et appelle notre affaire d'abord. Nous sommes censés prendre les dépositions dans la salle d'audience contiguë, vacante cette semaine, afin que Son Honneur puisse passer la tête par la porte à l'improviste et au besoin mettre Drummond au pas. Il nous appelle parce qu'il a quelque chose à déclarer.

Je m'installe sur la droite, tandis que quatre défenseurs de Tinley Britt prennent place sur la gauche.

– Inutile de minuter ceci, dit le magistrat à la greffière. Monsieur Drummond, est-ce que vous savez que Donny Ray Black est décédé hier matin ?

– Non, Votre Honneur, répond gravement l'avocat. Vous m'en voyez sincèrement navré.

– L'enterrement doit avoir lieu cet après-midi, ce qui nous pose un problème. M. Baylor porte le cercueil. En fait, il devrait être dès maintenant aux côtés de la famille.

Debout parmi ses confrères, Drummond nous regarde alternativement, le juge et moi.

– Nous allons reporter les dépositions à une nouvelle audience. Ces messieurs voudront bien se représenter ici lundi prochain à la même heure.

Ce disant, il fixe Drummond d'un regard inflexible, attendant la mauvaise réponse.

Les cinq cadres de Great Benefit vont devoir réorganiser leur voyage en jonglant avec leur emploi du temps. Drummond est abasourdi.

– Pourquoi ne pas commencer demain ? s'étonne-t-il, à juste titre.

– Je suis président de ce tribunal, monsieur Drummond, et j'entends que cette affaire soit instruite sous mon autorité.

– Mais, Votre Honneur, si vous le permettez, et n'y voyez aucune argutie de ma part, il me semble que votre présence n'est pas nécessaire pour procéder à ces dépositions. Ces messieurs ont eu les plus grandes difficultés à se présenter ici aujourd'hui, il se pourrait qu'ils ne puissent pas revenir la semaine prochaine.

C'est exactement ce que Kipler voulait entendre.

– Oh, ils se représenteront, monsieur Drummond, croyez-moi. Ils seront ici sans faute lundi prochain à neuf heures précises.

– Eh bien, sauf votre respect, je trouve ça injuste.

– Injuste ! fulmine le juge. Ces dépositions auraient pu avoir lieu à Cleveland il y a quinze jours, mais votre client a voulu jouer au plus fin.

Pour ce genre de décision, le pouvoir discrétionnaire du juge est total. Drummond est coincé. Kipler les punit impitoyablement et, pour un peu, je dirais qu'il en fait trop. Le procès se déroulera ici dans quelques semaines et, ce qu'il veut, c'est asseoir dès à présent son autorité. C'est lui et lui seul qui présidera aux débats et il le fait savoir sans détour à mes adversaires.

Il va de soi que je n'y trouve rien à redire.

Donny Ray Black est porté en terre dans le cimetière d'une petite église de campagne, à quelques kilomètres au nord de Memphis. Étant l'un des porteurs du cercueil, je suis invité à rester debout derrière les sièges réservés à la famille.

Il souffle un petit vent frisquet dans un ciel bas, un vrai temps d'enterrement.

Le dernier service funèbre auquel j'aie assisté était celui de mon père et j'essaie désespérément de ne pas y penser.

L'assistance se recueille sous un dais violet tandis que le jeune officiant donne lecture de la Bible. Nous fixons le cercueil gris parsemé de fleurs. Je perçois les sanglots discrets de Dot. Buddy est assis à côté de Ron. Je détourne les yeux et tâche de m'évader de ce lieu en rêvant à quelque chose d'agréable.

Deck est dans un état de nervosité extrême quand j'arrive au bureau. Son ami Butch, le détective privé, est assis à une table, ses gros biceps saillant sous les manches retroussées de son sweat-shirt. C'est un type négligé aux joues rouges. Il porte des bottes pointues. Le genre bagarreur. Deck nous présente. Il désigne Butch comme un client, avant de me tendre un calepin sur la première page duquel il a écrit au feutre noir : « Ne dis que des banalités. »

– Comment s'est passé l'enterrement ? demande-t-il en m'entraînant vers la table derrière laquelle attend Butch.

– Comme un enterrement, dis-je en les dévisageant sans comprendre.

– Comment va la famille ?

– Ça va.

Pendant ce temps, Butch dévisse rapidement le couvercle du récepteur téléphonique et pointe le doigt vers l'intérieur.

– Il est mieux où il est, le pauvre, hein ? fait Deck, alors que j'inspecte le combiné.

Butch rapproche son index et montre une petite pastille noire collée au fond de l'orifice, que je contemple en écarquillant les yeux.

– Hein ? tu ne crois pas qu'il est mieux où il est maintenant ? insiste Deck en me décochant un coup de coude dans les côtes.

– Si, si, bien sûr. Beaucoup mieux. Mais c'est triste quand même.

Butch remonte le téléphone en expert, puis hausse les épaules et nous regarde, l'air de dire : « Vous savez ce qui vous reste à faire, les gars. »

– Allons prendre un café dehors, propose Deck.

– Bonne idée, dis-je, sentant mon estomac se nouer.

Aussitôt sur le trottoir, je m'arrête et, tourné vers eux, demande :

– Qu'est-ce qui se passe, bon Dieu ?

– Allons par là, fait Deck en montrant une petite rue transversale.

Il y a un petit bar alternatif à trois cents mètres, vers lequel nous nous dirigeons sant dire un mot. Nous nous installons discrètement à une table du fond, derrière un pilier, comme si nous étions traqués par une bande de tueurs.

Bientôt, j'apprends toute l'histoire. Depuis la disparition de Bruiser et de Prince, Deck et moi redoutions une intervention des flics. Nous nous attendions à ce qu'ils viennent nous interroger au moins une fois au cabinet. Nous en avions parlé entre nous, mais il s'avère, chose nouvelle, que Deck s'est aussi confié à Butch en qui, soit dit en passant, je n'ai aucune confiance.

Butch est venu au bureau il y a une heure et Deck lui a demandé de jeter un œil à nos téléphones. Tout en reconnaissant qu'il n'était pas spécialiste, le privé me raconte qu'il n'a eu aucun mal à découvrir un micro dans chacun de nos trois appareils. Ils s'apprêtaient à poursuivre les recherches, mais ils ont préféré attendre mon retour.

– Vous avez peur qu'il y ait d'autres micros ? je demande.

– Ouais. Il risque d'y en avoir planqués un peu partout dans le cabinet pour écouter ce que vous ne dites pas au téléphone, répond Butch. C'est pas dur, il suffit de passer à la loupe chaque centimètre carré de l'appartement.

Les mains de Deck tremblent littéralement. Je me demande s'il a appelé Bruiser sur notre ligne.

– Et qu'est-ce qu'on fait si on en trouve d'autres ?

– Légalement, explique Butch, vous pouvez les retirer et les détruire. Mais vous pouvez aussi les laisser et faire attention à ce que vous dites, rester toujours évasifs, quoi.

– Et si on les enlève, qu'est-ce qui se passe ?

– Eh bien, les flics sauront que vous les avez trouvés. Ils seront encore plus méfiants et installeront probablement une surveillance renforcée par d'autres moyens. La meilleure parade, à mon avis, c'est de faire comme si de rien n'était.

– Facile à dire !...

Deck s'essuie le front et n'ose pas me regarder. Il m'inquiète énormément. Je demande à Butch s'il connaît Bruiser Stone.

– Bien sûr. J'ai travaillé plusieurs fois pour lui.

Ça ne m'étonne pas du tout.

– Bon, dis-je, m'adressant à Deck, est-ce que tu t'es servi de notre téléphone pour contacter Bruiser ?

– Non. Je n'ai pas parlé à Bruiser depuis qu'il s'est enfui.

Ce gros mensonge n'a d'autre ambition que de me forcer à me taire sur cette question en présence de Butch.

– J'aimerais quand même bien savoir s'il y a d'autres micros, dis-je au détective. Qu'on sache au moins si on peut discuter librement ou pas.

– Il n'y a qu'un moyen, c'est de passer le bureau au peigne fin.

– Eh bien, faisons-le tout de suite.

– Comme vous voulez. Il faudra commencer par les tables, les bureaux, les chaises, puis regarder dans les corbeilles à papier, les livres, les pendules, les agrafeuses, partout. Ces maudites puces sont parfois microscopiques.

– Est-ce qu'ils peuvent se rendre compte qu'on est en train de fouiller ? demande Deck, au comble de l'affolement.

– Non, répond Butch, vous n'aurez qu'à continuer à parler de vos affaires tous les deux comme si de rien n'était. Je ne dirai strictement rien, comme ça ils ne pourront pas se douter de ma présence. Si vous trouvez quelque chose, parlez par gestes.

Nous revenons au cabinet. L'endroit me donne soudain des frissons dans le dos. Deck et moi entamons une conversation de routine sur le cas Derrick Dogan, tout en retournant tables et chaises le plus silencieusement possible. Le premier imbécile venu devinerait sans peine que notre comportement n'est pas naturel.

Nous parcourons l'appartement à quatre pattes, sondant les plinthes, les moulures, inspectant l'huisserie, les bouches d'aération, et jusqu'aux moindres interstices du plancher. Pour une fois, je me félicite que nous ayons si peu de meubles.

Après quatre heures de fouille, nous n'avons rien trouvé. Seuls nos téléphones sont sur écoutes. Deck et moi invitons Butch à dîner dans une pizzeria du quartier.

À minuit, je suis au lit. J'ai depuis longtemps renoncé à dormir. Je lis le quotidien du matin en jetant de temps en temps des regards obliques à mon téléphone. Ça m'étonnerait vraiment qu'ils se soient donné la peine de mettre celui-ci sur écoutes. J'ai eu peur de mon ombre et entendu des bruits suspects toute la soirée. Le moindre craquement me fait sursauter. J'ai la chair de poule sans raison. J'en perds l'appétit. Je suis suivi, je le sais, reste à savoir à quelle fréquence et à quelle distance.

Je lis le journal de la première à la dernière ligne, à l'exception des petites annonces. Sara Plankmore Wilcox a donné naissance hier à une petite fille de trois kilos cent. Tant mieux pour elle. Je n'éprouve plus de haine contre cette fille. C'est drôle, depuis la mort de Donny Ray, je me sens en paix avec tout le monde. Sauf avec Drummond et ses abominables clients, bien entendu.

Les PFX Freight sont invaincus dans le championnat saisonnier.

Je me demande s'il l'oblige à venir à chacun de ses matches.

Tous les jours, j'épluche avec attention, quoique sans illusions, les avis de divorce. Je regarde aussi les faits divers, afin de savoir si Cliff Riker s'est encore fait arrêter pour violences conjugales.

37

Les documents recouvrent quatre tables pliantes que nous avons louées et placées côte à côte dans la première pièce du cabinet. Ils sont soigneusement empilés, classés par ordre chronologique, numérotés, indexés et mémorisés par notre ordinateur.

Et moi aussi, je les ai tous en mémoire à force de les avoir lus et relus. Ceux que Dot m'a donnés font deux cent vingt et une pages au total. La police, par exemple, ne constitue qu'un seul document, bien qu'elle s'étende sur trente pages. Les documents présentés jusqu'à maintenant par Great Benefit forment un total de sept cent quarante-huit pages, certains n'étant que des doubles de ceux des Black.

Deck aussi a passé un temps considérable à compulser ces pièces. Il a rédigé un récapitulatif complet du dossier et s'est chargé de presque tout le travail d'informatique. Il m'assistera durant les dépositions. Sa mission consiste à maintenir tous les papiers en ordre et à toujours avoir sous la main celui dont nous avons besoin.

On ne peut pas dire que cette tâche l'enthousiasme, mais il tient à me satisfaire à tout prix. Il est convaincu comme moi que nous avons pris Great Benefit en flagrant délit d'escroquerie, mais il est aussi convaincu que cette affaire ne vaut pas toute la peine que je me donne. J'ai la nette impression qu'il doute de mes capacités de plaideur. Il craint aussi que les dommages-intérêts que nous réclamons ne paraissent faramineux à nos jurés.

Le dimanche soir, je reste tard au bureau, et tourne en rond en sirotant une bière. Il manque quelque chose dans ce volumineux dossier. Deck est certain que Jackie Lemancysk, l'employée des Sinistres qui a suivi le dossier des Black, n'a pas pu refuser la prise en charge de son propre chef. Elle a juste fait son travail avant de transmettre le dossier au service Production. Et c'est là, dans cette chaîne de transmission, qu'il manque un ou plusieurs maillons.

Le refus de prise en charge de Donny Ray obéissait à un schéma préétabli et certainement appliqué dans des milliers d'autres cas. À nous d'en faire la preuve.

Après en avoir longuement débattu avec les membres de mon cabinet, j'ai décidé de recueillir en premier lieu le témoignage du PDG de la compagnie, M. Wilfred Keeley. L'idée est de commencer par le patron, pour descendre ensuite dans les profondeurs de la hiérarchie. L'homme a cinquante-six ans et respire la santé. Il a toujours un grand sourire aux lèvres, même avec moi. Il me remercie d'emblée de le faire passer en premier. Il est, comme on s'en doute, excessivement occupé, et du reste attendu d'urgence au siège de son entreprise.

Pendant la première heure, je me contente de donner quelques coups de sonde. Je suis debout, derrière ma table, en jean, chemise de flanelle, mocassins et chaussettes blanches. J'ai pensé que cela contrasterait agréablement avec le sévère costume trois-pièces de rigueur chez mes adversaires. Deck me trouve irrespectueux.

Au cours de la deuxième heure, Keeley me tend un rapport financier et nous parlons argent pendant un moment. Deck épluche le bilan et me souffle question sur question. Drummond et trois de ses confrères échangent quelques notes. Ils ont surtout l'air de s'ennuyer à mourir. Kipler est dans la salle d'audience voisine, en train d'examiner les requêtes du jour.

Keeley fait état de plusieurs autres plaintes contre Great Benefit en instance à travers le pays. Nous nous étendons un peu là-dessus : identité des plaignants, des défenseurs, tribunaux concernés, similitude des motifs. Il n'a été forcé de témoigner dans aucune de ces affaires. Je suis impatient de parler avec les confrères qui poursuivent Great Benefit, et de comparer documents et stratégies.

Être à la tête d'une compagnie d'assurances constitue une fonction prestigieuse. Aucun rapport avec la basse besogne réservée à ceux qui vendent les polices ou gèrent les demandes d'indemnisation. Il s'agit essentiellement d'encaisser les primes et de transformer celles-ci en investissements. Keeley est avant tout un investisseur. Il dit qu'il a commencé sa carrière comme tel et qu'il a prospéré depuis. Le métier d'assureur n'est pas exactement sa spécialité.

Comme ces dépositions ne nous coûtent rien, je ne me presse pas. Je pose des dizaines de questions au hasard, sans aucune continuité, juste pour le plaisir. Drummond se morfond dans son coin, frustré et accablé d'ennui. Mais, à ma place, il ferait pareil sinon pis. Je sens qu'il aimerait élever une objection de temps en temps, mais il sait que j'irai me plaindre à Kipler qui siège à côté et que celui-ci le rappellera à l'ordre.

L'audition se prolonge tout l'après-midi. Quand nous levons la séance, à cinq heures et demie, je suis sur les rotules. Le sourire de Keeley s'est estompé peu après la pause de midi, mais il a répondu stoïquement à toutes mes questions. Il n'a pas voulu apparaître moins courtois ou moins endurant que moi. Il termine en me remerciant encore de l'avoir interrogé en premier et de lui avoir épargné d'autres questions. Il repart aussitôt pour Cleveland.

Les choses s'améliorent sensiblement le lendemain mardi. En partie parce que j'en ai assez de gaspiller mon temps, en partie parce que les témoins en savent peu ou ont une mémoire défaillante. Je commence par Everett Lufkin, vice-président du service Sinistres. C'est un personnage taciturne, qui refuse de prononcer une seule syllabe, sauf pour répondre à une question directe. Je l'oblige à examiner certains documents et, au milieu de la matinée, il finit par admettre que la pratique de « l'expertise rétroactive », odieuse mais licite, fait partie de la politique courante de la compagnie. Quand un assuré remplit une demande de prise en charge, le responsable de son dossier exige qu'il fournisse le détail de tous ses antécédents médicaux au cours des cinq années précédentes. Dans notre cas, Great Benefit a ainsi obtenu un rapport du médecin de famille des Black qui avait soigné Donny Ray cinq ans plus tôt pour une méchante grippe. Or, Dot n'avait pas mentionné cette maladie bénigne sur le formulaire de renseignements qu'elle a rempli lors de sa souscription. La grippe n'a évidemment rien à voir ni de près ni de loin avec la leucémie, mais l'assureur n'en a pas moins justifié un de ses premiers refus par le fait que la grippe était une condition préexistante.

Je suis tenté d'insister là-dessus. Ce serait facile, mais pas malin. Lufkin témoignera de nouveau lors du procès. Mieux vaut le confondre alors. L'effet n'en sera que plus spectaculaire. Certains avocats n'hésitent pas à anticiper sur les débats au moment des dépositions. Ma longue expérience me met en garde contre cette méthode. En fait j'ai lu quelques conseils en ce sens dans je ne sais plus quel bouquin. Et puis c'est la stratégie adoptée par Jonathan Lake.

Kermit Aldy, vice-président de la Production, est aussi renfermé et peu loquace que son collègue Lufkin. Le service qu'il dirige est chargé d'accepter et de réexaminer la demande d'affiliation fournie par le courtier afin de valider ou non la police. C'est beaucoup de paperasserie et de chinoiserie, sans grandes compensations, et Aldy semble parfaitement adapté à sa triste fonction. Je l'expédie en moins de deux heures, sans lui infliger la moindre blessure.

Bradford Barnes est officiellement vice-président de la Gestion. Je mets presque une heure avant d'obtenir de lui une définition précise de son poste. Nous sommes mercredi matin et tous ces types commencent à me sortir par les trous de nez. Le spectacle perpétuel des sous-fifres de Tinley Britt assis à trois mètres de moi, sanglés dans leur costume sombre, affichant le même petit sourire hautain depuis des mois, me donne la nausée. Je finis même par prendre la greffière en grippe. Barnes ne sait rien de rien. J'essaie d'ajuster mes coups, il esquive et je ne le touche jamais. Je ne le ferai pas témoigner au procès. Il n'y a rien à tirer de lui.

Mercredi après-midi, j'appelle le dernier témoin, Richard Pellrod, chef de service aux Sinistres qui a écrit au moins deux des lettres de refus adressées aux Black. Comme il attend dans le couloir depuis lundi matin, il est chauffé à blanc. Il m'étriperait s'il le pouvait. Il élève la voix dès mes premières questions, ce qui me stimule immédiatement. Je lui montre ses lettres de refus successives et le dialogue s'envenime. Son opinion, et celle constamment soutenue par Great Benefit, est que les greffes de moelle sont encore trop expérimentales pour être prises au sérieux en tant que méthodes de traitement. Si tel est le cas, pourquoi a-t-il refusé la prise en charge dans une de ses lettres en invoquant une condition préexistante soi-disant occultée par Donny Ray ? Il se défausse en rejetant la faute sur quelqu'un d'autre. Simple inadvertance. Il ment comme un arracheur de dents et je décide de le faire souffrir. Je dépose une grosse pile de documents devant moi et nous les disséquons un par un. Pour chacun, j'exige des explications complètes et je le mets face à ses responsabilités. N'était-il pas le supérieur de Jackie Lemancysk, qui, comme par hasard, a disparu dans la nature ? Pellrod prétend qu'elle est retournée dans sa ville natale, quelque part dans le sud de l'Indiana. Je le cuisine à plusieurs reprises sur son départ inopiné, ce qui a le don de l'exaspérer. Nouveaux documents, nouvelle dérobade. À l'en croire, c'est toujours la faute des autres. Je m'acharne, enhardi par sa lâcheté. Je peux lui demander n'importe quoi, n'importe quand, il ne voit jamais le coup venir. Au bout de quatre heures d'un pilonnage sans merci, Pellrod, sonné, demande une suspension de séance.

Nous en finissons avec Pellrod le mercredi à dix-neuf heures trente. Avec lui se terminent les dépositions des employés du siège de la compagnie. Trois jours, dix-sept heures, probablement un millier de pages de témoignages. Comme les autres documents, les minutes de ces audiences devront être lues et relues des dizaines de fois.

Tandis que ses confrères referment leurs attachés-cases, Leo F. Drummond m'entraîne à part.

– Belle performance, Rudy, me dit-il à voix basse.

– Merci.

Il pousse un long et profond soupir. Nous sommes tous les deux épuisés et lassés de nous regarder en chiens de faïence.

– Alors, à qui le tour, maintenant ?

– Personnellement, j'en ai fini avec les dépositions, dis-je.

Je ne vois effectivement pas qui d'autre je pourrais faire témoigner.

– Et le Dr Kord ?

– Il témoignera au procès.

C'est une surprise pour Drummond. Il me regarde en plissant les paupières, sans doute curieux de savoir comment je me suis débrouillé pour que cet éminent praticien comparaisse devant le jury.

– Que dira-t-il ?

– Que Ron Black était un donneur parfait pour son frère jumeau. Que les greffes de mœlle se pratiquent couramment avec succès. Qu'on aurait pu sauver ce garçon. Que vos clients l'ont condamné à mort.

Il encaisse assez bien ces vérités. Je ne dis rien qu'il ne sache déjà.

– Nous allons probablement le faire déposer.

– Cinq cents dollars l'heure.

– Ouais, je sais. Dites, Rudy, est-ce que nous pourrions boire un verre ensemble ? Il y a quelque chose dont je voudrais discuter avec vous.

– Quoi donc ?

J'ai envie de tout en ce moment, sauf de boire un pot avec Drummond.

– D'affaires. De nouvelles possibilités de transaction, pour ne rien vous cacher. Pourriez-vous faire un saut à mon bureau d'ici une vingtaine de minutes ? Nous sommes juste au coin de la rue, vous savez.

Le mot de transaction à une connotation plaisante. Et puis j'ai toujours voulu visiter les locaux de Tinley Britt.

– D'accord, mais en vitesse, alors, dis-je, comme si de superbes créatures m'attendaient.

– Bien sûr. Allons-y tout de suite, si vous voulez.

Je dis à Deck de m'attendre en bas de l'immeuble et j'accompagne Drummond jusqu'à la plus grande tour de Memphis. Nous parlons de la pluie et du beau temps en montant au quarantième étage. Les immenses locaux, tout de cuivre et de marbre, fourmillent de monde, comme si nous étions en pleine journée. C'est une véritable usine, aménagée avec goût. Mon vieux copain Loyd Beck, ex-partenaire chez Brodnax & Speer, n'est visible nulle part et je ne m'en plains pas.

Le bureau de Drummond, décoré avec élégance, n'est pas exceptionnellement grand. Ce gratte-ciel a les loyers les plus chers de la ville et la gestion de l'espace est optimisée.

– Qu'est-ce que vous voulez boire ? demande-t-il en jetant sa veste et son attaché-case sur son bureau.

Je n'ai pas de penchant particulier pour les alcools forts et, dans l'état d'épuisement où je me trouve, le moindre verre risquerait de me mettre KO.

– Juste un Coca, dis-je, et l'espace d'un instant je lis la déception sur son visage.

Il ouvre un petit placard et se sert un whisky allongé.

On frappe à la porte et, à mon grand étonnement, je vois entrer M. Wilfred Keeley. Nous ne nous sommes pas revus depuis que je l'ai cuisiné pendant huit heures lundi dernier. Il se comporte comme s'il était ravi de me retrouver. Nous échangeons une poignée de main et nous saluons comme de vieilles connaissances.

Il va droit au bar et se sert lui aussi une boisson.

Nous nous installons dans un coin autour d'une petite table ronde, en apportant chacun notre verre. Si Keeley s'est donné la peine de revenir ici, ce ne peut être que pour une seule et unique raison : ils veulent à tout prix négocier. Je suis tout ouïe.

Le mois dernier, les activités de mon cabinet m'ont péniblement rapporté six cents dollars. Drummond gagne au moins un million par an. Keeley dirige une entreprise dont le chiffre d'affaires atteint le milliard et il touche certainement un meilleur salaire que son avocat. Et ils veulent parler affaires avec moi.

– Le juge Kipler m'inquiète énormément, confie Drummond sans préambule.

– Je n'ai jamais vu un type comme ça, se hâte d'ajouter Keeley.

Drummond est connu pour ses préparations irréprochables, et je suis sûr que ce petit duo a été répété.

– Pour être franc, Rudy, j'ai peur de ce qui pourrait arriver lors du procès.

– Nous sommes pris de court, renchérit le PDG en secouant la tête d'un air offusqué.

Je conçois que Kipler leur inspire de l'inquiétude, mais, s'ils paniquent à ce point, c'est surtout parce qu'on les a pris la main dans le sac. Ils ont laissé mourir un jeune homme et cette infamie va être exposée sur la place publique. Je décide d'être gentil, je les laisse parler.

Ils avalent chacun une gorgée, puis Drummond reprend :

– Nous souhaiterions régler cette affaire à l'amiable, Rudy. Nous serions optimistes si la partie était égale, je vous le dis sincèrement. Dans des conditons équitables, nous serions prêts à plaider dès demain. Je n'ai pas perdu une affaire depuis onze ans. Une bonne bagarre de prétoire ne me fait pas peur, au contraire. Mais ce juge est tellement de parti pris que c'en est effrayant.

– Combien ? dis-je, coupant court à son radotage.

Ils se tortillent sur leur siège comme s'ils étaient simultanément en proie à une crise d'hémorroïdes. La douleur passée, Drummond se jette à l'eau :

– Nous doublons la mise. Cent cinquante mille. Vous toucherez dans les cinquante mille et votre client aura...

– Merci, je sais compter.

Ça ne le regarde absolument pas de savoir à combien se monteront mes honoraires. Il sait que je suis fauché et que cette somme arrangerait beaucoup mes affaires.

Cinquante mille !...

– Et qu'est-ce que vous voulez que j'en fasse, de votre offre ?

Ils échangent un regard perplexe.

– Mon client est mort. Sa mère l'a enterré la semaine dernière, et vous voudriez maintenant que j'aille lui dire qu'il y a un peu plus d'argent sur la table ?

– Du point de vue déontologique, vous êtes obligé de...

– Ne me faites pas la leçon, Leo. Je connais la déontologie aussi bien que vous. Je le lui dirai, je lui ferai part de votre proposition et je vous parie qu'elle refusera.

– Nous sommes vraiment désolés de la mort de ce jeune homme, lâche Keeley, l'air attristé.

– Oui, vous êtes accablé de chagrin, ça se voit. Je transmettrai vos condoléances à la famille.

– Écoutez, Rudy, dit Drummond, reconnaissez que nous faisons preuve de bonne volonté. Notre offre est sérieuse.

– Vous ne trouvez pas que vous vous réveillez un peu tard ?

Quelques secondes de pause, le temps pour chacun d'avaler une gorgée, puis Drummond se fend d'un sourire.

– Qu'est-ce que veut Mme Black ? Dites-le-nous, Rudy. Qu'est-ce qu'il faut pour la contenter ?

– Rien.

– Rien ?

– Vous ne pouvez rien faire. Son fils est mort et vous n'y pouvez plus rien.

– Pourquoi aller jusqu'au procès, alors ?

– Pour vous dénoncer. Pour exposer au grand jour ce que vous avez fait.

Nouvelles démangeaisons du postérieur, nouvelles grimaces, nouvelles gorgées de whisky.

– Elle veut vous confondre d'abord, et vous briser ensuite.

– Nous sommes trop gros, fait Keeley d'un air condescendant.

– Nous verrons, dis-je en me levant, ma serviette à la main. Ne vous dérangez pas, je trouverai la sortie.

38

Sur mon bureau et sur celui de Deck s'accumulent petit à petit les signes d'une activité professionnelle, certes modeste. Des dossiers s'empilent çà et là, toujours placés en évidence afin que nos clients les voient. J'ai presque une douzaine d'affaires pénales en instance, de l'infraction légère au vol à main armée. Deck prétend avoir trente cas en cours, mais je crois qu'il exagère un peu.

Le téléphone sonne de plus en plus souvent. Il faut beaucoup de discipline pour parler dans un téléphone sur écoutes et je m'y astreins tous les jours. J'essaie de me convaincre que, pour autoriser la pose de ces micros, il a fallu qu'un juge signe une ordonnance. Il y a donc quelque chose de légitime là-dedans.

Les tables que nous avons louées encombrent toujours la première pièce du cabinet et les documents relatifs à l'affaire Black qui s'entassent dessus donnent l'impression qu'un travail monumental est en cours.

Au moins, le cabinet a l'air plus actif. Après un trimestre d'exercice, nos frais généraux plafonnent aux alentours de mille sept cents dollars par mois. Nos gains, quant à eux, avoisinent les trois mille deux cents dollars. Sur le papier, Deck et moi nous partageons donc la modique somme de mille cinq cents dollars.

Bref, nous survivons. Notre meilleur client est Derrick Dogan, et si nous arrivons à régler son cas à l'amiable pour vingt-cinq mille dollars, garantie maximale de sa police d'assurance, nous serons un peu plus à l'aise. Nous comptons sur cet argent avant Noël, je me demande d'ailleurs bien pourquoi. Ni Deck ni moi n'avons de cadeaux à offrir.

J'ai décidé de consacrer les congés de fin d'année à revoir l'affaire Black de fond en comble. Le procès approche.

Aujourd'hui, aucun pli de Tinley Britt au courrier. C'est exceptionnel et presque inquiétant. Mais je reçois une lettre inespérée. Le choc est tel que j'arpente le bureau le long en large pendant dix minutes avant de me ressaisir.

C'est une grande enveloppe carrée, avec mon nom et mon adresse écrits dessus à la main. À l'intérieur, une invitation pour des soldes de Noël, une vente de bracelets, colliers et autres chaînettes en or, chez un joaillier d'une galerie marchande de la ville. D'habitude, c'est le genre de courrier que je jette directement à la poubelle, et je l'aurais fait s'il avait eu l'allure anonyme d'un mailing publicitaire.

Mais en bas du carton, en dessous des heures d'ouverture du magasin, il y a un nom, joliment tracé à la main : Kelly Riker. Pas un mot d'accompagnement, rien, juste son nom.

Je flâne une heure dans la galerie avant de me décider à y entrer. J'observe les passants, des enfants qui font du patin à glace, une bande d'adolescents qui vont et viennent. Je m'achète un plat cuisiné chez un Chinois. Je le mange en regardant d'un balcon les gens glisser sur la patinoire.

La boutique est située au milieu du passage, parmi cent autres. En passant devant une première fois, j'ai aperçu Kelly derrière la caisse.

Finalement, j'entre à la suite d'un jeune couple. Je m'approche lentement d'un long présentoir vitré au-dessus duquel est penchée Kelly. Elle parle à un client. Elle lève les yeux, me reconnaît et sourit. Je m'éloigne de quelques pas, pose les mains sur une vitrine et admire un brillant étalage de gourmettes argentées. Le magasin est bondé. Une demi-douzaine d'employés s'affairent autour des visiteurs, leur vantant la marchandise.

– Je peux vous aider, monsieur ? demande-t-elle en se campant devant moi.

Nous nous sourions. Je fonds instantanément.

– Merci, je jette juste un œil.

Personne ne vous voit. Enfin, je l'espère.

– Comment ça va ?

– Bien. Et vous ?

– Très bien, merci.

– Vous permettez que je vous montre quelque chose ? Tout ceci est soldé.

Elle tend le doigt vers des chaînettes que je verrais fort bien sur le torse poilu d'un maquereau.

– Ravissant, dis-je à mi-voix. On peut se parler ?

– Pas ici, répond-elle en se rapprochant.

Je perçois les effluves de son parfum. Elle ouvre la vitrine, saisit une chaînette en or qu'elle me tend.

– Il y a un cinéma au bout de la galerie. Prenez un ticket pour le film d'Eddie Murphy. Mettez-vous au dernier rang de l'orchestre. Je vous retrouve dans une demi-heure.

– Eddie Murphy ? Entendu, dis-je en prenant la chaînette.

– Superbe, n'est-ce pas ?

– Vraiment très belle. Mais laissez-moi regarder le reste, je n'ai pas encore fait le tour.

Elle me reprend le bijou et, comme une parfaite vendeuse, répond :

– Mais bien sûr, monsieur.

Je me retrouve dans la galerie, les genoux en coton. Elle savait que j'allais venir et avait tout prévu, le cinéma, le film, la place dans la salle. J'avale un café à côté d'un père Noël surmené. J'essaie de deviner ce qu'elle va me dire, ce qu'elle a dans la tête. Pour éviter un film pénible, j'attends jusqu'à la dernière minute avant d'acheter mon ticket.

Il y a moins de cinquante personnes dans la salle. Assis au premier rang, des gamins trop jeunes pour voir ce film interdit aux moins de douze ans pouffent bruyamment à chaque obscénité. Quelques spectateurs esseulés sont disséminés dans la pénombre. La rangée du fond est vide.

Kelly arrive quelques minutes en retard, s'assied à côté de moi et croise les jambes. Sa jupe s'arrête plusieurs centimètres au-dessus des genoux, et je ne peux m'empêcher de regarder.

– Vous venez souvent ici ? plaisante-t-elle.

Je ris nerveusement, contrairement à elle, qui semble décontractée.

– On est en lieu sûr ? dis-je.

– Par rapport à Cliff, vous voulez dire ?

– Oui.

– Soyez tranquille. Ce soir, il sort avec ses amis.

– Il s'est remis à boire ?

– Oui.

Ça pourrait être lourd de conséquences.

– Mais pas beaucoup, ajoute-t-elle après un petit moment.

– Donc, il n'a pas recommencé à...

– Non. Parlons d'autre chose.

– Pardonnez-moi, mais je m'inquiète pour vous, c'est tout.

– Pourquoi ?

– Parce que je pense continuellement à vous. Vous ne pensez jamais à moi ?

Nous fixons l'écran des yeux, sans rien voir.

– Si, tout le temps, avoue-t-elle, et mon sang ne fait qu'un tour.

Sur l'écran, un garçon et une fille arrachent brusquement leurs vêtements, sautent sur un lit, faisant voler leurs sous-vêtements et les oreillers, puis s'embrassent fougueusement tandis que le sommier commence à grincer. Quand ils se mettent à faire l'amour, Kelly glisse son bras sous le mien et se serre contre moi. Nous n'échangeons pas un mot jusqu'à la fin de la scène. Puis je me remets à respirer.

– Quand est-ce que vous avez commencé à travailler ?

– Il y a deux semaines. Nous avons besoin d'un peu d'argent pour les fêtes.

Elle gagnera probablement davantage que moi d'ici Noël.

– Il vous permet de travailler ?

– Je préférerais ne pas parler de lui.

– De quoi voulez-vous parler ?

– Comment va votre travail ?

– Je suis très occupé. J'ai un important procès qui commence en février.

– Ça se passe bien pour vous, alors ?

– C'est une bagarre permanente, mais les affaires augmentent. Quand on débute dans ce métier, on commence par crever de faim, ensuite, si on a de la chance, on gagne de l'argent.

– Et si on n'a pas de chance ?

– On continue à crever de faim. Je préférerais parler d'autre chose.

– D'accord. Cliff veut que nous ayons un bébé.

– Ça vous avancerait à quoi ?

– Je ne sais pas.

– Ne faites pas ça, Kelly, dis-je avec une passion qui me surprend moi-même.

Pourquoi suis-je assis dans ce cinéma, blotti à côté d'une femme mariée ? C'est la question du jour. Et si Cliff apparaissait subitement et me surprenait en train de flirter avec son épouse ? Qui tuerait-il en premier ?

– Il m'a dit d'arrêter de prendre la pilule.

– Vous l'avez fait ?

– Non. Mais j'ai peur de ce qui va arriver si je ne tombe pas enceinte. Ça n'avait pas traîné la première fois, si vous vous rappelez.

– C'est votre corps.

– Ouais, et il le veut sans cesse. Il est de plus en plus obsédé par le sexe.

– Écoutez, heu... je préférerais que nous parlions d'autre chose, d'accord ?

– D'accord. Mais nous allons être à court de sujet.

– Oui.

Nous nous lâchons la main et suivons le film pendant quelques instants. Kelly se tourne et bascule lentement vers moi, appuyée sur un coude. Nos visages sont sur le point de se toucher.

– Je voulais juste vous voir, Rudy, confie-t-elle dans un souffle.

– Vous êtes heureuse ? dis-je en lui effleurant la joue du dos de la main.

Comment pourrait-elle l'être ?

– Non, pas vraiment, dit-elle en secouant la tête.

– Qu'est-ce que je peux faire ?

– Rien.

Elle se mord la lèvre et je crois voir une larme dans ses yeux.

– Vous avez une décision à prendre.

– Oui ?

– Soit vous m'oubliez, soit vous entamez une procédure de divorce.

– Je croyais que vous étiez mon ami.

– Moi aussi. Mais c'est faux. C'est plus que de l'amitié, et vous le savez très bien.

Nous regardons le film quelques instants.

– Il faut que j'y aille, dit-elle. Ma pause est terminée. Je suis désolée de vous avoir dérangé.

– Vous ne me dérangez pas, Kelly. Je suis très content de vous voir. Mais pas comme ça, pas en douce. Ou vous divorcez, ou vous m'oubliez.

– Je ne peux pas vous oublier.

– Alors il faut divorcer. Nous pouvons entamer la procédure demain. Je vous aiderai à vous débarrasser de ce minable, après, vous verrez, ce sera formidable.

Elle s'incline vers moi, dépose un baiser sur ma joue et s'en va.

Deck sort son téléphone du bureau en douce et l'apporte à Butch sans me consulter. Ils vont le montrer à une de leurs connaissances, un ex-militaire ayant, paraît-il, travaillé dans le renseignement. D'après cette personne, les micros cachés dans nos appareils sont très différents de ceux utilisés par le FBI et autres services de police. Ils sont fabriqués en Tchécoslovaquie, de qualité médiocre, et branchés sur un émetteur-récepteur situé quelque part dans les environs. Le type est pratiquement certain qu'ils n'ont pas été placés par les flics.

J'apprends ces détails un matin en prenant le café au bar du coin.

– Quelqu'un d'autre nous écoute, déclare Deck fébrilement.

Je suis trop assommé pour réagir.

– Qui ça pourrait être ? demande Butch.

– J'en sais strictement rien, dis-je avec humeur.

Ce privé devient trop curieux. Dès qu'il sera parti, je mettrai les choses au point avec Deck. Je fusille mon associé du regard. Il détourne les yeux et promène un regard apeuré autour de lui, comme si l'ennemi nous menaçait de partout.

– En tout cas, ce n'est pas le FBI, affirme Butch avec autorité.

– Merci.

Nous payons nos cafés et regagnons le cabinet. Butch inspecte à nouveau les téléphones, juste pour emmerder le monde. Les petites capsules noires sont toujours en place.

Qui nous écoute ? Telle est la question.

Je m'enferme dans mon bureau en attendant que Butch s'en aille, et j'élabore une brillante machination. Enfin, Deck vient frapper trois petits coups timides à ma porte.

Je lui expose mon plan. Deck sort et se rend au palais. Une demi-heure plus tard, il m'appelle pour me parler de différentes affaires fictives. Au fait, est-ce que j'aurais besoin de quelque chose en ville ?

Nous discutons quelques minutes de choses et d'autres, puis je lâche :

– Tiens, dis donc, devine qui veut un règlement amiable, maintenant ?

– Qui ça ?

– Dot Black.

– Dot Black ? s'écrie Deck, feignant gauchement l'ahurissement.

– Ouais. Je suis passé chez elle ce matin pour voir comment elle allait et lui apporter un cake. Elle m'a dit qu'elle n'avait plus la force d'endurer le procès. Elle veut un règlement amiable immédiat.

– Combien ?

– Elle a dit qu'elle accepterait cent soixante mille dollars. Comme leur meilleure offre a été de cent cinquante, elle considérerait comme une petite victoire de toucher davantage. Elle est persuadée d'être une bonne négociatrice. J'ai essayé de la raisonner, mais tu sais comme elle est entêtée.

– Ne la laisse pas faire, Rudy, cette affaire vaut une fortune.

– Je sais. Kipler estime que nous obtiendrons des dommages-intérêts dissuasifs très importants. Mais d'un point de vue déontologique, tu le sais, je dois contacter Drummond et essayer de conclure une transaction. C'est la volonté du client, on n'y peut rien.

– Ne fais pas ça, mon vieux. Cent soixante mille, c'est dérisoire.

Deck est assez convaincant, et je ris presque en l'écoutant. Je suis sûr qu'il ne doit pas pouvoir s'empêcher de calculer mentalement la part qui lui reviendrait sur cette jolie somme.

– Tu crois qu'ils lâcheraient cent soixante mille dollars ? demande-t-il.

– Je ne sais pas. J'avais l'impression que cent cinquante leur semblaient déjà beaucoup, mais je ne leur ai pas fait de contre-proposition.

Si Great Benefit est prêt à payer cent cinquante mille dollars pour en finir avec cette affaire, ils ne mégoteront pas pour dix mille dollars.

– Reparlons-en quand je serai rentré, dit Deck.

– Ouais.

Nous raccrochons et, dans la demi-heure qui suit, Deck se retrouve assis devant moi.

Le lendemain matin à neuf heures moins cinq, le téléphone sonne. Deck décroche avec son empressement habituel, et se précipite dans mon bureau.

– C'est Drummond, annonce-t-il.

Notre petit cabinet a fait l'acquisition pour quarante dollars d'un magnétophone que nous avons branché sur mon téléphone en espérant qu'il ne créera pas d'interférence avec le micro. D'après Butch, ça ne devrait pas poser de problème.

– Bonjour, dis-je en essayant de maîtriser mon anxiété.

– Salut, Rudy, dit-il d'une voix aimable. Comment allez-vous ?

– Bien, merci, monsieur Drummond. Et vous ?

– Très bien. Écoutez, il faudrait qu'on se mette d'accord sur une date pour la déposition du Dr Kord. J'ai eu sa secrétaire au téléphone. Que diriez-vous du 12 décembre ? À son cabinet, bien sûr, à dix heures.

La déposition de Kord sera la dernière, je pense, à moins que Drummond ne découvre une autre personne plus ou moins liée à l'affaire. Curieux, cependant, qu'il prenne la peine de m'appeler pour s'enquérir de mes disponibilités.

– OK, dis-je. Ça me va.

Deck voltige autour de mon bureau, surexcité, une vraie pile électrique.

– Très bien. Ça ne devrait pas durer longtemps, en tout cas je l'espère, surtout à cinq cents dollars l'heure. C'est monstrueux comme tarif, non ?

Ne sommes-nous pas copains, désormais ? Deux avocats qui font corps contre les médecins.

– Carrément indécent.

– Oui, enfin, vous savez ce que souhaite vraiment mon client, Rudy ?

– Non. Quoi ?

– Eh bien, ils ne veulent pas passer la semaine à se faire cuisiner à Memphis, voilà. À aucun prix. Ces types sont des cadres supérieurs, vous savez, des gens qui manient de grosses sommes d'argent. Ils ont beaucoup d'amour-propre et une carrière à protéger. Ils souhaitent régler cette affaire à l'amiable, Rudy, et c'est ce qu'ils m'ont chargé de vous dire. Une transaction, mais qui ne vaut pas reconnaissance de la responsabilité, vous comprenez ?

– Oui, oui, dis-je en adressant un clin d'œil à Deck.

– Votre expert dit qu'une greffe de moelle aurait coûté entre cent cinquante et deux cent mille dollars, chiffre que nous ne contestons pas. Supposons, je dis bien supposons, que mon client ait dû prendre cette intervention à sa charge. Je dis ça sous toute réserve. Eh bien, il aurait dû payer dans les cent soixante-quinze mille dollars.

– Si vous le dites.

– Eh bien, nous offrons la même somme contre un règlement amiable immédiat. Cent soixante-quinze mille ! Plus de déposition, et vous avez votre chèque dans les huit jours.

– J'ai peur de vous décevoir.

– Écoutez, Rudy, aucune somme, si astronomique soit-elle, ne fera revivre ce garçon. Il faut que vous fassiez entendre raison à votre cliente. Je pense, moi, qu'elle a envie de transiger. À un moment donné, l'avocat doit se comporter comme un avocat et prendre les choses en main. Cette pauvre dame n'a aucune idée de ce qui va se passer à l'audience.

– Je lui en parlerai.

– Appelez-la tout de suite. Je reste encore une heure à mon bureau. Repassez-moi un coup de fil si vous avez du nouveau.

Quel enfoiré ! Le micro doit être relié directement à son téléphone. Il adorerait suivre cette hypothétique conversation entre Dot et moi.

– Je vous recontacterai, monsieur Drummond. Bonne fin de journée.

Je raccroche, rembobine la cassette, et nous écoutons l'enregistrement.

Deck s'affale sur une chaise. Sa bouche grande ouverte laisse apparaître quatre belles dents scintillantes.

– Bon Dieu, c'est hallucinant, commente-t-il à la fin de la cassette. Ils ont bel et bien mis nos téléphones sur table d'écoutes.

Nous fixons le magnéto avec des yeux ronds, comme s'il était la cause de tout. Je reste paralysé, en état de choc pendant plusieurs minutes. Soudain, dans ce silence pesant, le téléphone sonne. Ni Deck ni moi ne répondons. Nous sommes terrorisés par l'appareil.

– Je suppose qu'il faut que nous en parlions à Kipler, dis-je finalement d'une voix d'outre-tombe.

– Non, je ne crois pas, dit Deck en ôtant ses gros verres pour se frotter les yeux.

– Pourquoi pas ?

– Réfléchis. Nous savons ou croyons savoir que Drummond, son client ou les deux ont mis notre ligne sur écoutes. Une chose est sûre, en tout cas, c'est que Drummond est dans le coup, puisqu'on vient de le prendre quasiment sur le fait. Mais on n'a aucun moyen de le prouver avec certitude.

– Il niera jusqu'à la mort.

– Exact. Maintenant, qu'est-ce que peut faire le juge ? L'accuser sans preuve ? Le persécuter encore plus ?

– Il commence à s'y habituer.

– Ça n'aurait aucun effet sur l'issue du procès. On ne peut pas dire au jury que M. Drummond et son client ont eu recours à des procédés crapuleux pendant l'instruction.

Nous contemplons à nouveau le magnétophone en silence, essayant de digérer l'événement et de démêler ce sac de nœuds. Dans un cours que j'ai suivi l'année dernière sur la déontologie, on nous a cité le cas d'un avocat qui s'était fait sévèrement sanctionner pour avoir secrètement enregistré un coup de fil avec un confrère. Je suis coupable, certes, mais ma faute est minime, comparée aux agissements abjects de Drummond et consorts. Le problème, c'est que je risque de me faire épingler si je fais état de cet enregistrement. Drummond, lui, ne sera jamais reconnu coupable parce que ce n'est pas à lui qu'on imputera les torts. D'ailleurs, jusqu'à quel point est-il impliqué ? Est-ce lui qui a eu l'idée de nous mettre sur écoutes ? Ou bien se sert-il seulement d'informations apportées par son client ?

Nous ne le saurons jamais. Lui seul le sait. Et de toute façon, ça ne change rien.

– Nous pouvons retourner la situation à notre avantage.

– C'est exactement ce que j'étais en train de me dire.

– Mais il va falloir être très prudents, sinon ils risquent de se douter de quelque chose.

– Oui. Gardons ça pour le procès. Attendons le meilleur moment pour donner le coup de grâce à cette bande de clowns.

Un petit sourire se dessine sur nos deux visages.

J'attends deux jours et rappelle Drummond pour l'informer d'une triste nouvelle : ma cliente ne veut pas de son argent pourri. Elle se comporte un peu bizarrement, lui dis-je. Un jour, elle a peur d'aller jusqu'au procès ; le lendemain, elle tient coûte que coûte à se battre. C'est le cas aujourd'hui.

Il ne se méfie absolument pas et, une fois de plus, menace de retirer définitivement l'argent de la table et m'assure que le procès sera désastreux pour les deux parties. Je suis sûr que son discours sonne agréablement aux oreilles indiscrètes de Cleveland. Je me demande en combien de temps ils prennent connaissance de ces conversations.

Cet argent est une aubaine et, logiquement, nous devrions sauter dessus. Ce que toucherait Dot et Buddy dépasserait largement les cent mille dollars. Plus qu'ils ne pourront jamais en dépenser de leur vivant. Quant à moi, je percevrais près de soixante mille dollars, une véritable fortune. Malheureusement pour mes adversaires, cet argent n'a aucune valeur aux yeux des Black. Ils n'ont jamais été riches et ne caressent nullement l'espoir de le devenir sur leurs vieux jours. Dot veut simplement que l'on sache ce que Great Benefit a fait à son fils. Elle veut que, par un jugement public et officiel, il soit dit haut et fort qu'elle avait raison et que Donny Ray est mort parce que Great Benefit l'a tué.

Je suis surpris par ma propre indifférence à l'argent. C'est une tentation, certes, mais elle ne m'obsède pas. Je ne crève pas de faim. Je suis jeune, et j'aurai d'autres affaires.

Et puis je suis convaincu d'une chose : si les dirigeants de Great Benefit s'affolent au point de placer mon téléphone sur écoutes, c'est qu'ils cachent de très vilains secrets. J'ai beau être soucieux, je me surprends de plus en plus souvent à rêver avec jubilation au procès qui s'annonce.

Booker et Charlene m'invitent à dîner chez les Kane le soir de Thanksgiving. La grand-mère de Booker habite une petite maison dans le sud de Memphis. Manifestement, cela fait plusieurs jours qu'elle est aux fourneaux pour préparer cette soirée. Il fait un temps froid et pluvieux, et nous passons tout l'après-midi à l'intérieur. Il y a au moins cinquante invités, du nourrisson au vieillard, et je suis le seul Blanc. Le repas dure des heures. Entassés dans le salon, les hommes regardent match après match à la télé. Booker et moi dégustons notre gâteau aux noix sur le capot d'une voiture, dans le garage. Entre nous, l'échange rituel de ragots accuse un net retard. Il veut que je lui parle de ma vie amoureuse. Je lui jure qu'il ne se passe rien, du moins pour l'instant. Les affaires marchent bien, lui dis-je. De son côté, il travaille presque jour et nuit. Charlene voudrait un autre enfant, mais une nouvelle grossesse pourrait poser des problèmes. Il n'est jamais chez lui.

La vie ordinaire d'un avocat surmené.

39

Nous l'attendions au courrier de ce matin.

En entendant Deck monter l'escalier quatre à quatre, je sais qu'il est arrivé. Il se précipite dans mon bureau en brandissant l'enveloppe.

– Ça y est, il est là, nous sommes riches !

Il déchire l'enveloppe, en extrait le chèque avec délicatesse et le dépose sur mon bureau. Nous le contemplons béatement. Vingt-cinq mille dollars de la compagnie d'assurances State Farm ! Joyeux Noël !

Comme Derrick Dogan marche encore avec des béquilles, nous fonçons chez lui avec tous les papiers. Il signe là où on le lui dit et nous répartissons l'argent. Il perçoit exactement seize mille six cent soixante-sept dollars. Notre part est de huit mille trois cent trente-trois dollars. Là-dessus, Deck voulait lui retenir les frais de photocopie, de courrier et de téléphone, autant de petites sommes que beaucoup d'avocats tentent d'extorquer à leurs clients au moment du règlement, mais j'ai dit non.

Nous lui faisons nos adieux et lui souhaitons un prompt rétablissement en essayant, chose difficile, de nous attrister sur son sort.

Nous avons décidé de prendre chacun trois mille et de laisser le reste dans la caisse du cabinet, pour les mois de vaches maigres que nous réserve inévitablement l'avenir. Nous déjeunons aux frais du cabinet dans un restaurant huppé des quartiers est. Notre cabinet dispose désormais d'une magnifique carte de crédit, délivrée par une banque en mal de clients, visiblement impressionnée par ma qualité d'avocat. En remplissant la demande, j'ai fait ce que j'ai pu pour éluder les questions relatives à mes antécédents financiers. Deck et moi convenons solennellement de ne jamais l'utiliser sans l'accord de l'autre.

J'empoche mes trois mille et m'achète une voiture. Elle n'est pas toute neuve, évidemment, mais j'en rêvais depuis que nous avons eu la certitude de conclure favorablement l'affaire Dogan. C'est une

Volvo DL bleue de 1984, cinq vitesses, en très bon état, cent quatre-vingt-dix mille kilomètres au compteur, ce qui est peu pour une Volvo. Elle n'a eu qu'un propriétaire avant moi, un banquier, qui l'entretenait lui-même.

J'avais envisagé à un moment d'acheter un véhicule neuf, mais je ne supporte plus l'idée d'avoir des dettes.

C'est ma première voiture d'avocat. J'ai tiré trois cents dollars de ma vieille Toyota, avec lesquels je m'achète un téléphone portable. Rudy Baylor se rapproche lentement mais sûrement de la réussite sociale.

J'ai pris la décision il y a plusieurs semaines de ne pas passer Noël à Memphis. Les souvenirs de l'an dernier sont encore trop douloureux. Comme je serai tout seul, il vaut mieux que je prenne le large. Deck a évoqué la possibilité que nous fassions quelque chose ensemble, mais c'étaient des paroles en l'air. Je lui ai dit que j'irais probablement rendre visite à ma mère.

Quand ma mère et son nouveau mari ne sillonnent pas les routes du pays à bord de leur camping-car, ils parquent l'engin derrière la petite maison de Hank, à Toledo. Je n'ai jamais vu cette maison, pas plus que le camping-car, d'ailleurs, et n'ai pas l'intention de passer les fêtes chez mon beau-père. Maman m'a appelé au début du mois de décembre pour m'inviter, assez mollement, à venir chez eux pendant les vacances. J'ai refusé, je lui ai dit que j'avais trop de travail. Je lui enverrai une carte.

Ce n'est pas que je n'aime pas ma mère, simplement, nous avons cessé de nous parler. L'éloignement s'est fait petit à petit. Il n'y a pas eu de crise ni de ces mots violents qu'on met des années à oublier.

D'après Deck, tout le système judiciaire cesse de fonctionner du 15 décembre au lendemain du jour de l'an. Ni audience ni procès. Les avocats et leurs collaborateurs passent leur temps en pots de fin d'année et autres festivités avec leurs employés. C'est le moment idéal pour s'évader de la ville.

Le 16, je fourre le dossier Black ainsi que quelques vêtements dans le coffre de ma toute nouvelle Volvo et quitte Memphis. Je vagabonde sur de petites routes à deux voies en suivant grosso modo la direction du nord-ouest, et tombe sur les premières neiges dans le Kansas et le Nebraska. Je dors dans les motels les moins chers, mange dans les fast-foods et fais quelques crochets pour visiter les curiosités locales. Le blizzard s'est levé dans les grandes plaines du Nord, et les routes sont bordées d'énormes congères. Toutes les cultures disparaissent sous un épais manteau ouaté, aussi blanc qu'un cumulus.

Ces journées de solitude sur les routes me redonnent du tonus.

J'arrive finalement à Madison, dans le Wisconsin, le 23 décembre. Je trouve un petit hôtel douillet, repère un restaurant dans les parages et me perds dans les rues du centre-ville, flânant d'une vitrine à l'autre comme n'importe qui.

Je m'assieds sur le banc gelé d'un jardin public, les pieds dans la neige, et écoute les paroissiens chanter les hymnes à tue-tête sur fond de carillon. Personne au monde ne sait où je me trouve, dans quel État ni dans quelle ville. Cette liberté m'enchante.

Après avoir dîné et bu quelques verres au bar de l'hôtel, j'appelle Max Leuberg. Il a réintégré sa chaire de droit à l'université de Madison et, depuis qu'il est parti, je lui passe un coup de fil à peu près une fois par mois pour lui demander conseil. Il m'a invité à venir le voir. Je lui ai expédié une copie des principaux documents, requêtes, conclusions des parties et minutes des dépositions. L'enveloppe Federal Express pesait trois kilos six et m'a coûté près de trente dollars. Deck m'a donné son accord.

Max a l'air sincèrement ravi que je sois à Madison. Comme il est juif, il n'est pas vraiment concerné par Noël et, l'autre jour au téléphone, il m'a dit que c'était une excellente période pour travailler. Il m'indique où et comment le rejoindre.

À neuf heures le lendemain matin, je pénètre dans la fac de droit déserte par un froid de moins sept degrés. Leuberg m'attend dans son bureau avec du café chaud. Nous bavardons une heure durant des choses de Memphis qui lui manquent, et la fac de droit n'est pas du lot. Son bureau ici ressemble à celui qu'il avait là-bas, désordonné, encombré, tapissé d'affiches et d'autocollants provocateurs. Lui non plus n'a pas changé, avec ses cheveux ébouriffés, son jean et ses baskets blanches. Exceptionnellement, il a mis des chaussettes, mais seulement parce qu'il y a trente centimètres de neige dehors. Il est hyperactif et débordant d'énergie.

Il prend une clef, un thermos de café, et je lui emboîte le pas dans un couloir. Nous entrons dans une petite salle de réunion meublée d'une table centrale, sur laquelle il a déjà disposé toutes les pièces que je lui ai envoyées, et nous nous asseyons l'un en face de l'autre. Il sait que le procès a lieu dans six semaines.

– Vous avez eu des offres de transaction ?

– Oui, plusieurs. Ils en sont à cent soixante-quinze mille, mais ma cliente refuse.

– C'est rare, mais ça ne me surprend pas.

– Pourquoi ?

– Parce que vous les avez coincés. Ils risquent un énorme scandale, Rudy. C'est un des meilleurs cas d'assureurs véreux que j'aie vus, et j'en ai vu des centaines.

– Ce n'est pas tout, dis-je, et je lui raconte l'histoire des écoutes téléphoniques et des soupçons qui pèsent fortement sur Drummond.

– J'ai déjà entendu parler d'un cas de ce genre, dit-il. L'affaire se passait en Floride, mais l'avocat des plaignants n'a découvert le pot aux roses qu'après le procès. Ce qui l'a rendu méfiant, c'est que la défense semblait devancer chaque fois tout ce qu'il allait faire ou dire. Mais là, c'est différent.

– Ils doivent vraiment avoir une trouille bleue.

– Oui, ils sont terrifiés, mais ne nous emballons pas. Ils sont en terrain conquis, chez vous. Dans votre comté, les jurés ne croient pas aux dommages-intérêts dissuasifs.

– Où voulez-vous en venir ?

– Vous feriez peut-être mieux d'accepter quand même leur fric.

– Impossible. Ma cliente ne veut pas, et moi non plus.

– Bravo. Il est temps que ces gens comprennent que nous sommes au XXe siècle. Vous avez votre magnéto ?

Il se lève d'un bond et commence à sautiller à travers la pièce. Il y a un tableau noir au mur et le professeur est prêt à dispenser son savoir. Je sors le magnéto de mon attaché-case et le place sur la table, ainsi que mon stylo et mon calepin.

Max se lance et, pendant une heure, je griffonne frénétiquement des notes en l'assaillant de questions. Il me parle de mes témoins, de leurs témoins, des pièces à conviction, de la stratégie, comme si c'était sa propre affaire. Il se frotte les mains à l'idée de clouer ces escrocs au pilori.

– Gardez le meilleur pour la fin, me recommande le cher maître. Montrez au jury le témoignage vidéo de ce pauvre garçon enregistré juste avant sa mort. Je suppose qu'il fait pitié.

– Pire que ça.

– Excellent. C'est la meilleure image que puissent emporter les jurés avant de délibérer. Si les débats sont bien menés, vous pouvez en finir en trois jours.

– Et ensuite ?

– Ensuite vous restez sagement assis dans votre coin et vous les laissez se dépêtrer avec leurs explications.

Il s'interrompt soudain et s'empare d'un document à l'autre bout de la table, qu'il glisse vers moi.

– Qu'est-ce que c'est ?

– C'est un exemplaire de la nouvelle police d'assurance-maladie de Great Benefit, souscrite le mois dernier par un de mes étudiants. C'est moi qui l'ai payée et nous l'annulerons le mois prochain. Je voulais juste voir si les clauses avaient changé. Devinez ce qui est exclu, maintenant, et en caractères gras, s'il vous plaît.

– Les greffes de moelle épinière ?

– Toutes les greffes, y compris celles de la moelle. Gardez ça et servez-vous-en pour le procès. À mon avis, vous devriez demander au PDG pourquoi ils ont modifié leur police quelques mois après votre dépôt de plainte. Pourquoi excluent-ils désormais les greffes de moelle ? Et si elles n'étaient pas exclues de la police des Black, pourquoi ont-ils refusé la prise en charge ? C'est du béton, ça, Rudy. Bon sang, j'ai très envie de venir faire un tour à votre procès.

– N'hésitez pas !

Ce serait réconfortant de pouvoir consulter quelqu'un d'autre que Deck pendant les débats.

Max a du mal à se repérer parmi les différentes fins de non-recevoir adressées aux Black. Je vais chercher les quatre cartons de documents dans mon coffre, les dépose sur la table et, vers midi, l'endroit ressemble à un dépotoir.

Son énergie est contagieuse. Pendant le déjeuner, j'ai droit à un cours magistral sur la comptabilité des compagnies d'assurances. Comme ces sociétés ne sont pas assujetties à la loi fédérale antitrust, elles ont développé leur propre méthode de trésorerie. Une méthode qui défie l'entendement de l'expert-comptable le plus sagace. Un assureur, par définition, ne recherche pas la transparence financière. Max a tout de même quelques indices.

Great Benefit pèse entre quatre cents et cinq cents millions de dollars, dont la moitié environ en fonds de réserve et excédents. Voilà ce qu'il faudra expliquer au jury.

Je n'ose pas suggérer à Max de travailler le jour de Noël, mais son entrain n'a pas de limites. Sa femme est partie voir sa famille à New York. Il n'a rien d'autre à faire et souhaite sincèrement que nous examinions le contenu des deux cartons qui restent.

J'utilise trois calepins et six cassettes pour prendre en note et enregistrer les commentaires fleuves de Max. Lorsque, le 25 décembre à la nuit tombée, il déclare finalement que nous avons fait le tour de la question, je suis exténué. Il m'aide à remballer le dossier et à le rapporter jusqu'à ma voiture. Il neige de nouveau à gros flocons.

Nous nous faisons nos adieux devant l'entrée de la fac. Je n'ai pas assez de mots pour le remercier. Il me souhaite bonne chance, me fait promettre de l'appeler au moins une fois par semaine avant le procès et une fois par jour quand il aura commencé. Il y a une chance, répète-t-il, qu'il fasse un saut là-bas.

Je mets trois jours, sans me presser, pour gagner Spartanburg, en Caroline du Sud. La Volvo a une admirable tenue de route, surtout sur la neige et le verglas du Middle West. J'appelle Deck une seule fois, de la voiture. Tout est calme au bureau, dit-il. Personne ne me réclame.

J'ai passé trois ans et demi à étudier avec acharnement pour obtenir mon diplôme, tout en travaillant au Yogi dès que je le pouvais. Je n'ai pratiquement jamais eu de temps libre. Ce petit voyage à travers le pays pourrait paraître ennuyeux à certains, mais, pour moi, ce sont des vacances luxueuses, qui me reposent l'esprit et me permettent de penser enfin à autre chose qu'au droit. J'oublie la plupart de mes hantises, par exemple Sara Plankmore. Les vieilles rancunes s'évanouissent. La vie est trop courte pour mépriser des gens qui ne peuvent s'empêcher d'être ce qu'ils sont. Quelque part dans le Kentucky, je prends conscience d'avoir pardonné leurs coups bas à Loyd Beck et à Barry X. Lancaster. Je fais le serment d'arrêter de me tourmenter pour Miss Birdie et sa triste famille. Ils peuvent résoudre leurs problèmes sans moi.

Je parcours des kilomètres et des kilomètres en rêvant à Kelly Riker, à ses dents parfaites, à ses jambes bronzées, à sa douce voix.

Quand mes pensées me ramènent au procès, au seul et unique procès que j'aie en vue, je me mets à parler tout seul, adressant mes remarques préliminaires au jury, harcelant les cadres de Great Benefit avec des questions de plus en plus gênantes, et c'est presque les larmes aux yeux que je conclus ma vibrante plaidoirie, sur la nationale 21, entre Princeton et Stateville. Quelques automobilistes me regardent avec étonnement, mais je m'en moque.

J'ai parlé avec quatre avocats ayant poursuivi ou poursuivant actuellement Great Benefit. Les trois premiers n'ont été d'aucun secours. Le quatrième habite Spartanburg, s'appelle Cooper Jackson, et il y a quelque chose d'étrange dans son affaire. Il n'a pas voulu en parler au téléphone (je l'appelais de chez moi), mais il m'a dit que, si j'avais l'occasion de passer à son cabinet pour consulter le dossier, je serais le bienvenu.

Son bureau se trouve dans un building moderne du centre-ville qui abrite aussi une banque. J'ai appelé hier depuis ma voiture, en Caroline du Nord, et il a le temps de me recevoir aujourd'hui. Les affaires tournent au ralenti pendant les fêtes, dit-il.

C'est un homme bien charpenté, le torse et les épaules larges, avec une barbe noire et des yeux qui brillent comme de l'anthracite, très mobiles et expressifs. Il a quarante-six ans, et j'apprends qu'il est spécialisé dans la défense des consommateurs. Il vérifie que la porte de son bureau est bien fermée avant d'aborder le sujet qui m'amène.

Ce qu'il me dit est confidentiel. Il ne devrait pas en parler, car il a conclu un règlement amiable avec Great Benefit comportant une clause leur interdisant, à lui et à son client, de révéler les termes de l'accord, sous peine de sévères sanctions. Ce genre d'agrément lui déplaît, bien qu'il ne soit pas rare. Il a porté plainte il y a un an pour une femme souffrant de sinusite chronique et qui avait besoin de se faire opérer. Great Benefit a refusé la prise en charge sous prétexte que la dame n'avait pas mentionné sur sa demande d'affiliation l'ablation d'un kyste aux ovaires cinq ans avant l'achat de la police. Ce kyste, disait la lettre de refus, était une condition préexistante. La cliente réclamait onze mille dollars. Il y a eu d'autres échanges de lettres et, la compagnie persistant à refuser, la malade a fait appel à Cooper Jackson. Il s'est déplacé quatre fois à Cleveland, dans son avion privé, et a pris huit dépositions.

– C'est un ramassis d'escrocs stupides, dit-il à propos des cadres de la compagnie.

Jackson adore plaider. Il était décidé à aller jusqu'au procès, mais Great Benefit a soudain proposé une discrète transaction.

– C'est là que je suis censé tenir ma langue, dit-il, ravi de n'en rien faire.

Je parierais qu'il en a déjà parlé à une centaine de personnes.

– Ils ont payé les onze mille dollars, et ont ajouté deux cent mille pour que nous retirions la plainte.

Il attend ma réaction, les yeux pétillants. Je comprends qu'ils aient exigé la confidentialité.

– C'est ahurissant, dis-je.

– N'est-ce pas ? Personnellement, je ne voulais pas de transaction, mais ma pauvre cliente avait besoin de l'argent. Si nous étions allés jusqu'au verdict, je suis persuadé que nous aurions touché le gros lot.

Il me raconte ensuite quelques-unes de ses batailles, sans doute pour me convaincre qu'il gagne des mille et des cents, puis je le suis dans une petite pièce sans fenêtre où sont archivés tous ses dossiers. Il désigne trois cartons du doigt et s'appuie au montant des étagères.

– Voilà comment ça marche. Quand la demande de prise en charge arrive, elle est confiée à un employé subalterne, un gratte-papier qui ne gagne pas grand-chose et dont la fonction consiste à faire un premier barrage. Il ou elle écrit une lettre à l'assuré lui réclamant son dossier médical complet pour les cinq dernières années. Vous devez avoir ce genre de courrier. À réception du dossier médical, ils récrivent au client en lui disant en substance que la prise en charge est suspendue dans l'attente des résultats de l'expertise. C'est là que ça devient amusant. L'employé transmet le dossier à la Production qui renvoie une note de service disant : « Ne versez rien à l'assuré, sauf avis contraire. » Les deux services échangent ainsi plusieurs notes internes. Des désaccords s'ensuivent naturellement, les différentes clauses et conditions font l'objet d'interprétations divergentes entre les deux services, qui se renvoient la balle. Il faut savoir que ces gens, qui travaillent dans le même bâtiment pour la même société, ne se côtoient jamais, souvent ils ne se connaissent même pas.

C'est un cloisonnement total et délibéré. Pendant ce temps, le client continue à recevoir divers courriers, les uns du service Sinistres, les autres du service Production. La plupart des clients laissent tomber et c'est naturellement ce que cherche l'assureur. Un assuré sur vingt-cinq, environ, consulte un avocat.

En écoutant Jackson, je me souviens de certaines pièces et de certains passages des dépositions et les pièces du puzzle commencent à s'emboîter dans mon esprit. Je lui demande s'il peut prouver ce qu'il dit.

– Tout est là-dedans, dit-il en tapotant sur ses cartons. Les minutes de la procédure ne sont pas d'un grand intérêt pour vous, mais j'ai aussi les manuels internes à l'usage des employés.

– Je les ai aussi.

– Si vous voulez fouiller dans le dossier, ne vous gênez pas. Tout est parfaitement classé. J'ai un assistant-juriste formidable. J'en ai même deux.

Oui, mais moi, j'ai un assistant-avocat...

Il me laisse avec les cartons et je vais droit aux manuels verts de la compagnie. Il y en a un pour le service Sinistres et un autre pour le service Production. À première vue, ils semblent identiques à ceux que j'ai obtenus de mes adversaires. Les différentes procédures sont répertoriées et présentées en sections. Il y a une table des matières au début, un glossaire à la fin, ce sont des manuels rébarbatifs à l'intention de ronds-de-cuir.

Mais en les relisant de près, je découvre soudain une différence. Il y a, dans celui du service Sinistres, une section U qui n'existe pas dans mon exemplaire. Je l'examine attentivement et tout s'éclaire. Le manuel du service Production comprend également une section U. Quand on les confronte, on s'aperçoit que les deux ordonnent de refuser la prise en charge jusqu'à nouvel ordre. Après quoi, le dossier est transmis à l'autre service, avec instruction de suspendre le paiement dans l'attente d'une décision.

La décision en question n'est évidemment jamais prise. Aucun des services ne peut payer sans l'aval des autres.

Dans les deux sections U, on trouve toutes sortes de directives pour étayer chaque étape par des justificatifs détaillés. La masse de documents qui en résulte est destinée, si nécessaire, à montrer tout le travail effectué pour évaluer le bien-fondé de la demande de prise en charge, avant de la rejeter.

Dans les deux manuels que je possède, ces sections ont disparu, opportunément supprimées par les escrocs de Cleveland, avec ou sans la bénédiction de leurs avocats. Cette ommission fausse complètement l'instruction.

Je suis écœuré par cette découverte mais, en même temps, je me régale à l'avance à l'idée de brandir ces pièces inédites devant le jury.

Je passe encore plusieurs heures à fouiller dans le reste du dossier, sans rien trouver d'aussi percutant.

Cooper aime boire un verre de vodka à son bureau, mais seulement après six heures du soir. Il m'invite à me joindre à lui. Il conserve une bouteille dans un petit réfrigérateur intégré à un placard qui lui sert de bar. Il boit l'alcool sans eau ni glaçons. Je l'imite et avale deux rasades qui me brûlent le gosier.

– Vous devez avoir des copies des diverses enquêtes dont fait l'objet Great Benefit, dit-il en reposant son verre.

Je ne sais rien là-dessus. Inutile de mentir.

– Non, pas vraiment.

– Il faut les avoir. C'est important. J'ai adressé un rapport sur la compagnie au procureur général de Caroline du Sud, qui est un de mes anciens copains de fac, et ils sont en train d'enquêter. Même chose en Géorgie. En Floride, la Commission gouvernementale sur les métiers de l'assurance a ouvert une enquête officielle. Il semble qu'un grand nombre de demandes d'indemnisation aient été rejetées en très peu de temps.

Il y a plusieurs mois, quand j'étais encore étudiant, Max Leuberg nous avait dit qu'il avait engagé une procédure auprès de la chambre des métiers. Mais il nous avait dit aussi que ça ne déboucherait sans doute sur rien parce que la corporation des assureurs rechignait à faire la police dans leurs rangs et à redéfinir les règles professionnelles.

J'ai l'impression d'avoir raté quelque chose. On en apprend tous les jours.

– Il est question que certains avocats entreprennent une action collective, dit-il en épiant ma réaction, les yeux mi-clos. Vous étiez au courant ?

Il doit se douter que je n'en savais rien.

– Où ?

– À Raleigh. Ils ont une poignée de petits litiges contre Great Benefit, mais, pour l'instant, ils préfèrent attendre. J'imagine que la compagnie essaie de transiger en catimini pour les cas les plus préoccupants.

– En tout, il y a combien de polices en circulation ?

J'ai déjà réclamé cette information dans mes questions écrites, sans jamais obtenir de réponse.

– Aux alentours de cent mille. Si on considère qu'il y a dix pour cent de demandes d'indemnisation, ça fait dix mille dossiers par an, ce qui correspond à la moyenne de la profession. S'ils en refusent systématiquement la moitié, on arrive à cinq mille. Chaque client réclame dix mille dollars en moyenne. Cinq mille par dix mille, ça fait cinquante millions de dollars. Là-dessus, admettons qu'ils dépensent dix millions, je lance le chiffre au hasard, pour régler à l'amiable les rares dossiers qui font l'objet d'une plainte en bonne et due forme. Au total, donc, la combine leur rapporte quarante millions. L'année suivante, ils recommencent à honorer les demandes de prise en charge. L'année d'après, ils en refusent à nouveau la moitié, en modifiant éventuellement leur système. Au bout du compte, ils gagnent tellement de fric qu'ils peuvent se permettre d'arnaquer n'importe qui.

Je reste longtemps à le regarder, médusé, puis demande :

– Et vous pourriez prouver tout ça ?

– Non, hélas. C'est une extrapolation. Il n'y a pas de pièce à conviction. Cette compagnie fait des choses d'une incroyable stupidité, mais je doute qu'ils soient assez bêtes pour coucher tout ce que je vous ai dit sur le papier.

Je suis tenté de citer la lettre « stupide », mais je me ravise, craignant les indiscrétions.

– Vous êtes membre d'une association d'avocats ?

– Non. Je débute.

– Moi, je suis assez actif dans le milieu. Nous sommes plusieurs confrères à nous intéresser aux procédures contre les grosses boîtes d'assurances. C'est un groupe informel, mais on est en relations constantes, on se refile les informations. On entend souvent parler de Great Benefit. Je pense qu'ils ont opposé trop de fins de non-recevoir à leur clientèle. Tout le monde attend le gros procès qui les mettra à genoux. S'il y a des dommages-intérêts importants, ça va être la curée.

– Je ne peux rien promettre quant au verdict, mais je peux vous garantir qu'il y aura un procès.

Cooper dit qu'il va battre le rappel, faire passer le message, ouvrir les oreilles et voir ce qui se prépare ailleurs dans le pays. Et lui aussi pourrait venir à Memphis en février. Il suffirait d'un seul gros verdict pour que tout l'édifice s'écroule, répète-t-il.

Le lendemain, je passe encore la moitié de la journée à éplucher les archives de Cooper Jackson, puis je le remercie avant de reprendre la route. Il tient à ce que nous restions en contact et pressent que de nombreux confrères viendront assister à mon procès.

Je ne sais pas pourquoi, ça me terrifie.

Je rentre à Memphis en douze heures. Quelques flocons de neige commencent à voleter tandis que je décharge la Volvo derrière la ténébreuse maison de Miss Birdie. Demain, c'est le nouvel an.

40

Une réunion préliminaire se tient à la mi-janvier sous la présidence du juge Kipler. Il nous fait asseoir à la table de la défense et poste un huissier à l'entrée du prétoire pour éloigner les curieux. Il prend place à un bout de la table, sans sa robe, entre sa secrétaire et sa greffière. Je suis à sa droite, tournant le dos aux bancs du public, et toute l'équipe de la défense se trouve rassemblée devant moi. C'est la première fois que je revois Drummond depuis la déposition de Kord qui a eu lieu comme prévu le 12 décembre. Je m'efforce d'être aimable, mais c'est dur. Chaque fois que je décroche mon téléphone au bureau, je vois ce juriste guindé, tiré à quatre épingles, unanimement respecté, en train de m'écouter comme un vulgaire malfrat.

La réunion d'aujourd'hui a pour but d'examiner les citations directes présentées par chacune des parties.

Kipler n'était qu'à moitié étonné quand je lui ai montré les manuels empruntés à Cooper Jackson. Il les a comparés à ceux que m'a remis Drummond et, d'après lui, je suis parfaitement dans mon droit si j'attends le procès pour faire état des passages manquants. L'effet devrait être dévastateur. Ce sera comme si je les déculottais devant le jury.

Je donne lecture de ma liste de témoins. J'ai assigné tous les gens impliqués de près ou de loin dans l'affaire.

– Jackie Lemancysk ne travaille plus pour mon client, déclare Drummond.

– Vous savez où elle est ? me demande Kipler.

– Non.

C'est la triste vérité. J'ai passé des dizaines de coups de fil à Cleveland sans trouver sa trace nulle part. Butch n'a pas eu plus de chance.

– Et vous, monsieur Drummond ?

– Non.

– Sa présence est donc hypothétique, dit le juge.

– Oui, en effet.

Drummond et T. Pierce Morehouse trouvent ça drôle. Je les vois échanger un regard complice. Ils riront moins si jamais nous mettons la main sur elle et la faisons témoigner au dernier moment. Malheureusement, c'est peu probable.

– Et où en sommes-nous avec le nommé Bobby Ott? demande Kipler.

– C'est une autre incertitude, Votre Honneur.

Les deux parties sont libres de citer les gens dont ils peuvent raisonnablement escompter la présence au procès. Celle d'Ott est très compromise, mais, si jamais il se manifestait, je veux être sûr qu'il puisse témoigner. Butch poursuit ses recherches.

Nous en venons aux experts. Je n'en ai que deux : le Dr Walter Kord et Randall Gaskin, chef de clinique à l'hôpital St. Joseph. Drummond en a cité un, le Dr Milton Jiffy, de Syracuse, que j'ai préféré ne pas faire déposer pour deux raisons. D'abord, je ne peux pas m'offrir le voyage jusque là-bas ; ensuite, je sais très bien ce qu'il va dire. Il déclarera sous serment que la greffe de moelle est encore trop expérimentale pour être considérée comme un traitement sûr de la leucémie. Walter Kord est fou de rage à cette idée et va m'aider à préparer un contre-interrogatoire serré.

Kipler n'a pas l'air de croire que Jiffy ira jusqu'à témoigner.

Nous passons une heure à nous battre à propos des documents que j'ai exigés. Drummond certifie au juge qu'on nous a tout remis. J'en doute. Kipler aussi.

– Et l'information requise par les plaignants sur le nombre total de polices en circulation et de refus d'indemnisation pour ces deux dernières années?

Drummond soupire et baisse les yeux.

– Nous nous en occupons, Votre Honneur, je vous jure que nous faisons tout ce qui est en notre pouvoir. Cette information est disséminée aux quatre coins du pays. Mon client a cinq agences régionales, des bureaux dans trente et un États, c'est assez difficile de...

– Est-ce que votre client a des ordinateurs?

Nouveau soupir navré.

– Bien sûr, Votre Honneur, mais il ne suffit pas d'appuyer sur un bouton et d'attendre devant l'imprimante.

– Le procès débute dans trois semaines, monsieur Drummond. Je veux cette information.

– Nous essayons, Votre Honneur, je le rappelle tous les jours à mon client.

– Vous faites bien, dit le juge en lui lançant un regard féroce.

Morehouse, Hill, Plunk et Grone font le gros dos, penchés sur leurs notes.

Nous passons à des sujets moins sensibles. Il est prévu de consacrer deux semaines aux débats, bien que Kipler m'ait confié qu'il ferait tout pour que l'affaire soit jugée en cinq jours.

– Maintenant, messieurs, demande Kipler, où en sommes-nous avec les transactions ?

Il sait, bien sûr, que leur dernière proposition s'élève à cent soixante-quinze mille dollars et que Dot Black a refusé.

– Quelle est votre meilleure offre, monsieur Drummond ?

Les cinq défenseurs échangent des regards entendus. Il y a de la surenchère dans l'air.

– Eh bien, Votre Honneur, fait Drummond le plus solennellement qu'il peut, j'ai été autorisé ce matin par mon client à offrir deux cent mille dollars pour un règlement amiable.

– Monsieur Baylor ?

– Désolé, ma cliente m'a chargé de refuser toute nouvelle proposition.

– Quel que soit le montant ?

– Oui. Elle souhaite voir un jury dans cette salle et que tout le monde sache ce qui est arrivé à son fils.

Gesticulations scandalisées du côté de la défense. Même Kipler affiche une mine perplexe.

Depuis l'enterrement, j'ai essayé de parler deux fois à Dot et ça ne s'est pas très bien passé. Elle est tiraillée entre le chagrin et la colère. Je me mets à sa place. Elle blâme pêle-mêle Great Benefit, le système, les médecins, les avocats, les rendant tous responsables, et même moi parfois, de la mort de Donny Ray. Là encore, je la comprends. Elle n'a ni besoin ni envie de leur argent. Elle demande justice. La dernière fois que je suis passé la voir, elle m'a quitté en me disant : « Je veux qu'ils soient condamnés à mort en tant qu'entreprise. »

Finalement, Drummond se lève et dit :

– C'est insensé.

– Il va y avoir un procès, Leo, dis-je. Vous feriez mieux de vous y préparer.

Kipler tend le doigt vers la secrétaire, qui lui apporte un dossier. Il en extrait deux feuilles.

– Voici maintenant les noms et adresses des jurés potentiels. Quatre-vingt-douze, si je ne m'abuse, mais il y en a toujours qui disparaissent, changent d'adresse, etc.

Je prends la feuille et commence à lire les noms, comme si j'avais la moindre chance de connaître l'une de ces quatre-vingt-douze personnes tirées au sort parmi le million d'habitants que compte l'État.

– Le jury sera sélectionné une semaine avant le procès, alors tenez-vous prêts pour le 1er février. Vous avez le droit d'enquêter sur le passé des jurés, mais vous savez qu'il est rigoureusement interdit d'entrer en contact direct avec eux.

– Où sont les questionnaires ? demande Drummond.

Chaque juré présélectionné remplit un questionnaire simple sur une fiche, date de naissance, race, sexe, profession, niveau d'instruction. Ce sont les seules informations dont dispose l'avocat au début de la procédure de sélection.

– Nous nous en occupons. Vous les aurez au courrier demain. Rien d'autre ?

– Non, Votre Honneur, dis-je.

Drummond confirme d'un hochement de tête.

– Dépêchez-vous de nous donner vos informations, monsieur Drummond.

– Nous faisons tout ce qui est en notre pouvoir, Votre Honneur.

Le végétarien à côté du cabinet est l'endroit que je préfère pour déjeuner. Je réfléchis à la liste des jurés que j'ai sous les yeux en dégustant un risotto aux haricots noirs arrosé d'une tisane maison. Drummond, toujours omnipotent, va charger une équipe d'enquêteurs professionnels d'explorer la vie privée de chaque juré. Ils pourront photographier secrètement leur domicile, leur véhicule, chercher des divorces, des condamnations, obtenir leurs antécédents bancaires, professionnels, ils éplucheront les archives publiques pour savoir combien tel juré a payé sa maison, etc. La seule chose interdite, Kipler l'a rappelé, c'est d'entrer en contact avec un juré, directement ou par un intermédiaire.

Le jour où nous nous réunirons au tribunal pour procéder à la sélection des douze jurés, Drummond aura un dossier complet sur chacun, élaboré, revu et corrigé non seulement par ses collaborateurs, mais par une équipe d'experts-conseils chargés d'inventorier les qualités et les défauts d'un jury. Il s'agit soit de juristes ayant une certaine compétence dans le domaine des ressources humaines, soit de psychiatres ou de psychologues. Ils parcourent le pays en vendant horriblement cher leur expertise aux avocats qui en ont les moyens. C'est une nouveauté dans le paysage juridique américain.

En fac, on nous a parlé d'un expert-conseil que Jonathan Lake avait payé quatre-vingt mille dollars. Le verdict du jury s'est élevé à plusieurs millions, par conséquent, les honoraires du spécialiste devenaient dérisoires.

Cette équipe de spécialistes sera présente dans la salle quand nous sélectionnerons le jury. Ils passeront inaperçus auprès de ces Américains moyens qu'ils analyseront sous tous les angles, gestuelle, habillement, élocution et Dieu sait quoi encore.

De mon côté, j'aurai Deck qui est une allégorie de la singularité humaine à lui tout seul. Nous donnerons un double de la liste à Butch et à Booker, et à quiconque serait susceptible de reconnaître un nom ou deux. Nous passerons des coups de fil, vérifierons quelques adresses, mais notre tâche sera beaucoup plus difficile. Il faudra pour l'essentiel se fier à l'apparence de gens que nous découvrirons au tribunal.

41

Je vais maintenant à la galerie commerciale au moins trois fois par semaine, d'habitude à l'heure du dîner. Du balcon surplombant la patinoire, je guette les allées et venues dans le passage en mangeant mon poulet chop suey. Je ne l'ai vue passer qu'une fois. Elle était seule et se promenait, semblait-il. J'aurais donné cher pour m'approcher d'elle, la prendre par la main et l'emmener dans une boutique de mode où nous aurions pu nous cacher entre les rangées de vêtements pour bavarder et nous embrasser.

Cette galerie commerciale est une des plus grandes de la ville et elle est généralement bondée. Je me demande souvent si l'un des jurés se cache dans cette foule. Comment savoir qui sont ces gens ?

Il va falloir se débrouiller avec les moyens du bord. Deck et moi avons fait des fiches sur tous les jurés d'après les questionnaires qu'ils ont remplis et j'en garde toujours un paquet sur moi.

Ce soir, je contemple la foule d'un œil distrait et sors une fiche de ma poche : en gros caractères, un nom, R.C. Badley. Sexe masculin, âge quarante-sept ans, race blanche, profession plombier, domicilié dans la banlieue sud-est de Memphis. Je retourne la fiche et la récite par cœur. À force de répéter cet exercice, j'ai réussi à me dégoûter de ces gens. Leurs noms sont affichés sur un mur de mon bureau et je passe au moins deux heures par jour à me familiariser avec eux. Fiche suivante : Lionel Barton, vingt-quatre ans, race noire, étudiant et vendeur à mi-temps dans un magasin d'accessoires automobiles, domicilié dans un appartement des quartiers sud.

Pour notre cause, le juré idéal est jeune, de couleur, et sort au moins du lycée. On prête depuis longtemps aux Noirs la réputation de faire les meilleurs jurés pour les plaignants. Ils se sentent solidaires des opprimés et ne font pas confiance à l'Amérique des puissants. C'est compréhensible.

La question du sexe me laisse songeur. Traditionnellement, on prétend que les femmes lésinent plus sur l'argent parce que c'est elles qui tiennent les comptes à la maison. Elles seraient moins enclines à se prononcer pour des dommages-intérêts importants dans la mesure où cet argent n'est pas censé leur revenir. Mais Max Leuberg pense que, dans notre cas, les femmes seraient préférables. Ce sont des mères avant toute chose. Elles compatissent à la perte d'un enfant, s'identifieront à Dot si je fais ce qu'il faut, et auront à cœur de ruiner Great Benefit. Il me semble qu'il a raison.

Si, donc, j'avais le choix, je prendrais douze femmes noires, mères de préférence.

Deck, bien entendu, a une autre théorie. Il craint les Noirs à cause de l'extrême acuité de la question raciale à Memphis. Plaignant blanc, défendeur blanc, tout le monde là-dedans est blanc, sauf le juge. Pourquoi un Noir s'intéresserait-il à notre cas ?

Cela montre parfaitement combien il est illusoire d'appliquer aux jurés des stéréotypes de classe, de race, d'âge ou d'éducation. En fait, personne ne peut prévoir comment un juré, n'importe quel juré, agira au cours des délibérations. J'ai lu tout ce que contenait la bibliothèque de la fac sur la sélection des jurys et je ne suis pas plus avancé qu'avant.

Il n'y a qu'une seule catégorie de juré à éviter dans notre cas : l'homme blanc, cadre supérieur ou chef d'entreprise. Quand des dommages-intérêts dissuasifs sont en jeu, ces types sont redoutables. Ils ont tendance à diriger les délibérations. Ils sont informés, dynamiques, organisés, et n'ont pas grande estime pour les avocats. Souvent, heureusement, ils sont aussi trop occupés pour remplir leur devoir civique. J'en ai repéré cinq sur ma liste et je suis sûr que chacun aura des douzaines d'excellentes raisons pour ne pas venir. Là-dessus Kipler aurait toujours son mot à dire, mais je pense qu'il n'en veut pas non plus. Je parierais sans hésiter la totalité de mon fabuleux revenu annuel que Son Honneur veut voir des visages noirs à la table des jurés.

Je suis sûr que, si je continue à exercer ce métier, j'aurai un jour une idée plus vicieuse encore, mais pour l'instant c'est difficile à imaginer. J'y pense depuis une semaine et j'ai fini par en parler à Deck avant-hier. Depuis, il est en transe.

Puisque Drummond et sa bande veulent écouter mes conversations téléphoniques, je vais leur en mettre plein les oreilles. Nous attendons la fin de l'après-midi. Je suis au bureau. Deck est au coin de la rue, dans une cabine. Il m'appelle. Nous avons répété notre rôle. J'ai même écrit notre texte.

– Rudy, ici Deck. J'ai fini par trouver Dean Goodlow.

Goodlow est un Blanc de trente-neuf ans, sorti du collège, propriétaire d'une entreprise de nettoyage de moquette. Pour nous, c'est un mauvais candidat, exactement le juré dont nous ne voulons pas. Il plairait beaucoup à Drummond, en revanche.

– Où ça ?

– Je l'ai cueilli à son bureau. Il avait quitté la ville depuis une semaine. Super-type. On se trompait complètement à son sujet. Il déteste les compagnies d'assurances avec qui il se bat tout le temps. Il dit que c'est une profession qui a besoin d'être réglementée. Je lui ai raconté les faits et, mon vieux, il a été horrifié. Ça va faire un juré du tonnerre.

Deck prend une intonation un peu spéciale mais il est crédible si on ne se doute de rien. Il lit probablement son texte.

– Ça alors, quelle chance ! dis-je.

L'idée qu'un avocat puisse s'entretenir avec un juré avant la sélection est proprement absurde, inconcevable. Deck et moi nous sommes demandé si notre ruse n'était pas trop grosse et si Drummond n'allait pas se douter que nous jouions la comédie. Oui, mais qui se serait douté qu'un avocat renommé comme lui puisse mettre le téléphone de son adversaire sur écoutes ? Et nous nous sommes dit aussi qu'il marcherait parce qu'il me prend pour un minable ignorant et prend Deck... ma foi, il doit le prendre pour ce qu'il est.

– Ça l'a gêné de te parler ?

– Un peu au début. Je lui ai dit ce que j'ai dit aux autres, que je n'étais qu'enquêteur, pas avocat, et qu'il pouvait me parler sans crainte à condition de ne le dire à personne.

– Bon. Et tu crois que Goodlow est avec nous ?

– À tous les coups. Il faut absolument qu'il soit désigné.

Je froisse quelques papiers près de l'écouteur.

– Tu as vu qui d'autre ?

– Heu... attends. (Je l'entends m'imiter de son côté.) Ah, voilà. J'ai parlé à Dermont King, Jan DeCell, Lawrence Perotti, Hilda Hinds et RaTilda Browning.

Ces gens sont des Blancs dont nous ne voulons pas, à l'exception de RaTilda Browning. Drummond fera tout pour les exclure s'il tombe dans le panneau.

– Et Dermont King, comment est-il ?

– Solide. A sorti une fois de chez lui un courtier envahissant. Je lui donne neuf sur dix.

– Et Perotti ?

– Super. Il n'en revenait pas qu'un assureur puisse se rendre coupable d'un crime. On l'a dans la poche.

– Jan DeCell ?

– Attends. (Nouveau froissement de papier.) Charmante dame, pas bavarde du tout, par contre. Je crois qu'elle avait peur de faire quelque chose de malhonnête, un truc comme ça. Nous avons discuté des assureurs en général. Je lui ai dit que Great Benefit pesait dans les quatre cents millions. Je crois qu'elle sera de notre côté. Je lui donnerai cinq.

J'ai du mal à garder mon sérieux et m'agrippe au combiné.

– RaTilda Browning ?

– Femme noire radicale, pas intéressante pour une plaignante blanche. Elle m'a prié de quitter son bureau. En plus, elle travaille dans une banque tenue par des Noirs. Elle ne nous donnera pas un sou.

Longue pause pendant que Deck triture ses papiers.

– Et toi, où en es-tu ?

– J'ai eu Esther Samuelson chez elle il y a une heure. C'est une femme d'un certain âge, très gentille. La soixantaine. On a longtemps parlé de Dot et de ce que ça doit être pour une mère de perdre son enfant. Elle est avec nous.

Esther Samuelson est la veuve d'un secrétaire général de la chambre de commerce. Je tiens ce détail de Marvin Shankle. Elle dira amen à tout ce que fera Drummond.

– Et puis j'ai aussi eu Nathan Butts à son bureau. Il a été un peu surpris d'apprendre que j'étais l'avocat des plaignants, mais je l'ai rassuré. Il hait les assureurs.

Si Drummond est à l'écoute, il doit être malade. Que moi, avocat et non enquêteur, je puisse discuter tranquillement de l'affaire avec un juré potentiel, c'est un coup à lui faire péter une artère. En plus, il doit se dire qu'il n'y peut strictement rien. Il ne peut pas faire état de l'enregistrement, il se ferait radier du barreau immédiatement. Et même emprisonner, sans doute.

– J'en ai encore quelques autres, dis-je. Continuons à passer des coups de fil et retrouvons-nous ici à dix heures.

– OK, dit Deck d'une voix fatiguée, à nouveau très naturelle.

Nous raccrochons et, un quart d'heure plus tard, le téléphone sonne.

– Rudy Baylor, s'il vous plaît, lance une voix vaguement familière.

– C'est moi.

– Ici Billy Porter. Vous êtes passé au garage aujourd'hui, il paraît ?

Billy Porter est un Blanc qui tient un garage sur la route de Nashville. Toujours tiré à quatre épingles au boulot. Moins de cinq sur notre échelle de dix.

– Oui, monsieur Porter, merci de me rappeler.

En fait, c'est Butch. Il a accepté de tenir un rôle dans notre petite comédie. Il est avec Deck et je les imagine tous les deux, penchés sur le téléphone, luttant contre le trac. Butch, parfait pour ce genre de besogne, est allé au garage de Porter, sous prétexte d'avoir un pneu à changer. Il fait de son mieux pour imiter la voix de ce type qu'il ne reverra jamais.

– Qu'est-ce que vous voulez ? demande Billy/Butch.

Nous lui avons dit de paraître brutal et de se radoucir ensuite.

– Eh bien, il s'agit du procès, vous savez, pour lequel vous avez reçu une convocation. Je suis un des avocats.

– C'est légal, ça ?

– Bien sûr que c'est légal. Mais n'en parlez pas, c'est tout. Écoutez, je représente cette malheureuse femme dont le fils a été tué par une compagnie d'assurances appelée Great Benefit Life.

– Tué ?

– Oui. Le garçon aurait dû se faire opérer, mais la compagnie a refusé à tort de prendre son traitement en charge. Il est mort de leucémie il y a trois mois. Voilà pourquoi nous avons porté plainte. Nous avons vraiment besoin de votre aide, monsieur Porter.

– C'est affreux, ce que vous dites.

– C'est le pire cas que j'aie jamais vu et j'en ai vu beaucoup. Et je vous assure qu'ils sont archicoupables, ces salauds-là, excusez ma grossièreté. Ils ont déjà proposé deux cent mille dollars pour régler l'affaire à l'amiable, mais nous réclamons infiniment plus. Nous demandons des dommages-intérêts dissuasifs et nous avons besoin de vous.

– Est-ce que je vais être choisi ? Je ne peux absolument pas m'absenter de mon travail.

– Nous choisirons douze jurés sur soixante-dix environ, c'est tout ce que je peux vous dire. Faites de votre mieux, monsieur Porter.

– Entendu. Je vais voir ce que je peux faire. Mais je préférerais ne pas être choisi, vous comprenez.

– Oui, monsieur. Merci.

Deck repasse au bureau, nous mangeons un sandwich et il repart dans sa cabine avec de nouveaux noms. Nous donnons l'impression de courir les rues, de frapper aux portes, de faire des avances, bref d'enfreindre suffisamment la déontologie pour me faire radier à vie. Et toutes ces abominations ont lieu la veille de la présentation des jurés !...

Nous avons réussi à jeter le doute sur un tiers des soixante et quelques personnes qui doivent être interrogées demain. Et nous avons soigneusement sélectionné celles que nous craignons le plus.

Je parierais que Leo Drummond ne fermera pas l'œil cette nuit.

42

Les premières impressions sont toujours cruciales. Les jurés arrivent entre huit heures et demie et neuf heures. Ils poussent avec timidité la porte à double battant, puis traversent le prétoire en regardant béatement alentour. Pour beaucoup, c'est la première fois qu'ils pénètrent dans un tribunal. Dot et moi sommes côte à côte, à l'extrémité de notre table, un simple bloc-notes posé devant nous. Nous regardons la salle se remplir. Deck est allé s'asseoir plus loin. Derrière le box des jurés. Dot et moi échangeons quelques chuchotements en tâchant de garder le sourire. J'ai des spasmes nerveux qui me tiraillent l'estomac.

Contrastant de façon frappante avec nous, cinq messieurs renfrognés en costume noir sont penchés sur les innombrables papiers qui couvrent leur table. La défense.

Ce procès ressemble au combat de David et Goliath. La première chose que voient les jurés, c'est que nous sommes inférieurs en nombre et avons manifestement peu de moyens. Ma pauvre petite cliente est toute fragile et maigrichonne. Nous ne faisons pas le poids par rapport aux riches d'en face.

Maintenant que l'instruction qui a suivi la plainte est achevée, je me rends compte de l'inutilité d'affecter cinq avocats, et non des moindres, à la défense de Great Benefit. Je m'étonne que Drummond ne voie pas combien leur équipe a l'air menaçante pour les jurés. À leurs yeux, son client doit être coupable de quelque chose. Pourquoi sinon se mettre à cinq contre un ?

Ils ont refusé de m'adresser la parole ce matin. Nous gardons nos distances, mais, à leurs mines dégoûtées et plus méprisantes que jamais, je devine qu'ils sont outrés par mes contacts avec les jurés. À part voler de l'argent à un client, c'est sans doute la faute la plus grave que puisse commettre un avocat. Mais placer des micros dans le téléphone de son adversaire, ce n'est pas mal non plus. En essayant de se montrer scandalisés, ils font surtout preuve de stupidité.

Un greffier commence par rassembler tous les jurés d'un côté, puis les fait asseoir au hasard sur des bancs en face de nous. Sur les quatre-vingt-dix de la liste initiale, soixante sont présents. Certains n'ont pu être trouvés. Deux sont décédés, une poignée se sont déclarés souffrants. Trois ont invoqué leur âge pour ne pas venir. Enfin, Kipler en a excusé quelques autres pour différentes raisons. Je prends des notes tandis que le greffier appelle chacun par son nom. J'ai l'impression de connaître ces gens depuis des mois. Le numéro six est Billy Porter. Ce sera intéressant de voir comment Drummond va se comporter avec lui.

Jack Underhall et Kermit Aldy représentent Great Benefit. Ils sont assis derrière Drummond et son équipe. Sept costumes trois-pièces et sept visages rébarbatifs fixant les jurés en fronçant les sourcils. Souriez, les gars ! J'essaie, quant à moi, de faire bonne figure !

Kipler fait son entrée et tout le monde se lève. La séance est ouverte.

Le juge souhaite la bienvenue aux jurés et leur fait un rapide mais efficace discours sur le sens civique et les devoirs du citoyen. Quelques mains se lèvent quand il demande si certains d'entre eux ont des excuses valables. Il les prie de venir à la barre un par un pour s'expliquer. Quatre des cinq cadres supérieurs que j'ai mis sur ma liste noire s'entretiennent à voix basse avec le juge, qui les excuse, comme c'était prévisible.

Cela prend du temps, mais nous en laisse pour étudier les autres. À voir la façon dont ils sont assis, il est probable que nous n'irons pas au-delà de la troisième rangée, ce qui fait trente-six personnes. Il nous en faut seulement douze, plus deux suppléants.

Sur un banc juste derrière la table de la défense, je remarque deux inconnus bien vêtus, des experts-conseils, spécialistes des jurés, je suppose. Ils surveillent leurs moindres gestes, leurs moindres attitudes. Je me demande l'influence qu'a eue notre petit stratagème sur leurs portraits psychologiques. Deux idiots de juristes s'entretenant avec les jurés la veille de la sélection, c'est sans doute nouveau pour eux !

Son Honneur accorde encore sept dispenses, ce qui nous ramène à cinquante. Il fait ensuite un bref résumé de l'affaire et présente les deux parties, ainsi que les avocats. Buddy n'est pas venu. Il est dans la Fairlane.

Kipler passe alors aux questions sérieuses. Il prie les jurés de lever la main en cas de réponse positive. Connaissez-vous l'une des parties ou les deux, un ou plusieurs des avocats ou des témoins ? Êtes-vous titulaire d'une police d'assurance délivrée par la compagnie Great Benefit ? Avez-vous déjà été impliqué dans un litige ? Avez-vous déjà porté plainte contre un assureur ?

Il y a quelques réponses positives. Ils lèvent docilement la main et s'adressent debout à Son Honneur. Ils sont nerveux, mais après un moment la glace est rompue. Un commentaire spirituel fuse et tout le monde se détend un peu. De temps en temps, l'espace d'un éclair, je me dis que je suis chez moi ici. J'y arriverai. Je suis avocat. D'un autre côté, je n'ai pas encore prononcé un mot.

Kipler m'a donné la liste des questions qu'il comptait poser. Elles correspondent à ce que je veux savoir et c'est autant de peine épargnée pour moi. Il a donné la même liste à Drummond.

Je prends des notes, j'observe les gens, et j'écoute attentivement ce qu'ils disent. Deck fait la même chose. C'est un peu cruel, mais je suis presque heureux que les jurés ne sachent pas qu'il est avec moi.

La séance s'éternise au rythme des questions consciencieusement répétées par Kipler. Il en vient à bout en un peu moins de deux heures. Retour de mes crampes d'estomac. Le temps est venu pour Rudy Baylor de prononcer ses premiers mots dans un véritable procès. Mon intervention sera de courte durée.

Je me lève, vais à la barre et adresse à tous mon plus chaleureux sourire.

– Bonjour, je m'appelle Rudy Baylor, et je représente les Black.

Jusque-là, tout va bien. Après deux heures de matraquage par le magistrat, ils ne sont pas mécontents de changer de registre. Je parcours l'assemblée d'un regard franc et bienveillant.

– Monsieur le juge vous a posé de nombreuses questions d'une grande importance. Il a couvert pratiquement tous les sujets que je voulais aborder, je ne vais donc pas vous faire perdre votre temps. Je n'ai, en fait, qu'une seule question. Quelqu'un parmi vous estime-t-il qu'il n'a pas à siéger dans ce jury pour une raison ou pour une autre ?

Je ne m'attends à aucune réponse et n'en reçois effectivement aucune. Ils ont eu tout le temps de m'observer depuis deux heures et je veux juste leur faire un grand sourire, me présenter un peu mieux, en étant le plus bref possible. Il n'y a rien de pire dans la vie que de devoir écouter un avocat verbeux. En plus, j'ai l'intuition que Drummond, lui, ne les ménagera pas.

– Je vous remercie, dis-je, et je me tourne lentement vers le juge. En ce qui me concerne, Votre Honneur, la sélection me paraît convenir.

Je retourne à ma place et tapote sur l'épaule de Dot en me rasseyant.

Drummond est déjà debout. Il essaie d'apparaître détendu et affable, mais je sais qu'il bout intérieusement. Il se présente et commence par parler de son client. Great Benefit est une grosse compagnie, en bonne santé financière, ça n'est pas ce qu'on lui reproche et il ne faudrait pas, n'est-ce pas, que cela influence les jurés. Il débat déjà du fond, ce qui est incorrect, mais reste suffisamment discret pour s'éviter un rappel à l'ordre. Et puis je ne suis pas sûr que j'aie intérêt à élever une objection. Je me suis promis de ne le faire que si j'étais certain d'avoir raison. Les questions qu'il pose impressionnent fortement l'auditoire. Comme il est beau parleur et que ses cheveux gris plaident en faveur de la sagesse et de l'expérience, il inspire confiance.

Il aborde encore quelques sujets, sans s'attirer une seule réponse. Il plante des jalons. Puis, soudain, il passe à l'attaque.

– La question que je voudrais vous poser maintenant est la plus importante de la journée, annonce-t-il gravement. Veuillez m'écouter avec attention car c'est un point capital... (Longue pause suivie d'une profonde inspiration.) Quelqu'un parmi vous a-t-il été contacté à propos de cette affaire ?

Un silence de mort tombe sur le tribunal tandis que chacun prend conscience de la portée de ses paroles. C'est plus une accusation qu'une question. Je regarde la table de la défense et m'aperçois que Hill et Plunk ont les yeux braqués sur moi, tandis que leurs deux confrères observent les jurés.

Drummond se fige pendant quelques secondes, prêt à bondir sur le premier qui aurait le courage de lever la main et de dire : « Oui, moi ! L'avocat des plaignants est passé me voir hier soir. » Drummond sait que ça va venir, il en est sûr. Il fera éclater la vérité, prouvera notre forfaiture, me fera réprimander, sanctionner et finalement radier du barreau. Et l'affaire ne sera pas rejugée avant des années. Il est à deux doigts d'y arriver.

Mais ses épaules s'affaissent lentement et il soupire. Quelle bande de misérables menteurs !

– C'est excessivement important, dit-il. Nous devons le savoir.

Rien. Pas le moindre frémissement. Les pauvres jurés, qu'il a mis très mal à l'aise, le dévisagent avec des yeux ronds. Allez, continue, mon vieux !

– Permettez-moi de vous reposer la question autrement, dit-il avec sang-froid. Quelqu'un parmi vous a-t-il eu une conversation hier soit avec M. Baylor, qui est ici, soit avec M. Deck Shifflet, que vous voyez là-bas ?

Je me lève d'un bond.

– Objection, Votre Honneur ! C'est insensé !

– Accordée ! dit Kipler, penché sur son micro. Monsieur Drummond, qu'est-ce qui vous prend ?

Drummond soutient le regard du magistrat.

– Nous avons de bonnes raisons de croire que ce jury a été manipulé, Votre Honneur.

– C'est ça, et il m'accuse, en plus, dis-je d'une voix outrée.

– Je ne comprends pas le sens de votre intervention, monsieur Drummond, dit le juge.

– Peut-être pourrions-nous en discuter à huis clos, lance Drummond en me décochant un regard furieux.

– Quand vous voulez, dis-je.

– L'audience est suspendue pour quelques instants, dit Kipler à son huissier.

Drummond et moi nous asseyons en face du bureau de Son Honneur. Les quatre autres avocats de Tinley Britt se tiennent debout derrière nous. Kipler est très agité.

– Vous avez intérêt à avoir des raisons solides, je vous préviens, monsieur Drummond.

– Ce jury a été manipulé, affirme Drummond.

– Comment le savez-vous ?

– Je ne peux pas le dire. Mais je suis sûr de mon fait.

– Ne commencez pas à faire des cachotteries, Leo. Je veux des preuves.

– Je ne peux rien dire sans trahir le secret professionnel, Votre Honneur.

– Ne dites pas de bêtises ! Vous feriez mieux de vous exprimer franchement.

– Je vous assure que ce que je dis est vrai, Votre Honneur.

– Est-ce que vous m'accusez ? je demande.

– Oui.

– Vous délirez.

– Vous vous comportez plutôt bizarrement, Leo, renchérit le juge.

– Je pense pouvoir le prouver, dit-il avec hauteur.

– Comment ?

– Laissez-moi finir de questionner le jury. La vérité s'imposera.

– Jusqu'à présent, ils n'ont pas changé d'avis.

– Mais j'ai à peine commencé !

Kipler s'accorde un moment de réflexion. Quand le procès sera fini, je lui dirai la vérité.

– Je voudrais m'adresser individuellement à certains jurés, dit Drummond.

C'est une chose qui ne se fait pas d'habitude, mais la décision appartient au juge.

– Qu'en pensez-vous, Rudy ?

– Je n'ai pas d'objection.

En vérité, je meurs d'impatience de voir Drummond cuisiner ceux que nous avons prétendument manipulés.

– Je n'ai rien à cacher.

Derrière moi, deux idiots guindés émettent un petit toussotement.

– Très bien. À mon avis, vous sciez la branche sur laquelle vous êtes assis, Leo. Tâchez de ne pas dépasser les bornes.

– Qu'est-ce que vous fabriquez ? me demande Dot quand je reviens à ma place.

– Des histoires d'avocats, lui dis-je à l'oreille.

Drummond revient à la barre. Les jurés ont l'air de se méfier de lui.

– Bon, mesdames et messieurs, je vous répète qu'il est très important que vous nous disiez si quelqu'un vous a contactés et vous a parlé de l'affaire qui va être jugée ici. Je vous demande de lever la main si tel est le cas.

On dirait un instituteur.

Pas une main ne se lève.

– C'est extrêmement grave qu'un juré soit contacté, directement ou indirectement, par l'une ou l'autre des parties impliquées dans un procès. En fait, il pourrait y avoir de sévères répercussions, non seulement sur la personne à l'origine des contacts, mais sur le juré, si celui-ci n'en parle pas.

Ce qu'il dit est lourd de menaces.

Toujours pas de main levée. Aucun mouvement, rien que des gens qui ont la conscience tranquille et commencent sérieusement à s'impatienter.

Il se balance d'un pied sur l'autre, se frotte le menton et pointe un doigt accusateur sur Billy Porter.

– Monsieur Porter, dit-il d'une voix dramatique, et celui-ci sursaute puis hoche la tête.

Je le vois s'empourprer.

– Monsieur Porter, je vais vous poser une question directe. J'aimerais obtenir une réponse honnête de votre part.

– À question honnête, réponse honnête, fait sèchement Porter en fronçant les sourcils.

Ce type a l'air très irritable. Si j'étais Drummond, je lui ficherais la paix.

Drummond semble encore hésiter une seconde, puis il se lance :

– Eh bien, monsieur Porter, voici ma question. Oui ou non, avez-vous eu une conversation téléphonique hier soir avec M. Rudy Baylor ?

Je me lève, écarte les bras et regarde Drummond, les yeux écarquillés, comme s'il avait perdu la tête.

– Bien sûr que non, voyons, fait Porter, rouge comme une tomate.

Drummond se penche en avant, les deux mains agrippées à la grosse barre d'acajou, et lance un regard perçant à Billy Porter, assis au premier rang, à deux mètres de lui.

– C'est bien vrai, monsieur Porter ?

– Si je vous le dis, bon sang !

– Je pense que c'est faux, lâche Drummond, perdant complètement la tête.

Avant que j'aie le temps d'objecter et que Kipler puisse l'en empêcher, Billy Porter bondit de son siège et se jette sur le grand Leo Drummond.

– Traite-moi de menteur, pendant que tu y es, fils de pute ! hurle-t-il en saisissant l'avocat à la gorge.

Drummond essaie de se défendre et ne réussit qu'à shooter dans le vide, perdant un de ses mocassins à gland qui fuse vers Son Honneur dans un mouvement hélicoïdal très réussi. Son Honneur esquive, Drummond tombe à la renverse. On entend des cris de femme. Les jurés se lèvent. Porter, écumant, flanque une série de coups de pied dans les côtes de Drummond qui se tortille et roule sur le côté.

T. Pierce Morehouse et M. Alec Plunk junior s'interposent les premiers. L'huissier s'en mêle et parvient à séparer les assaillants avec l'aide de deux jurés.

Je reste sagement assis, émerveillé. Kipler arrive à peu près au moment où Porter est maîtrisé. On tend son mocassin à Drummond, qui se rechausse en surveillant le garagiste du coin de l'œil. Celui-ci, entraîné à part, se calme peu à peu.

Les experts en psychologie sont profondément choqués. Leurs modèles informatisés éclatent comme des bulles de savon. Leurs théories s'effondrent. Ils sont totalement inutiles.

Après une brève interruption, Drummond improvise une requête récusant la totalité des jurés sélectionnés. Kipler la rejette.

M. Billy Porter est dispensé de son devoir civique et quitte le tribunal, fou de rage. J'espère qu'il attendra Drummond dehors pour le finir.

Le début de l'après-midi est consacré à la fastidieuse procédure de sélection des douze jurés qui a lieu dans le cabinet du juge. Drummond et sa bande écartent résolument tous ceux que Deck et moi avons mentionnés au téléphone hier. Ils sont persuadés que nous avons réussi à leur parler, à les influencer et à nous assurer de leur silence. Ils sont tellement écœurés qu'ils ne veulent même pas me regarder.

Le résultat est le jury de mes rêves. Six femmes noires, toutes mères de famille, deux hommes noirs, l'un technicien, l'autre ancien chauffeur routier handicapé, trois hommes blancs, dont deux ouvriers syndiqués et un proche voisin des Black, enfin une femme blanche, épouse d'un directeur d'agence immobilière. Je n'ai pas pu l'éviter, mais elle ne m'inquiète pas. Il en faut neuf sur douze pour emporter la décision au terme des délibérations.

Kipler leur fait prêter serment à seize heures. Il explique que le procès débutera dans une semaine et qu'il leur est formellement interdit de parler de l'affaire avec qui que ce soit. Puis il nous propose quelque chose qui d'abord me terrifie, et en définitive me ravit. Il demande aux deux avocats, moi et Drummond, si nous aimerions parler aux jurés, de façon informelle, hors procès-verbal, juste pour essayer de défendre notre cause en quelques mots.

Je ne m'y attendais pas, il faut dire que c'est du jamais vu, du moins à ma connaissance. Néanmoins, je surmonte ma peur, je me lève et leur fais un petit topo, sur Donny Ray, sur la police et sur les raisons qui nous font croire que Great Benefit est dans son tort. Je m'en tire en cinq minutes.

Drummond se lève à son tour. Nul besoin d'être extralucide pour se rendre compte du trouble qu'il a jeté dans le jury. Il s'excuse pour l'incident mais rejette stupidement la faute sur Porter. Sa suffisance est sans limites. Puis il donne sa version de l'affaire, déplore la mort de Donny Ray mais soutient qu'il est ridicule d'en imputer la responsabilité à son client.

Pendant ce temps, j'observe son équipe et leur frayeur crève les yeux. Tout est contre eux : les faits sont accablants, le jury est acquis à la plaignante et le juge est leur ennemi. Enfin, non seulement leur idole a perdu toute crédibilité auprès des jurés, mais il s'est fait botter les fesses.

Kipler nous libère et les douze jurés rentrent chez eux.

43

Quatre jours avant le début du procès, Deck reçoit un appel d'un avocat de Cleveland qui veut me parler. Je me méfie tout de suite parce que je ne connais pas un seul confrère à Cleveland. Je discute avec lui juste le temps d'apprendre son nom. Je le coupe au milieu d'une phrase puis me plains à Deck, à portée de l'appareil, de coupures répétées sur le réseau. Nous décrochons alors les deux autres téléphones et je me précipite dans ma Volvo garée dans la rue. La ligne de mon portable, vérifiée par Butch, est sûre. Je trouve le numéro de mon avocat aux renseignements et le rappelle.

Ce coup de fil va se révéler d'une importance considérable.

Il s'appelle Peter Corsa. Il est spécialiste du droit du travail et représente une jeune femme nommée Jackie Lemancysk. Elle est venue le consulter après avoir été soudainement licenciée par Great Benefit sans raison apparente, et tous deux s'apprêtent à demander réparation pour une multitude de griefs. Contrairement à ce qu'on m'avait dit, Mme Lemancysk n'a pas quitté Cleveland. Elle habite un nouvel appartement et son téléphone est sur liste rouge.

J'explique à Corsa que nous avons passé des dizaines de coups de fil à Cleveland et aux alentours, sans retrouver sa trace. Richard Pellrod, de Great Benefit, m'avait dit qu'elle était retournée chez ses parents, quelque part dans l'Indiana.

Faux, répond Corsa. Elle n'a jamais quitté Cleveland, elle se cache. Nuance.

L'histoire est croustillante et Corsa ne m'épargne aucun détail.

Sa cliente avait des relations sexuelles avec plusieurs cadres supérieurs dans la compagnie. Il ne cache pas qu'elle est très séduisante. Son salaire et sa promotion étaient subordonnés à sa docilité. Après avoir réussi à devenir chef de service, elle est redevenue simple employée à la suite d'une rupture avec Everett Lufkin, un obsédé sans scrupules, me dit l'avocat.

Je ne peux que confirmer ce jugement. Je l'ai déjà fait déposer quatre heures durant, lui dis-je, et je compte le cuisiner encore la semaine prochaine.

Corsa va porter plainte pour harcèlement sexuel et licenciement abusif, mais sa cliente sait aussi beaucoup de choses sur les magouilles qui se tramaient dans le service Sinistres de Great Benefit.

– Vous vous rendez compte qu'elle couchait avec le vice-président ! me dit-il.

D'après lui, il y a beaucoup d'actions en justice à l'horizon contre Great Benefit.

Je lui pose finalement la question cruciale :

– Est-ce qu'elle acceptera de témoigner ?

Il ne sait pas. Peut-être, mais elle a peur. Ce sont des sales types pleins de fric. Elle est en thérapie, une fille fragile.

Il accepte que je parle à sa cliente au téléphone et nous convenons que je l'appellerai tard le soir, de mon domicile. Je lui explique qu'il vaut mieux ne pas me joindre au cabinet.

Impossible de penser à quoi que ce soit d'autre qu'au procès. Quand Deck n'est pas au bureau, je tourne en rond en parlant tout seul. Je démontre au jury la bassesse de Great Benefit, je pousse ses employés dans leurs derniers retranchements, j'interroge avec doigté Dot, Ron et le Dr Kord, enfin je me lance dans une époustouflante plaidoirie finale. J'ai encore du mal à réclamer dix millions de dollars sans perdre mon aplomb. Si j'avais cinquante ans, des centaines de cas derrière moi, et si je savais clairement ce que je faisais, peut-être me sentirais-je le droit de les demander. Mais, dans la bouche d'un débutant sorti de la fac il y a neuf mois, j'ai peur que cela ne paraisse ridicule.

Cependant, je les demande. Je les demande au bureau, dans ma voiture, et surtout chez moi, à deux heures du matin, quand le sommeil ne vient pas.

À présent le gros coup, la mine d'or, est à portée de main, me dis-je, le géant vacille, et en même temps j'essaie de contrôler ces pensées...

Les faits, le jury, le juge, une défense effrayée et prête à tout, et une somme exorbitante.

J'ai du mal à croire que quelque chose ne va pas clocher.

Je discute une heure avec Jackie Lemancysk. Par moments, elle a l'air solide, résolue ; une minute plus tard, elle fond en larmes et perd les pédales. Elle ne voulait pas coucher avec ces types, répète-t-elle, mais, divorcée avec deux enfants, elle avait besoin d'avancement.

Elle est d'accord pour venir à Memphis. D'un ton qui laisse entendre que mon cabinet ne lésine pas sur les moyens, je propose de lui payer son billet d'avion et tous ses frais de séjour. Elle me fait promettre que si elle témoigne ce sera une surprise complète pour Great Benefit.

Ils la terrorisent. L'idée d'un coup de théâtre me ravit.

Deck et moi passons le week-end au cabinet, ne regagnant nos tanières respectives que pour faire semblant d'y dormir et revenant quelques heures plus tard, avec des cernes en plus.

Mes rares moments de relaxation, je les dois à Tyrone Kipler. Je lui suis vraiment reconnaissant de m'avoir permis d'adresser au jury quelques mots venus du cœur. Ce jury était une inconnue, la dernière avant les débats. Je le craignais. Maintenant, j'ai vu le visage de ces gens, je leur ai parlé sans regarder mes notes. Désormais, c'est clair : je leur plais et mes adversaires leur déplaisent.

Et Son Honneur sera là pour remédier à mes éventuelles défaillances.

Le dimanche soir vers minuit, nous fermons à clef la porte du cabinet, les bras chargés de documents. Un peu de neige tourbillonne dans la nuit. Un peu de neige, à Memphis, se traduit généralement par une semaine de fermeture des écoles et des services publics. La municipalité ne s'est jamais décidée à acheter un chasse-neige. Une part de moi-même espère qu'un gros blizzard se lèvera avec le jour, une autre veut en finir.

Le temps que j'arrive chez moi, plus un flocon. Je bois deux bières tièdes et me mets au lit en priant pour trouver le sommeil.

– Des questions préliminaires? demande Kipler à la petite assemblée de personnages nerveux regroupés dans son bureau.

Drummond et moi sommes assis en face de lui, les autres sont derrière. J'ai les yeux rouges de ne pas avoir dormi, une migraine lancinante, et mes idées se bousculent au portillon.

Drummond m'étonne. Pour un type qui passe sa vie dans les prétoires, il a l'air particulièrement hagard. Excellent. J'espère que lui aussi a travaillé tout le week-end.

– Je n'ai rien qui me vienne à l'esprit, dis-je.

Il n'y a pas grand-chose à attendre de cette ultime mise au point, selon moi.

Drummond n'a rien à suggérer non plus.

– Pensez-vous qu'il soit possible de chiffrer précisément le coût d'une greffe de moelle? demande Kipler. Parce que, dans ces conditions, nous pourrions nous passer du témoignage de M. Gaskin. La somme de soixante-quinze mille dollars a été avancée.

– Personnellement, ça me va, dis-je.

Dans un cas comme celui-ci, l'avocat de la défense a intérêt à avancer un coût inférieur, mais, en l'occurrence, Drummond n'a rien à espérer.

– Ça me paraît raisonnable, dit-il d'un ton indifférent.

– C'est oui ou c'est non, monsieur Drummond ? demande sèchement Kipler.

– C'est oui.

– Je vous remercie. Maintenant, en ce qui concerne l'évaluation du préjudice subi par les plaignants, la somme de deux cent mille dollars vous paraît-elle juste ? Monsieur Drummond ?

– Oui.

– Moi aussi, Votre Honneur, dis-je, et je suis sûr que ça horripile Drummond.

Kipler prend note.

– Merci. D'autres points à soulever avant que nous commencions, messieurs ? De nouvelles offres de règlement amiable, peut-être ?

– Votre Honneur, dis-je en me grattant la gorge, j'aimerais, avec l'agrément de ma cliente, proposer de régler cette affaire pour la somme d'un million deux cent mille dollars.

Ma proposition, prévue de longue date, est accueillie comme je m'y attendais par divers gloussements et ricanements dans mon dos. Drummond est plus sobre.

– Vous voulez rire, monsieur Baylor, me dit-il en serrant les dents.

J'ai vraiment l'impression qu'il est sur le point de craquer. En quelques mois, le grand Leo F. Drummond a perdu toute sa superbe.

– Pas de contre-proposition, monsieur Drummond ? demande Kipler en fronçant les sourcils.

– Je maintiens notre offre de deux cent mille dollars.

– Entendu. Nous allons donc commencer. Chaque partie disposera d'abord de quinze minutes pour faire un premier exposé des faits. Vous pouvez naturellement utiliser moins de temps.

Mon exposé, que j'ai répété montre en main, doit durer exactement six minutes et demie.

Le jury pénètre dans la salle. Son Honneur salue les jurés, leur donne quelques instructions, puis les invite à m'écouter. Toutes les têtes se tournent vers moi.

Je monte à la barre d'un pas égal. J'espère que je ressemble à un avocat dans mon nouveau costume gris.

Les faits sont simples et parlent d'eux-mêmes. Donny Ray avait souscrit une police d'assurance, les primes avaient été payées régulièrement, il est tombé malade et il s'est fait avoir.

– Vous aurez, mesdames et messieurs, l'occasion de voir M. Donny Ray Black, mais seulement sur une cassette vidéo, car il est mort. Dans ce procès, notre but est d'obtenir que la compagnie soit contrainte au versement des sommes dues initialement, mais aussi qu'elle soit sanctionnée pour ce qui n'est autre qu'une escroquerie caractérisée. C'est une entreprise richissime, elle prospère en encaissant des primes, sans indemniser ses clients. Vous allez entendre plusieurs témoignages, au terme desquels nous vous demanderons une forte somme d'argent afin de sanctionner Great Benefit.

Il faut d'entrée de jeu que je pose mes jalons, je veux qu'ils sachent que nous exigeons beaucoup d'argent et un châtiment exemplaire.

Je termine tranquillement mon exposé, sans trop bafouiller et sans m'être attiré d'objection de mon adversaire. Je suppose que Drummond restera cloué sur sa chaise pendant presque tous les débats. Il préfère sans doute éviter que Son Honneur ne le rappelle à l'ordre sous les yeux des jurés.

Je reprends ma place à la table des plaignants qui a l'air exagérément grande pour Dot et moi.

Drummond marche avec confiance vers le jury en tenant une copie de la police. Il va directement au cœur du sujet.

– Voici la police achetée par M. et Mme Black, dit-il en la levant pour que tout le monde la voie. Eh bien, nulle part dans cette police il n'est stipulé que Great Benefit doive prendre en charge les transplantations.

Il s'arrête pour laisser à chacun le temps de réfléchir. Les jurés ne l'aiment pas, mais l'écoutent attentivement.

– Cette police, qui coûte soixante-douze dollars par mois, ne couvre donc pas les greffes, et pourtant les plaignants n'hésitent pas à réclamer à mon client deux cent mille dollars pour... devinez quoi, une greffe de moelle osseuse. Mon client a refusé et croyez que ce n'est pas par malveillance à l'encontre de Donny Ray Black. Pour mon client, il ne s'agissait pas d'une question de vie ou de mort, mais de savoir ce qui était garanti par la police (en même temps, il tape de l'index le document qu'il tient de la main gauche). Et non seulement ils exigent deux cent mille dollars auxquels ils n'ont pas droit, mais ils poussent le ridicule jusqu'à solliciter dix millions de dollars à titre de dommages-intérêts soi-disant dissuasifs. Eh bien, mesdames et messieurs, j'appelle cela de la cupidité.

Ce discours a un certain impact sur nos douze citoyens, toutefois Drummond prend des risques. La police exclut effectivement les transplantations d'organe, mais ne mentionne pas la moelle osseuse. Ses rédacteurs l'ont omise, par négligence, ou incompétence. En revanche, dans la nouvelle mouture que m'a donnée Max Leuberg, les greffes de moelle sont exclues en toutes lettres.

La stratégie de la défense devient claire. Au lieu d'admettre, quitte à lâcher un peu de terrain, qu'une erreur a été commise au fin fond de l'organigramme d'une immense entreprise, Drummond ne concède strictement rien. Il explique ensuite que les greffes de moelle sont extrêmement précaires, constituent un traitement aventureux, en tout cas pas une thérapie courante pour les cas de leucémie.

On dirait l'un de ces spécialistes qui vous garantissent qu'il y a une chance sur un million de tomber sur un donneur et un receveur parfaitement compatibles. Et régulièrement, il revient à son argument massue.

– C'est exclu noir sur blanc dans la police.

Je sens qu'il veut me tester. La deuxième fois qu'il prononce le mot « cupidité », je me lève sans hésiter.

– Objection, Votre Honneur.

Ce type d'argument est prématuré. Il est censé parler des faits, rien que des faits.

Kipler, le juge de mon cœur, n'hésite pas.

– Accordée, dit-il.

J'ai marqué un point.

– Veuillez m'excuser, Votre Honneur, lâche Drummond, et il embraye aussitôt sur ses témoins, qui ils sont et ce qu'ils diront.

Il se fatigue et gaspille son temps. Kipler l'arrête au bout d'un quart d'heure, et l'avocat remercie le jury.

– Veuillez appeler votre premier témoin, monsieur Baylor.

Tout va tellement vite que je n'ai pas le temps d'avoir peur.

Dot Black s'avance maladroitement vers le banc des témoins et prête serment. Elle porte une vieille robe en coton sans prétention, mais soignée.

Dot et moi avons un dialogue réglé au quart de poil. Je pose mes questions, elle répond. Avec le trac qu'elle a, évidemment, son débit est mécanique, ses réponses font un peu langue de bois. Je l'ai prévenue que ça se passerait comme ça et que c'était normal.

Et les questions s'enchaînent, sur elle d'abord, nom, situation de famille, puis sur Donny Ray, avant sa maladie, pendant sa maladie et sur les circonstances de sa mort. Elle se tamponne les yeux une ou deux fois mais reste maîtresse d'elle-même. Je lui ai dit d'éviter autant que possible de pleurer. Chacun peut imaginer sa douleur.

Elle décrit son calvaire de mère incapable de soigner son fils mourant. Elle a écrit à Great Benefit et les a appelés à de nombreuses reprises. Elle a écrit à des membres du Congrès, des sénateurs, aux maires, sans recueillir le moindre soutien. Elle a harcelé l'administration et les hôpitaux pour obtenir la gratuité des soins. Elle a essayé de collecter des fonds avec l'aide d'amis et de voisins, sans plus de succès.

Puis elle explique pourquoi elle a acheté cette police, présente le courtier Ott, et les conditions dans lesquelles il la lui a vendue.

Reste le meilleur. Je tends à Dot les sept premières lettres de refus et elle les lit à haute voix. C'est, dans sa bouche, encore plus écœurant que je n'imaginais. Refus pur et simple sans explication; refus du service Sinistres, sous réserve de confirmation par le service Production; refus du service Production, sous réserve de confirmation par le service Sinistres; refus du service Sinistres pour dissimulation d'antécédents médicaux; refus du service Production pour non-appartenance d'un enfant majeur au foyer familial; refus du service Sinistres fondé sur le fait que le traitement préconisé n'est pas couvert par la police; refus du service Sinistres fondé sur le fait que le traitement préconisé est encore expérimental...

Les jurés n'en perdent pas une miette.

Enfin la lettre « stupide », qui fait naître un brouhaha de commentaires incrédules chez les jurés. Plusieurs se tournent vers la défense, comme par hasard perdue dans une profonde méditation.

Puis le silence retombe. Chacun attend la suite.

– Pourriez-vous la relire, madame Black, s'il vous plaît.

– Objection! lance Drummond, raide comme un piquet.

– Rejetée, rétorque tranquillement Kipler.

Dot la relit un peu plus lentement et je la remercie. Je veux qu'elle laisse les jurés sur cette impression. Drummond prend le relais. Ce serait une erreur de sa part de s'emporter contre elle, et je doute qu'il la commette.

Il commence par quelques vagues questions sur les polices d'assurance qu'elle possédait auparavant et sur les raisons qui l'ont poussée à acheter celle-ci en particulier. Qu'avait-elle en tête en l'achetant? Dot voulait une assurance-maladie pour toute sa famille, c'est tout. Et c'est ce que le courtier lui a promis. Mais, insiste Drummond, est-ce que le courtier vous a dit que l'assurance couvrait les transplantations?

– Je ne pensais pas à ce genre de chose à ce moment-là. Je voulais juste une bonne assurance.

Là, Drummond marque un point, mais j'espère que le jury l'aura vite oublié.

– Pourquoi poursuivez-vous Great Benefit pour dix millions de dollars? demande-t-il.

Cette question peut avoir un effet dévastateur en début de procès, parce qu'elle risque de faire apparaître le plaignant cupide. Le chiffrage des dommages-intérêts est souvent déterminé par les avocats. Je n'ai jamais demandé à Dot de chiffrer le tort qu'elle a subi. Je m'attendais à cette question, ayant lu les minutes des procès où Drummond défendait des assureurs. Dot est prête.

– Dix millions?

– Oui, madame Black. Vous réclamez dix millions de dollars à mon client.

– C'est tout ?
– Je vous demande pardon ?
– Je pensais que c'était beaucoup plus que ça.
– Vraiment ?
– Évidemment ! Votre client est milliardaire et il a tué mon fils ! Seigneur, si ça ne tenait qu'à moi, j'aurais demandé bien plus !

Drummond ne sait plus quoi dire, il se penche en avant, en arrière, sans se départir de son talentueux sourire, et commet finalement une dernière erreur.

– Qu'allez-vous faire de cet argent, si le jury vous accorde dix millions de dollars ?

C'est une question plus qu'embarrassante. Heureusement, Dot est prévenue. Elle répond du tac au tac :

– Je les donnerai à la Fondation américaine pour la recherche sur le cancer. Je n'en veux pas de votre sale argent.
– Merci, fait Drummond, et il regagne sa place, assez pâle, sous les ricanements de deux jurés.
– Comment étais-je ? me demande Dot en revenant s'asseoir près de moi.
– Géniale, Dot, lui dis-je à l'oreille. Vous l'avez sonné.
– Il faut que j'aille fumer une cigarette.
– Il va bientôt y avoir une pause.

J'appelle Ron Black à la barre. Lui aussi sait ce que je vais lui demander. Tout ce que nous attendons de lui, c'est qu'il dise qu'on lui a fait des tests, qu'il était un donneur parfait pour son frère jumeau et qu'il n'a jamais cessé d'être volontaire pour l'opération. Son témoignage dure une demi-heure et Drummond ne fait pas de contre-interrogatoire. Il est près de onze heures. Kipler ordonne une interruption de dix minutes.

Dot se précipite aux toilettes pour fumer. Je lui ai conseillé de ne pas le faire devant les jurés. Deck et moi comparons nos notes. Il est resté assis derrière moi et a suivi attentivement les réactions des jurés. Toutes les lettres de refus, pas seulement la lettre « stupide », les ont scandalisés.

– Continue, chauffe-les bien, qu'ils voient rouge, m'encourage-t-il.

Le Dr Walter Kord, qui témoigne ensuite, a tout du jeune médecin ayant réussi. Il a beaucoup d'allure avec sa veste de laine, son pantalon sombre et sa cravate rouge. Études secondaires à Memphis, puis université Vanderbilt et internat à Boston. C'est ce qui s'appelle de solides références. Je lis quelques extraits de son CV avant de le présenter sans hésiter comme un expert cancérologue. Je lui tends le dossier médical de Donny Ray, et il explique très clairement le traitement suivi dans son cas. Kord utilise le plus de termes profanes possible et ne manque pas d'expliquer les inévitables notions techniques. Il est très à l'aise avec le jury, et bien dans sa peau malgré son aversion pour les tribunaux.

– Pourriez-vous expliquer la maladie au jury, docteur? dis-je.

– Bien sûr. La leucémie aiguë myélogène, ou LAM, est une maladie qui frappe deux classes d'âge, les jeunes adultes de vingt à trente ans d'une part, et des gens plus âgés, à partir de soixante-dix ans d'autre part. Les Blancs y sont davantage sujets que les autres, et, pour des raisons inconnues, les gens d'ascendance juive plus que les autres. Enfin, les hommes plus que les femmes. L'origine de la maladie est obscure.

« Le corps humain fabrique le sang à partir de la moelle osseuse et c'est là que frappe la leucémie. Les globules blancs, qui sont chargés de combattre les infections, prolifèrent au détriment des globules rouges, jusqu'à cent fois la normale dans les cas de leucémie aiguë, laissant le patient anémié, c'est-à-dire pâle et affaibli. L'augmentation anarchique des globules blancs entraîne l'inhibition du processus de fabrication des thrombocytes, autres cellules présentes dans la moelle osseuse. La cicatrisation se fait moins bien, on assiste à de fréquentes hémorragies, le patient souffre de maux de tête. Lorsque Donny Ray est venu me consulter pour la première fois, il se plaignait d'étourdissements, de somnolence, d'avoir le souffle court, de la fièvre et des symptômes de grippe.

Au cours de notre entretien de préparation, j'ai demandé à Kord d'appeler son malade Donny Ray, et non M. Black.

– Et qu'avez-vous fait?

– J'ai fait ce qu'on appelle un myélogramme, c'est-à-dire un examen de la moelle.

– Pouvez-vous nous expliquer en quoi cela consiste?

– Certainement. Dans le cas de Donny Ray, le test a eu lieu sur l'os iliaque, autrement dit la hanche. Je l'ai fait allonger sur le ventre, j'ai insensibilisé un petit carré de peau, percé un petit orifice et introduit dedans une grosse aiguille composée d'un tube creux et d'un tube plein, qui agit comme une seringue, avec laquelle j'ai opéré un prélèvement de liquide médullaire. Il ne restait plus qu'à déterminer en laboratoire la composition de cet échantillon en mesurant les quantités respectives de globules blancs et rouges. Il n'y avait aucun doute : Donny Ray souffrait de leucémie aiguë.

– Combien a coûté ce test?

– Environ mille dollars.

– Et comment Donny Ray les a-t-il payés?

– La première fois qu'il est venu, il a rempli les papiers habituels en me disant qu'il était couvert par une assurance-maladie contractée chez Great Benefit Life. Ma secrétaire a juste vérifié l'existence de cette compagnie et nous avons pratiqué l'intervention.

Je lui donne des copies des documents correspondants et il confirme qu'il s'agissait bien de ceux-là.

– Avez-vous été payé par Great Benefit?

– Non. La compagnie nous a avertis que la prise en charge était refusée pour diverses raisons. Six mois plus tard, la facture est passée aux profits et pertes. Mme Black m'a versé cinquante dollars par mois depuis.

– Comment avez-vous soigné Donny Ray?

– Par ce que nous appelons une thérapie inductrice de rémission. Il a été admis à l'hôpital et je lui ai mis une sonde dans la veine jugulaire. Nous avons procédé ensuite à la première induction chimiothérapique avec un produit appelé Ara-C, en goutte-à-goutte vingt-quatre heures sur vingt-quatre pendant sept jours, associé à de l'Idarobicine pendant trois jours. Ces deux produits sont destinés à rétablir l'équilibre dans la composition sanguine. On lui a donné de l'Allopurinol, contre les accès de goutte qui sont fréquents avec ce traitement, ainsi que plusieurs autres médicaments en perfusion pour que les reins évacuent les toxines résiduelles. Enfin, il a reçu un antibiotique parce qu'il montrait des signes d'infection, et un produit qui a malheureusement beaucoup d'effets secondaires, l'Amphotéricine B, destiné à lutter contre les mycoses, qui lui a donné quarante de fièvre et des tremblements. Malgré ces inconvénients, il a bien supporté le traitement, je dirais même très bien pour un malade aussi sévèrement atteint.

« En théorie, la chimiothérapie inductrice de rémission a pour but de tuer le maximum de cellules malignes dans la moelle osseuse, afin de créer les conditions d'un renouvellement des cellules sanguines.

– Et c'est ce qui est arrivé?

– Au début, oui. Mais nous traitons chaque patient en sachant que la leucémie réapparaîtra, à moins bien entendu qu'il ne subisse une greffe de moelle.

– Pourriez-vous nous donner des précisions, docteur? Comment procède-t-on pour faire cette greffe?

– Eh bien, l'intervention n'a rien de particulièrement compliqué. Après le traitement que j'ai décrit, et à condition bien sûr que le patient ait la chance d'avoir trouvé un donneur génétiquement compatible, nous prélevons de la moelle du donneur et l'injectons au receveur en intraveineuse. Il s'agit de transférer une population entière de cellules saines.

– Ron Black était-il un donneur génétiquement compatible, docteur?

– Tout à fait. Ce sont des jumeaux, c'est le cas le plus favorable. Nous avions d'ailleurs fait des tests sur les deux frères qui l'ont confirmé. Ça aurait marché.

Drummond était déjà debout.

– Objection. Le médecin ne peut spéculer sur la réussite du traitement.

– Rejetée. Vous vous expliquerez lors du contre-interrogatoire.

Je pose encore quelques questions sur le traitement et, pendant que Kord y répond, j'observe les jurés. Ils écoutent attentivement, mais il est temps de conclure.

– Est-ce que vous vous rappelez approximativement quand vous étiez disponible pour réaliser cette intervention ?

Il regarde ses notes, bien qu'il connaisse la réponse.

– En août 91. Il y a un an et demi.

– L'opération aurait-elle accru les chances de survie ?

– Certainement.

– De combien ?

– Quatre-vingts à quatre-vingt-dix pour cent.

– Et quelles étaient les chances de survie sans la transplantation ?

– Nulles.

– Docteur, je vous remercie.

Il est plus de midi et nous allons déjeuner. Kipler nous demande d'être de retour pour treize heures trente. Deck se porte volontaire pour aller chercher des sandwiches, tandis que Kord et moi nous préparons pour le deuxième round. Il se réjouit à l'avance d'en découdre avec Drummond.

Je ne saurai jamais de combien d'experts médicaux Drummond s'est entouré pour préparer ce procès. Il n'est pas obligé de le dire et n'en a fait citer qu'un. Le Dr Kord m'a assuré que les greffes de moelle étaient aujourd'hui unanimement approuvées et qu'il fallait être un charlatan pour ne pas l'admettre. Il m'a donné des dizaines d'articles de revue et même des livres à l'appui de cette thèse. C'est, sans conteste possible, le meilleur traitement de la leucémie aiguë.

De toute évidence, Drummond est arrivé à la même conclusion. Comme il n'est pas médecin et défend une position difficile, il ne se bat pas là-dessus avec Kord. L'escarmouche est brève. Son principal argument est que très peu de leucémiques bénéficient d'une greffe de moelle par rapport à l'ensemble des personnes soignées pour cette maladie. C'est vrai, explique Kord, moins de cinq pour cent, mais uniquement à cause de la difficulté de trouver un donneur. À l'échelle du pays, sept mille greffes se pratiquent chaque année.

Donny Ray avait la chance d'avoir un donneur.

Kord a l'air presque déçu que Drummond capitule si vite. Je n'ai pas d'autre question et le témoin est libéré.

L'atmosphère est subitement tendue, car je m'apprête à annoncer quels sont les employés de la compagnie que je souhaite entendre. Drummond me l'a demandé ce matin et je lui ai dit que je n'étais pas encore décidé. Il s'est plaint auprès de Kipler qui m'a donné raison. Tous les cadres de Great Benefit sont séquestrés dans la salle des témoins où ils ne peuvent que prendre leur mal en patience.

– M. Everett Lufkin, dis-je.

L'huissier part le chercher et les défenseurs s'activent fébrilement à leur table, échangeant des notes et manipulant leurs documents.

Lufkin pénètre dans la salle et jette des regards curieux alentour, comme s'il sortait d'hibernation, puis il rajuste sa cravate et se laisse conduire par l'huissier jusqu'au banc des témoins.

Drummond est connu pour l'entraînement draconien qu'il fait subir à ses témoins. Ils se mettent jusqu'à quatre ou cinq collaborateurs pour les bombarder de questions et leur font ensuite visionner l'enregistrement vidéo pendant des heures.

Je sais qu'ils sont tous impeccablement préparés.

Lufkin me regarde, regarde le jury et essaie de paraître calme. Mais il sait qu'il ne pourra pas répondre à toutes les questions. Il a dans les cinquante-cinq ans, d'épais cheveux gris plantés bas sur le front, des traits réguliers, la voix égale. On le prendrait pour un boy-scout. Et pourtant Jackie Lemancysk m'a dit qu'il avait « abusé » d'elle.

Personne ne sait que demain elle va témoigner.

Nous parlons du service Sinistres et de son rôle dans la compagnie. Lufkin a travaillé huit ans dans ce service, dont il est devenu vice-président, un vice-président autoritaire. Il assure qu'il tenait son service bien en main, voulant faire l'important devant le jury, mais celui-ci retient surtout qu'il supervise tout ce qui concerne les prises en charge. Il ne se prononce pas personnellement au sujet de chaque demande, mais il dirige le service. Je dévie alors l'interrogatoire sur d'obscures questions de bureaucratie interne, puis demande brusquement :

– Qui est Jackie Lemancysk ?

Il hausse les épaules.

– Une ex-employée des Sinistres.

– Elle travaillait dans votre service ?

– Oui.

– Quand est-ce qu'elle a cessé de travailler pour Great Benefit ?

Il hoche la tête, cherchant la date.

– Ce ne serait pas le 3 octobre dernier par hasard ?

– C'est possible.

– Deux jours, donc, avant la date prévue pour sa déposition dans cette affaire ?

– Ça, je ne m'en souviens plus du tout.

Je lui rafraîchis la mémoire en lui montrant deux documents, d'abord la lettre de démission datée du 3 octobre, ensuite ma citation à comparaître le 5. Tout d'un coup, il se souvient.

– Mme Lemancysk avait suivi personnellement le dossier des Black ?

– C'est exact.

– Et vous l'avez licenciée ?

– Bien sûr que non.

– Comment vous êtes-vous débarrassé d'elle ?

– Elle a démissionné, c'est vous-même qui venez de me montrer sa lettre.

– Pourquoi a-t-elle démissionné ?

Il reprend la lettre et, fier de son effet, la lit au jury :

– « Je vous informe de ma démission pour raisons personnelles. »

– Elle est donc partie de son plein gré ?

– C'est elle qui le dit.

– Pendant combien de temps a-t-elle travaillé sous vos ordres ?

– J'ai beaucoup de subordonnés. Je ne peux pas me rappeler ces détails.

– Donc, vous ne savez pas ?

– Je ne sais pas exactement. Plusieurs années.

– Vous la connaissiez bien ?

– Pas vraiment. C'était une employée parmi d'autres.

Demain, elle déclarera sous serment que leur lamentable liaison a duré trois ans.

– Vous êtes marié, monsieur Lufkin ?

– Oui, répond-il, et heureux de l'être.

– Avec des enfants ?

– Oui. Deux enfants adultes.

Je le laisse une minute, le temps d'aller prendre le dossier Black de Great Benefit que je lui tends. Il le feuillette en prenant son temps et déclare qu'il paraît complet. Je l'oblige à abandonner les « paraît » et les « semble », et il finit par affirmer que le dossier est complet, avec toutes ses pièces.

Afin d'éclairer le jury, je lui pose ensuite une série de questions expéditives sur la marche à suivre pour enregistrer, honorer ou refuser une demande de prise en charge.

Puis nous passons au linge sale. Je lui fais lire devant le micro les sept lettres de refus et lui demande de les expliquer une par une. Qui l'a rédigée ? Pourquoi ? Est-ce qu'elle obéissait aux règles édictées dans les manuels de la compagnie ? Quelle partie du manuel ? Avait-il eu connaissance de cette lettre ?

Il lit ensuite à ma demande chacune des lettres de Dot. Elle réclame une aide d'urgence. Son fils va mourir. Vont-ils se dépêcher de verser les fonds ? Qu'est-ce qu'ils font là-haut, dans les hautes sphères de Cleveland ? Et je le cuisine sur chaque lettre. Qui a reçu celle-ci ? Qu'en a-t-on fait ? Que prescrit le manuel de procédure interne dans ce cas ? Est-ce qu'il l'avait lue ?

Le jury a l'air impatient d'en arriver à la lettre « stupide ». Mais je sais qu'il s'est préparé. Il la lit au jury, avant d'expliquer d'un ton monocorde et sans trace de compassion qu'elle a été écrite par un homme qui, depuis, a quitté l'entreprise. Eh bien, cet homme avait tort, la compagnie avait tort, et, aujourd'hui, elle présente ses excuses publiques aux plaignants.

Comme je ne dis rien, il répète ses excuses en se justifiant péniblement et je le laisse faire. Il tresse la corde pour se pendre.

– Vous ne pensez pas que ces excuses arrivent un peu tard ? finis-je par demander.

– Peut-être.

– Ce garçon est mort, n'est-ce pas ?

– Oui.

– Et nous sommes bien d'accord, monsieur Lufkin, il n'y a jamais eu d'excuses pour la lettre ?

– Pas à ma connaissance.

– Jamais d'excuses sous aucune forme jusqu'à maintenant, n'est-ce pas ?

– En effet.

– À votre connaissance, la compagnie Great Benefit s'est-elle excusée, oui ou non ?

– Objection ! fait Drummond.

– Accordée. Venez-en au fait, monsieur Baylor.

Voilà deux bonnes heures que Lufkin témoigne. Le jury en a peut-être assez. Il est temps d'être cruel.

J'ai fait grand cas des manuels de procédure interne en circulation dans le service, m'y référant comme au saint sacrement de la compagnie. Je tends à Lufkin une copie de celui qu'ils m'ont eux-mêmes donné pendant l'instruction. Je lui pose une série de questions auxquelles il répond parfaitement, d'où il ressort que c'était bien le texte de référence pour traiter une demande de prise en charge. Ce manuel, dit-il, a été testé sur le personnel. Il est régulièrement mis à jour, dans le but d'offrir le meilleur service à la clientèle.

Au moment où tout le monde commence à trouver assommant ce maudit manuel, je demande :

– Maintenant, monsieur Lufkin, est-ce là la totalité du manuel du service Sinistres ?

Il le feuillette rapidement, comme s'il le connaissait de A à Z.

– Oui.

– Vous êtes certain ?
– Oui.
– On vous a demandé de me remettre cet exemplaire pendant l'instruction ?
– Absolument.
– Est-ce vous personnellement qui avez choisi cet exemplaire ?
– Oui, c'est moi.

Je prends une grande inspiration et m'avance jusqu'à ma table où je commence à fouiller dans mes papiers. Puis je me redresse soudain, les mains vides, et dis au témoin :

– Pourriez-vous vous reporter à la section U, s'il vous plaît ?

Je regarde en même temps Jack Underhall, le conseiller juridique assis à côté de Drummond. Il ferme les yeux, baisse la tête puis se redresse et contemple le plafond, appuyé sur les coudes. À côté de lui, Kermit Aldy paraît suffoqué.

Drummond n'a rien vu venir.

– Je vous demande pardon ? dit Lufkin d'une voix étranglée.

Tous les yeux sont alors tournés vers moi. Je sors l'exemplaire du manuel que m'a confié Cooper Jackson et le place devant moi. Chacun se tord le cou pour essayer de le voir. Je jette un coup d'œil à Kipler et il a l'air de s'amuser follement.

– Section U, monsieur Lufkin. Référez-vous à la table des matières. J'aimerais que nous en discutions.

Il va jusqu'à consulter effectivement la table des matières. En ce moment précis, je suis sûr qu'il vendrait ses enfants pour qu'une jolie petite section U se matérialise sous ses yeux.

Ce miracle se fait attendre.

– Je n'ai pas de section U, dit-il tristement, bégayant presque.
– Veuilllez m'excuser ? dis-je. Je n'ai pas bien entendu.
– Heu... eh bien, celui-ci n'a pas de section U.

Il est totalement hébété. Pas à cause de l'absence de la section, mais parce qu'il s'est fait prendre. Il lance des regards suppliants à Drummond et à Underhall comme s'ils pouvaient le tirer de là.

Leo F. Drummond tombe des nues. Son client l'a encore pris en traître. Ils ont modifié le manuel sans lui en parler. Je le vois chuchoter quelque chose à l'oreille de Morehouse en fronçant les sourcils. Que se passe-t-il ?

Sur la page de titre des deux manuels figure la même mention : nouvelle édition revue et corrigée, 1991. Ils sont identiques, sauf que l'un a une section U à la fin, et l'autre pas.

– Est-ce que vous reconnaissez ceci, monsieur Lufkin ? dis-je en lui tendant l'exemplaire de Cooper et en récupérant le mien.
– Oui.
– Eh bien, de quoi s'agit-il ?

– D'un exemplaire du manuel du service Sinistres.

– Et cet exemplaire comporte-t-il une section U ?

Il tourne les pages et fait un signe de tête affirmatif.

– Vous dites, monsieur Lufkin ? Mme la greffière ne peut pas minuter votre hochement de tête.

– Il y a une section U.

– Merci. Maintenant, est-ce vous, personnellement, qui avez fait disparaître la section U de l'exemplaire précédent, ou bien avez-vous ordonné à quelqu'un de le faire ?

Il repose doucement le manuel sur la tablette, croise les bras d'un air buté, regarde par terre sans prononcer un mot. Les secondes défilent, tandis que tout le monde attend la réponse.

– Répondez à la question, aboie Kipler au micro.

– Je ne sais pas qui l'a fait.

– Mais il y a bel et bien eu suppression d'une partie du manuel, n'est-ce pas ?

– Oui.

– Vous admettez donc que Great Benefit a dissimulé des documents.

– Je n'admets rien du tout. Je suis sûr que ça s'est produit par inadvertance.

– Par inadvertance ? Soyons sérieux, monsieur Lufkin. Quelqu'un, au siège de la compagnie, a-t-il, oui ou non, intentionnellement supprimé la section U du manuel que vous m'avez remis ?

– Je ne sais pas. Je... heu... enfin, c'est arrivé, mais qu'est-ce que vous voulez que j'y fasse ?

Je reviens nonchalamment vers ma table. Je veux qu'il reste planté là quelques secondes pour que le jury puisse se rassasier de sa lâcheté. Il regarde le sol avec des yeux vides, vaincu, humilié, attendant que l'orage passe.

Je m'avance d'un pas assuré jusqu'à la table de la défense et tends à Drummond et à Morehouse une copie de la section U. Puis j'en donne une au juge Kipler. Je prends mon temps, pour faire monter le suspense.

– Eh bien, monsieur Lufkin, parlons un peu de cette mystérieuse section U. J'aimerais que vous en expliquiez le contenu au jury.

Il rouvre le manuel.

– Ce manuel a été mis en circulation en janvier 1991, nous sommes d'accord ?

– Oui.

– Et est-ce vous qui avez rédigé ou préparé cette section U ?

– Non, bien sûr que non.

– Très bien. Qui est-ce qui l'a fait, alors ?

Il tourne la tête de côté, cherchant un mensonge vraisemblable.

– Je ne me souviens plus très bien.

– Vous ne vous souvenez plus ? Mais je croyais que vous étiez responsable du service Sinistres ?

Il regarde par terre une fois de plus.

– Bon, dis-je. Regardons cette section de près. Passons, s'il vous plaît, les paragraphes un et deux et voyons le paragraphe trois.

Il est dit dans le paragraphe trois que toutes les demandes de prise en charge sans exception doivent être refusées dans les trois jours suivant la réception. Le paragraphe quatre, revenant sur le précédent, distingue certaines catégories de demandes légitimes, peu coûteuses, et par conséquent susceptibles d'être honorées. Le paragraphe cinq enjoint à l'employé qui reçoit les demandes de renvoyer tous les dossiers réclamant plus de cinq mille dollars au service Production, et d'adresser une lettre à l'assuré lui indiquant que sa prise en charge est refusée, à moins que l'autre service n'en décide autrement.

Et j'oblige ainsi Lufkin à lire la section U paragraphe après paragraphe, l'assaillant de questions auxquelles il lui est impossible de répondre. Je me sers à plusieurs reprises du mot « système », surtout après le rejet d'une objection de Drummond par le juge. Le paragraphe onze établit un véritable glossaire de signes secrets que les employés sont censés utiliser d'un service à l'autre, pour signaler une forte réaction de l'assuré. Manifestement, le système ne laisse rien au hasard. Si un assuré menace d'engager des poursuites, son dossier est immédiatement traité à un échelon supérieur. S'il se laisse faire, le refus est maintenu.

Le paragraphe dix-huit prescrit à l'employé de rédiger un chèque correspondant au montant de la prise en charge, d'envoyer le chèque et le dossier au service Production, avec l'instruction de ne pas poster le chèque jusqu'à nouvel avis du service Sinistres. Cet avis, bien entendu, n'arrive jamais.

– Et que devient le chèque, monsieur Lufkin ?

Il n'en sait rien.

L'autre partie du système est décrite dans la section U du manuel de la Production, que je me réserve d'examiner demain avec le vice-président de ce service.

À vrai dire, je pourrais m'en dispenser. Si le procès se terminait maintenant, les jurés m'accorderaient tout ce que je veux. Et ils n'ont pas encore vu Donny Ray !

Une brève interruption de séance a lieu à seize heures trente. Lufkin témoigne depuis plus de deux heures et demie et il est temps de lui assener le coup de grâce. En arrivant dans le couloir pour aller aux toilettes, j'aperçois Drummond montrant d'un geste furieux une petite pièce où il veut faire entrer Lufkin et Underhall. J'adorerais assister à leur explication.

Vingt minutes plus tard, Lufkin est de retour sur le banc des témoins. J'en ai fini avec les manuels. Le jury pourra toujours se pencher sur les petits caractères au moment des délibérations.

– Encore quelques questions rapides, lui dis-je, reposé et souriant. En 1991, combien de polices d'assurance ont-elles été émises par Great Benefit ?

Le malheureux cadre supérieur jette un regard désespéré à son avocat. Cette information m'était due il y a déjà trois semaines.

– Je ne sais pas précisément, répond-il.

– Et combien avez-vous reçu de demandes de prise en charge en 1991 ?

– Je ne sais pas non plus.

– Vous êtes vice-président du service Sinistres, et vous ne savez pas ça ?

– C'est une grande entreprise.

– Combien de prises en charge ont-elles été refusées en 1991 ?

– Je ne sais pas.

C'en est trop pour Kipler, qui réagit alors, comme à un signal.

– Le témoin peut disposer pour aujourd'hui, dit-il. Mesdames et messieurs les jurés vont pouvoir rentrer chez eux.

Il les remercie et leur donne des instructions pour demain. Quelques-uns me sourient en passant devant ma table. Nous attendons que le dernier ait franchi la porte à double battant, puis Kipler reprend :

– Madame la greffière, veuillez prendre note. Monsieur Drummond, vous et votre client vous rendez coupables d'entrave au bon fonctionnement de la justice. J'avais insisté il y a plusieurs semaines pour que cette information soit communiquée aux plaignants. Il n'en a rien été. Il s'agit d'une information importante et utile et vous avez refusé de la donner. Savez-vous que je peux vous y contraindre en vous faisant incarcérer, vous et votre client ?

Leo s'est levé. Il a soudain l'air d'avoir vieilli de dix ans.

– Votre Honneur, dit-il d'un ton las, j'ai essayé par tous les moyens d'obtenir cette information. Honnêtement, j'ai fait ce que j'ai pu.

Pauvre Leo. Il est encore sous le coup de la section U. À ce moment précis, il est parfaitement de bonne foi. Son client vient de démontrer à tout le monde qu'il n'avait pas hésité à lui cacher certaines pièces essentielles.

– M. Keeley est-il parmi nous ? demande le juge.

– Oui. Il est dans la salle des témoins, répond Drummond.

– Qu'on aille le chercher.

Quelques instants plus tard, l'huissier fait entrer le président-directeur général.

Dot n'en peut plus. Elle a besoin d'aller aux toilettes et de fumer.

Kipler envoie Keeley à la barre et lui fait lui-même prêter serment. Puis il lui demande si sa compagnie a une raison valable pour avoir refusé de fournir l'information que j'ai réclamée.

Keeley bégaye, bafouille et tente finalement de rejeter la faute sur les agences régionales.

– Est-ce que vous comprenez ce que signifie le refus d'obtempérer aux ordres d'un tribunal ? demande Kipler.

– Oui, peut-être... enfin, pas vraiment.

– C'est très simple, monsieur Keeley, cela signifie que votre entreprise fait obstacle à la justice. J'ai le pouvoir de vous infliger une pénalité, ou bien de vous placer en détention, en tant que PDG. Avez-vous une préférence ?

Je suis sûr que certains de ses amis ont eu l'occasion de faire connaissance avec les geôles fédérales, mais Keeley sait qu'ici c'est de la prison de la ville qu'il s'agit, et qu'elle est pleine de gens peu recommandables.

– Je ne tiens vraiment pas à être écroué, Votre Honneur.

– C'est bien ce qu'il me semblait. Je condamne donc la compagnie Great Benefit à verser la somme de dix mille dollars aux plaignants, payables d'ici demain dix-sept heures. Appelez votre siège et faites parvenir le chèque par courrier Federal Express. Compris ?

Keeley ne peut qu'acquiescer.

– En outre, si l'information n'est pas faxée ici pour demain matin neuf heures, vous serez transféré à la prison municipale où vous resterez jusqu'à nouvel ordre, et votre compagnie devra acquitter cinq mille dollars supplémentaires par jour de retard.

Kipler se tourne et tend le doigt vers Drummond.

– Je vous ai donné de multiples avertissements au sujet de ces documents, monsieur Drummond. Votre comportement est inadmissible.

Sur quoi il clôt la séance d'un coup de marteau et quitte le prétoire.

44

En temps ordinaire, je me sentirais sans doute ridicule, appuyé contre un mur du hall B de l'aéroport de Memphis, avec mon costume strict et une casquette rouge ornée d'un tigre sur la tête. Mais cette journée n'a rien d'ordinaire. Il est tard, je suis éreinté, et mon taux d'adrénaline n'a cessé de monter et de descendre depuis ce matin. Ce premier jour de procès a été une réussite totale. Je n'aurais pu rêver mieux.

Le vol de Chicago arrive à l'heure et je suis vite repéré à ma casquette. Une femme aux yeux masqués par de grosses lunettes noires s'approche de moi, me dévisage et demande finalement :

– Monsieur Baylor ?

– C'est moi.

Je serre la main de Jackie Lemancysk et celle de son compagnon, qui se présente simplement sous le nom de Carl. Il porte un sac de voyage léger. Ils sont prêts à me suivre. Je les sens nerveux.

Je les conduis à l'hôtel Holiday Inn, situé tout près du palais de justice, et nous discutons dans la voiture. Elle est assise à côté de moi. Tassé à l'arrière, Carl ne dit pas un mot mais la surveille comme un chien de berger. Je leur repasse le film des principaux événements de la journée. Qu'elle se rassure, ils ne savent pas qu'elle sera là. Ses mains tremblent, elle est crispée, fragile, et a peur de son ombre. Seule la soif de vengeance a pu la décider à témoigner.

La réservation de l'hôtel est faite à mon nom, comme elle me l'a demandé. Nous nous asseyons tous les trois autour d'une petite table dans sa chambre du quinzième étage, et répétons l'interrogatoire. Toutes mes questions sont tapées, dans l'ordre où je les poserai.

Elle a peut-être été belle, mais ça ne se voit plus. Ses cheveux, coupés à la va-vite, sont teints en roux. Son avocat m'a prévenu qu'elle était en thérapie, je ne vais pas lui poser des questions embarrassantes. Elle a des yeux tristes, injectés de sang. Pas de maquillage. Jackie Lemancysk a trente et un ans, elle est divorcée avec deux jeunes enfants et, en la voyant, on a du mal à croire qu'elle ait pu coucher avec plusieurs cadres de la compagnie.

Carl est très protecteur avec elle. Il lui tapote le bras et, à l'occasion, donne son avis sur une question particulière. Il voudrait qu'elle témoigne le plus tôt possible demain matin, pour qu'ils puissent repartir dans la journée.

Je les quitte vers minuit.

À neuf heures le mardi matin, Kipler nous appelle, mais ordonne à l'huissier de faire encore patienter le jury pendant un moment. Il demande à Drummond si les informations requises sont arrivées. À raison de cinq mille dollars par jour de retard, j'espère presque que non.

– Oui, Votre Honneur, répond Drummond, manifestement soulagé. C'est arrivé il y a à peine une heure.

Il me remet une liasse de papiers de trois centimètres d'épaisseur et va même jusqu'à esquisser un sourire en tendant son jeu de copies à Kipler.

– Il va vous falloir un peu de temps, monsieur Baylor, n'est-ce pas ?

– Donnez-moi une demi-heure, dis-je.

– Bien. Le jury viendra siéger à neuf heures et demie.

Deck et moi fonçons dans une petite salle fermée au public et tentons de dépouiller les documents. C'est, comme on pouvait le prévoir, un véritable charabia, pratiquement inexploitable. Ils vont le regretter.

Les jurés pénètrent dans le tribunal à l'heure dite et Kipler les accueille chaleureusement. Ils se déclarent en bonne forme physique, personne n'est malade et personne ne les a contactés depuis hier soir.

– Votre témoin, monsieur Baylor, lance Kipler, et la deuxième journée commence.

– Nous voudrions poursuivre avec M. Everett Lufkin, dis-je.

Lufkin arrive et prend sa place. Après le fiasco de la section U, il n'a plus aucun crédit auprès du jury. Je suis sûr que Drummond l'a passé à la moulinette pendant toute la soirée. Il a l'air plutôt effaré. Je lui donne l'original des informations transmises par Drummond et lui demande s'il peut nous dire de quoi il s'agit.

– Ce sont des données informatiques sur tout ce qui relève des Sinistres.

– Élaborées par vos ordinateurs, au siège de Great Benefit ?

– Oui, c'est ça.

– Quand ?

– Hier soir et cette nuit.

– Sous votre contrôle, en tant que vice-président des Sinistres ?

– On peut dire ça, oui.

– Bien. Maintenant, monsieur Lufkin, veuillez dire au jury combien de polices d'assurance maladie étaient en circulation en 1991.

Il hésite, puis se met à compulser un listing, qui se présente comme une succession de feuilles pliées en accordéon. Nous patientons pendant qu'il essaie de se repérer dans le document. Durant plusieurs minutes, on n'entend que le bruit du papier.

La rétention de documents suivie d'une livraison brusque et massive est l'une des tactiques favorites des assureurs et de leurs avocats. Ils adorent attendre la dernière minute, de préférence la veille du procès, pour déposer quatre cartons bourrés à craquer de paperasses sur le pas de la porte de leur adversaire. Je n'y ai échappé que grâce à la vigilance de Tyrone Kipler.

On a actuellement un aperçu de ce procédé. Ils ont dû se dire qu'il leur suffisait de se présenter ce matin avec une pile de papiers quasiment indéchiffrables pour être tenus quittes.

– C'est vraiment difficile à dire, conclut Lufkin d'une voix à peine audible. Si seulement j'avais le temps.

– Vous avez eu deux mois ! rétorque Kipler. Maintenant, veuillez répondre à la question posée.

Ils commencent déjà à se contorsionner à la table de la défense.

– Je veux savoir trois choses, monsieur Lufkin, dis-je. Le nombre de polices existantes, le nombre de prises en charge demandées en application de ces polices et le nombre de demandes refusées, le tout pour l'année 1991, s'il vous plaît.

Nouveau triturage de feuillets.

– Si ma mémoire est bonne, nous avions quelque chose comme quatre-vingt-dix-sept mille polices.

– Vous ne pouvez pas consulter les chiffres que vous avez sous les yeux et nous le dire avec un peu plus de certitude ?

De toute évidence, il ne le peut pas. Il fait semblant d'être absorbé dans sa recherche au point de ne pouvoir répondre.

– Et vous êtes vice-président des Sinistres ? dis-je d'un ton lourd de sarcasmes.

– C'est exact, oui.

– Permettez-moi de vous demander quelque chose, monsieur Lufkin. À votre connaissance, les informations que je réclame figurent-elles sur ce listing ?

– Oui.

– Autrement dit, il s'agit juste de mettre le doigt dessus ?

– Si vous vouliez bien la fermer une seconde, je pourrais peut-être m'y retrouver.

Il m'adresse un sourire grimaçant qui fait très mauvaise impression.

– Je n'ai pas d'ordre à recevoir de vous, monsieur Lufkin, surtout de cette nature.

Drummond se lève et, les bras écartés, implore l'indulgence du magistrat.

– Votre Honneur, en toute impartialité, le témoin s'efforce de trouver les informations.

– Je regrette, monsieur Drummond, mais le témoin a eu deux mois pour réunir ces pièces. Il est certainement capable d'interpréter des statistiques émanant de son propre département. Poursuivez, monsieur Baylor.

– Oublions ce listing quelques instants, monsieur Lufkin. Au cours d'une année normale, quel est à votre avis le pourcentage de demandes de prise en charge par rapport à l'ensemble des polices ?

– Je dirais entre huit et dix pour cent, en moyenne.

– Et combien de demandes sont-elles refusées, sur cette quantité ?

– Environ dix pour cent de toutes les demandes.

Il connaît les réponses, brusquement, mais n'a pas l'air du tout content de les communiquer.

– En moyenne, chaque demande, qu'elle soit satisfaite ou pas, porte sur quelle somme ?

Nouvelle pause. Il réfléchit. Je crois qu'il a renoncé à tirer son épingle du jeu. Il veut juste en finir et quitter ce tribunal.

– Aux alentours de cinq mille dollars par demande, je pense.

– Mais certaines demandes ne portent que sur quelques centaines de dollars, nous sommes d'accord ?

– Oui.

– Et d'autres portent sur des dizaines de milliers de dollars, n'est-ce pas ?

– Oui, en effet.

– C'est donc difficile d'établir une moyenne ?

– Oui.

– Maintenant, les pourcentages et les moyennes que vous venez de nous donner sont-ils représentatifs de l'ensemble de la profession, ou bien sont-ils propres à Great Benefit ?

– Je ne peux pas parler au nom de la profession.

– Vous ne le savez donc pas ?

– Je n'ai pas dit ça.

– Alors, vous le savez ou non ? Répondez à la question.

Ses épaules s'affaissent légèrement. Il n'a plus qu'une idée fixe : fuir ce tribunal.

– Je dirais que c'est assez représentatif, oui.

– Merci.

Ici, je m'interromps quelques instants pour que la réponse fasse son chemin dans l'esprit de chacun. Changement de régime. Je consulte mes notes et adresse un clin d'œil à Deck qui s'éclipse discrètement de la salle.

– Encore une ou deux questions et j'en aurai fini, monsieur Lufkin. Avez-vous suggéré à Jackie Lemancysk de quitter l'entreprise ?

– Non.

– Et quelle appréciation portez-vous sur son travail ?

– Disons passable.

– Savez-vous pourquoi elle a été rétrogradée de son poste de chef de service ?

– Si je me souviens bien, c'était à cause de problèmes relationnels.

– Est-ce qu'elle a reçu une indemnité quelconque quand elle a démissionné ?

– Non. C'était un départ volontaire.

– Aucune compensation, sous quelque forme que ce soit ?

– Non.

– Merci. Votre Honneur, j'en ai terminé avec ce témoin.

À présent, Drummond a le choix. Soit il soumet dès maintenant Lufkin à un contre-interrogatoire, en évitant autant que faire se peut les questions tendancieuses, soit il le garde pour plus tard. En réalité, comme il n'a rien à espérer de son témoignage, je suis convaincu qu'il le laissera partir dès que possible.

– Votre Honneur, nous nous réservons d'interroger M. Lufkin ultérieurement, annonce-t-il.

C.Q.F.D. Le jury ne reverra plus Lufkin.

– Très bien. Monsieur Baylor, vous pouvez appeler le témoin suivant.

– Mme Jackie Lemancysk, dis-je à haute et intelligible voix.

Je tourne alors la tête pour guetter la réaction d'Underhall et d'Aldy. Ils sont en train de conférer à voix basse. Sitôt le nom prononcé, je les vois se figer, bouche bée, les yeux dilatés. L'effet de surprise est total.

Le pauvre Lufkin est à mi-chemin de la sortie quand il m'entend. Il s'arrête pile, roule des yeux affolés en direction de la défense, et se sauve sans demander son reste.

Drummond est déjà debout, et ses partenaires se bousculent autour de lui.

– Votre Honneur, un mot d'explication, s'il vous plaît, lance-t-il.

Kipler nous fait signe de nous rassembler à l'écart du micro. Mon adversaire paraît scandalisé. Il est sûrement pris au dépourvu, mais il aurait tort de crier à l'injustice.

– Votre Honneur, nous sommes pris en traître, s'offusque-t-il, les dents serrées.

Il ne veut évidemment pas que le jury voie dans quel état de choc il est.

– Pourquoi ? dis-je de mon air le plus candide. Mme Lemancysk figure sur la liste des témoins potentiels annexée aux conclusions préliminaires.

– Vous deviez nous avertir de sa comparution. Quand l'avez-vous retrouvée ?

– J'ignorais qu'elle avait disparu.

– C'est une question légitime, monsieur Baylor, observe Son Honneur en m'adressant pour la première fois un froncement de sourcils.

Je les regarde tous les deux d'un œil innocent l'air de dire : « Hé ! je suis nouveau dans le métier, un peu d'indulgence. »

– Elle faisait partie des gens cités lors des audiences préliminaires.

En fait, nous savons très bien tous les trois qu'elle va témoigner. Peut-être aurais-je dû informer la cour hier qu'elle était en ville, mais, bon, c'est mon premier procès.

Jackie Lemancysk fait son entrée, précédée de Deck. Underhall et Aldy détournent la tête. Elle s'est pomponnée et me paraît beaucoup plus jolie qu'hier soir. Elle prête serment et s'assied sur le banc des témoins en jetant un regard haineux aux juristes de Great Benefit.

Je me demande si elle a couché avec Underhall ou Aldy. Hier soir, elle a mentionné Lufkin et un autre, mais je suis loin de connaître toute l'histoire.

Je lui fais rapidement décliner son identité avant de passer aux questions assassines.

– Combien de temps avez-vous travaillé pour Great Benefit ?

– Six ans.

– Quand est-ce que votre emploi a pris fin ?

– Le 3 octobre dernier.

– Dans quelles conditions ?

– J'ai été renvoyée.

– Vous n'avez pas démissionné ?

– Non. Ils m'ont mise à la porte.

– Qui ça ?

– Ils se sont tous ligués contre moi. Everett Lufkin, Kermit Aldy, Jack Underhall et plusieurs autres.

Elle montre les coupables de la tête et tous les regards se braquent sur eux.

Je m'approche d'elle et lui tends une copie de sa lettre de démission.

– Est-ce que vous reconnaissez ceci ?

– Oui. C'est une lettre que j'ai tapée et signée.

– Il est dit dans cette lettre que vous quittez l'entreprise pour des raisons personnelles.

– C'est faux. J'ai été renvoyée à cause de mon rôle dans le dossier de Donny Ray Black et parce que je devais faire une déposition le 5 octobre. La compagnie s'est débarrassée de moi pour fuir ses responsabilités.

– Qui vous a obligée à écrire cette lettre?

– Ceux que je viens de citer. Ils étaient tous de mèche.

– Pourriez-vous nous expliquer dans quelles circonstances ça s'est passé?

Elle échange pour la première fois un regard avec les jurés, déglutit péniblement et se lance.

– Le samedi précédant ma déposition, j'ai été convoquée dans un bureau par Jack Underhall, le monsieur en costume gris que vous voyez là-bas. C'est un des juristes attitrés de la compagnie. Il m'a dit que j'étais congédiée sans préavis et que j'avais le choix suivant : soit je me considérais comme licenciée et je partais sans aucune compensation, soit j'écrivais cette lettre de démission et l'entreprise me versait dix mille dollars, à condition que je ne dise rien. Et il fallait que je prenne la décision sur-le-champ, en sa présence.

Hier soir, elle m'a parlé de tout cela sans émotion, mais dans un tribunal c'est différent. Elle se mord la lèvre, lutte quelques instants pour reprendre contenance et poursuit :

– Je suis mère célibataire, avec deux enfants, et j'ai beaucoup de factures à payer. Je n'avais pas le choix. Du jour au lendemain, je me retrouvais sans travail. J'ai écrit la lettre, pris l'argent, et me suis engagée par écrit à ne jamais divulguer le contenu d'aucun dossier à qui que ce soit.

– Y compris le dossier Black?

– Surtout le dossier Black.

– Alors, si vous avez accepté l'argent et signé une convention, pourquoi êtes-vous ici?

– Après avoir surmonté le choc, j'ai pris contact avec un avocat. Il m'a assuré que la convention que j'avais signée était illégale.

– Est-ce que vous avez un double de cette convention?

– Non. M. Underhall n'a pas voulu m'en laisser. Mais vous pouvez lui demander, je suis sûre qu'il a gardé l'original.

Je pivote lentement et fixe Jack Underhall, imité par tout l'auditoire. Apparemment indifférent au témoignage, il est en train de tripoter les lacets de ses chaussures, devenues soudain le centre de toutes ses préoccupations.

Je reporte alors mon regard sur Leo Drummond et constate que son visage porte le masque de la défaite totale. Je ne l'ai jamais vu aussi abattu. Son client, naturellement, ne lui a jamais parlé de ce silence rétribué ni de la convention signée sous la contrainte.

– Pourquoi avez-vous consulté un avocat ?

– Parce que j'avais besoin de conseils. Mon contrat de travail n'a pas été résilié dans les formes. Et auparavant j'avais fait l'objet d'une discrimination en tant que femme, et de harcèlement sexuel de la part de plusieurs cadres de Great Benefit.

– Y en a-t-il que nous connaissions parmi eux ?

– Objection, Votre Honneur, coupe Drummond. Ces détails sont peut-être divertissants pour certains, mais ils n'ont rien à voir avec l'affaire.

– Voyons d'abord où cela nous mène. Je rejette votre objection pour le moment, monsieur Drummond. Veuillez répondre à la question, madame Lemancysk.

Elle respire à fond et dit :

– J'ai eu des relations sexuelles avec Everett Lufkin pendant trois ans. Tant que j'ai accepté de faire ce qu'il voulait, j'ai été régulièrement augmentée et j'ai obtenu diverses promotions. Mais, dès que je me suis lassée de lui et que j'ai rompu, j'ai été rétrogradée au poste d'employée premier échelon et ma paye a été diminuée de vingt pour cent. Ensuite, Russell Krokit, qui, à l'époque, était directeur aux Sinistres et qui a été renvoyé en même temps que moi, a voulu que nous ayons une liaison. Il m'a fait du chantage, il m'a dit que je perdrais mon travail si je ne lui cédais pas. Si j'acceptais, en revanche, il me garantissait de l'avancement. C'était à prendre ou à laisser.

– Ces deux hommes sont mariés ?

– Oui, et ils ont des enfants. Ils étaient connus pour faire des avances aux jeunes femmes de mon service. Je pourrais vous citer beaucoup de noms. Et ils n'étaient pas les seuls à nous proposer ce genre de marché.

Tous les regards convergent à nouveau vers Underhall et Aldy.

Je m'interromps pour vérifier quelque chose dans mes notes. C'est un truc classique que j'ai fini par apprendre, ça laisse aux jurés le temps de digérer un témoignage juteux.

Je regarde Jackie qui tamponne ses yeux rougis avec un mouchoir. Le jury est avec elle, il serait prêt à tuer pour elle.

– Passons maintenant au dossier Black. Ce dossier vous a été confié, n'est-ce pas ?

– Oui. C'est moi qui ai traité la première demande de prise en charge de Mme Black. Conformément à la politique alors en vigueur dans la compagnie, je lui ai adressé une lettre de refus.

– Pourquoi ?

– Pourquoi ? Parce que toutes les demandes étaient rejetées d'emblée, du moins en 1991.

– Toutes les demandes ?

– Oui. La politique de la compagnie consistait à refuser systématiquement toutes les demandes, puis à réexaminer celles qui étaient justifiées parmi les plus petites. Nous finissions par payer dans certains cas, mais les grosses demandes n'étaient jamais honorées, à moins qu'un avocat ne s'en mêle.

– Quand est-ce que c'est devenu la politique de la compagnie ?

– À partir du 1er janvier 1991. C'était une expérience, une sorte de nouveau système. (Je hoche la tête, l'encourageant à poursuivre.) La direction avait décidé de refuser toutes les demandes supérieures à mille dollars pour une période de douze mois. Que la demande soit justifiée ou pas, nous devions répondre par la négative. Beaucoup de demandes inférieures finissaient aussi par être refusées, si nous arrivions à trouver un motif de contestation. Un très petit nombre de grosses demandes étaient payées, et seulement bien sûr si l'assuré faisait appel à un avocat et menaçait d'engager des poursuites.

– Combien de temps cette politique a-t-elle été en vigueur ?

– Douze mois. L'expérimentation portait sur un an. Ça n'avait jamais été tenté jusqu'alors dans la profession, et l'encadrement trouvait en général que c'était une excellente idée. Ne payez pas un sou pendant un an, déduisez quelques règlements amiables expéditifs, faites l'addition de l'argent économisé, et vous verrez que c'est une affaire en or.

– Vous avez une idée du profit réalisé de cette façon ?

– Il y a eu une hausse du chiffre d'affaires d'environ quarante millions.

– Comment le savez-vous ?

– Quand on couche suffisamment longtemps avec ces pauvres types, on finit par entendre toutes sortes de saletés. Ils vous parlent de leur femme, de leur travail, ils vous disent tout. Je ne suis pas fière, OK ? Je n'ai pas tiré un seul instant de plaisir de tout ça. J'étais une victime.

Sa voix tremble, elle est encore au bord des larmes.

Penché sur mes notes, j'observe une nouvelle pause.

– Comment le dossier Black a-t-il été traité, initialement ?

– Au départ, nous avons opposé un refus pur et simple, comme pour les autres dossiers. Mais comme il y avait beaucoup d'argent en jeu, il a été classé à part. À partir du moment où ils ont vu la mention « leucémie aiguë », tout ce que j'entreprenais a été contrôlé par Russell Krokit. Ils se sont assez vite rendu compte que la police n'excluait pas les greffes de moelle. C'est devenu une affaire très sérieuse pour deux raisons. D'abord, il y avait énormément d'argent en jeu, de l'argent que la compagnie ne voulait évidemment pas payer. Ensuite, l'assuré était un malade au stade terminal.

– Le service Sinistres savait donc que Donny Ray Black allait mourir ?

– Bien sûr. Son dossier médical était clair. Je me souviens d'un rapport de son médecin disant que la chimiothérapie donnait de bons résultats, mais que la leucémie réapparaîtrait certainement dans le courant de l'année et qu'elle serait fatale, à moins que le patient ne subisse une greffe de moelle.

– Vous l'avez montré à quelqu'un, ce rapport ?

– Je l'ai montré à Russell Krokit, qui l'a montré à son patron, Everett Lufkin. Et dans les hautes sphères, on a décidé de maintenir le refus.

– Mais vous saviez que sa demande de prise en charge était justifiée ?

– Tout le monde le savait, mais la compagnie misait sur la lassitude du client.

– C'est-à-dire ?

– C'est-à-dire qu'elle estimait qu'il y avait peu de chances qu'il consulte un avocat.

– Mais vous aviez évalué ce risque ?

– Oui. On admettait en règle générale qu'un client seulement sur vingt-cinq prenait un avocat. C'est d'ailleurs la seule raison pour laquelle ils ont tenté cette expérience. Statistiquement, ils savaient qu'ils seraient gagnants. Ils vendent leurs polices à des gens peu éduqués et comptent sur leur ignorance pour accepter le refus sans broncher.

– Qu'est-ce qui se passait quand vous receviez une mise en demeure d'un avocat ?

– La situation changeait totalement. Si la demande était justifiée et portait sur une somme inférieure à cinq mille dollars, nous l'acquittions immédiatement, avec une lettre d'excuses expliquant que la demande avait été mal orientée, ou bien que c'était une erreur du système informatique. Des lettres comme ça, j'en ai bien expédié une centaine. Par contre, si la demande excédait cinq mille dollars, j'étais déchargée du dossier qui passait entre les mains d'un supérieur. Je crois qu'elles étaient presque toujours payées, finalement. Si l'avocat avait porté plainte ou s'apprêtait à le faire, la compagnie négociait un règlement amiable.

– Ça se produisait souvent ?

– Je ne peux vraiment pas vous dire.

– Madame Lemancysk, je vous remercie, dis-je. (Et, cédant la place à Drummond, j'ajoute avec un charmant sourire :) Le témoin est à vous.

Je reviens m'asseoir à côté de Dot qui sanglote en silence. Elle s'en est toujours voulu de ne pas avoir trouvé un avocat plus tôt, et ce témoignage est particulièrement douloureux pour elle. Quelle que soit l'issue du procès, elle ne se le pardonnera jamais.

Plusieurs jurés s'aperçoivent qu'elle est en larmes, ce qui est excellent.

Le malheureux Leo prend position le plus loin possible du jury. Je me demande ce qu'il va bien pouvoir trouver. Ce n'est sûrement pas la première fois qu'il doit faire face à une situation de ce genre.

Il se présente cordialement et déclare que Jackie et lui ne se sont bien sûr jamais rencontrés, ceci pour informer le jury qu'il n'a pas, contrairement à moi, l'avantage de savoir ce qu'elle va lui répondre. Elle lui renvoie un regard impitoyable. La haine qu'elle voue à Great Benefit s'applique aussi à tout avocat assez vil pour représenter la compagnie.

– Madame Lemancysk, est-il exact que vous ayez été contrainte récemment de séjourner dans un établissement spécialisé pour divers problèmes ?

Il prend soin de poser la question avec doigté. Dans un procès, nul n'est censé poser de question dont il ne connaisse pas la réponse, mais j'ai l'impression que Leo n'a aucune idée de ce qui l'attend. Il ne peut s'appuyer que sur quelques vagues chuchotements échangés durant les quinze dernières minutes.

– Non, c'est faux ! dit-elle, se hérissant déjà.

– Pardonnez-moi, mais n'avez-vous pas subi un traitement dernièrement ?

– Je n'y ai pas été contrainte. J'ai été admise, à ma demande, dans une maison de repos où je suis restée quinze jours. Je pouvais m'en aller quand je voulais. Le traitement devait d'ailleurs être pris en charge par Great Benefit qui était censée m'assurer en tant que membre du personnel pendant les douze mois suivant mon départ. J'attends toujours l'argent.

Drummond se mord l'ongle du pouce et contemple son bloc-notes comme s'il n'avait rien entendu. Question suivante, Leo.

– Est-ce pour cela que vous êtes ici ? Parce que vous êtes en colère contre Great Benefit ?

– Je hais Great Benefit, ainsi que la plupart des requins qui y travaillent. Est-ce que je réponds à votre question ?

– Votre témoignage d'aujourd'hui est-il motivé par votre haine ?

– Non. Je suis ici parce que je sais comment ils escroquent des milliers de gens. Il faut que quelqu'un le dise.

Tu ferais mieux de laisser tomber, mon pauvre Leo.

– Mais pourquoi êtes-vous allée dans cet établissement spécialisé ?

– Je me débats avec des problèmes d'alcoolisme et de dépression. Pour l'instant, ça va, mais je ne sais pas où j'en serai dans une semaine. Pendant six ans, j'ai été traitée comme un morceau de viande par vos clients. On m'a fait circuler de bureau en bureau comme une boîte de chocolats et chacun s'est servi comme il a voulu. J'étais une proie facile parce que j'étais fauchée, seule avec deux enfants, et que j'avais un beau cul. On m'a volé mon amour-propre. Je me défends, monsieur Drummond, j'essaie de me remettre et, si je dois me faire soigner, je n'hésiterai pas. J'aimerais seulement que votre client paye ce qu'il doit.

– Je n'ai pas d'autre question, Votre Honneur.

Drummond regagne précipitamment sa table, la queue basse. Je raccompagne Jackie jusque dans le couloir, la remercie mille fois, promets d'appeler son avocat et la remets entre les mains de Carl, et de Deck qui les reconduit à l'aéroport.

Il est presque onze heures trente. Je voudrais que le jury médite ce témoignage pendant le déjeuner. Je demande à Son Honneur de suspendre la séance un peu plus tôt que prévu. Officiellement, j'ai besoin de temps pour examiner leur fameux listing informatique, avant d'appeler les témoins suivants.

Les dix mille dollars de pénalité sont arrivés au cours de l'audience, et Drummond a interjeté appel de la sanction en se justifiant dans un mémoire de vingt pages. L'argent va être viré sur un compte bloqué dans l'attente du résultat. J'ai d'autres chats à fouetter.

45

Les jurés regagnent leur place après le déjeuner. J'ai droit à quelques sourires. Ils ne sont pas censés discuter de l'affaire avant les délibérations, mais tout le monde sait qu'ils en parlent en catimini chaque fois qu'ils quittent le prétoire. Il y a quelques années, deux jurés en sont venus aux mains en débattant de la véracité d'un témoignage. Malheureusement, c'était le deuxième témoin dans un procès qui devait durer deux semaines. Le juge a préféré tout annuler pour vice de procédure, et recommencer à zéro.

Ils ont eu deux heures pour réfléchir au témoignage de Jackie. Il est temps maintenant de dire comment les torts doivent être réparés, autrement dit, de parler d'argent.

– Votre Honneur, nous appelons M. Wilfred Keeley.

Keeley arrive d'un pas énergique, tout le contraire de Lufkin, souriant, décontracté malgré l'accumulation de témoignages accablants contre son entreprise. Ce qu'il veut, c'est montrer au jury qu'il a les rênes bien en main et qu'on peut lui faire confiance.

Je lui fais décliner ses nom et qualités. C'est bien lui le patron, le numéro un de Great Benefit, et il le dit la tête haute. Puis je lui tends une copie du dernier bilan financier, qu'il repose négligemment devant lui, comme s'il le lisait tous les matins.

– Bien, monsieur Keeley, pourriez-vous dire au jury combien vaut votre compagnie ?

– Comment ça, combien elle vaut ?

– Je veux dire, quelle est sa valeur actuelle nette ?

– Ce n'est pas clair, comme notion.

– Si, monsieur. C'est très clair. Servez-vous du bilan financier que je viens de vous remettre. Vous prenez l'actif, vous déduisez le passif, et vous dites au jury ce qui reste. Voilà ce que je vous demande.

– Ce n'est pas si simple.

Je secoue la tête, incrédule.

– Est-ce que le chiffre de quatre cent cinquante millions vous paraît plausible ?

Prendre un chef d'entreprise malhonnête en flagrant délit de mensonge a pour avantage, entre autres, d'obliger les témoins suivants à dire la vérité. Keeley n'a pas le choix : il doit paraître honnête. Je pense que Drummond s'est efforcé de l'en convaincre, bien que ça n'ait pas dû être facile.

– Oui. C'est une estimation plausible.

– Merci. Maintenant, de combien d'argent liquide dispose votre compagnie ?

Encore une question imprévue. Drummond se dresse et élève une objection. Kipler la rejette.

– Eh bien, heu... c'est difficile à dire, répond-il, essayant de noyer le poisson comme ils le font tous depuis le début.

– Allons, monsieur Keeley, vous êtes président-directeur général et cela fait dix-huit ans que vous travaillez pour cette compagnie. Vous venez du monde de la finance. Combien avez-vous en caisse ?

Il tourne d'une main fiévreuse les pages du rapport financier, et j'attends patiemment. Enfin, il avance un chiffre, et c'est là que je rends grâce à Max Leuberg. Je prends ma copie du rapport et lui demande de m'éclairer sur certains fonds de réserve. Lors du dépôt de la plainte, quand je leur ai réclamé dix millions de dollars, ils ont constitué une provision de ce montant. Ils font ça pour tous leurs litiges. C'est toujours leur argent, il est toujours investi et rapporte toujours des intérêts, mais il figure maintenant au PASSIF de l'entreprise. Les compagnies d'assurances adorent se faire poursuivre pour des millions parce que ça leur permet de mettre de l'argent de côté et de se déclarer insolvables.

Et tout cela est parfaitement licite. C'est une profession déréglementée, et ils ont une façon bien à eux de jongler avec les comptes d'exploitation.

Keeley se met alors à utiliser un jargon d'investisseur parfaitement incompréhensible. Il aime mieux embrouiller le jury que lui dire la vérité.

Je le presse de questions sur ces fameux fonds de réserve, puis nous passons aux excédents. Excédents officiels, excédents officieux. Je le pousse dans ses retranchements et m'en tire plutôt bien. Enfin, ayant épluché avec lui l'exercice budgétaire, je lance un autre chiffre, en m'appuyant sur les notes de Leuberg, et lui demande s'il est d'accord pour dire que la compagnie a quatre cent quatre-vingt-cinq millions de liquidités.

– J'aimerais bien, dit-il, et ça ne fait rire que lui.

– Alors combien d'argent, possédez-vous, monsieur Keeley ?

– Oh, je ne sais pas. Disons aux alentours de cent millions de dollars.

Ça suffit pour le moment. Dans ma plaidoirie finale, j'aurai l'occasion d'aligner ces chiffres sur un tableau noir et d'expliquer d'où provient l'argent.

Je lui tends ensuite les statistiques du service Sinistres, et il paraît surpris. J'aimerais bien l'obliger à reconnaître les faits pendant que je l'ai sous la main, et éviter de recourir à nouveau à Lufkin. Il interroge Drummond du regard, mais celui-ci ne peut rien faire. M. Keeley est le patron et il est certainement en mesure de nous aider à connaître la vérité. Ils s'attendent sans doute que je refasse appel à Lufkin pour expliquer ces données. J'adore Lufkin, mais les meilleures choses ont une fin. Si je lui tends à nouveau la perche, il risque d'en profiter pour réfuter les dires de Jackie Lemancysk.

– Est-ce que vous reconnaissez ce listing, monsieur Keeley? C'est un document que vos services administratifs nous ont remis ce matin.

– Absolument.

– Bien. Pouvez-vous dire au jury combien de polices d'assurance-maladie étaient en circulation en 1991?

– Heu... j'avoue que je ne... voyons un peu, bredouille-t-il, et il tourne et retourne les pages en vain.

– Est-ce que le chiffre de quatre-vingt-dix-huit mille vous paraît juste, à quelques unités près?

– Peut-être, heu... Oui, je pense que ce doit être ça.

– Et combien avez-vous enregistré de demandes de prise en charge en 1991?

Toujours le même scénario. Il feuillette le listing en marmonnant tout seul, l'air de nager complètement. Les minutes passent. C'en est presque gênant. Je finis par le tirer d'embarras.

– Si je vous dis onze mille quatre cents, est-ce que ça vous semble juste, à quelques unités près?

– Ça m'a l'air plausible, mais il faudrait que je vérifie.

– Et vous voudriez vérifier comment?

– Eh bien, il faudrait que j'aie un peu plus de temps pour examiner ceci.

– L'information est donc bien dedans?

– Sans doute.

– Pourriez-vous dire au jury combien de ces prises en charge ont été refusées par votre compagnie?

– Heu... là encore, il faudrait que j'aie le temps d'étudier toutes ces données, dit-il en montrant le listing d'un geste impuissant.

– Mais l'information figure bien dans le document que vous avez sous les yeux?

– Je pense, oui.

– Parfait. Veuillez vous reporter aux pages onze, dix-huit, trente-trois et quarante et un.

Il s'exécute aussitôt. Tout, plutôt que de témoigner. Nouvelle attente, ponctuée de froissements de papier.

– Est-ce que le chiffre approximatif de neuf mille cent vous paraît juste ?

Suggestion extravagante. Il se cabre aussitôt.

– Bien sûr que non. C'est absurde, voyons.

– Mais est-ce que vous connaissez le vrai chiffre ?

– Je sais que c'est beaucoup moins que ça.

– Je vous remercie.

Je m'approche du témoin, reprends le listing et lui tends la nouvelle police que m'a donnée Leuberg.

– Reconnaissez-vous ceci ?

– Bien sûr, dit-il, ravi de s'être débarrassé des maudites statistiques.

– Qu'est-ce que c'est ?

– C'est une police d'assurance-maladie délivrée par ma compagnie.

– Délivrée quand ?

– En septembre 1992, dit-il après l'avoir examinée en vitesse. Il y a cinq mois.

– Veuillez vous référer à la page onze, section F, paragraphe quatre, alinéa c, clause treize. Vous y êtes ?

Les caractères sont tellement minuscules qu'il est obligé de se coller la feuille sous le nez. Je pousse un petit gloussement et me tourne vers les jurés qui sont très attentifs.

– Ça y est, j'y suis, dit-il enfin.

– Bien. Veuillez lire la clause en question.

Il la lit, les yeux mi-clos et les sourcils en bataille, comme si c'était un pensum.

– OK, dit-il avec un pâle sourire.

– Quel est l'objet de cette clause ?

– Elle exclut des garanties certaines interventions chirurgicales.

– Et en particulier ?

– En particulier les transplantations.

– La greffe de moelle fait-elle partie de ces exclusions ?

– Oui. Elle figure en toutes lettres.

Je reviens vers Keeley et lui tends une copie de la police des Black dont je lui demande de lire un passage. La taille des caractères lui donne à nouveau du fil à retordre, mais il s'en tire vaillamment.

– Qu'est-ce que cette police exclut en matière de transplantation ?

– Les principaux organes, les reins, le foie, le cœur, les yeux, enfin, il y a toute une liste...

– Et la greffe de moelle ?

– Elle n'est pas mentionnée.

– Elle n'est pas exclue en particulier ?

– Non.

– Quand est-ce que nous avons déposé notre plainte, monsieur Keeley ? Vous vous rappelez ?

– Vers le milieu de l'été dernier, si je me souviens bien. En juin ?

– Oui, monsieur. En juin. Et savez-vous de quand date cette nouvelle version qui exclut spécifiquement la greffe de moelle ?

– Non, je ne sais pas. Je ne m'occupe pas de la rédaction des polices.

– Qui les rédige ? Qui est l'auteur de ce texte microscopique ?

– Notre service juridique.

– Entendu. Peut-on aller jusqu'à dire que cette police a été modifiée peu après le dépôt de la plainte ?

Il me scrute d'un œil méfiant, réfléchit et dit :

– Non. Elle peut très bien avoir été modifiée avant.

– A-t-elle été modifiée après la signature de la police, en août 91 ?

– Je ne sais pas.

Sa réponse sonne faux. Soit il ne connaît pas sa compagnie, soit il ment. Peu m'importe, j'ai atteint mon objectif. Ces modifications montrent clairement au jury que la police des Black couvrait le traitement de Donny Ray.

Il ne me reste qu'à pousser légèrement Keeley pour qu'il tombe comme un arbre sec.

– Avez-vous un double de la convention signée par Jackie Lemancysk le jour de son départ ?

– Non.

– L'avez-vous vue, cette convention ?

– Non.

– Avez-vous autorisé le paiement à Mme Lemancysk d'une somme de dix mille dollars ?

– Non. Elle a menti à ce sujet.

– Menti ?

– Vous m'avez bien compris.

– Et Everett Lufkin ? Est-ce qu'il a menti au sujet des manuels de procédure interne ?

Keeley commence à dire quelque chose, puis se reprend. À ce stade, aucune réponse ne le tirerait d'affaire. Les jurés savent très bien que Lufkin leur a menti, il ne peut pas faire comme s'ils n'avaient pas entendu ce qu'ils ont entendu. Mais il ne peut pas reconnaître non plus qu'un de ses vice-présidents a fait un faux témoignage.

– Je vous ai posé une question, monsieur Keeley. D'après vous, Everett Lufkin a-t-il menti au jury à propos des manuels de procédure interne en usage dans votre compagnie ?

– Je ne crois pas que je sois obligé de répondre à cette question.

– Répondez à la question, grogne Kipler.

Longue et pénible pause. Keeley me regarde. Ses yeux lancent des éclairs. Silence de mort dans le prétoire. Même la greffière le fixe avec des yeux ronds, les mains au-dessus de son clavier. Je viens à son secours.

– C'est parce que vous ne supportez pas l'idée qu'un de vos vice-présidents ait pu nous mentir ? C'est pour ça que vous vous taisez, monsieur Keeley ?

– Objection !

– Accordée.

– Je n'ai plus de question, Votre Honneur.

– Moi non plus. Pas pour l'instant, embraye Drummond.

À l'évidence, il aimerait laisser les choses se tasser avant d'interroger à son tour ces messieurs. Et ce qu'il veut surtout, c'est que le jury oublie un peu Jackie Lemancysk.

Kermit Aldy, vice-président du service Production, est mon avant-dernier témoin. Après ce qui s'est passé, je n'ai pas vraiment besoin de son témoignage, mais je dois remplir mon temps de parole. Il est quatorze heures trente, le procès en est à sa deuxième journée et j'aurai fini avant la fin de l'après-midi. Je veux que les jurés emportent chez eux la vision de deux témoins : Jackie Lemancysk et Donny Ray Black.

Aldy est peu loquace. Il a peur d'en dire trop, ça crève les yeux. Je ne sais pas s'il a couché avec Jackie, mais maintenant tous les hommes de Great Benefit sont suspects. Je sens de la méfiance dans les rangs du jury.

Le fonctionnement du service Production est tellement fastidieux que je suis décidé à épargner les détails à l'auditoire. Aldy est assommant, comme l'est son rôle dans la compagnie. Je me dépêche.

Je lui tends le manuel de son service qu'on m'a remis pendant l'instruction, un livret à couverture verte en tout point semblable à celui du service Sinistres. Personne, à part Deck, ne peut savoir si j'en détiens un autre, non expurgé.

Il le regarde comme s'il ne l'avait jamais vu, mais l'identifie quand je le lui demande. Tout le monde se doute de ma prochaine question.

– Il est complet, ce manuel ?

Il le feuillette en prenant son temps. Évidemment, il se méfie après l'expérience de Lufkin. S'il déclare qu'il est complet et que je lui mette sous le nez une version intégrale, il est cuit. S'il admet qu'il manque quelque chose, il en paiera le prix. Je parierais que Drummond lui a conseillé la deuxième solution.

– Eh bien, attendez... On dirait, oui... Ah! mais non! il manque une section à la fin.

– La section U, peut-être? dis-je naïvement.

– Il me semble, oui.

– Ah bon? Mais pourquoi, à votre avis?

– Ça, je ne sais pas.

– Vous ne savez pas qui a pu la supprimer?

– Non.

– On s'en serait douté. Qui a choisi l'exemplaire qu'on m'a remis?

– Je ne me souviens pas, franchement.

– Mais vous reconnaissez que la section U a été ôtée avant qu'on me le remette?

– Cet exemplaire n'en comporte pas, si c'est ce que vous voulez me faire dire.

– Je veux connaître la vérité, monsieur Aldy. Je vous prie de coopérer. Oui ou non, la section U a-t-elle été supprimée de ce manuel?

– Apparemment.

– Une réponse claire nous obligerait, monsieur Aldy.

– Oui, la section a été supprimée.

– Ce manuel est indispensable à la bonne marche de votre service, nous sommes d'accord?

– Bien sûr.

– Vous le connaissez donc bien?

– Oui.

– Alors je suis sûr que vous pourrez facilement résumer la section U à l'intention de Mmes et MM. les jurés.

– Oh, ça, je ne sais pas. Ça fait longtemps que je ne l'ai pas regardée.

Il ne sait toujours pas si j'ai l'autre version.

– Je vous suggère d'essayer quand même. Dites-nous, en quelques mots, ce qu'il y a dans cette section U.

Il réfléchit quelques instants, avant d'expliquer que la section U régit les relations entre le service Production et le service Sinistres lorsqu'il s'agit d'examiner une demande. Les deux services échangent des dossiers, tout simplement parce que certaines demandes réclament un examen soigneux. Il s'égare un peu puis reprend confiance en lui et, comme je ne sors toujours pas de copie de la section U, je pense qu'il commence à croire que je n'en ai pas.

– Vous dites donc que la section U est destinée à garantir un examen approfondi des demandes?

– Oui.

Je prends le manuel derrière moi, sous une pile de papiers, et m'approche du banc des témoins.

– Alors veuillez expliquer ceci au jury, dis-je en lui tendant le manuel complet.

Il courbe l'échine en soupirant et je regarde la tête de Drummond. Il essaie de rester impassible, mais c'est très difficile.

La section U du service Production est aussi nauséabonde que celle du service Sinistres, et, après une heure de torture, il est temps de relâcher Aldy. Le jury bout déjà d'indignation.

Drummond n'a pas de question. Kipler nous laisse un quart d'heure de battement, à Deck et moi, pour préparer la suite.

Notre dernier témoin est Donny Ray. L'huissier baisse l'éclairage et les jurés se tournent vers l'écran installé dans la salle. La déposition a été réduite à trente et une minutes. Recueillis et navrés, les jurés écoutent ses réponses entrecoupées de toussotements.

Au lieu de réécouter pour la centième fois Donny Ray, je vais m'asseoir près de sa mère. J'observe le jury et la défense. Dot s'essuie la joue d'un revers de main. À la fin du témoignage, j'ai la gorge nouée.

Le tribunal reste encore une bonne minute plongé dans un silence glacé, tandis que l'huissier range le matériel et rallume la lumière. On entend juste Dot sangloter.

Ce soir, nous avons abattu toutes nos cartes, et logiquement nous avons gagné. Mais la partie n'est pas finie.

– Votre Honneur, les plaignants n'ont rien à ajouter, dis-je avec solennité.

Dot et moi nous attardons dans la salle vide longtemps après le départ du jury. Nous discutons des témoignages entendus ces deux derniers jours. Nous avons prouvé de la façon la plus éclatante qu'elle avait raison sur toute la ligne. Les autres sont démasqués, déconsidérés, déculottés, mais je vois peu de satisfaction sur son visage. Elle mourra inconsolable, parce qu'elle ne s'est pas suffisamment battue quand il en était temps.

Elle me dit qu'elle se fiche de ce qui va suivre. La journée l'a achevée, elle veut rentrer chez elle et ne plus remettre les pieds ici. Je lui explique que ce n'est pas possible. Nous sommes à mi-chemin. Plus que quelques jours.

46

Je suis impatient de voir comment Drummond va mener sa défense. S'il sort de son chapeau d'autres employés du siège et si ceux-ci se lancent dans de nouvelles tentatives d'explication du système de prise en charge, il risque encore de payer les pots cassés. Il sait que je n'aurai qu'à brandir la section U et à poser quelques questions pour les coincer. D'autres mensonges, d'autres reculades sont à prévoir. Il reste des zones d'ombre. Le seul moyen d'y voir clair serait de procéder à un contre-interrogatoire tous azimuts.

Dix-huit personnes sont inscrites sur sa liste de témoins potentiels. Qui appellera-t-il en premier ? Je n'en ai pas la moindre idée. Les jours précédents, c'était moi qui avais l'initiative, et je savais comment les choses allaient se dérouler, quel serait mon prochain témoin, mon prochain document à charge. Maintenant, c'est très différent. Je vais devoir réagir, et vite.

Hier soir, j'ai appelé Max Leuberg dans le Wisconsin et lui ai raconté les deux premières journées avec le plaisir qu'on imagine. Il m'a donné des conseils et ses pronostics pour la suite des débats. Il est de plus en plus excité et dit qu'il sautera peut-être dans un avion pour entendre le verdict.

Je marche de long en large jusqu'à trois heures du matin, parlant tout seul et essayant de déjouer d'avance les traquenards de Drummond.

Le lendemain, en arrivant au tribunal à huit heures et demie, j'ai l'agréable surprise d'y trouver Cooper Jackson. Il me présente deux confrères venus spécialement de Caroline du Nord pour assister au procès. Je leur fais un résumé prudent de ce qui s'est passé. L'un d'eux était déjà là lundi et a assisté à l'épisode mouvementé de la section U. À eux trois, ils ont une vingtaine d'affaires comparables. Ils ont fait de la pub dans les journaux et de nouveaux cas surgissent régulièrement un peu partout. Ils comptent attaquer d'ici peu.

Cooper me tend un journal en me demandant si je l'ai lu. C'est le *Wall Street Journal* daté d'hier et il y a un article à la une sur Great Benefit. Je n'ai pas lu un seul quotidien depuis une semaine, je sais à peine quel jour nous sommes. Ils connaissent tous cette sensation.

Je lis rapidement l'article. Il met l'accent sur les plaintes de plus en plus fréquentes contre Great Benefit et sur la tendance de la compagnie à refuser d'indemniser ses clients. Il y a des enquêtes en cours dans différents États. Au dernier paragraphe, on apprend qu'un certain procès à Memphis est suivi avec grande attention parce qu'il pourrait se conclure par le premier verdict sévère contre l'assureur.

Je montre l'article à Kipler dans son bureau et ça ne l'inquiète pas. Il demandera simplement aux jurés s'ils l'ont vu. On les a mis en garde contre la lecture des journaux. Mais il y a peu de chances que le *Wall Street Journal* soit leur quotidien favori.

La défense commence par appeler André Weeks, président de la Commission gouvernementale sur les métiers de l'assurance pour l'État du Tennessee. C'est un haut fonctionnaire spécialiste de la profession que Drummond a déjà utilisé comme témoin. Sa mission consiste à mettre le gouvernement du côté des défenseurs.

Weeks est un homme séduisant d'une quarantaine d'années, en costume élégant, le sourire facile, respirant l'honnêteté. Et il a un atout essentiel, il ne travaille pas pour Great Benefit. Drummond lui pose toutes sortes de questions complaisantes sur le travail de surveillance de sa commission. Il s'efforce de lui faire dire que ces messieurs contrôlent efficacement et fermement les usages de la corporation. Si Great Benefit a encore la notoriété et la position qui sont les siennes, c'est qu'elle se comporte convenablement, sinon André et son équipe de chiens de garde l'auraient épinglée depuis longtemps.

Drummond a besoin de temps. Il voudrait faire entendre le plus de témoignages possible aux jurés, dans l'espoir qu'ils oublient ces deux journées catastrophiques. Il procède lentement, se déplace lentement, parle lentement, comme un professeur sur le retour. Et il est excellent. Avec des faits moins accablants, il serait mortel.

Il remet à Weeks la police des Black et tous deux passent une demi-heure à expliquer au jury comment et pourquoi chaque police, toutes les polices doivent être approuvées par les représentants du gouvernement.

Je suis maintenant assis et j'ai tout loisir de regarder autour de moi. J'observe les jurés et je sens une connivence dans beaucoup de regards. Ils sont avec moi. Je remarque dans le public de jeunes messieurs en costume que je n'ai jamais vus. Cooper Jackson et ses amis sont sur un banc du fond, près de la sortie. Il y a moins d'une quizaine de spectateurs. Pourquoi diable quelqu'un s'amuserait-il à venir voir un procès civil ?

Après une heure et demie d'un témoignage véritablement insupportable sur la réglementation des assurances à l'échelle de l'État, les jurés montrent des signes de lassitude. Drummond s'en fiche. Il cherche désespérément à faire traîner le procès jusqu'à la semaine prochaine. Il clôt son interrogatoire juste avant onze heures. Il a presque réussi à venir à bout de la matinée. Un quart d'heure de repos, puis c'est mon tour d'improviser quelques questions.

Weeks déclare qu'il y a aujourd'hui plus de six cents compagnies d'assurances en activité dans l'État, et qu'il travaille avec une équipe de quarante et une personnes, dont dix-huit seulement ont pour tâche de vérifier les polices. Il admet, de mauvaise grâce, que chacune de ces six cents compagnies a au moins dix polices différentes en circulation, et que sa commission doit contrôler au moins six mille polices. Et il reconnaît que ces polices sont constamment revues et amendées.

Nous faisons quelques calculs et j'arrive enfin à faire passer mon message : il est impossible qu'un service comme le sien exerce un contrôle efficace sur les centaines de milliers de clauses en petits caractères produites dans cette véritable industrie qu'est le secteur des assurances. Je lui donne la police des Black. Il prétend l'avoir lue, mais uniquement en prévision de ce procès, concède-t-il. Je lui pose alors une question pernicieuse sur une certaine clause relative aux frais de traitement à domicile en cas d'accident du travail. La police, soudain, semble peser très lourd entre ses mains. Il tourne rapidement les pages, espérant tomber au bon endroit et répondre du tac au tac, ce qui ne se produit pas. Alors il la reprend paragraphe par paragraphe en plissant le front et trouve enfin le passage concerné. Comme sa réponse est à peu près satisfaisante, je fais mine de m'en contenter. Je l'interroge ensuite sur les conditions requises pour qu'une même police s'applique à plusieurs bénéficiaires. Sa confusion fait peine à voir. Il étudie la police pendant plusieurs minutes et tout le monde attend. Quelques jurés commencent à s'amuser. Kipler affiche un sourire narquois. Drummond ronge son frein, impuissant.

Il accouche d'une réponse, dont l'exactitude importe peu. L'objectif est atteint. Je place les deux manuels verts sur ma table comme si Weeks et moi allions encore nous appesantir dessus. Chacun retient son souffle. Haussant d'une main un des manuels, je lui demande s'il se penche régulièrement sur les procédures internes en vigueur dans les compagnies placées sous sa méticuleuse tutelle. Il aimerait répondre oui, mais la sinistre section U a laissé des traces. Alors il dit non et, bien entendu, j'en suis scandalisé. Je lui décoche encore une ou deux questions sarcastiques et lui fais grâce du reste. Chacun peut constater les dégâts.

Je lui demande s'il sait que la Commission gouvernementale de Floride enquête actuellement sur Great Benefit. Non, il n'est pas au courant. Et celle de Caroline du Sud ? Non plus, première nouvelle. Et celle de Caroline du Nord ? Eh bien, oui, pour celle-ci, il a vaguement entendu parler de quelque chose, mais n'a rien eu sous les yeux. Kentucky ? Géorgie ? Non, monsieur, et d'ailleurs, il ne se sent pas concerné par ce que font les autres États. Je le remercie pour cette précision.

Le témoin suivant cité par Drummond n'est pas non plus un salarié de Great Benefit, mais peu s'en faut. Il s'appelle Payton Reisky et décline son titre grandiloquent : directeur exécutif et président de la Fédération nationale des assureurs. Il a l'allure et l'élocution d'un personnage important. Nous ne tardons pas à apprendre que la FNA est une organisation politique basée à Washington, financée par les compagnies d'assurances afin de faire entendre leurs doléances au Capitole. C'est un groupe de pression comme il y en a tant dans ce pays, disposant certainement d'un budget confortable. Ils font des choses épatantes, nous dit Reisky, dans le seul but de promouvoir les métiers de l'assurance.

Cette introduction s'éternise. Elle commence à une heure et demie de l'après-midi et, à deux heures passées, nous sommes presque convaincus que la FNA est sur le point de sauver l'humanité ! Quel fabuleuse équipe !

Reisky est dans le métier depuis trente ans et aucun détail ne nous est épargné sur son CV et son pedigree. Drummond tient à le qualifier d'expert pour tout ce qui concerne les sinistres et les rapports entre assureurs et assurés. Je n'y vois pas d'objection. J'ai lu les minutes de son témoignage dans un autre procès, et je crois pouvoir lui tirer les vers du nez. Il faudrait un expert exceptionnellement doué pour faire apparaître la section U sous un jour favorable.

De son propre chef, il nous dresse l'inventaire des opérations indispensables pour traiter une demande comme celle des Black. Drummond approuve gravement, comme s'il était en train de regagner un terrain considérable. Et devinez quoi ? Great Benefit s'est strictement conformée aux directives en vigueur. Peut-être y a-t-il eu quelques erreurs minimes, mais qui n'en commet pas, dans une entreprise de cette taille, une entreprise qui gère des milliers de demandes par an ? En fait, la compagnie ne s'est à aucun moment écartée de la norme.

Pour l'essentiel, les arguments de Reisky reviennent à dire que Great Benefit avait parfaitement le droit de rejeter la demande à cause de l'importance de la somme réclamée. Il explique avec le plus grand sérieux au jury qu'on ne peut, en toute bonne foi, escompter qu'une police coûtant soixante-dix dollars par mois couvre une transplantation d'une valeur de deux cent mille dollars. Ce genre de police, assure-t-il, est seulement destinée à défrayer l'assuré en cas de maladie courante et bénigne.

Drummond aborde le sujet des manuels et de leurs sections manquantes. Incident regrettable, estime Reisky, mais pas si grave que ça. Ces opuscules passent entre beaucoup de mains, sont constamment modifiés. En fait, les employés expérimentés ne s'y réfèrent pratiquement jamais parce qu'ils savent ce qu'ils font. Mais, puisque ceux de Great Benefit ont pris une telle importance, parlons-en. Il s'empare du manuel d'un geste impatient et commente les différentes sections à l'intention du jury. Toutes les étapes sont minutieusement décrites, noir sur blanc. Ça marche magnifiquement !

Des manuels, ils passent aux chiffres et aux statistiques. Drummond lui demande s'il a eu l'occasion de prendre connaissance des données concernant les polices, les demandes et les refus de prise en charge. Bien sûr, fait Reisky d'un hochement de tête. Veut-il les interpréter pour nous ? Sans problème, et Drummond lui remet le listing.

Great Benefit avait en effet un pourcentage de refus élevé en 1991, mais il y avait sans doute des raisons à cela. On a déjà vu des cas analogues dans la profession. Il faut se fier aux chiffres. En vérité, si on prend en considération les dix dernières années, le taux moyen de refus de la compagnie se situe légèrement au-dessous de douze pour cent, tout à fait dans la moyenne. Les chiffres succèdent aux chiffres et nous sommes vite embrouillés, ce qui est précisément le but cherché par Drummond.

Reisky se lève de son banc et commence à montrer des schémas sur un tableau en couleurs. Il s'exprime comme un conférencier averti et je me demande s'il fait ça régulièrement. Bien entendu, les chiffres de Great Benefit sont tous parfaitement dans la moyenne.

Dieu merci, Kipler nous accorde une interruption à quinze heures trente. Cooper Jackson, ses amis et moi nous réunissons en petit comité dans le couloir. Ces trois vétérans du barreau me donnent leurs conseils. Nous tombons d'accord pour dire que Drummond est en perte de vitesse et qu'il cherche à atteindre le week-end.

Je ne prononce pas un mot de tout le reste de l'après-midi. Le témoignage de Reisky se prolonge tard. Pour finir, il nous livre ses opinions personnelles, desquelles il ressort que Great Benefit a agi en tout de façon irréprochable... À l'expression des jurés, on devine qu'ils ne sont pas fâchés de le voir se taire. J'ai toute la soirée pour préparer son contre-interrogatoire et ce n'est pas de trop.

Deck et moi sommes invités à dîner avec Cooper Jackson et trois autres avocats dans un vieux restaurant italien, chez Grisanti. Big

John Grisanti, le pittoresque patron, nous place dans une salle à part qu'il appelle le « box de la presse ». Il nous apporte un vin délicieux que nous n'avons pas commandé et nous indique précisément ce qu'il faut choisir.

Le chianti est apaisant et, pour la première fois depuis plusieurs jours, j'arrive presque à me détendre. Peut-être dormirai-je bien cette nuit.

Dieu merci, Cooper Jackson s'empare de l'addition dès qu'on nous la présente. Le cabinet Rudy Baylor est peut-être sur le point de gagner beaucoup d'argent, mais, à ce jour, il est encore fauché.

47

Jeudi matin à la première heure. Payton Reisky est à peine assis sur le banc des témoins que je lui tends une copie de la lettre « stupide ». Je le prie de la lire.

– Maintenant, monsieur Reisky, voudriez-vous nous dire si, en tant qu'expert, cette réponse de Great Benefit à sa cliente vous paraît juste et raisonnable ?

Naturellement, il est prévenu.

– Bien sûr que non. C'est horrible.

– C'est choquant, n'est-ce pas ?

– Oui, en effet. Et je crois savoir que l'auteur de cette lettre ne fait plus partie de la compagnie.

– Qui vous a dit ça ? dis-je, très méfiant.

– Eh bien... je ne sais plus trop. Quelqu'un du siège, je crois.

– Cette personne non identifiée vous a-t-elle dit pourquoi M. Krokit ne faisait plus partie du personnel de la compagnie ?

– Je ne me souviens plus exactement. Peut-être que c'était en rapport avec cette lettre.

– Peut-être ? Vous êtes sûr de vous, ou c'est une supposition ?

– Je ne suis vraiment pas sûr.

– Merci. Cette personne vous a-t-elle dit aussi que M. Krokit avait quitté la compagnie deux jours avant la date prévue pour sa déposition ?

– Je ne crois pas.

– Vous ne savez donc pas pourquoi il est parti ?

– Non.

– Bien. Je croyais que vous laissiez entendre qu'il avait quitté la compagnie parce qu'il avait écrit cette lettre. Ce n'est donc pas ce que vous vouliez dire ?

– Non.

– Je vous remercie.

Hier soir, autour du chianti, nous avons reconnu d'un commun accord que ce serait une erreur de persécuter Reisky avec les manuels. Pour plusieurs raisons. Premièrement, le jury a déjà les preuves sous les yeux. Deuxièmement, ces preuves lui ont été présentées d'une façon spectaculaire, très convaincante, puisque nous avons pris Lufkin en flagrant délit de mensonge. Troisièmement, Reisky manie les mots vite et bien, et sera difficile à épingler. Quatrièmement, il a eu le temps de se préparer à l'assaut. Mieux vaut le pousser à la faute en le laissant défendre ses intérêts corporatistes. Cinquièmement, il sauterait sur l'occasion pour embrouiller davantage le jury. Enfin, et c'est le plus important, cela prendrait du temps. Je pourrais facilement passer la journée à le chicaner sur le contenu des manuels et sur les statistiques, mais j'y perdrais mon énergie pour pas grand-chose.

– Qui vous verse votre salaire, monsieur Reisky ?

– Mon employeur. La Fédération nationale des assureurs.

– Qui finance la FNA ?

– L'ensemble des assureurs du pays.

– Est-ce que Great Benefit contribue à ce financement ?

– Oui.

– À quelle hauteur ?

Il regarde Drummond qui est déjà debout.

– Objection, Votre Honneur. Question hors sujet.

– Rejetée. Nous sommes au cœur du sujet, au contraire.

– Combien vous donne Great Benefit, monsieur Reisky ? redis-je obligeamment.

Il prend un air dégoûté et répond à contrecœur :

– Dix mille dollars par an.

– Ils vous payent donc plus que ce qu'ils ont donné à Donny Ray Black ?

– Objection !

– Accordée.

– Excusez-moi, Votre Honneur. Je retire ce commentaire.

– Nous exigeons sa suppression du procès-verbal, Votre Honneur, dit Drummond avec emportement.

– Entendu, je fais droit.

Nous respirons, et la tension décroît un peu.

– Pardonnez-moi, monsieur Reisky, dis-je, l'air désolé. Cela dit, est-ce que tout votre argent provient des compagnies d'assurances ?

– Nous n'avons pas d'autre source de financement.

– Combien de compagnies d'assurances donnent-elles leur contribution à la FNA ?

– Deux cent vingt.

– Et à combien s'élevait le total de ces contributions, l'an passé ?

– Six millions de dollars.

– Et vous vous servez de cet argent pour exercer des pressions auprès des élus, n'est-ce pas ?

– En partie, oui.

– Merci de cette précision. Et est-ce que vous percevez un extra pour témoigner dans ce procès ?

– Non.

– Pourquoi êtes-vous ici ?

– Parce que j'ai été contacté par Great Benefit. On m'a prié d'apporter mon témoignage.

Je pivote très lentement et tends le doigt vers Dot Black.

– Eh bien, monsieur Reisky, pouvez-vous regarder Mme Black ici présente, pouvez-vous la regarder droit dans les yeux et lui dire que la demande de prise en charge médicale de son fils a été traitée correctement et équitablement par Great Benefit ?

Il met une seconde à porter son regard sur Dot, mais il n'a pas le choix.

– Oui, certainement dit-il finalement, l'air crispé.

J'avais prévu cette réponse, bien sûr. Je voulais que le témoignage de Reisky s'achève ainsi, brutalement et théâtralement, mais je ne m'attendais pas du tout à ce que ce soit quelque chose d'amusant. Mme Beverdee Hardaway, robuste femme noire de cinquante et un ans et juré numéro trois, est assise au milieu de la rangée de devant, et la réponse absurde de Reisky la fait éclater de rire. C'est visiblement un réflexe incontrôlé car elle se reprend aussitôt, les deux mains sur la bouche. Les mâchoires serrées, elle regarde autour d'elle d'un air gêné, le corps encore secoué de spasmes.

Malheureusement pour elle et heureusement pour nous, sa réaction est contagieuse. M. Ranson Pelk, assis derrière elle, se déride irrésistiblement, comme chatouillé par une plume, bientôt imité par Mme Ella Faye Salter, la voisine de droite de Mme Hardaway. En quelques secondes, l'hilarité se propage dans le jury comme une traînée de poudre. Quelques jurés dévisagent Mme Hardaway, comme si tout cela était sa faute. La plupart regardent directement Reisky en secouant la tête.

Il s'absorbe dans la contemplation du plancher, rouge jusqu'aux oreilles. Drummond, lui, joue l'indifférence, bien que ce soit sûrement très pénible pour lui. Ses brillants collaborateurs se cachent tous dans leurs livres et leurs paperasses. Aldy et Underhall examinent leurs chaussettes.

Kipler lui-même est démangé par l'envie de rire. Il tolère la comédie pendant quelques instants et, le calme revenant peu à peu, clôt l'incident d'un énergique coup de marteau, comme pour marquer officiellement le fait que le témoignage de Reisky a fait pouffer le jury.

Tout cela s'est enchaîné très vite. L'auditoire reprend son sérieux en quelques secondes. Je détecte cependant un certain soulagement chez les jurés. En riant, ils ont manifesté de la façon la plus naturelle ce qu'ils pensent de la défense.

C'est un moment délicieux, si bref soit-il. Je souris aux jurés qui me renvoient mon sourire. Ils croient tout ce que disent mes témoins et rien de ce que disent ceux de Drummond.

– Je n'ai plus rien à demander au témoin, Votre Honneur, dis-je d'un air écœuré, comme lassé des mensonges de cette crapule.

Drummond n'en revient pas. Il s'attendait que je passe le reste de la journée à tourmenter Reisky avec les manuels et le listing. Il fouille dans ses papiers, chuchote quelque chose à l'oreille de T. Price, se lève et dit :

– Témoin suivant, M. Richard Pellrod.

Pellrod est le supérieur direct de Jackie Lemancysk. Il a été terrible pendant les dépositions, vraiment hargneux, et sa présence ici n'est pas une surprise. Il leur faut démolir Jackie.

C'est un type de quarante-six ans, de taille moyenne, déjà bedonnant, le cheveu rare et le visage grêlé, portant de gros binocles. Le moins qu'on puisse dire, c'est qu'il n'a rien de séduisant physiquement. S'il déclare que Jackie Lemancysk a cherché à l'attirer dans son lit, je parie que le jury lui rira au nez.

Pellrod a le caractère bilieux qu'on peut s'attendre à trouver chez quelqu'un qui a passé vingt ans à traiter des demandes d'indemnité. À peine plus aimable qu'un percepteur, il est incapable d'inspirer la sympathie ou la confiance. C'est l'archétype du petit chef qui n'a jamais quitté les cinq mètres carrés de son sinistre bureau.

Et c'est leur meilleur témoin ! Ils ne peuvent pas faire revenir Lufkin, Aldy ou Keeley, qui ont perdu toute crédibilité auprès du jury. Drummond a encore une demi-douzaine d'employés du siège sur sa liste, mais je serais étonné qu'il les fasse tous comparaître. Que pourraient-ils dire ? Que les manuels n'existent pas ? Que leur compagnie n'a jamais menti ni dissimulé de documents ?

Pendant une demi-heure, Drummond et Pellrod se livrent à une fastidieuse séance de questions-réponses préparée à l'avance, l'objectif étant de mettre en lumière les efforts héroïques de Great Benefit pour satisfaire ses clients. Les jurés bâillent d'ennui.

Le juge Kipler décide de s'en mêler et interrompt les duettistes.

– Monsieur Drummond, serait-ce trop vous demander que de faire avancer le débat ?

Drummond semble outré et meurtri.

– Mais, Votre Honneur, j'ai le droit de soumettre ce témoin à un questionnaire approfondi.

– Bien sûr, mais ce qu'il a dit jusqu'à présent est déjà connu du jury. C'est très répétitif.

Drummond n'en croit pas ses oreilles. Il voudrait nous faire croire, sans succès, que le juge le persécute.

– Je ne me rappelle pas vous avoir entendu dire au conseil des plaignants de se dépêcher.

Il n'aurait pas dû répondre ça. Il essaie de faire durer l'altercation, mais il réussit surtout à contrarier un magistrat qui n'est pas d'humeur à discutailler.

– C'est parce que M. Baylor n'endormait pas le jury. Maintenant, veuillez vous dépêcher.

L'éclat de rire de Mme Hardaway et ses retombées ont détendu l'atmosphère. Les jurés sont plus animés, maintenant, et prêts à rire ouvertement de la défense.

Drummond fusille Kipler du regard, comme pour l'avertir qu'il réglera ses comptes avec lui plus tard. Retour à Pellrod, assis comme un crapaud, les yeux dans le vague et la tête penchée. Des fautes ont été commises, avoue-t-il, essayant sans conviction de faire amende honorable. Et, croyez-le ou pas, la plupart de ces fautes sont dues à Jackie Lemancysk, une jeune femme très perturbée.

Enfin, le dossier Black. Pellrod évoque certains des documents, les moins compromettants. À aucun moment, il n'en vient aux lettres de refus. Il se dépense en considérations inutiles sur des procédures administratives hors de propos.

– Monsieur Drummond, coupe sèchement Kipler, je vous ai demandé d'aller de l'avant. Les documents en question sont à la disposition du jury qui les examinera en temps voulu. Tout ce que vous nous racontez a déjà été couvert par d'autres témoins. Au fait, s'il vous plaît, au fait !

Drummond a le souffle coupé. Il est persuadé d'être la victime d'un juge partial et il met du temps à se ressaisir. Il n'a plus la forme, c'est flagrant.

Ils décident alors d'inaugurer une nouvelle stratégie à propos du manuel interne. Pellrod soutient que ce n'est qu'un livre, rien de plus, rien de moins. Lui, personnellement, n'a pas mis le nez dedans depuis des années. Il a été modifié si souvent que les employés chevronnés n'en tiennent même plus compte. Drummond lui montre la section U et il jure solennellement qu'il ne l'a jamais vue. Inconnu dans son service, ce truc-là. Aucun de ses subordonnés ne s'en est jamais servi, pas plus que du reste du manuel.

Alors comment les demandes de prise en charge sont-elles traitées ? Pellrod va tout nous dire. Sur une suggestion de Drummond, il considère une demande hypothétique et nous décrit la marche à suivre d'étape en étape, de formulaire en formulaire, de note de service en note de service. Son débit est monocorde et le jury s'ennuie à mourir. À l'extrémité de la deuxième rangée, Lester Days, juré numéro huit, est au bord de l'assoupissement. Bâillements et battements de paupières se multiplient, chacun lutte contre le sommeil.

Si Pellrod est vexé de ne pas maintenir le jury en haleine, ça ne se voit pas. Sa voix, son comportement ne changent pas d'un iota. Il termine par quelques révélations fracassantes sur Jackie Lemancysk. Elle était connue pour avoir les problèmes d'éthylisme et sentait souvent l'alcool. Elle s'absentait plus fréquemment que ses collègues, devenait de plus en plus irresponsable. Son départ était inévitable. Et ses aventures sexuelles ?

Ici, Pellrod et Great Benefit ont intérêt à se méfier parce que la question sera débattue dans un autre tribunal. Tout ce qui sera dit aujourd'hui pourra se retourner contre eux. Alors, au lieu de la présenter comme une grue prête à coucher avec le premier venu, Pellrod, sagement, prend ses distances.

– Je ne me suis jamais mêlé de ces histoires, assure-t-il, et il marque un tout petit point auprès du jury.

Ils gaspillent encore pas mal de temps à ergoter sur ci ou ça, et il est près de midi quand Drummond me cède la place. Kipler veut lever l'audience, mais je lui promets que je n'en ai pas pour longtemps. Il me laisse la parole à regret.

Je commence par tendre à Pellrod une copie de la lettre de refus qu'il a signée et envoyée à Dot. Il s'agissait du quatrième refus, fondé sur le fait que la leucémie de Donny Ray était une condition préexistante. Je la lui fais lire au jury et il reconnaît qu'il en est l'auteur. Puis je l'invite à expliquer pourquoi il l'a écrite, mais, évidemment, il n'y a rien à expliquer. Cette lettre, dit-il, entrait dans le cadre d'une correspondance privée entre lui et Dot Black, et n'était pas destinée à être lue par quelqu'un d'autre, à plus forte raison dans un tribunal.

Il parle ensuite d'un formulaire mal rempli par Jackie Lemancysk, puis d'un malentendu avec M. Krokit, malentendu qui... que... enfin bref, c'était une erreur, il le reconnaît, et s'en excuse.

– Ces excuses arrivent un peu tard, vous ne trouvez pas ?

– Sans doute.

– Quand vous avez envoyé ce courrier, vous ne saviez pas qu'il serait suivi de quatre autres lettres de refus, si ?

– Non.

– Cette lettre devait donc être la dernière adressée à Mme Black, vous êtes d'accord ?

La lettre en question porte la mention : « Dernier avis ».

– Heu... j'imagine, oui.

– Quelle est la cause du décès de Donny Ray Black ?

– La leucémie, dit-il avec un haussement d'épaules.

– Et sur quelle affection se fondait sa demande de prise en charge ?

– Sur la leucémie.

– Quelle condition préexistante invoquez-vous dans votre lettre ?

– La grippe.

– Une grippe qui datait de quand ?

– Je ne sais plus très bien.

– Voulez-vous que nous prenions le dossier pour vérifier ?

– Non, inutile, dit-il, prêt à tout pour échapper au maudit dossier. Je crois qu'il devait avoir quinze ou seize ans.

– Il a donc attrapé la grippe à l'âge de quinze ou seize ans, avant la signature de la police, et ce fait n'était pas mentionné sur son formulaire de souscription ?

– C'est exact.

– Maintenant, monsieur Pellrod, vous qui avez une vaste expérience en matière de prise en charge médicale, avez-vous déjà vu un cas où une grippe ait quelque chose à voir avec l'apparition de la leucémie cinq ans plus tard ?

Il n'y a qu'une seule et unique réponse, mais il ne peut pas la donner.

– Il ne me semble pas.

– Ça veut dire non, ça, monsieur Pellrod ?

– Oui, ça veut dire non.

– La grippe n'avait donc rien à voir avec la leucémie ?

– Non.

– Par conséquent, vous avez menti dans votre lettre, n'est-ce pas ?

Bien sûr qu'il a menti dans sa lettre, et il mentira encore maintenant s'il dit le contraire. Le jury ne s'y trompera pas. Il est piégé, mais Drummond a pensé à tout.

– Cette lettre était une erreur, dit-il d'une voix étranglée.

– Une erreur, ou un mensonge ?

– Une erreur.

– Une erreur qui a coûté la vie à Donny Ray Black ?

– Objection ! rugit Drummond.

Kipler pèse le pour et le contre durant quelques secondes. Je m'attendais à une objection et je pensais qu'il l'accorderait. Son Honneur, néanmoins, en décide autrement.

– Rejetée. Veuillez répondre à la question.

– J'élève une objection permanente contre cette façon insidieuse de procéder à l'interrogatoire du témoin, proteste Drummond, furieux.

– Je prends acte de votre objection. Monsieur Pellrod, répondez à la question.

– C'était une erreur, c'est tout ce que je peux vous dire.

– Pas un mensonge, vous êtes sûr ?

– Non.

– Et votre témoignage devant ce jury, il est erroné ou mensonger ?

– Ni l'un ni l'autre.

Je me tourne de trois quarts et tends le doigt vers Dot, sans quitter le témoin des yeux.

– Monsieur Pellrod, en votre qualité de chef de service responsable des prises en charge médicales, pouvez-vous regarder Mme Black droit dans les yeux et lui dire que la demande de son fils a été honnêtement et équitablement traitée par votre service ?

Il louche vers Dot en grimaçant, se tortille sur son banc et sonde Drummond du regard. Enfin, il se racle la gorge, essaie de prendre un air offusqué et dit :

– Je ne crois pas qu'on puisse m'y obliger.

– Monsieur Pellrod, je vous remercie. Je n'ai plus de question.

J'ai mis moins de dix minutes et la défense est prise à contre-pied. Ils pensaient que j'allais passer la journée à questionner Reisky et que je me réserverais Pellrod pour demain. Mais je n'ai pas l'intention de m'attarder avec ces clowns. Il est temps de se tourner vers le jury.

Kipler annonce une suspension de deux heures pour le déjeuner. J'attire Leo dans un coin et lui montre une liste de six témoins supplémentaires.

– Mais qu'est-ce que c'est encore que ça ? s'étonne-t-il.

– Six médecins, tous de Memphis, tous cancérologues et tous prêts à témoigner séance tenante si jamais vous faites comparaître votre charlatan.

Walter Kord est écœuré par la stratégie de Drummond consistant à présenter la greffe de moelle comme un traitement expérimental. Il a battu le rappel de ses confrères et amis, et ceux-ci sont prêts à venir témoigner.

– Ce n'est pas un charlatan.

– Si, c'en est un, et vous le savez très bien. C'est un bouffon qui vient de New York ou de je ne sais où. J'ai six types du coin. Amusez-vous à le faire témoigner et vous verrez.

– Ces témoins n'ont jamais été cités auparavant, c'est inique.

– Ce sont des contre-experts. Allez pleurer auprès du juge, si vous n'êtes pas content.

Et je tourne les talons, le laissant médusé, ma liste à la main.

Entre la fin du déjeuner et l'ouverture de l'audience, je bavarde près de ma table avec Walter Kord et deux de ses confrères. Milton Jiffy, le charlatan de Drummond, est assis tout seul au premier rang, derrière la table de la défense. Pendant que les avocats se préparent pour la session de l'après-midi, je fais venir Drummond et lui présente les collègues de Kord. L'ambiance est tendue. Drummond est exaspéré par leur présence. Les trois praticiens prennent place au premier rang derrière moi, et les cinq clowns de Tinley Britt les dévisagent, intrigués.

Le jury fait son entrée et Drummond appelle Jack Underhall. Il prête serment, s'assied sur le banc des témoins et sourit béatement aux jurés. Cela fait trois jours qu'eux et lui se mesurent du regard et je ne comprends pas comment Drummond peut s'imaginer qu'ils vont le croire.

Nous voyons vite où il veut en venir. Il s'agit encore de Jackie Lemancysk. Elle a menti au sujet des dix mille dollars. Elle a menti au sujet de la convention, qui n'existe pas. Elle a menti au sujet des refus systématiques en 1991. Elle a menti au sujet de sa liaison avec son patron. Elle a même menti au sujet du refus de la compagnie de couvrir sa propre demande. Underhall commence sur un ton compatissant, mais son témoignage devient vite hargneux. Difficile de dire tout cela avec le sourire, mais, tout de même, il paraît particulièrement monté contre elle.

C'est une manœuvre périlleuse. Qu'un personnage dans son genre accuse qui que ce soit de mensonge a quelque chose d'ironique qui n'échappe à personne. Ils ont probablement décidé que ce procès était plus important que l'action que Jackie comptait déclencher. Drummond agit comme s'il s'était promis de semer le doute et la confusion, au risque de s'aliéner définitivement le jury. Il pense sans doute qu'il n'a rien à perdre en s'attaquant à une jeune femme absente qui ne peut pas se défendre.

Son travail était très médiocre, nous apprend Underhall. Elle buvait, elle avait des problèmes avec ses collègues. Great Benefit lui a rendu service en lui offrant de présenter sa démission, au lieu de la licencier. Et ça n'avait rien à voir avec la déposition, aucun rapport, ni de près ni de loin, avec l'affaire Black.

Les déclarations d'Underhall sont remarquablement brèves. Ils veulent que son témoignage soit clair, net et sans bavure. Je ne peux pas faire grand-chose, sinon espérer que le jury le méprise autant que moi. À moi de jouer. Je lui demande, très poliment :

– Monsieur Underhall, est-ce que votre compagnie conserve des dossiers sur ses employés ?

– Oui.

– En avez-vous conservé un sur Jackie Lemancysk ?

– Oui.

– L'avez-vous ici ?

– Non, monsieur.

– Où est-il ?
– Au bureau, j'imagine.
– À Cleveland ?
– Au siège, oui.
– Nous ne pouvons donc pas le consulter ?
– Non, je ne l'ai pas. On ne m'a pas dit de l'apporter.
– Est-ce que ce dossier comporte des appréciations sur son travail, des notations, ce genre de chose ?
– Oui.
– Si un employé reçoit un avertissement, s'il est muté ou rétrogradé, est-ce que ça figure dans son dossier ?
– Oui.
– Est-ce le cas pour Jackie Lemancysk ?
– Je pense, oui.
– Son dossier contient-il une copie de sa lettre de démission ?
– Oui.
– Mais pour le reste du dossier, nous sommes obligés de vous croire sur parole, c'est bien ça ?
– Personne ne m'a demandé d'apporter ce dossier ici, monsieur Baylor.
Je baisse les yeux sur mes notes et m'éclaircis la voix.
– Monsieur Underhall, avez-vous une copie de la convention signée par Mme Lemancysk pour s'assurer de son silence contre une somme d'argent liquide ?
– Vous n'avez pas dû bien écouter ce que j'ai dit.
– Je vous prie de m'excuser ?
– J'ai déclaré tout à l'heure que cette convention n'existait pas.
– Ah bon ? Vous êtes formel ? Vous ne lui avez jamais fait signer un tel document ?
– Jamais, répond-il en secouant énergiquement la tête. Elle ment.
Je fais mine d'être très surpris, puis me rapproche sans hâte de ma table où sont éparpillés de nombreux papiers. J'en sélectionne un, l'examine pensivement pendant que l'assistance retient son souffle, et reviens vers le témoin. Underhall se raidit et jette un regard affolé à Drummond, qui fixe des yeux la feuille que j'ai en main. Ils revivent les affres de la section U ! Baylor a remis ça ! Il a réussi à déterrer le document et va encore nous ridiculiser.
– Pourtant, elle était très sûre d'elle quand elle a affirmé qu'on l'avait obligée à signer. Vous vous souvenez de son témoignage ? dis-je en lui agitant mon papier sous le nez.
– Oui, j'ai entendu son témoignage, dit-il d'une voix éraillée où l'on sent percer l'inquiétude.
– Elle soutenait que vous lui aviez versé dix mille dollars après lui avoir fait signer cette convention. Vous vous rappelez ?

Je lis mon papier en même temps, comme si je m'y référais pour lui parler. Jackie m'a dit que la somme en dollars figurait au premier paragraphe de la convention.

– Oui, je l'ai entendue, répète-t-il en regardant Drummond.

Underhall doit bien se douter que je ne détiens pas ce document puisque c'est lui-même qui a pris soin de dissimuler l'original. Mais il ne peut pas en être absolument certain. On voit de drôles de choses arriver. Comment ai-je bien pu faire pour dégoter la section U?

S'il s'obstine à contester l'existence de la convention et si j'en sors brusquement un double, c'est la catastrophe assurée, une catastrophe que le jury n'oubliera pas au moment du verdict. Il gigote sur son siège, se triture les doigts, essuie d'un revers de main son front qui suinte.

– Ainsi, vous n'avez pas de copie de cette convention à montrer au jury? dis-je en tapotant sur ma feuille.

– Non. Il n'y en a pas, je vous dis.

– Vous êtes bien certain, monsieur Underhall?

– Oui, j'en suis certain, confirme-t-il d'une voix de fausset.

Je plonge mes yeux dans les siens durant quelques secondes, prenant un malin plaisir à le faire souffrir. Les jurés sont aux aguets et attendent que je fasse tomber le couperet. Le suspense est à son comble.

Mais il n'y a pas de dénouement, hélas. Mon bluff s'arrête là. Je replie mon papier et le jette sur la table d'un geste théâtral.

– Je n'ai plus de question, merci, dis-je.

Underhall laisse échapper un énorme soupir. Une crise cardiaque a été évitée de justesse. Il se lève d'un bond et quitte le prétoire.

Drummond demande une interruption de cinq minutes, mais Kipler estime que le jury a besoin de plus et lève la séance pour un quart d'heure.

La stratégie de la défense consistant à faire traîner en longueur les témoignages dans l'espoir d'égarer les jurés est de toute évidence un échec. Reisky les a fait rire et Pellrod les a fait dormir. Le contre-interrogatoire d'Underhall a failli tourner au désastre. À l'idée que j'allais subitement faire état d'une pièce dont son client a toujours nié l'existence, Drummond a eu très peur et, cette fois, il en a assez. Il compte maintenant sur sa plaidoirie finale. Là au moins il contrôlera la situation, et, à la reprise de l'audience, il annonce que la défense n'a plus de témoignage à soumettre à la cour.

Le procès touche à sa fin. Kipler fixe le début des plaidoiries pour vendredi neuf heures et promet aux jurés qu'ils pourront délibérer à partir de onze heures.

48

Longtemps après le départ des jurés, après que Drummond et son équipe ont regagné leurs bureaux, sans doute pour se livrer à une ultime séance d'autocritique, nous nous retrouvons, Cooper Jackson, ses deux confrères, Deck et moi, autour de la table des plaignants pour discuter de la journée de demain. Jackson et les deux juristes de Raleigh, nommés Hurley et Grunfeld, s'efforcent de ne pas m'assommer de conseils, mais j'écoute leurs points de vue. Tout le monde sait que c'est mon premier procès. Ils paraissent stupéfiés par le travail que j'ai accompli. Je suis fatigué, tendu, mais lucide. J'ai hérité d'une cause en or. Mes adversaires sont pourris et richissimes, le magistrat est incroyablement bien disposé à notre égard et les coups de chance se sont succédé tout au long des débats. Et puis j'ai le jury avec moi, même s'il lui reste à se prononcer.

Si je poursuis une carrière devant les tribunaux civils, disent-ils, je ne retrouverai jamais une affaire pareille. Ils sont persuadés que j'obtiendrai des dommages-intérêts à six zéros. Jackson a mis douze ans avant de décrocher son premier million.

Ils me racontent toutes sortes d'anecdotes destinées à m'encourager. C'est une façon agréable de clore l'après-midi. Deck et moi allons travailler toute la nuit mais, pour l'instant, j'apprécie la solidarité de ces confrères qui espèrent sincèrement que je ferai plonger Great Benefit.

Jackson est un peu déçu par les nouvelles qui lui viennent de Floride. Un avocat de là-bas a déposé quatre plaintes contre Great Benefit ce matin. Ils pensaient qu'il se joindrait à leur action collective, mais, apparemment, il n'a pas envie de partager le gâteau. À ce jour, ils ont, à eux trois, dix-neuf affaires contre Great Benefit et ils prévoient d'attaquer en début de semaine prochaine.

Ils aimeraient nous gâter un peu et veulent nous offrir un bon dîner, mais Deck et moi refusons.

S'il y a une chose dont je n'ai pas besoin ce soir, c'est bien de boire et de m'empiffrer.

Nous rentrons au cabinet et avalons des sandwiches avec du Coca. Je fais asseoir Deck en face de moi et répète ma plaidoirie. J'en ai élaboré tellement de versions que je les mélange toutes. Je me sers d'un petit tableau noir sur lequel j'inscris en gros les chiffres cruciaux. Je défends Dot et la mémoire de son fils au nom de l'équité, pourtant la somme que je réclame est astronomique. Deck m'interrompt beaucoup et nous nous chamaillons comme des collégiens.

Aucun de nous deux n'a jamais prononcé de plaidoirie face à un jury, mais il en a entendu plus que moi, c'est donc lui l'expert. Il y a des moments où je me sens invincible et où je suis presque arrogant tant les choses m'ont réussi jusque-là. Ça n'échappe pas à Deck qui me remet les pieds sur terre. Il me répète sans cesse que l'affaire se joue demain matin.

En fait j'ai surtout peur. Cette peur, je peux la maîtriser, pas la faire disparaître. Elle me stimule. Mais j'ai hâte d'en avoir fini.

Nous éteignons les lumières du bureau vers dix heures et rentrons chez nous. Je bois une bière en guise de somnifère et ça marche. Je sombre dans le sommeil aux alentours de onze heures, enivré par des visions de triomphe.

Moins d'une heure plus tard, le téléphone sonne. C'est une voix inconnue, une jeune femme, qui semble très inquiète.

– Vous ne me connaissez pas, je suis une amie de Kelly, souffle-t-elle.

– Qu'est-ce qui ne va pas? dis-je, en me redressant brusquement.

– Kelly a des ennuis. Elle a besoin de votre aide.

– Qu'est-ce qui s'est passé?

– Il l'a encore battue. Il avait bu, comme d'habitude.

– Quand ça? dis-je en tâtonnant à la recherche de l'interrupteur.

– La nuit dernière. Elle a besoin de votre aide, monsieur Baylor.

– Où est-elle?

– Elle est avec moi. La police est venue, elle a emmené Cliff, et Kelly est allée aux urgences à l'hôpital. Elle n'a rien de cassé, heureusement. Je suis allée la chercher là-bas et elle se cache chez moi.

– Dans quel état est-elle?

– Ce n'est pas beau à voir, mais il n'y a pas de fracture. Des plaies et des bosses.

Je prends son nom et son adresse, raccroche et m'habille en

vitesse. L'appartement se trouve dans une cité de banlieue, pas très loin de chez Kelly. Je tourne en rond dix minutes avant de trouver l'adresse.

Robin, l'amie en question, entrouvre la porte retenue par une chaînette. Je dois me présenter pour qu'elle me laisse entrer. Elle me remercie d'être venu. Robin est toute jeune elle aussi, probablement divorcée et gagnant péniblement un salaire misérable. Je pénètre dans un petit salon. Kelly est assise sur le canapé, la tête appuyée contre un sachet de glace.

C'est tout juste si je la reconnais. L'œil gauche, qu'elle ne peut plus ouvrir, est complètement tuméfié, la paupière et le pourtour déjà bleuis. Il y a un bandage juste au-dessus, taché de sang. Les deux joues sont très enflées. La lèvre inférieure, presque noire et horriblement boursouflée. Elle ne porte qu'un long T-shirt et l'on voit de grosses ecchymoses sur ses cuisses et jusqu'aux genoux.

Je me penche, l'embrasse sur le front, puis m'assieds devant elle sur un tabouret. Une larme perle déjà dans son œil droit.

– Merci d'être venu, bredouille-t-elle, gênée par ses blessures.

Je lui tapote affectueusement le genou et elle me caresse le dos de la main.

Si j'avais Cliff en face de moi, je crois que je le tuerais.

– Il ne faut pas qu'elle parle, dit Robin, assise à côté d'elle. Le docteur lui a bien recommandé de faire le moins de mouvements possible. Il a cogné avec ses poings, cette fois, faute de trouver sa batte de base-ball.

– Ça s'est passé comment? je demande à Robin, sans quitter Kelly des yeux.

– Une histoire de carte de crédit, dit-elle en soupirant. Il fallait payer les factures de Noël. Il avait beaucoup bu. Vous imaginez la suite.

Son récit est laconique et j'ai l'impression qu'elle aussi est passée par là. Elle ne porte pas d'alliance.

– Ils se sont bagarrés, poursuit-elle. Il a eu le dessus, comme toujours, et les voisins ont appelé les flics. Lui est parti en prison, elle à l'hosto. Vous voulez un Coca ou quelque chose?

– Non, merci.

– Je l'ai ramenée ici hier soir, et, ce matin, nous sommes allées dans un centre d'aide aux femmes battues. Elle a rencontré une conseillère qui lui a dit quoi faire et donné plein de brochures. Elles sont ici, si vous en avez besoin. Conclusion, il faut qu'elle divorce et décampe au plus vite.

La main toujours posée sur son genou, je demande à Kelly s'ils l'ont photographiée et elle opine d'un hochement de tête. Ses larmes, à présent, ruissellent sur son visage ravagé.

– Oui, confirme Robin. Ils l'ont prise sous toutes les coutures. Il y a beaucoup de contusions que vous ne pouvez pas voir. Montre-lui, Kelly. C'est ton avocat. Il faut qu'il se rende compte.

Nous l'aidons à se mettre debout avec mille précautions. Elle me tourne le dos et soulève son T-shirt, dévoilant des traînées sanguinolentes et des bleus pratiquement partout, du cou jusqu'à mi-jambe. Kelly se rassied en grimaçant.

– Il l'a battue avec une ceinture, explique Robin. Il l'a couchée sur ses genoux de force et fouettée sauvagement.

– Vous n'auriez pas un mouchoir ? dis-je à Robin en essuyant délicatement ses larmes.

– Si, bien sûr, et elle me tend une boîte de Kleenex avec lesquels je nettoie tant bien que mal son visage.

– Qu'est-ce que vous allez faire, Kelly ?

– Vous plaisantez ? s'entremet Robin. Il faut qu'elle divorce, sinon il va la tuer.

– C'est vrai ? Alors on l'entame, cette procédure ?

– Oui, répond Kelly. Dès que possible.

– Je m'en occupe demain.

Elle me presse la main et ferme son œil valide.

– Il y a un autre problème, dit Robin. Elle ne peut pas rester ici. Cliff a été remis en liberté aujourd'hui et il a commencé à appeler les amies de Kelly. Je ne suis pas allé travailler ce matin, et je ne peux pas recommencer. Il a téléphoné ici vers midi. Je lui ai dit que je n'étais au courant de rien, mais il a rappelé une heure après et m'a menacée. Kelly n'a pas beaucoup d'amis, la pauvre, et il va vite la retrouver. En plus, je partage cet appartement avec quelqu'un. Je ne peux pas l'héberger.

– Je ne peux pas rester ici, dit Kelly d'une petite voix.

– Mais où irez-vous ? dis-je.

Robin y a réfléchi.

– La femme avec qui nous avons discuté ce matin nous a parlé d'un refuge pour femmes battues, un endroit non officiel, dont l'adresse est secrète. Ce tuyau se transmet de bouche à oreille. Les femmes y sont en sûreté parce que leur bourreau ne peut pas savoir où c'est. Le problème, c'est qu'on ne peut pas y rester plus d'une semaine et que ça coûte cent dollars par jour, plus que ce que je gagne.

– Ça vous dit d'aller là-bas ? dis-je en regardant Kelly.

Elle incline douloureusement la tête pour dire oui.

– Entendu. Je vous y emmènerai demain.

Robin pousse un gros soupir de soulagement. Elle disparaît dans la cuisine et revient avec l'adresse du refuge.

– Montrez-moi vos dents, dis-je à Kelly.

Elle entrouvre la bouche, me laissant juste voir celles de devant.

– Il n'y en a pas de cassées ?

Elle secoue la tête.

– Combien d'agrafes ? dis-je en touchant le bandage au-dessus de son œil meurtri.

– Six.

Je me rapproche d'elle et lui prends les mains.

– Ça n'arrivera plus jamais. Compris ?

Elle hoche la tête et murmure :

– Promis ?

– Oui. Je vous le promets.

Robin me tend l'adresse et revient s'asseoir auprès de Kelly. Il lui reste un conseil à donner.

– Écoutez, monsieur Baylor. Vous ne connaissez pas Cliff, moi je le connais. C'est un fou dangereux, vraiment un sauvage, surtout quand il a bu. Je vous en prie, soyez prudent.

– Ne vous en faites pas.

– Il peut très bien vous attendre au coin de la rue.

– Je n'ai pas peur de lui.

Je me lève et embrasse à nouveau Kelly sur le front.

– J'enclenche la procédure de divorce demain à la première heure, puis je viens vous chercher, d'accord ? Je suis en plein milieu d'un important procès, mais je m'arrangerai.

Robin me raccompagne à la porte et nous nous remercions mutuellement. La porte se referme dans un bruit de chaîne et de verrou qui me rassure et me serre le cœur en même temps.

Il est presque une heure du matin. Il fait très froid et la nuit est claire. Nulle silhouette tapie dans l'ombre.

Comme il n'est plus question de dormir, je retourne au cabinet. Je me gare au bord du trottoir, juste sous ma fenêtre, et entre dans l'immeuble sans m'attarder. À cette heure-ci, l'endroit n'est pas sûr. Je referme la porte à clef et file dans mon bureau.

Légalement, il n'y a rien de plus facile que d'entamer une procédure de divorce, même si les conséquences sont parfois terribles. Je me mets à taper à la machine, avec difficulté, mais le but de l'opération me rend la tâche plus légère. Je suis convaincu de contribuer à sauver une vie.

Deck arrive à sept heures et me réveille. Je me suis endormi sur ma chaise vers quatre heures. Il me dit que j'ai l'air hagard. Et cette bonne nuit ? Et ce sommeil réparateur ?

Je lui raconte l'histoire et il réagit mal.

– Tu as passé la nuit à bosser sur une saloperie de divorce ? Ta plaidoirie est dans deux heures à peine !

– Calme-toi, Deck. Ça va aller.

– Pourquoi souris-tu comme un idiot ?

– Ça va saigner, Deck. Great Benefit est à genoux.

– Non, ce n'est pas ça. Tu as fini par l'avoir, cette nana, c'est pour ça que tu souris.

– Arrête de délirer. Où est mon café ?

Deck se dandine sur place, le visage ravagé de tics et les poings serrés, exaspéré.

– J'y vais, dit-il, et il tourne les talons.

Les papiers du divorce sont sur ma table, prêts à être déposés. J'enverrai un fonctionnaire du palais signifier la nouvelle à Cliff sur son lieu de travail, sinon, ça risque d'être difficile de lui mettre la main dessus. Parmi les motifs invoqués, j'ai bien spécifié les violences conjugales, et j'ai demandé qu'il soit procédé à une séparation de corps immédiate.

49

Un des grands avantages d'être débutant, c'est que tout le monde s'attend à ce que je sois terrorisé et maladroit. Le jury sait bien que je ne suis qu'un jeunot sans expérience et ne compte pas sur une plaidoirie mirobolante. Je ne suis pas censé avoir l'étoffe et le talent d'un orateur chevronné.

Ce serait une erreur de prétendre être ce que je ne suis pas. Dans très longtemps, quand mes cheveux auront blanchi, quand ma voix aura acquis cette onctuosité que donnent des milliers d'heures à la barre des tribunaux, peut-être pourrai-je briller devant un jury. Mais pas aujourd'hui. Aujourd'hui, je ne suis que Rudy Baylor, un bleu qui demande humblement aux jurés de bien vouloir compatir au sort de ses clients.

Je suis debout devant eux, intimidé, et j'essaie de me décontracter. Je sais ce que je vais dire, j'ai ressassé mes arguments des centaines de fois. Mais c'est important de ne pas avoir l'air de réciter par cœur. Je commence par expliquer que c'est un jour décisif pour mes clients car c'est la seule chance qu'ils aient de voir Great Benefit reconnue coupable. Il n'y aura pas de lendemain, pas de deuxième tour, du moins pas dans ces conditions, c'est-à-dire en présence d'un jury populaire. Je leur demande de penser au calvaire enduré par Dot. Je parle un peu de Donny Ray, mais sans forcer la tonalité dramatique. Je demande aux jurés d'imaginer ce que c'est de se sentir mourir à petit feu, dans la souffrance, en sachant qu'on a droit à un traitement qui vous guérira et que ce traitement vous est refusé. Je parle lentement, en pesant mes mots, avec beaucoup de sincérité, en tout cas je l'espère. J'ai l'impression qu'ils se retrouvent dans ce que je dis, qu'ils s'identifient aux plaignants. Passé les premières minutes d'appréhension, je m'exprime calmement, sans aigreur, regardant bien en face ces douze citoyens prêts à trancher.

J'évoque sans m'y attarder les principales garanties de la police et discute brièvement la question de la greffe de moelle. Je souligne que la défense n'a apporté aucun démenti au témoignage du Dr Kord. Cette thérapie est loin d'être expérimentale et aurait très certainement sauvé Donny Ray.

Ma voix acquiert un peu plus d'assurance alors que j'aborde la partie cocasse, c'est-à-dire les mensonges et les dissimulations de Great Benefit. Ces malversations ont été exposées de façon tellement flagrante pendant les débats que je n'ai pas intérêt à enfoncer le clou. L'avantage d'un procès de quatre jours, c'est que les témoignages sont encore frais dans toutes les mémoires. Je m'appuie sur les déclarations de Jackie Lemancysk et sur les statistiques de la compagnie. J'écris les chiffres au tableau noir : le nombre de polices en 1991, le nombre de demandes de prise en charge et surtout le nombre de refus. Je vais droit à l'essentiel sans me perdre dans les détails. Un élève de troisième doit pouvoir me comprendre. La démonstration est sans équivoque, les faits indiscutables. Les responsables de Great Benefit ont décidé de mettre en pratique un système visant à rejeter toutes les demandes, justifiées ou pas, pendant une période de douze mois. Selon Jackie, il s'agissait de voir quels profits pouvaient être réalisés en un an. Un plan arrêté de sang-froid, par cupidité pure et simple, sans la moindre considération pour des gens comme Donny Ray Black.

À propos d'argent, je reprends les comptes de la compagnie. J'explique au jury que je les étudie depuis quatre mois sans arriver à les comprendre. La profession a des méthodes de comptabilité particulières, mais, si on se base sur les propres chiffres de l'entreprise, il y a beaucoup d'argent frais disponible. Sur le tableau, je fais le total des liquidités, des fonds de réserve et des excédents non réinvestis, et j'arrive à la somme de quatre cent soixante-quinze millions. Eux-mêmes ont admis que la valeur actuelle nette de la compagnie s'élevait à quatre cent cinquante millions.

Comment punir une entreprise aussi riche ? Je pose la question et je vois s'allumer les yeux des jurés. La réponse leur appartient et ils ont hâte de la donner.

Je me sers alors d'un exemple qui a fait école si j'en juge par les dizaines de versions que j'en ai vues dans les minutes des procès civils. Il a le mérite d'être simple. Je dis au jury que je suis un jeune avocat débutant à peine sorti de la fac, qui lutte pour s'en sortir et gratte les fonds de tiroir pour payer ses factures. Que se passera-t-il si au bout de deux ans de labeur acharné, de privations et d'économies je parviens à amasser la somme de, mettons, dix mille dollars ? J'ai travaillé dur, je tiens à conserver cet argent. Maintenant, supposons que je commette une faute, que je m'emporte contre quelqu'un, par exemple, et lui casse le nez d'un coup de poing. Qu'arrivera-t-il ? Je serai bien sûr contraint d'indemniser ma victime pour le préjudice subi, mais aussi sanctionné pour me dissuader de récidiver. Je ne possède que dix mille dollars. Combien dois-je payer ? Un pour cent, soit cent dollars ? Je les donnerais à contrecœur, évidemment, mais ce ne serait pas trop douloureux. Cinq pour cent ? Une peine de cinq cents dollars suffirait-elle à me punir ? Souffrirais-je assez en rédigeant le chèque ? Peut-être, mais pas forcément. Et dix pour cent ? Je pense que, si j'étais obligé de débourser mille dollars, il se passerait deux choses. D'abord je regretterais sincèrement mon acte, ensuite je changerais de comportement.

Comment punir Great Benefit ? De la même façon que vous me puniriez moi ou le voisin de palier. Vous regarderez le compte bancaire du coupable, constaterez qu'il dispose de telle somme, et fixerez le montant de la peine dans l'intention de lui faire mal, sans le ruiner. Même chose pour une riche entreprise. Aucune raison de la ménager plus qu'un particulier.

Je dis aux jurés qu'ils sont maintenant à même de juger en leur âme et conscience. Nous réclamons dix millions, mais qu'ils ne se sentent pas liés par ce chiffre. Ils peuvent décider ce que bon leur semble et ce n'est pas à moi de leur souffler le verdict.

Je termine en les remerciant d'avance, et j'ajoute que, s'ils ne mettent pas un coup d'arrêt aux méfaits de Great Benefit, il risque d'y en avoir d'autres.

Je regagne ma place, salué par des sourires et des hochements de tête. Les chiffres sont toujours au tableau et parlent d'eux-mêmes.

Deck est debout dans son coin, souriant jusqu'aux oreilles. Au dernier rang du public, Cooper Jackson lève un pouce élogieux à mon intention. Assis à côté de Dot, j'attends avec curiosité de voir comment le grand Leo Drummond va tenter de transformer en victoire une situation pour le moins compromise.

Il commence par s'excuser platement d'avoir fait planer le doute sur la probité des jurés pendant la sélection. Il avait dû se lever du pied gauche ce matin-là. Il demande qu'on lui pardonne cette incartade. Les excuses continuent ensuite au nom de son client, une des compagnies d'assurances les plus anciennes et les plus respectées du pays. Elle a commis des erreurs dans cette affaire. De graves erreurs. Ces lettres de refus étaient épouvantables, cruelles, bref, inadmissibles. Oui, son client a eu tort. Mais son client a plus de six mille salariés et c'est très difficile de contrôler les faits et gestes de tant de gens et de vérifier toutes les correspondances.

Ces repentirs se poursuivent sur le même ton pendant une dizaine de minutes et il s'évertue à présenter les agissements de son client comme accidentels, certainement pas délibérés. Les procédures internes, les manuels, les documents cachés, les mensonges sont habilement survolés au moyen de quelques périphrases. Drummond s'aventure ici en terrain miné et il sait qu'il vaut mieux changer de direction.

Il reconnaît franchement que Great Benefit aurait dû couvrir le traitement de l'assuré et payer les deux cent mille dollars. La confession est de taille et les jurés sont tout ouïe. Il essaie de les amadouer et y parvient dans une certaine mesure. À présent, comment chiffrer le préjudice ? Il trouve ahurissant que je puisse suggérer au jury d'accorder à Dot Black un pourcentage de la valeur nette de l'entreprise. Quel bien cela ferait-il ? Il a admis que son client avait eu tort. Les fautifs ont été licenciés. Alors, à quoi servirait un verdict sévère ? À rien. Rien du tout.

Drummond parle ensuite de ce qu'il appelle l'enrichissement illégitime. Il doit redoubler de prudence afin de ne pas offenser Dot, et donc les membres du jury. Il rappelle quelques faits concernant la famille Black. L'endroit où ils habitent, leur train de vie, le voisinage, etc. Il les dépeint comme des Américains moyens, plutôt modestes, mais heureux de vivre. Le peintre Norman Rockwell ne ferait pas mieux. On voit presque les ruelles ombragées, les gentils livreurs de journaux. La manœuvre est adroite et les jurés l'écoutent avec émotion. Ce qu'il décrit, et c'est là qu'il est très fort, c'est aussi bien leur vie réelle que celle à laquelle ils aspirent.

Maintenant, mesdames et messieurs, pourquoi voudriez-vous soutirer de l'argent à Great Benefit et le donner aux Black ? Cela bouleverserait ce paysage idyllique, les couperait radicalement de leurs amis et voisins, précipiterait leur existence dans le chaos. En un mot comme en cent, cela les écraserait. Et pensez-vous, dit-il en tendant le bras vers moi, pensez-vous que quelqu'un, qui que ce soit, ait droit à une somme aussi démesurée que celle suggérée par mon confrère ? Bien sûr que non. Prendre l'argent d'une entreprise simplement parce qu'il est disponible, c'est tout bonnement injuste.

Il s'avance vers le tableau noir, écrit la somme de sept cent quarante-six dollars et dit au jury qu'elle correspond au revenu mensuel des Black. À côté, il pose la somme de deux cent mille dollars et en extrait six pour cent, soit douze mille dollars. Puis il déclare au jury que ce qu'il voudrait vraiment, c'est doubler le revenu mensuel des Black. Eh bien, c'est facile. Il suffit de remettre aux Black les deux cent mille dollars qu'aurait coûté la greffe de leur regretté fils, et de placer cet argent à six pour cent en obligations nettes d'impôt. Ils toucheraient ainsi mille dollars supplémentaires par mois. Et si Dot et Buddy le souhaitent, Great Benefit se propose même de réaliser cet investissement pour eux.

Quelle affaire !

Son raisonnement a du poids. Ses arguments sont convaincants et les jurés contemplent le tableau noir d'un air pensif. Un compromis séduisant...

Je fais une prière pour qu'ils se rappellent que Dot s'est engagée à verser l'argent à la Fondation américaine pour la recherche sur le cancer.

Drummond termine par un vibrant appel à la raison et à l'équité. Sa voix est plus grave, son débit plus lent. Il respire la franchise.

– Soyez justes en votre âme et conscience, conclut-il, et il se rassied.

En tant qu'avocat des plaignants, c'est moi qui ai le dernier mot. J'ai gardé dix minutes de mon temps de parole pour réfuter la plaidoirie adverse. Je m'approche du jury, le sourire aux lèvres. Je leur dis que j'espère un jour avoir le talent de mon cher et honoré confrère Leo F. Drummond. Je loue ses qualités incomparables de plaideur, c'est l'un des meilleurs avocats du pays. Je suis vraiment un gentil garçon.

Cela dit, quelques commentaires. Pour commencer, Great Benefit reconnaît maintenant ses torts et offre deux cent mille dollars pour signer la paix. Pourquoi ? Parce qu'ils ont peur d'avoir à payer plus, beaucoup plus. M. Drummond a-t-il admis ces erreurs et offert ce dédommagement quand il s'est adressé au jury lundi matin ? Non. Il savait pourtant déjà tout ce qu'il vous dit aujourd'hui, alors pourquoi n'a-t-il pas avoué d'entrée de jeu que son client était en faute ? Parce qu'il espérait encore que vous n'apprendriez pas toute la vérité. Maintenant que vous la connaissez, le voilà infiniment plus modeste.

Mon argument final est une sorte de provocation.

– Si le mieux que vous puissiez faire, dis-je, est de nous accorder deux cent mille dollars, alors gardez-les, nous n'en voulons pas. Ils étaient destinés à une opération qui n'aura jamais lieu. Si vous estimez que les exactions de Great Benefit ne méritent pas d'être sévèrement punies, laissez-leur ces deux cent mille dollars et rentrons tous chez nous.

Je regarde les jurés droit dans les yeux un par un, et descends lentement du podium.

– Merci, dis-je, et je sais qu'ils ne me laisseront pas tomber.

Tandis que le juge Kipler leur donne les dernières instructions, une immense vague de soulagement déferle sur moi. Je me sens détendu comme jamais. Plus de témoins, plus de pièces, plus de mémoires ni de requêtes, plus d'audiences ni de dates limites, plus de soucis pour tel ou tel juré. Je pousse un immense soupir et m'affaisse sur ma chaise. Je crois que je pourrais dormir pendant des jours.

Ce calme dure environ cinq minutes, jusqu'à ce que les jurés se retirent pour délibérer. Il est presque dix heures et demie.

Maintenant, c'est l'attente qui commence.

Deck et moi montons au deuxième étage du palais pour déposer la demande de divorce, puis nous filons dans le bureau de Kipler. Le juge me félicite pour ma remarquable plaidoierie, et je le remercie pour la centième fois. Cependant, j'ai autre chose en tête et je lui montre une copie du divorce. En quelques mots, je lui résume l'histoire de Kelly Riker, les mauvais traitements répétés, le mari dangereux, et je lui demande s'il est d'accord pour ordonner une séparation de corps avec effet immédiat. Kipler déteste les divorces, mais il m'a à la bonne. C'est un cas de violences conjugales on ne peut plus banal. Il me fait confiance et signe l'ordonnance. Pas un mot sur le jury qui délibère depuis maintenant un quart d'heure.

Butch nous retrouve dans le couloir et je lui remets la déclaration de divorce et l'assignation. C'est lui, finalement, que j'ai décidé d'envoyer sur le lieu de travail de Cliff et il est d'accord. Je le supplie de faire ce qu'il peut pour ne pas l'humilier inutilement.

Nous passons une heure à attendre au tribunal. Nous formons deux groupes bien distincts, Deck, Cooper Jackson, Hurley, Grunfeld et moi d'un côté, Drummond et consorts de l'autre. J'observe avec amusement que les costumes gris de Great Benefit se tiennent à une certaine distance de leurs défenseurs, à moins que ce ne soit le contraire. Underhall, Aldy et Lufkin sont assis en rang d'oignons sur le banc du fond, lugubres, comme s'ils attendaient un peloton d'exécution.

À midi, des repas sont apportés aux jurés dans la salle des délibérations et Kipler nous convoque à treize heures trente. Impossible de manger, j'ai l'estomac totalement noué. J'appelle Kelly de ma voiture et fonce la rejoindre au studio de Robin. Kelly est seule. Elle a mis deux sweat-shirts flottant l'un sur l'autre et emprunté des baskets, elle n'a ni vêtements ni affaires de toilette avec elle. Elle se déplace avec difficulté et souffre encore beaucoup. Je l'aide à s'installer dans ma voiture en lui soutenant les jambes. Elle serre les dents sans se plaindre. Les contusions qu'elle a sur le visage et le cou paraissent beaucoup plus sombres à la lumière du soleil.

Au moment où nous partons, je la surprends en train de lancer des regards inquiets à droite et à gauche, comme si elle s'attendait que Cliff surgisse d'un buisson.

– Je viens de déposer ceci au tribunal, dis-je en lui tendant une copie du divorce.

Elle lit le document tandis que nous roulons à travers la ville.

– Quand est-ce qu'il va l'apprendre ? demande-t-elle.

– En ce moment.

– Il va devenir fou.

– Il est déjà fou.

– Il essaiera de vous retrouver.

– C'est ce que j'espère. Mais ça m'étonnerait, c'est un trouillard. Les hommes qui battent leur femme sont des lâches de la pire espèce. Ne vous inquiétez pas, je suis armé.

La maison est ancienne, anonyme, et rien ne la distingue des autres habitations de la rue. La pelouse de devant est vaste et protégée par d'épaisses haies. Pour voir dans le jardin, les voisins devraient prendre une échelle. Je m'arrête au bout de l'allée, derrière deux autres véhicules, laisse Kelly dans la Volvo et vais frapper à une petite porte sur le côté. Une voix dans l'interphone me demande de m'identifier. Ici, on ne badine pas avec la sécurité. Toutes les fenêtres sont masquées. La cour de derrière est bordée d'une clôture en bois d'au moins trois mètres de haut.

La porte s'entrouvre, une robuste femme passe la tête par l'embrasure et me dévisage. Je ne cherche pas l'affrontement, mais, depuis cinq jours que dure ce procès, j'ai les nerfs en pelote et ne suis pas d'humeur à palabrer.

– Betty Novelle, s'il vous plaît.

– C'est moi. Où est Kelly ?

Je montre la voiture de la tête.

– Faites-la entrer.

Je pourrais facilement la porter, mais ses jambes sont tellement endolories que c'est plus facile pour elle de marcher. Je l'accompagne du trottoir au porche et j'ai l'impression d'escorter une grand-mère de quatre-vingt-dix ans. Betty lui sourit et nous introduit dans une petite pièce, un genre de bureau. Nous nous asseyons l'un à côté de l'autre à une table, face à Betty. Je lui ai parlé ce matin de bonne heure et elle réclame les papiers du divorce qu'elle examine en vitesse. Kelly et moi nous tenons la main. Betty s'en aperçoit et me dit :

– Alors, comme ça, vous êtes son avocat ?

– Oui. Et un ami, aussi.

– Quand est-ce qu'elle doit revoir le médecin ?

– Dans une semaine, dit Kelly.

– Donc, tu n'as pas besoin de soins dans l'immédiat ?

– Non.

– Des médicaments ?

– Juste des cachets contre la douleur.

Les papiers ont l'air en règle. Je rédige un chèque de caution de deux cents dollars, et paye la première journée de pension.

– Nous ne sommes pas un établissement agréé, explique Betty. C'est un refuge pour les femmes battues dont la vie est en danger. La propriétaire est un particulier, une femme qui a elle-même été victime de mauvais traitements. Personne ne sait que nous sommes ici, ni ce que nous faisons. Nous aimerions que cela ne change pas. Êtes-vous d'accord tous les deux pour respecter cette confidentialité ?

Nous acquiesçons d'un hochement de tête simultané et Betty nous donne une déclaration à signer.

– Ce n'est pas illégal, j'espère ? demande Kelly.

La question est fondée, compte tenu de l'environnement menaçant.

– Non, pas vraiment. Le pire serait qu'on nous oblige à fermer. Nous irions nous installer ailleurs, c'est tout. Nous sommes ici depuis quatre ans et personne ne nous a jamais rien dit. Vous avez bien compris que le séjour était d'une semaine maximum ?

– Oui.

– Il faut dès maintenant chercher un nouvel endroit.

J'adorerais que ce soit chez moi, mais nous n'en avons pas encore discuté.

– Il y a combien de femmes ici ? dis-je.

– Aujourd'hui, cinq. Kelly, tu auras une chambre particulière avec une salle de bains. On s'occupe de la nourriture, il y a trois repas par jour. Tu peux manger dans ta chambre, ou avec les autres. Pas de consultation médicale ou juridique, ni réunion. Tout ce que nous offrons, c'est de l'amour et une protection. Tu es ici en sécurité. Personne ne te trouvera. Et nous avons un vigile armé qui monte la garde dehors.

– Est-ce qu'il peut venir me voir ? demande Kelly en me désignant de la tête.

– Les visiteurs sont admis un par un et doivent faire l'objet d'une autorisation préalable. Appelez avant de venir et assurez-vous que vous n'êtes pas suivi. Mais nous ne pouvons pas vous laisser dormir ici.

– Pas de problème.

– Pas d'autre question ? Bon, je vais faire visiter les lieux à Kelly. Vous pourrez repasser ce soir, si vous voulez.

J'ai compris. Je dis au revoir à Kelly et lui promets de revenir dans la soirée. Elle me demande de lui apporter une pizza. C'est vendredi soir, après tout.

En repartant, j'ai l'impression de l'avoir initiée à la clandestinité.

Un reporter d'un journal de Cleveland m'accoste dans le couloir, aux portes du tribunal. Il veut discuter de Great Benefit. Est-ce que je savais que la rumeur prête au procureur général de l'Ohio l'intention d'enquêter sur la compagnie ? Je n'ai rien à déclarer. Il me poursuit jusque dans la salle d'audience. Deck est tout seul, assis à la table des plaignants. Les avocats de la défense échangent des plaisanteries à travers le prétoire. Pas de nouvelles de Kipler. Tout le monde attend.

Butch a remis les papiers du divorce à Cliff au moment où il partait déjeuner. Riker l'a insulté. Butch, pas du tout impressionné, s'est déclaré prêt à lui faire sa fête et l'autre a déguerpi sans discuter. Finalement, ce privé m'aura été bien utile. Comme mon nom figure sur l'assignation, à partir de maintenant, je vais devoir faire attention.

D'autres personnes arrivent. Il va être deux heures. Booker fait son apparition et s'assied avec nous. Cooper Jackson, Hurley et Grunfeld reviennent d'un long déjeuner. Ils ont bu quelques verres. Le reporter s'installe au dernier rang du public. Personne ne veut lui parler.

Il y a beaucoup de théories sur les délibérations. Dans un cas comme le nôtre, un verdict rapide est censé favoriser les plaignants. Si les délibérations s'éternisent, c'est que le jury est dans l'impasse. J'écoute ces spéculations sans fondement, je ne tiens pas en place. Je sors boire un verre d'eau fraîche, je vais aux toilettes, puis au snack-bar. Mieux vaut bouger que se morfondre dans le tribunal. J'ai des crampes d'estomac et le cœur qui bat comme un piston.

Booker, qui me connaît mieux que personne, fait quelques pas avec moi. Lui aussi est nerveux. Nous arpentons de long en large les dalles de marbre du promenoir, pour tuer le temps. Et nous attendons toujours. Ça fait du bien d'être avec des amis dans des moments pareils. Je lui suis très reconnaissant d'être venu. Il dit qu'il n'aurait pas raté ça pour un empire.

À quinze heures trente, je suis persuadé d'avoir perdu. La décision aurait dû être prise tambour battant, il s'agit juste de se mettre d'accord sur un pourcentage et de calculer le résultat. Peut-être ai-je été trop confiant. Des histoires de verdicts ridiculement bas, spécialité du Tennessee, me reviennent en mémoire les unes après les autres. Je sens que je vais devenir une statistique de plus, un nouvel exemple prouvant qu'un avocat de Memphis devrait toujours accepter un règlement amiable décent quand il se présente. Chaque minute qui s'écoule est un supplice.

Soudain, j'entends quelqu'un m'appeler de l'intérieur du tribunal. C'est Deck qui me fait des signes désespérés.

– Seigneur ! dis-je dans un souffle.

– Sois cool, me dit Booker, et nous nous précipitons d'un même mouvement dans le prétoire.

Je respire à fond, marmonne une courte prière et remonte l'allée centrale, tremblant de tous mes membres.

Tout le monde est à sa place, et je m'assieds à côté de Dot tandis que les membres du jury regagnent leur table en file indienne. Leurs visages ne trahissent aucun sentiment. Quant ils sont installés, Son Honneur demande :

– Êtes-vous parvenus à rendre un verdict ?

– Oui, Votre Honneur, répond Ben Charnes, un Noir diplômé de l'université qui préside le jury.

– Vous l'avez couché sur le papier, conformément à mes instructions ?

– Oui, Votre Honneur.

– Veuillez vous lever et le lire.

Charnes se dresse lentement. Il tient une feuille d'une main qui tremble, mais sans doute moins que la mienne. Je respire à peine, je me sens près de défaillir. Dot, en revanche, fait preuve d'un calme olympien. Elle a d'ores et déjà gagné sa bataille contre Great Benefit puisqu'ils ont admis publiquement qu'ils avaient tort. Plus rien d'autre ne compte pour elle.

Je suis résolu à rester de marbre, quel que soit le verdict. Cela fait aussi partie de notre formation. Je gribouille sur mon carnet de notes. Un rapide coup d'œil à gauche me révèle que mes adversaires en font autant.

Charnes se racle la gorge et lit.

– Nous, jurés de la huitième chambre civile du tribunal de Memphis, Tennessee, déclarons fondées les doléances des plaignants, et leur allouons, en réparation du préjudice subi, la somme de deux cent mille dollars de dommages-intérêts.

Il marque une pause. Tous les yeux sont rivés sur sa feuille. Il s'éclaircit encore la voix et poursuit :

– Et nous accordons en outre aux plaignants la somme de cinquante millions de dollars à titre de dommages-intérêts dissuasifs.

J'entends un grand cri étouffé derrière moi et vois cinq torses se raidir à la table de la défense. La bombe touche la cible, explose et, au bout de quelques secondes, chacun vérifie qu'il est encore en vie. Et puis tout le monde respire de nouveau.

Je ne manque pas de noter consciencieusement les deux sommes sur mon carnet, quoique d'une écriture illisible. Je m'interdis de sourire, au prix d'une profonde morsure dans la lèvre inférieure. Il y a beaucoup de choses que j'aimerais faire. J'aimerais bondir sur la table et tournoyer comme un idiot de footballeur qui vient de marquer. J'aimerais me précipiter sur les jurés et leur baiser les pieds. J'aimerais me pavaner autour de la table de la défense en les narguant d'un geste provocateur. Enfin, j'aimerais sauter dans les bras de Kipler et l'étreindre de toutes mes forces.

Mais je garde mon sang-froid et murmure simplement à ma cliente :

– Félicitations.

Elle ne dit rien. Je regarde Son Honneur qui est en train de vérifier la sentence que vient de lui tendre un clerc d'huissier. Je regarde les jurés et la plupart ont les yeux fixés sur moi. À présent, je ne peux plus m'empêcher de sourire. Je hoche la tête et leur adresse un remerciement silencieux.

Je dessine une petite croix sur mon carnet et écris dessous le nom de Donny Ray Black. Je ferme les yeux et me remémore la meilleure image que j'aie de lui : il est assis sur une chaise pliante au bord du terrain de base-ball et grignote du pop-corn en souriant, heureux d'être là. Ma gorge se serre et des larmes me montent aux yeux. Il ne devait pas mourir.

– Le verdict est en règle, décrète Kipler.

On ne peut plus en règle, à mon humble avis. Il s'adresse aux jurés pour les remercier d'avoir accompli leur devoir civique. Un maigre chèque d'indemnités leur sera posté la semaine prochaine. Il leur demande une nouvelle fois de ne parler de l'affaire à personne et leur donne congé. Guidés par l'huissier, ils sortent du tribunal les uns derrière les autres par la grande porte. Je ne les reverrai jamais. À cet instant, je leur donnerais bien un million à chacun.

Kipler aussi a du mal à garder son sérieux.

– Nous débattrons des éventuels recours d'ici environ une semaine. Mon secrétariat vous fera parvenir un avis. Rien d'autre, messieurs ?

Je secoue négativement la tête. Que pourrais-je demander de plus ?

– Non, rien, Votre Honneur, murmure Drummond sans se lever.

Son équipe, soudain très impatiente de quitter les lieux, s'empresse de remballer tous les papiers. C'est de loin le verdict le plus important de l'histoire juridique du Tennessee et ils seront éternellement montrés du doigt comme les pauvres perdants de l'affaire. Si je n'étais pas si fatigué et si hébété, j'irais bien leur serrer la main. Oui, ce serait sans doute le geste élégant à faire, mais je n'en ai pas envie. C'est beaucoup plus facile de rester assis auprès de Dot à contempler le nom de son malheureux fils inscrit sur mon dossier.

Je ne suis pas encore riche. La procédure d'appel prendra un an ou deux. Et la sentence est tellement énorme qu'il faut s'attendre à une contre-attaque particulièrement vicieuse. J'ai donc beaucoup de travail devant moi.

Mais, pour le moment, ça suffit. J'ai envie de prendre l'avion et de me retrouver sur une plage de sable fin.

Kipler assène un dernier coup de marteau et le procès prend officiellement fin. Dot est en larmes. Deck se hâte de venir nous complimenter. Il est assez pâle, mais sourit généreusement, exhibant ses quatre grandes dents de devant. Dot occupe toute mon attention. C'est une femme solide, qui ne pleure qu'à la dernière extrémité, mais je crois qu'elle est en train de craquer. Je lui serre le bras et lui tends un mouchoir.

Booker vient me taper fraternellement dans le dos et dit qu'il m'appellera la semaine prochaine. Cooper Jackson, Hurley et Grunfeld s'arrêtent à ma table, rayonnants. Il faut qu'ils filent, leur avion les attend. On se parlera lundi au téléphone. Le reporter s'approche, mais je l'écarte d'un geste. Tous ces gens m'importent assez peu, comparés à ma cliente pour qui je me fais de plus en plus de souci. Elle s'effondre littéralement et le bruit de ses sanglots s'amplifie.

J'ignore également Drummond et ses larbins qui fichent le camp vite fait, chargés de documents. Plus personne dans le tribunal, à présent, excepté Deck, Dot et moi. Il faudrait que j'aille voir Kipler et que je le remercie de m'avoir tenu la main du début à la fin. Je m'en occuperai plus tard. Tout de suite, c'est la main de Dot que je tiens dans la mienne. Elle déverse des torrents de larmes. Deck reste assis derrière nous sans dire un mot. Je me tais aussi, les yeux humides et le cœur gros. Dot se moque de l'argent. Elle voudrait qu'on lui rende son fils.

Quelqu'un, l'huissier probablement, actionne un interrupteur dans un couloir, et la lumière s'éteint. Nous ne bougeons pas. Les pleurs continuent.

– Je suis désolée, dit-elle en hoquetant.

Elle veut s'en aller et je me lève en la prenant par le bras. Deck rassemble nos affaires et les entasse dans trois attachés-cases.

Nous sortons du tribunal et nous retrouvons dans les couloirs. Il est presque cinq heures et en ce vendredi soir, il n'y a presque plus d'activité. Ni caméra, ni journaliste, ni foule en émoi attendant quelque déclaration de l'avocat du jour.

Personne ne s'intéresse à nous.

50

Mon bureau est le dernier endroit où j'aie envie d'aller. Je suis trop fatigué pour fêter ma victoire dans un bar et mon seul compagnon, Deck, ne boit pas. De toute façon, je crois qu'il suffirait d'un ou deux verres pour m'expédier dans un coma profond. N'y pensons plus.

Ou alors demain. Oui, demain, j'aurai plus de recul, et prendrai mieux conscience de ce que représente ce verdict. À chaque jour suffit sa peine.

Je dis au revoir à Deck sur les marches du palais et promets de le retrouver plus tard. Nous sommes encore sous le choc tous les deux, nous avons besoin d'être un peu seuls. Je prends ma voiture, rentre chez Miss Birdie et m'adonne à ma tâche quotidienne d'inspection de sa villa. Un jour comme un autre. Puis je m'assieds dans la véranda, contemple mon petit appartement et, pour la première fois, je dépense mentalement mon argent. Dans combien de temps pourrai-je acheter ou faire construire ma première maison digne de ce nom ? Que choisirai-je comme nouvelle voiture ? J'essaie de chasser ces pensées, mais c'est impossible. Que faire avec seize millions et demi de dollars ? Ça me dépasse. Des dizaines de choses peuvent se passer. Le jugement peut être annulé et l'affaire rejugée. Un non-lieu peut être prononcé. Les dommages-intérêts peuvent être considérablement diminués en appel, voire carrément éliminés, me laissant fauché. Tous ces malheurs peuvent arriver, je le sais, mais, pour l'instant, l'argent est à moi.

Je rêvasse tandis que le soleil se couche. Il fait un froid sec et mordant et l'air est d'une magnifique pureté. Demain, peut-être prendrai-je la mesure de ce que j'ai accompli. Ce soir en tout cas, je me sens libéré du venin qui m'empoisonnait l'esprit depuis des mois. Je vivais depuis près d'un an avec une haine farouche contre cette entité occulte qu'était Great Benefit, et contre ces gens qui étaient responsables de la mort d'une innocente victime. J'espère que Donny Ray repose en paix et qu'un ange viendra lui dire ce qui s'est passé aujourd'hui.

Ils ont été démasqués et punis. Je ne les hais plus.

Kelly et moi sommes assis sur un petit lit, un carton de pizza posé entre nous, et nous regardons un film avec John Wayne sur une télé Sony perchée sur une commode.

Elle porte toujours un sweat-shirt gris et je vois sur sa jambe nue la cicatrice de la fracture de l'été dernier. Elle s'est lavé les cheveux, s'est fait une queue de cheval et s'est verni les ongles en rouge pâle. Elle essaie d'être gaie et de discuter, mais c'est difficile, elle a encore très mal. En fait, nous ne nous disons pas grand-chose. Je n'ai jamais été agressé physiquement et je n'arrive pas à imaginer le choc que ça représente. Je me demande à quel moment il a décidé de s'arrêter de taper pour admirer son œuvre.

Elle n'a rencontré qu'une autre pensionnaire dans ce refuge. C'est une femme de trente-cinq ans, mère de trois adolescents, tellement bouleversée qu'elle ne peut même pas finir ses phrases. Elle est dans la chambre à côté. La maison est mortellement silencieuse. Kelly n'est sortie qu'une seule fois de sa chambre, pour s'asseoir dehors et respirer un peu d'air frais. Elle a essayé de lire, mais c'est pratiquement impossible avec son œil tuméfié. Le docteur lui a assuré qu'elle n'aurait pas de séquelles.

Nous finissons la pizza et nous blottissons l'un contre l'autre, la main dans la main, comme deux enfants.

Le film se termine, et voici les informations de vingt-deux heures. Va-t-on parler de l'affaire Black ? Après les inévitables cambriolages, viols et assassinats quotidiens, le présentateur annonce :

« Un verdict historique a été rendu cet après-midi dans une affaire civile au tribunal de Memphis. Une compagnie d'assurances, la Great Benefit Life, de Cleveland, Ohio, a été condamnée à verser la somme de cinquante millions de dommages-intérêts à un particulier. Rodney Frate était là. »

Je ne peux réprimer un sourire. Rodney Frate apparaît, debout devant la façade du palais de justice.

« Arnie, j'ai discuté il y a une petite heure avec une employée du greffe et elle m'a confirmé que les jurés de la huitième chambre s'étaient mis d'accord pour infliger une double peine de deux cent mille dollars, plus cinquante millions dissuasifs, à cette compagnie d'assurances. Le magistrat, Tyrone Kipler, n'a pas voulu être filmé, mais il a déclaré que l'assureur avait refusé d'indemniser ses clients dans des circonstances extrêmement graves. Il n'a rien voulu dire d'autre, sinon que le verdict était de loin le plus important jamais rendu dans l'État. J'ai aussi rencontré plusieurs avocats de la ville et, effectivement, personne n'avait jamais réussi à obtenir une somme pareille à la barre des tribunaux civils. Leo F. Drummond, avocat de la défense, n'a pas souhaité s'exprimer à notre antenne. Rudy Baylor, l'heureux défenseur des plaignants, n'a pu être joint. À vous, Arnie. »

Arnie passe à un carambolage sur l'autoroute et Kelly éteint la télé.

– Tu as gagné ? demande-t-elle, incertaine.

– Oui.

– Cinquante millions de dollars ?

– Oui. Mais l'argent n'est pas encore sur mon compte, loin de là.

– Rudy !

Je hausse modestement les épaules.

– J'ai eu de la chance.

– Mais... tu viens tout juste d'avoir ton diplôme... ?

Que dire ?

– Ce n'est pas si difficile. Nous avions un excellent jury et les faits étaient accablants.

– Ne me dis pas que tu en fais autant tous les jours.

– J'aimerais bien.

– Allez, arrête la fausse modestie.

– Tu as raison. En fait, je suis le plus grand avocat du monde.

– J'aime mieux ça, dit-elle en souriant.

Je me suis presque habitué à son visage meurtri et ne contemple plus ses blessures comme cet après-midi dans la voiture. Il me tarde de la voir aussi belle qu'avant. J'étranglerais Cliff avec joie.

– Combien est-ce qu'il te revient ?

– Tu ne perds pas le nord, hein ?

– Je suis juste curieuse, dit-elle d'une petite voix, presque enfantine.

– Un tiers, mais ça prendra très longtemps, et encore, ce n'est même pas sûr que je les touche.

Elle se tourne vers moi et la douleur lui arrache une grimace. Je l'aide à se mettre sur le ventre et elle refoule ses larmes. Elle ne peut pas dormir sur le dos tellement ses plaies sont nombreuses.

Je lui passe la main dans les cheveux et lui murmure des mots doux à l'oreille jusqu'à ce que l'interphone nous interrompte. C'est Betty Novelle, en bas, qui nous informe que mon temps de visite est écoulé.

Kelly me serre la main avec effusion. J'embrasse ses lèvres bleuies et lui promets de revenir demain. Elle me supplie de rester encore quelques instants.

Gagner aussi triomphalement son premier procès comporte des avantages évidents pour un avocat. Le seul désavantage que j'y voie, non négligeable, c'est que je ne peux plus que redescendre. Dorénavant, tous mes clients compteront sur le même genre de miracle. J'ai d'autres soucis en tête.

Le lendemain samedi, je suis seul à mon bureau en fin de matinée, attendant un reporter et son photographe, lorsque le téléphone sonne.

– Ici Cliff Riker, aboie une voix.

J'appuie aussitôt sur la touche enregistrement du magnéto branché sur ma ligne.

– Qu'est-ce que vous voulez ?

– Où est ma femme ?

– Vous avez de la chance qu'elle ne soit pas à la morgue.

– Je vais t'éclater la tête, petit con.

– Continue, mon pote, le magnéto est en marche.

Il raccroche immédiatement et je contemple le téléphone dont nous avons, bien sûr, retiré le micro.

J'appelle Butch et lui explique la situation. Il n'a pas digéré les insultes d'hier. Cliff l'a traité de fils de pute et n'a dû son salut qu'à la présence de deux de ses copains dans le parking. Butch veut se le faire. Il a un copain videur de boîte appelé Rocky, avec lequel il forme, me dit-il, un duo redoutable. Je lui fais promettre de ne pas faire de mal à Cliff, juste de l'intimider. Butch compte le choper dans un coin, faire allusion à son coup de fil, puis l'informer qu'ils sont mes gardes du corps et qu'ils séviront aux prochaines menaces. J'adorerais voir ça. Je n'ai pas du tout l'intention de vivre dans la peur.

Je tourne en rond au bureau, lis mon courrier et écoute quelques messages tombés sur mon répondeur cette semaine. Je n'arrive pas à travailler, le peu d'affaires qui me restent me paraissent dérisoires par rapport à celle qui vient de se conclure. Je passe la moitié de mon temps à revivre le procès, et le reste à rêver de mon avenir avec Kelly. Comment pourrais-je être plus favorisé par le sort ?

J'appelle Max Leuberg et lui raconte tout en détail. Le blizzard qui s'est levé près d'O'Hare l'a empêché de prendre l'avion pour Memphis. Nous discutons à bâtons rompus pendant une heure.

Kelly et moi passons une soirée très semblable à celle de la veille, sauf que le menu et le film ont changé. J'ai apporté de la nourriture chinoise, elle en raffole. Nous regardons une comédie assez plate, serrés l'un à côté de l'autre sur le lit une place.

Rien de sensationnel a priori, mais pour moi c'est le paradis. Elle émerge peu à peu de son cauchemar et ses blessures commencent à cicatriser. Elle rit plus facilement, ses gestes sont plus assurés et elle répond à mes caresses, quoique insuffisamment à mon goût.

Elle n'en peut plus de porter les mêmes sweat-shirts. Elle meurt d'envie de s'arranger et d'être jolie à nouveau. Il est question que j'aille récupérer ses affaires à son domicile.

Mais nous ne parlons pas du futur.

51

Maintenant que je suis riche et qu'une vie de loisirs s'ouvre devant moi, j'en profite. Je dors jusqu'à neuf heures lundi matin, enfile un jean et une paire de mocassins, délaisse la cravate et arrive au bureau vers dix heures. Mon associé, toujours dévoué, est en train de débarrasser les tables pliantes qui encombrent l'entrée des innombrables documents qui s'y entassent depuis des mois. Nous sommes d'excellente humeur tous les deux, souriant pour un rien, sifflotant gaiement d'un bureau à l'autre. La pression est retombée. Nous sommes frais et dispos, l'heure des réjouissances a sonné. Je m'installe devant Deck, les pieds sur mon bureau, et nous revivons les meilleurs moments de l'affaire en sirotant du café.

Deck a découpé le compte rendu du procès dans le *Bulletin de Memphis* d'hier, au cas où j'aurais besoin d'une copie. Je le remercie et lui dis que cela peut effectivement m'être utile, même si je l'ai déjà en douze exemplaires chez moi. J'ai fait la une des pages locales avec un long article sur mon triomphe, assez bien rédigé, ainsi qu'une grande photo de moi à mon bureau. Je n'ai pas cessé de la regarder hier. Ce journal tire à trois cent mille. Une telle gloire n'a pas de prix.

Quelques fax sont arrivés. Des copains de la fac qui me félicitent et me demandent en plaisantant de leur prêter de l'argent ; un mot charmant de Madeline Skinner, ma vieille complice du bureau d'orientation ; et deux de Max Leuberg. Le premier est une coupure sur le jugement dans un canard de Chicago, le deuxième un autre article, d'un quotidien de Cleveland daté d'hier, qui donne un compte rendu circonstancié des débats, puis relate les problèmes qui s'accumulent au siège de Great Benefit. Sept États au moins ont nommé des commissions d'enquête sur les agissements de la compagnie, y compris l'Ohio. Des assurés portent plainte un peu partout dans le pays et d'autres procédures sont attendues. Le verdict de Memphis fait tache d'huile

Et qui est-ce qui rigole bien ? C'est nous, surtout à l'idée de Wilfred Keeley relisant son bilan financier et cherchant éperdument des fonds. Où est l'argent, bon Dieu!

Un fleuriste arrive, avec un bouquet magnifique, cadeau de Booker Kane et de l'équipe de Marvin Shankle.

Je m'attendais à recevoir plein d'appels de clients en quête d'un virtuose du barreau, mais ce n'est pas encore le cas. Deck me dit qu'il y a juste eu quelques coups de fil avant que j'arrive, dont l'un était une erreur. Je ne me fais pas de souci.

Kipler appelle à onze heures. Il a une histoire amusante à me raconter. Lundi dernier, juste avant l'ouverture du procès, j'avais proposé un règlement amiable d'un million deux cent mille dollars, accueilli par Drummond avec des ricanements sarcastiques. Il a omis de transmettre cette offre à son client, qui prétend maintenant qu'il l'aurait sérieusement prise en considération. Évidemment on ne peut pas savoir s'ils auraient finalement accepté de payer cette somme, mais, rétrospectivement, il est clair qu'un million deux est moins indigeste que cinquante.

Toujours est-il que la compagnie clame maintenant qu'elle aurait donné son accord et prétend que le grand Leo F. Drummond a commis là une lourde faute.

Underdhall, le juriste maison, a passé la matinée au téléphone avec Drummond et Kipler. Ils sont verts de rage à Cleveland, et cherchent un bouc émissaire. Drummond a d'abord nié le fait, mais Kipler a remis les pendules à l'heure. C'est là que j'interviens. Comme ça s'est passé à huis clos, ils vont peut-être me demander ma version des faits sous forme de déclaration sur l'honneur. Volontiers, dis-je. Tout de suite, si vous voulez.

Great Benefit a déjà viré Drummond, c'est-à-dire Tinley Britt, et les choses risquent de s'envenimer. Underhall parle de les poursuivre. Ça peut aller très loin. Les grands cabinets sont assurés contre les fautes professionnelles, mais il y a une limite. On n'a jamais entendu parler d'une garantie de cinquante millions. L'illustre cabinet pourrait se retrouver sur la paille.

Personnellement, je trouve ça hilarant. Je raconte la conversation à Deck et nous rions beaucoup.

Le coup de fil suivant est de Cooper Jackson. Lui et ses confrères ont porté plainte ce matin en cour fédérale à Charlotte. Ils représentent plus de vingt titulaires de police qui se sont fait escroquer en 1991, lors de la fameuse année expérimentale. Il voudrait venir consulter mon dossier. Quand vous voulez, lui dis-je.

Deck et moi nous offrons le Moe's pour déjeuner, vieux restaurant du centre-ville fréquenté par des juristes. Je récolte quelques œillades, une poignée de main et une claque dans le dos d'un copain de fac. Je devrais manger ici plus souvent.

L'opération récupération chez Kelly est prévue pour ce soir. Il fait sec et la température est au-dessus de zéro pour la première fois depuis longtemps. Les derniers matches ont été annulés pour cause de mauvais temps. Qui peut être assez fou pour jouer au base-ball en hiver ? Kelly ne répond pas ; il est clair que nous avons affaire à un fou et même à un fou dangereux. Elle est certaine qu'il jouera ce soir. Pour lui c'est primordial. Deux semaines sans match et sans beuverie, c'est trop, il ne ratera pas l'occasion.

Le match débute à sept heures et nous allons vérifier qu'il a bien lieu. Les PFX Freight sont là. Je ne m'attarde pas. Je n'ai jamais fait un coup pareil et je suis un peu nerveux. Kelly aussi. Pas un mot entre nous. Je fonce vers son quartier. J'ai un automatique sous mon siège, que je compte garder près de moi.

Kelly pense qu'on peut s'en tirer en dix minutes, s'il n'a pas changé la serrure. Elle veut juste ses vêtements, plus deux ou trois babioles. Dix minutes, pas une de plus, lui dis-je. Des voisins peuvent nous voir et aller chercher Cliff.

Le tabassage date d'il y a cinq jours et elle ne souffre presque plus. En tout cas, elle peut marcher et se sent assez solide pour embarquer ses affaires en vitesse. Mais il faudra s'y mettre à deux.

La cité est à un quart d'heure du stade. Une demi-douzaine de buildings de trois étages se disputent une piscine et deux courts de tennis. Soixante-huit logements, dit un panneau. Heureusement, son appartement est au rez-de-chaussée. Comme il n'y a pas de place pour se garer devant sa porte, je décide que nous entrerons d'abord dans l'appartement, rassemblerons tout sous la fenêtre, puis j'avancerai ma voiture sur la pelouse et nous y jetterons ses affaires.

J'arrête la Volvo et respire un grand coup.

– Tu as peur ? me dit-elle.

– Oui.

Et j'empoche l'automatique.

– Calme-toi. Il est en train de jouer.

– Si tu le dis. Allons-y.

Nous nous faufilons dans le hall sans rencontrer personne. Un tour de clef et nous sommes à l'intérieur. Les lumières sont allumées dans le couloir et dans la cuisine. Des vêtements traînent sur les chaises dans le salon, canettes vides et paquets de pop-corn jonchent la table basse. En célibataire, Cliff vit comme un porc, visiblement. Kelly se fige et regarde autour d'elle d'un air dégoûté.

– Je... excuse-moi. C'est lamentable.

– Dépêche, Kelly, lui dis-je en posant l'automatique sur le bar de la cuisine.

Nous entrons dans la chambre à coucher, où j'allume une petite lampe. Le lit n'a pas été fait depuis des jours. Encore des canettes et un emballage de pizza. Un *Playboy*. Kelly me montre une petite armoire.

– Mes affaires sont là-dedans.

J'ôte les taies d'oreiller et commence à les bourrer de linge. Kelly est déjà en train de vider le tiroir du bas de l'armoire. Je prends une brassée de robes et de chemisiers, je vais les déposer sur le dossier d'une chaise, et reviens dans la chambre.

– Tu ne pourras pas tout prendre, dis-je en voyant le contenu du tiroir.

Elle ne répond pas et me tend une nouvelle cargaison que j'apporte dans le salon. Nous nous activons en silence.

J'ai l'impression d'être un voleur. Le moindre mouvement me paraît trop bruyant. Je fais la navette d'une pièce à l'autre en retenant mon souffle.

– Ça suffit, dis-je finalement en la suivant, les bras chargés de cintres. Filons d'ici.

Un léger grincement se fait entendre derrière la porte d'entrée. Quelqu'un tourne la clef dans la serrure. Nous échangeons un regard, pétrifiés. Kelly fait un pas vers la porte qui s'ouvre brusquement, la précipitant à toute force contre le mur.

– Kelly ! c'est moi ! s'écrie Cliff en la voyant reculer et tomber à la renverse sur une chaise.

Je suis debout, juste devant lui, à moins de trois mètres. J'ai à peine le temps de distinguer sa casquette et son maillot, il se jette sur moi en brandissant sa batte et la lève des deux mains.

– Fils de pute ! gueule-t-il en donnant un violent coup de côté, que j'esquive de justesse.

La batte me rase les côtes en sifflant, pulvérise un malheureux petit obélisque en bois sur le bar, et renverse une pile d'assiettes sales qui se fracassent par terre. Kelly pousse un hurlement. Emporté par son mouvement, Cliff me tourne le dos. Je charge comme une bête et le fais basculer sur une chaise couverte de vêtements. Kelly hurle de plus belle.

– Vite ! prends le flingue ! lui dis-je dans un cri.

Cliff est debout avant que j'aie repris mon équilibre.

– J' vais le tuer, ce fumier ! fulmine-t-il, et il donne un nouveau coup, qui me manque de peu.

– Fils de pute ! s'égosille-t-il en relevant les bras, furieux de m'avoir raté.

En un éclair, je décide de ne pas lui laisser de troisième chance et lui balance un direct de toutes mes forces, qui le touche à la mâchoire et l'étourdit un instant. J'en profite pour lui envoyer mon pied dans l'entrejambe et le coup porte juste là où il faut. Cliff se plie en deux en poussant un grognement sauvage et baisse sa batte, que je lui arrache d'un coup sec.

Je prends de l'élan et le frappe en plein sur l'oreille gauche, qui craque avec un bruit écœurant. Il tombe à quatre pattes en s'ébrouant, se tourne, me regarde et commence à se redresser. Mon deuxième coup part du plafond et j'y vais en fermant les yeux, avec toute la puissance que je peux donner. La batte s'abat directement sur son crâne avec un bruit sourd et je réarme mes bras, prêt à recommencer.

– Arrête, Rudy, dit Kelly en me prenant l'épaule.

Je me fige, pantelant, lui lance un regard halluciné, puis contemple Cliff qui gît sur le ventre, gémissant et tremblant. Les yeux dilatés d'horreur, nous le voyons s'immobiliser peu à peu. Il essaie de dire quelque chose dans un dernier soubresaut et ne réussit qu'à émettre un vague son nauséeux. Des flots de sang s'échappent de son oreille et de sa bouche.

– Je vais le massacrer, ce salopard, dis-je à Kelly, encore effrayé et furieux.

– Non.

– Si, j' te dis que si. Il nous aurait tués tous les deux.

– Donne-moi la batte.

– Hein ?

– Donne-moi cette batte et va-t'en.

Je suis surpris par son calme. Elle semble savoir exactement ce qu'il faut faire.

– Quoi ? Mais... qu'est-ce que... ? dis-je en bredouillant.

Kelly me retire la batte des mains.

– Écoute bien ce que je te dis. File d'ici et cache-toi. Moi, j'étais déjà là et tu n'es jamais venu ici ce soir. Je t'appellerai plus tard.

Je suis immobile, les yeux baissés sur le corps de Cliff qui agonise.

– Je t'en prie, vas-y, Rudy, dit-elle en me poussant vers la porte. Je t'appellerai, c'est promis.

– D'accord, d'accord.

Je reviens en vitesse dans le salon, reprends l'automatique et sors de l'appartement en refermant doucement derrière moi. Aucun voisin dans les parages. J'hésite encore un moment puis, n'entendant rien dans l'appartement, traverse le hall et me retrouve dehors dans la nuit.

J'ai envie de vomir, et suis subitement couvert de sueur.

La première voiture de police met moins de dix minutes à arriver. Une autre la rejoint peu après, suivie d'une ambulance. Tassé dans la Volvo, les yeux à ras du pare-brise, j'observe la scène. Des brancardiers se précipitent dans l'immeuble. Une autre patrouille de police survient, trouant la nuit de flashes rouges et bleus, ce qui a vite fait d'attirer les curieux. Les minutes passent et Cliff n'apparaît pas. Un infirmier revient fouiller sans se presser dans l'ambulance.

Kelly est seule dans l'appartement, sans doute terrorisée, accablée de questions par les flics, et je m'en veux de rester planqué dans ma voiture comme une poule mouillée. Pourquoi l'ai-je laissée là-dedans ? Faut-il que je vole à son secours ? Mes idées s'embrouillent et j'ai la vue qui se trouble à force de fixer les gyrophares.

Il ne peut pas être mort. Estropié, peut-être, mais pas mort.

Je crois que je vais retourner là-bas.

L'état de choc commence à faire place à une terreur panique. Je voudrais les voir sortir Cliff sur un brancard, courir derrière eux jusqu'à l'hôpital et le rafistoler. Je préfère avoir affaire à un fou qu'avoir un mort sur la conscience. Allez, Cliff, mon grand, relève-toi et sors de cet immeuble.

Je n'ai quand même pas tué un homme...

La foule grossit toujours et un policier fait reculer tout le monde.

Je perds la notion du temps. Le coroner arrive. Vague de commérages chez les badauds. Cliff ne partira pas d'ici en ambulance, il sera emmené directement à la morgue.

J'ouvre la portière et vomis sur la voiture rangée à côté, en essayant de ne pas me faire remarquer. Une fois remis, je vais me mêler à la foule. J'entends quelqu'un dire qu'il a fini par la tuer. Des flics entrent et sortent sans cesse de l'appartement. Je suis à une centaine de mètres, perdu dans l'attroupement. La police isole l'immeuble. À travers la fenêtre, on voit crépiter des flashes d'appareil photo.

Nous attendons. J'ai besoin de la voir, mais je ne peux rien faire. Une nouvelle rumeur, justifiée celle-ci, s'empare des badauds. C'est lui qui est mort. Et ils pensent que c'est elle qui l'a tué. J'écoute attentivement ce qui se dit. Si quelqu'un a vu un étranger quitter les lieux, il faut que je le sache. Rien de tel. Je suis obligé d'aller encore vomir derrière un buisson.

Il y a soudain un regain d'activité dans le hall de l'immeuble, et un infirmier sort à reculons en tirant une civière. Le cadavre est dans un sac argenté. Ils le font rouler avec précaution sur le trottoir jusqu'à la camionnette du coroner qui l'emporte. Quelques minutes plus tard, Kelly apparaît, encadrée par deux policiers, mais sans menottes, Dieu merci. Elle a l'air toute fluette à côté d'eux et semble paniquée. Elle s'est débrouillée pour enfiler un jean et un blouson.

Ils la font asseoir sur la banquette arrière d'un véhicule de patrouille qui démarre sans tarder. Je retourne à ma voiture au pas de course et fonce au poste de police.

J'explique au sergent à l'accueil que je suis avocat, que ma cliente vient d'être arrêtée et qu'il faut absolument que je sois avec elle pendant qu'on l'interroge. Je réussis à le convaincre et il passe un coup de fil je ne sais où. Un autre policier vient me chercher et m'emmène au second étage, où Kelly est assise toute seule dans une salle sinistre. Un officier nommé Smotherton la regarde à travers une vitre teintée qui l'empêche de nous voir. Je lui tends ma carte et il refuse de me serrer la main.

– Vous ne perdez pas de temps, vous les gars, hein ? dit-il d'un air totalement méprisant.

– Elle m'a téléphoné juste après avoir appelé police-secours. Qu'est-ce qui s'est passé ?

Nous la regardons tous les deux, assise au bout d'une grande table, en train d'essuyer ses larmes.

Smotherton ronchonne, hésitant à me livrer sa version des faits.

– On a trouvé son mari mort avec une fracture du crâne vraisemblablement occasionnée par une batte de base-ball. Elle n'a pas dit grand-chose, sinon qu'ils sont en plein divorce, qu'elle est venue prendre ses affaires chez elle en douce, qu'il l'a surprise et qu'ils se sont battus. Il était ivre mort et elle a réussi à mettre la main sur la batte, et, bon, le gars est à la morgue, voilà. C'est vous qui vous occupez de son divorce ?

– Oui. Je vous donnerai une copie des papiers. Le juge a ordonné une séparation de corps la semaine dernière. Ça fait des années qu'il la bat.

– On a vu les cicatrices. J'ai juste quelques questions à lui poser, OK ?

– Bien sûr.

Nous entrons ensemble dans la pièce où patiente Kelly. Elle est surprise de me voir mais n'en laisse rien voir. Nous nous saluons poliment, comme n'importe quel avocat et sa cliente. Un autre officier nommé Hamlet vient seconder Smotherton avec un magnétophone. Je n'y vois pas d'objection. Mais, dès qu'il le met en marche, je prends l'initiative.

– Nous sommes lundi 15 février 1993, je suis Rudy Baylor, défenseur de Mme Kelly Riker. Nous sommes au commissariat central de Memphis et je suis ici parce que ma cliente m'a appelé ce soir vers dix-neuf heures quarante-cinq pour m'informer que son mari était apparemment décédé et qu'elle venait d'appeler la police.

Je fais alors signe à Smotherton qu'il peut commencer son interrogatoire et il me regarde comme s'il avait envie de m'étrangler. Les flics détestent les avocats, ce dont je me contrefiche, surtout en ce moment.

Smotherton débute par une série de questions sur Kelly et Cliff : dates de naissance, de mariage, professions, enfant, etc. Elle répond patiemment, avec un détachement qui se lit dans son regard. Elle n'a plus de gros hématome au visage, mais son œil gauche est encore enflé et elle garde un pansement sur l'arcade.

Elle décrit ses mauvais traitements avec suffisamment de détails pour nous faire rentrer sous terre tous les trois. Smotherton envoie Hamlet chercher les trois dossiers d'arrestation de Cliff pour coups et blessures. Elle mentionne aussi des agressions n'ayant pas fait l'objet de procès-verbal, décrit la batte de base-ball et raconte comment il lui a brisé la cheville avec. Il la frappait aussi à coups de poing quand il voulait éviter les fractures.

Les dernières violences l'ont décidée à se cacher et à divorcer. Elle est parfaitement crédible, parce que tout ce qu'elle dit est vrai. Ce sont les mensonges qui vont suivre qui m'inquiètent.

– Pourquoi êtes-vous rentrée chez vous ce soir ? demande Smotherton.

– Pour reprendre mes affaires. J'étais sûre qu'il ne serait pas là.

– Où avez-vous habité ces jours derniers ?

– Dans un refuge pour femmes battues.

– Qui s'appelle ?

– Désolée, c'est confidentiel.

– Ici, à Memphis ?

– Oui.

– Comment vous êtes-vous rendue à votre appartement ?

Mon cœur s'emballe à cette question, mais elle y a déjà pensé.

– Avec ma voiture.

– C'est quoi, comme voiture ?

– Une Volkswagen Rabbit.

– Elle se trouve où, actuellement ?

– Dans le parking en face de l'immeuble.

– Est-ce qu'on pourrait jeter un œil dedans ?

– Pas avant que je ne l'aie fait moi-même, dis-je en me rappelant soudain que je suis l'avocat et non le complice.

Smotherton secoue la tête et me décoche un regard assassin.

– Comment êtes-vous entrée chez vous ?

– Avec ma clef.

– Et une fois à l'intérieur, qu'est-ce que vous avez fait ?

– Je suis allée dans ma chambre et j'ai commencé à rassembler mes affaires. J'ai rempli deux ou trois taies d'oreiller de linge et les ai entassées dans le salon.

– Combien de temps êtes-vous restée avant l'arrivée de M. Riker ?

– Dix minutes, peut-être.

– Et qu'est-ce qui s'est passé ensuite ?

Il est temps que j'intervienne.

– Elle ne vous répondra pas tant que je n'en aurai pas discuté avec elle. L'interrogatoire est suspendu.

Je tends le bras et appuie sur la touche arrêt du magnéto, laissant Smotherton mijoter en relisant ses notes. Hamlet revient avec une feuille sortie de l'imprimante qu'ils examinent ensemble. Kelly et moi nous nous ignorons. Mais nos pieds se touchent sous la table.

Smotherton écrit quelque chose sur un papier qu'il me tend.

– Bon, on est obligés de retenir une qualification criminelle, mais ça atterrira comme violences conjugales sur le bureau du procureur, Mme Morgan Wilson. C'est elle qui prendra le relais.

– Mais vous allez l'écrouer ?

– Forcément. On ne peut pas la relâcher comme ça.

– Sous quel chef d'accusation ?

– Coups et blessures ayant entraîné la mort sans intention de la donner.

– Vous pourriez la confier à ma garde.

– Mais non, je ne peux pas ! Qui est-ce qui m'a fichu un avocat pareil ?

– Alors libérez-la sous caution. Je me porte garant.

– Ça ne marchera pas non plus, dit-il avec un sourire pincé à l'intention de Hamlet. Il y a tout de même un cadavre, ne l'oubliez pas. La demande de liberté doit être approuvée par un juge. Si vous arrivez à le convaincre et me ramenez une autorisation, je la laisse sortir. Je ne suis qu'un policier.

– Je vais aller en prison ? s'inquiète Kelly.

– Nous n'avons pas le choix, madame, explique Smotherton, soudain beaucoup plus aimable. Si votre avocat connaît son métier, il vous fera sortir demain. À condition que vous puissiez verser la caution, bien sûr. Mais moi, je ne peux pas vous libérer comme ça.

Je tends le bras par-dessus la table et lui prends la main.

– Ça va aller, Kelly, dis-je. Je vous ferai libérer demain dès que possible.

Elle enregistre d'un hochement de tête et serre les dents en soupirant, résignée.

– Vous pourriez la mettre dans une cellule individuelle ?

– Écoutez, ce n'est pas moi qui dirige la taule, vu ? Si vous avez une réclamation, parlez-en aux gardiens, ils adorent les avocats.

Ne me provoque pas, mon vieux, j'ai déjà cassé une tête ce soir. Nous échangeons un regard haineux.

– Merci, dis-je.

– Pas de quoi.

Smotherton et Hamlet reculent brusquement leur chaise et s'éloignent à pas lourds.

– Vous avez cinq minutes, dit-il par-dessus son épaule avant de sortir en claquant la porte.

– Surtout, ne fais aucun mouvement, dis-je à voix basse. Ils nous regardent à travers la paroi vitrée. Et l'endroit est probablement truffé de micros. Fais très attention à ce que tu dis.

Elle préfère se taire.

– Je suis navré de ce qui s'est passé, dis-je froidement, continuant mon rôle d'avocat.

– C'est grave, ce qu'ils m'ont mis sur le dos ?

– Homicide involontaire ? Ça dépend des circonstances.

– Je risque combien d'années de prison ?

– Il faudrait d'abord qu'il y ait une inculpation, ce qui n'arrivera pas.

– Promis ?

– Oui, c'est promis. Pas trop peur ?

Elle s'essuie le coin des yeux avec son mouchoir et reste longtemps songeuse.

– Il a une grande famille et ils sont tous comme lui, gros buveurs et violents. Ils me terrifient.

Aucune réponse ne me vient à l'esprit. Moi aussi, j'ai peur de ces brutes.

– Ils ne peuvent pas m'obliger à aller à l'enterrement, si ?

– Non.

– Ouf !

Ils reviennent la chercher et, cette fois, lui passent les menottes. Je les regarde l'emmener dans un couloir et Kelly se retourne une dernière fois devant les ascenseurs pour me voir. J'ai à peine le temps d'agiter le bras que les portes se referment sur elle.

52

Quand on commet un meurtre, on fait des dizaines d'erreurs et, si on arrive à en éviter cinq ou six, on est génial. C'est du moins ce que j'ai entendu une fois dans un film. Ce n'était pas à proprement parler un meurtre mais plutôt de la légitime défense. Les erreurs, cependant, commencent à m'apparaître, et elles sont nombreuses.

Je fais les cent pas autour de mon bureau, qui est couvert de feuilles de bloc-notes bien alignées. J'ai fait un croquis de l'appartement, avec l'emplacement du corps, des vêtements, de l'automatique, des canettes, de tout ce dont je me souviens. J'en ai fait un autre de l'immeuble et des alentours, avec la place de ma voiture, de celle de Kelly et du pick-up de Cliff sur le parking. J'ai écrit plusieurs pages relatant chaque instant de la scène et les autres événements de la soirée. J'estime que je suis resté moins d'un quart d'heure dans l'appartement, mais, sur le papier, cela ressemble à un petit roman. Combien de cris et de chocs ont-ils été entendus de l'extérieur ? Pas plus de quatre, à mon avis. Combien de voisins ont-ils vu une personne étrange s'éclipser juste après les cris ? Pas la moindre idée.

Ceci, je pense, est ma première erreur. Au lieu de partir tout de suite, j'aurais dû attendre une dizaine de minutes pour voir si les voisins réagissaient ou non.

Ou peut-être aurais-je dû appeler les flics et leur dire la vérité. Kelly et moi avions parfaitement le droit d'être là. Il est clair qu'il était en embuscade à un moment où personne ne l'attendait. J'étais en droit de me défendre, de lui prendre son arme et de le frapper avec. Compte tenu des antécédents et de son caractère violent, aucun jury au monde ne m'aurait déclaré coupable. En plus, le seul et unique témoin aurait été de mon côté.

Alors pourquoi ne suis-je pas resté avec elle ? Parce qu'elle me poussait à m'en aller, d'abord, et puis parce que, sur le moment, ça me paraissait la meilleure chose à faire. Comment raisonner froidement quand on passe d'une situation d'agressé à celle de meurtrier en quinze secondes ?

Ma deuxième grosse erreur a été de mentir au sujet de la voiture de Kelly. Je suis retourné au parking en sortant du poste de police et j'ai trouvé la Volkswagen de Kelly, et le pick-up. Le mensonge marchera à condition que personne ne dise aux flics que la Volkswagen n'avait pas bougé depuis des jours.

Et si Cliff et un copain ont rendu sa voiture inutilisable pendant qu'elle était au refuge ? Le copain en question peut très bien venir témoigner chez les flics dans la journée. Mon imagination galope.

La pire erreur que j'aie trouvée en quatre heures, c'est le prétendu coup de fil que Kelly a passé chez moi après avoir appelé la police, censé expliquer pourquoi je suis arrivé si vite au poste. C'est d'une incroyable stupidité, car je n'ai aucun moyen de le prouver, et si les flics recherchent l'appel, je suis fait.

Je découvre d'autres erreurs à mesure que les heures passent, mais, heureusement, la plupart ne sont que le produit de mon imagination en délire et ne résistent pas à une solide analyse des faits, crayon en main.

Je laisse Deck dormir jusqu'à cinq heures avant de le réveiller. Il arrive une heure plus tard au cabinet avec un thermos de café. Je lui donne ma version de l'histoire et sa première réaction est superbe.

– Jamais un jury ne la reconnaîtra coupable, affirme-t-il, très sûr de lui.

– Le procès, c'est une chose. La sortir de prison en est une autre.

Nous élaborons un plan. J'ai besoin du dossier complet, des rapports d'intervention et d'arrestation précédents, des minutes d'audience, des comptes rendus médicaux, et d'une copie de la procédure de divorce. Deck brûle d'impatience de rassembler ce tas d'horreurs. À sept heures, il descend acheter de quoi grignoter et le journal.

L'histoire est en page trois du supplément local, trois petits paragraphes, sans photo du défunt. UNE JEUNE FEMME ARRÊTÉE APRÈS LA MORT DE SON MARI, lit-on en titre. C'est arrivé trop tard hier soir pour qu'il y ait beaucoup de détails, et puis il y a au moins trois affaires semblables par mois à Memphis. Si je n'avais pas cherché l'article, je ne l'aurais pas vu.

J'appelle Butch et j'ai l'impression de réveiller un mort. Butch est un couche-tard. Après trois divorces, il vit seul et aime bien faire la fermeture des bars. Je lui apprends que son petit copain Cliff Riker est mort inopinément, ce qui le requinque aussitôt. Il arrive au bureau peu après huit heures et je lui demande d'enquêter à fond dans le voisinage pour savoir si quelqu'un a entendu ou vu quelque chose. Qu'il regarde aussi si les flics font la même chose. Butch ne me laisse pas finir. Il est détective et sait ce qu'il a à faire.

J'appelle ensuite Booker et lui dis qu'une de mes clientes a tué son mari cette nuit, mais que c'est une fille super, qu'elle était en état de légitime défense, et que je voudrais la faire sortir de prison. J'ai besoin de son aide. Le frère de Marvin Shankle est juge à la cour criminelle. J'aimerais qu'il la remette en liberté sous caution, à condition qu'elle soit très basse.

– Tu passes d'un verdict de cinquante millions à une sordide histoire de divorce ? me lance-t-il en plaisantant.

J'arrive à en rire. S'il savait...

Marvin Shankle est en déplacement, mais Booker me promet de commencer à passer des coups de fil. Je quitte le cabinet à huit heures et demie et fonce au palais. J'ai essayé toute la nuit de ne pas penser à Kelly, enfermée dans sa cellule.

Je vais directement au cabinet de Lonnie Shankle. Là j'apprends que le juge s'est absenté, comme son frère, et ne sera pas de retour avant cet après-midi. Je téléphone à droite et à gauche et essaie de localiser le rapport sur l'arrestation de Kelly. Une douzaine d'autres personnes ont été appréhendées dans le cours de la nuit, et je suis sûr que le procès-verbal est encore au poste de police.

À neuf heures et demie, je retrouve Deck dans le hall. Il a rassemblé les documents. Je l'envoie chercher le rapport sur l'arrestation de Kelly chez les flics.

Le bureau de Mme le procureur du comté de Shelby est au troisième étage. Il y a soixante-dix représentants du ministère public, répartis en cinq divisions, spécialisées par type de délit. Celle des violences domestiques n'en emploie que deux, Morgan Wilson et une autre femme. Par chance, Morgan Wilson est à son bureau. Pour arriver à la voir sans rendez-vous, je fais du charme à la réceptionniste pendant une demi-heure, et, à ma grande surprise, ça marche.

Morgan Wilson est une femme d'une quarantaine d'années. Elle me fait une forte impression. Elle a une poignée de main énergique et un sourire qui semble dire : « J'ai un travail fou. Allez droit au fait. » Son bureau, surchargé de dossiers, est remarquablement bien organisé. Je me sens crevé à la seule vue de tout ce travail. Je m'assieds en face d'elle et, subitement, ça lui revient.

– Vous êtes l'homme à cinquante millions de dollars ? demande-t-elle avec un sourire soudain très différent.

– Oui, c'est moi, dis-je en haussant modestement les épaules.

– Félicitations.

Elle a l'air très impressionnée. Ma célébrité, apparemment, produit quelques effets... Je suppose qu'elle est en train de faire ce que font tous les avocats que je rencontre : calculer le tiers de cinquante millions.

Elle gagne quarante mille dollars par an, au mieux, et veut que je lui parle de mon aventure. Je lui donne un aperçu du procès, raconte mes impressions à l'énoncé du verdict, avant de lui exposer l'objet de ma visite.

Elle m'écoute avec une grande attention et prend beaucoup de notes. Je lui remets une copie du divorce actuel, de celui que Kelly avait entamé autrefois, et des procès-verbaux d'arrestation du défunt pour coups et blessures. Je lui décris aussi les sévices infligés lors des pires agressions, et lui promets d'avoir les dossiers médicaux d'ici la fin de l'après-midi.

Pratiquement tous les dossiers qui s'accumulent dans la pièce ont trait à des hommes ayant battu leur femme, leurs enfants ou leur petite amie. Pas difficile de deviner de quel côté est Morgan.

– Pauvre petite, dit-elle. Elle est forte, physiquement ?

– Non, pas du tout. Un mètre soixante-cinq, cinquante kilos toute mouillée.

– Comment a-t-elle pu le tuer de ses mains ? demande-t-elle d'un ton presque admiratif.

– Elle était vraiment terrorisée, et lui était soûl. Elle a réussi à s'emparer de la batte, voilà.

– Tant mieux pour elle.

Dire que je suis en face du ministère public ! J'en ai la chair de poule...

– J'aimerais qu'elle sorte de prison, dis-je.

– Il faut que j'examine le dossier. Je ne m'oppose pas à ce que la caution soit modique. Où habite-t-elle ?

– Dans un centre d'hébergement pour femmes battues, l'adresse est secrète.

– Oui, je connais ce genre d'endroits. Ils sont très utiles.

– Elle était en sécurité là-bas, mais la pauvre est en prison maintenant, et elle porte encore les marques du dernier tabassage.

Morgan soupire et montre les piles de dossiers qui l'entourent.

– C'est ma vie.

Nous convenons de nous revoir demain.

Deck, Butch et moi nous réunissons au cabinet pour faire le point. Butch est allé frapper à la porte de tous les voisins des Riker. Seule une femme a entendu un fracas d'assiettes cassées. Elle habite juste au-dessus et je ne pense pas qu'elle m'ait vu sortir de l'appartement. Ce qu'elle a entendu est le résultat du premier coup de batte manqué de l'ex-champion des PFX Freight. Les flics ne l'ont pas interrogée. Butch est resté trois heures dans la cité sans remarquer la moindre activité policière. Les scellés ont été apposés sur la porte de l'appartement qui attire encore beaucoup de curieux. À un moment, deux garçons très costauds, vraisemblablement apparentés à Cliff, ont été rejoints par un plein camion de types revenant du travail, et le groupe s'est massé devant le cordon de police en jurant et criant vengeance. Une bande particulièrement effrayante, me dit Butch.

Il a aussi déniché un répondant pour la caution de Kelly, un ami à lui qui signera le dépôt de garantie contre cinq pour cent du montant, au lieu des dix pour cent habituels. C'est toujours ça d'économisé.

Deck a passé presque toute la matinée au poste de police, à récupérer les papiers de Kelly et les rapports qui nous manquaient sur Cliff. Il s'entend assez bien avec Smotherton parce qu'il fait mine de détester les avocats et se présente simplement comme enquêteur. Smotherton lui a dit, chose intéressante, qu'ils avaient reçu plusieurs menaces de mort contre Kelly dans le courant de la matinée.

Je décide de lui rendre visite à la prison. Deck se charge de trouver le juge auprès de qui déposer la demande de mise en liberté. Butch l'accompagnera avec son répondant. Au moment où nous allons quitter le bureau, le téléphone sonne. Deck décroche et me passe le combiné.

C'est Peter Corsa, le défenseur de Jackie Lemancysk à Cleveland. La dernière fois que je lui ai parlé, c'était pour le remercier du témoignage si utile de sa cliente. Et il m'avait dit qu'il s'apprêtait à porter plainte pour elle.

Corsa me félicite pour le verdict et m'apprend que j'ai fait les gros titres des quotidiens du dimanche là-bas. Ma célébrité grandit. Puis il me raconte qu'il se passe des choses étranges au siège de Great Benefit. Le FBI, en liaison avec le procureur général de l'Ohio et la Commission gouvernementale sur les métiers de l'assurance, a fait une descente dans les locaux de la compagnie ce matin et saisi des dossiers. Tous les employés ont été congédiés pour quarante-huit heures, à l'exception d'un informaticien chargé de la comptabilité. Selon un article récent paru dans la presse locale, PinnConn, la maison mère, n'a pas respecté certains de ses engagements et a licencié un grand nombre de salariés.

Tout cela ne m'inspire pas beaucoup de commentaires. J'ai tué un homme hier soir et j'ai de la peine à me concentrer sur ce qu'il me raconte. Nous bavardons quelque temps et je le remercie. Il promet de me tenir au courant.

Il faut une heure et demie pour extraire Kelly des profondeurs de la prison et l'amener au parloir. Nous nous asseyons de part et d'autre d'une cloison vitrée et communiquons avec des téléphones.

Elle me dit que j'ai une mine de déterré et je lui réponds qu'elle a l'air en pleine forme. Elle est seule dans sa cellule, en sécurité, mais il y a beaucoup de bruit et elle n'arrive pas à dormir. Elle veut sortir. Je l'assure que je fais tout ce que je peux et lui raconte mon entrevue avec Morgan Wilson. Je lui explique aussi en quoi consiste la liberté sous caution. Bien entendu, je ne mentionne pas les menaces de mort.

Nous aurions mille choses à nous dire, mais pas ici.

Je lui dis au revoir et, au moment où je quitte le parloir, une gardienne en uniforme m'appelle et me demande si je suis l'avocat de Kelly Riker, en me tendant une feuille imprimée.

– C'est un relevé des communications téléphoniques que nous recevons au standard. Nous avons eu quatre appels concernant votre cliente depuis deux heures.

Je n'arrive pas à lire sa liste.

– Quel genre d'appel ?

– Des menaces de mort, des dingues.

Le juge Lonnie Shankle arrive à quinze heures trente à son bureau. Deck et moi l'attendons. Il a des centaines de choses à faire, mais Booker a préparé le terrain avec sa secrétaire et, normalement, tout doit bien se passer. Je remets les papiers au juge, lui fais un bref résumé de l'affaire et termine en le suppliant de ne pas fixer une caution trop élevée. Shankle chiffre le dépôt de garantie à dix mille dollars. Nous le remercions et repartons sans tarder.

Une demi-heure plus tard, nous sommes à la prison. Butch a un colt sous sa veste et je soupçonne son ami Rick, le répondant, d'être aussi armé. Nous sommes prêts à tout.

Je rédige un chèque de cinq cents dollars au nom de Rick et signe les documents. Si l'inculpation n'est pas retirée et si Kelly ne se présente à la convocation du tribunal, Rick aura le choix entre acquitter les neuf mille cinq cents dollars restants ou retrouver Kelly et la ramener de gré ou de force à la prison. Je l'ai convaincu que les poursuites seraient abandonnées.

Sa remise en liberté prend des heures, mais nous la voyons finalement arriver, sans menottes et le sourire aux lèvres. Nous l'escortons jusqu'à ma voiture et je demande à Butch et à Deck de nous suivre pendant quelques kilomètres. On ne sait jamais.

J'informe Kelly des menaces de mort répétées. Nous soupçonnons évidemment la famille de demeurés et les copains de boulot de Cliff. Nous parlons peu et nous dépêchons de quitter le centre-ville pour rejoindre le refuge. Je ne veux pas discuter de ce qui s'est passé hier soir et elle n'y est pas prête non plus.

Le mardi à cinq heures de l'après-midi, les avocats de Great Benefit introduisent une demande auprès de la cour fédérale de Cleveland visant à placer la compagnie sous la protection de la loi sur les faillites. Autrement dit, ils sont en cessation de paiement. Peter Corsa appelle au cabinet pendant que je m'occupe de Kelly, et c'est Deck qui apprend la nouvelle. Quand je reviens peu après, il a l'air d'un mort vivant.

Nous nous asseyons dans mon bureau et restons longtemps sans dire un mot, les pieds sur la table. Un silence total règne dans le cabinet. Ni voix ni sonnerie de téléphone, pas même de bruit dans la rue. Nous n'avions pas déterminé la part de mes honoraires qui reviendrait à Deck, il ne sait donc pas très bien combien il a perdu. Mais nous savons tous les deux que nous sommes passés de la situation de millionnaires à celle d'insolvables ou presque. Tous nos projets disparaissent en fumée.

Il me reste une lueur d'espoir. La semaine dernière, les comptes de Great Benefit semblaient encore assez solides pour convaincre un jury qu'il y avait quelque cinquante millions en réserve. Il doit bien y avoir un peu de vrai là-dedans. Je me souviens des mises en garde de Max Leuberg : ne vous fiez jamais aux chiffres avancés par les compagnies d'assurances car c'est une profession qui a des méthodes de trésorerie très spéciales.

Il est impossible qu'il ne reste pas un petit million pour nous quelque part.

En fait plus j'y pense, plus j'en doute. Et Deck aussi.

Corsa a laissé son numéro de téléphone personnel et, rassemblant mon courage, je me décide à l'appeler. Il regrette d'être l'oiseau de mauvais augure. Là-bas, les milieux financiers et juridiques ne parlent que de ça. C'est un peu tôt pour connaître toute la vérité, mais il semble que PinnConn, la maison mère, ait essuyé des pertes considérables en spéculant sur les devises. Elle aurait ensuite prélevé des sommes énormes auprès de ses filiales, notamment Great Benefit. Puis la situation s'est encore dégradée et, en définitive, l'argent a tout simplement été transféré quelque part en Europe. Les titres et valeurs de PinnConn sont contrôlés par des financiers pirates américains qui opèrent à Singapour. J'ai l'impression que le monde entier conspire contre moi.

C'est un gigantesque sac de nœuds, il faudra sans doute des mois pour tout éclaircir. Le procureur fédéral, qui est passé à la télé cet après-midi, a promis des inculpations en série. Ça nous fera une belle jambe.

Corsa me rappellera demain matin.

Je raconte tout cela à Deck et nous sommes d'accord, il n'y a plus d'espoir. L'argent a été escamoté par des requins trop malins pour se faire prendre. Des milliers d'assurés dont les demandes d'indemnité étaient parfaitement justifiées et qui s'étaient fait avoir une première fois se feront avoir à nouveau. Deck et moi nous faisons avoir en beauté. Même chose pour Dot et Buddy, sans parler du pauvre Donny Ray qui doit se retourner dans sa tombe. Drummond se fera également avoir quand il présentera sa note d'honoraires. Maigre consolation, qui nous fait à peine sourire.

Les employés du siège de Great Benefit et des succursales se feront avoir aussi. Le coup sera particulièrement dur pour des gens comme Jackie Lemancysk.

Bizarrement, j'ai le sentiment d'avoir perdu davantage que la plupart de ces gens. Le fait que d'autres souffrent avec moi ne m'est d'aucun soulagement.

Je repense à Donny Ray et le revois sous son arbre, essayant courageusement de faire bonne figure pendant sa déposition. Il aura payé le prix le plus élevé.

J'ai consacré pratiquement tout mon temps à cette cause depuis six mois. Du temps perdu. Mon cabinet a gagné une moyenne de mille dollars net par mois depuis que nous avons commencé, mais nous étions grisés par la perspective d'un gros coup dans l'affaire Black. Avec les dossiers qui nous restent, nous pouvons à peine tenir deux mois. Je n'ai pas du tout envie de courir les clients dans les hôpitaux ; fini tout ça. Deck n'a qu'une seule affaire décente, un accident de la route qu'il réglera lorsque son client sera remis sur pied, c'est-à-dire pas avant six mois. Il en escompte vingt mille dollars au mieux.

Le téléphone sonne. Deck décroche, écoute et raccroche presque aussitôt.

– C'est un type qui veut te tuer, annonce-t-il, très prosaïque.

– Ce n'est pas le pire appel de la journée.

– Moi, ça me serait égal de me faire descendre tout de suite, dit-il.

La vue de Kelly me réchauffe le cœur. Ce soir, nous mangeons à nouveau chinois, enfermés dans sa chambre, l'automatique posé sur une chaise et caché par mon manteau.

Nous sommes trops émus pour discuter sereinement. Je lui dis ce qu'il en est de Great Benefit. Elle est déçue pour moi. Elle se moque de l'argent.

Par moments, nous rions ; à d'autres moments, nous sommes au bord des larmes. Elle s'inquiète pour demain et après-demain, elle a peur de ce que la police pourrait faire ou découvrir. Le clan Riker la terrifie. Ces gens commencent à chasser à l'âge de cinq ans. Les armes à feu font partie de leur vie quotidienne. Elle craint de retourner en prison même si je lui ai promis que ça n'arriverait pas. Si par malheur flics et ministère public s'acharnaient contre elle, je leur dirais la vérité.

J'ai voulu évoquer la scène d'hier soir, mais elle a fondu en larmes et nous sommes restés muets pendant de longues minutes.

Je déverrouille la porte, me glisse dans le couloir obscur et pars à la recherche de Betty Novelle que je trouve en train de regarder la télé dans le salon. Elle est au courant du drame d'hier soir. Je lui explique que Kelly est encore trop fragile pour être seule. Il faut que je reste avec elle, je coucherai par terre s'il le faut. Le refuge est interdit aux hommes pendant la nuit, mais elle accepte de faire une exception compte tenu des circonstances.

Nous nous allongeons côte à côte sur le petit lit, par-dessus les draps et les couvertures. Je n'ai pas du tout dormi la nuit dernière, j'ai fait une sieste éclair cet après-midi et j'ai l'impression de n'avoir eu qu'une dizaine d'heures de vrai repos dans toute la semaine. Je n'ose pas la serrer contre moi de peur de lui faire mal et finis par m'endormir.

53

La débâcle de Great Benefit est peut-être une nouvelle spectaculaire à Cleveland, mais, à Memphis, ça n'intéresse personne. Pas un mot là-dessus dans le journal de mercredi. En revanche, il y a un article sur Cliff Riker. L'autopsie a révélé qu'il était mort à la suite de coups multiples à la tête provoqués par un instrument contondant. Sa veuve, apprend-on, a été arrêtée, puis relâchée. La famille de la victime crie justice. L'enterrement a lieu demain dans la bourgade que le couple avait fuie.

Alors que Deck et moi épluchons le quotidien, un fax arrive du cabinet de Peter Corsa. C'est un long article paru à la une du journal de Cleveland, qui relate les derniers rebondissements du scandale PinnConn. Deux grands jurys au moins vont entrer en action incessamment. Une flopée de plaintes ont été déposées contre la maison mère et ses filiales, en particulier Great Benefit, dont la déconfiture fait l'objet d'un encadré spécial. Les avocats se bousculent au portillon.

M. Wilfred Keeley a été appréhendé à l'aéroport John-Fitzgerald-Kennedy, alors qu'il s'apprêtait à embarquer dans un vol pour Londres. Son épouse l'accompagnait et ils ont prétendu qu'ils allaient prendre quelques jours de vacances impromptues. Mais ils n'ont pu donner le nom d'un hôtel quelconque en Europe où ils auraient réservé.

Il semble que les diverses entreprises du groupe aient été littéralement pillées ces deux derniers mois. À l'origine, les fonds disponibles ont été utilisés pour couvrir des investissements catastrophiques, avant d'être détournés et transférés Dieu sait où, en plusieurs virements. Quoi qu'il en soit, il ne reste rien.

Le premier coup de fil de la journée est de Leo F. Drummond. Il me parle de Great Benefit comme si je n'étais au courant de rien. Nous bavardons un peu. Difficile de dire lequel de nous deux est le plus déprimé. Ni lui ni moi ne serons payés pour le combat que nous avons mené. Il ne mentionne pas le conflit avec son ex-client à propos de mon offre de règlement amiable. Au point où en sont les choses, la question a perdu beaucoup de son acuité. En effet, la compagnie n'est plus en situation de porter plainte pour faute professionnelle puisqu'elle se soustrait à la sentence par la force des choses. Tinley Britt s'en tire de justesse.

L'appel suivant est de Roger Rice, le nouvel avocat de Miss Birdie, qui me complimente d'entrée pour le verdict. S'il savait... Il dit qu'il n'a pas arrêté de penser à moi depuis qu'il a vu ma photo dans le journal de dimanche. Miss Birdie voudrait encore modifier son testament, et, en Floride, ils ne peuvent plus la supporter. Delbert et Randolph ont finalement réussi à lui faire signer un document de leur cru qu'ils ont apporté aux juristes d'Atlanta en exigeant qu'on lève le voile sur la fortune de leur chère maman. Les avocats ont fait obstruction. Les deux frères ont assiégé Atlanta pendant quarante-huit heures et, au bout du compte, un des juristes a appelé Roger Rice pour lui apprendre la triste vérité. Delbert et Randolph ont demandé de but en blanc à cet avocat s'il était vrai que leur mère possédait vingt millions de dollars, et l'autre leur a ri au nez. Les deux fils Birdsong, vexés, ont compris que leur mère se payait leur tête et sont rentrés en Floride.

Lundi soir, Miss Birdie a appelé Rice chez lui et l'a informé qu'elle revenait à Memphis. Elle disait qu'elle avait essayé de me joindre, mais que j'étais apparemment très occupé. Rice lui a touché un mot du procès et des cinquante millions, ce qui l'a beaucoup excitée. « Pas mal, pour un garçon jardinier », a-t-elle lâché. Ma prospérité subite semble vivement l'intéresser.

Bref, Rice voulait surtout me prévenir qu'elle risquait de débarquer d'un jour à l'autre. Je le remercie.

Morgan Wilson a examiné minutieusement le dossier Riker et elle ne souhaite pas réclamer de poursuites. Mais son patron, Al Vance, n'a pas pris de décision. Je l'accompagne dans le bureau de ce dernier.

Vance a été élu procureur de district il y a de nombreuses années et il a toujours été facilement réélu depuis. Il approche de la cinquantaine et il fut un temps où il avait de sérieuses ambitions politiques, mais l'occasion ne s'est jamais présentée et il s'est contenté de son poste. Il possède une qualité rare parmi ses semblables : il n'aime pas les caméras.

J'accepte humblement ses félicitations à propos du verdict, préférant ne pas en dire plus pour le moment. De toute façon, la faillite de Great Benefit sera connue à Memphis d'ici vingt-quatre heures au plus, et je présume que la crainte mêlée de respect que j'inspire disparaîtra instantanément.

– Ces gens sont stupides, dit-il en jetant le dossier sur son bureau. Ils nous ont passé deux coups de fil hystériques ce matin. Ma secrétaire a parlé au père de Riker et à un de ses frères.

– Qu'est-ce qu'ils veulent ?

– La peine capitale pour votre cliente, tout de suite, sans instruction, ni procès, ni rien. La chaise électrique, point final. Elle est sortie de prison, au fait ?

– Oui. Hier après-midi.

– Elle se cache ?

– Oui.

– Elle fait bien. Ils sont tellement bêtes qu'ils la menacent ouvertement. Ils ne se rendent pas compte que c'est un délit. Je n'ai jamais vu des malades pareils.

Nous sommes d'accord tous les trois pour dire que les Riker sont ignares et excessivement dangereux.

– Mme Wilson ne souhaite pas poursuivre, continue Vance, et la magistrate confirme de la tête.

– C'est très simple, monsieur Vance, dis-je. Vous pouvez soumettre son cas au grand jury et, avec de la chance, obtenir une inculpation. Mais, si vous faites un procès, vous allez droit dans le mur. Je brandirai cette maudite batte en aluminium devant le jury et ferai venir des dizaines d'experts en sévices conjugaux. Je ferai d'elle un symbole et vous aurez l'air d'un bourreau si vous cherchez à la faire condamner. Pas un seul des douze jurés ne votera pour.

« Ce que fait ou ne fait pas sa famille m'importe peu. Mais si, à force d'intimidation, ils arrivent à vous persuader d'engager des poursuites, vous vous en mordrez les doigts. Ils vous haïront encore plus quand le jury aura acquitté ma cliente et qu'elle repartira les mains dans les poches.

– M. Baylor a raison, Al, dit Morgan. Il n'y a aucun moyen d'obtenir une condamnation.

Al était prêt à jeter l'éponge avant même de nous voir, mais il voulait entendre nos arguments d'abord. Il ordonne un non-lieu. Morgan promet de me faxer l'ordonnance en fin de matinée.

Je les remercie et file sans demander mon reste. Je me surprends en train de sourire au reflet que me renvoie la paroi métallique de l'ascenseur. Non-lieu ! Je reviens de loin.

C'est presque en courant que je rejoins ma Volvo dans le parking.

Le coup de feu a été tiré de la rue. La balle a traversé la fenêtre, y laissant un joli trou étoilé, et perforé le mur du fond dans l'épaisseur duquel elle s'est perdue. Deck était dans mon bureau quand il a entendu la détonation. Le projectile l'a manqué d'un peu plus d'un mètre, mais ça lui a suffi. Il a plongé sous la table où il est resté quelques minutes.

Puis il a rampé jusqu'à la porte d'entrée qu'il a fermée à clef et attendu vainement que quelqu'un se manifeste. Ça s'est passé vers dix heures et demie, pendant mon entretien avec Al Vance. Apparemment, personne n'a vu le tireur. Nous ne saurons jamais si le coup de feu a été entendu. Les coups de feu d'origine inconnue ne sont pas rares dans le quartier.

Deck a fini par appeler Butch, qui dormait. Vingt minutes plus tard, il était au cabinet, armé jusqu'aux dents.

Quand j'arrive, ils sont en train d'examiner l'impact dans le carreau. Deck me met au courant. Il tremble souvent, mais là, c'est pire que d'habitude. Tout va bien, me dit-il d'une voix blanche. Butch déclare qu'il va se mettre en planque sous la fenêtre. Il ne les manquera pas s'ils reviennent. Il a deux fusils de chasse et un AK47 dans sa voiture. Si les Riker repassent, je ne donne pas cher de leur peau.

Pas moyen d'avoir Booker au téléphone. Il est sorti de Memphis pour une déposition avec Shankle. Je lui écris un mot lui promettant de l'appeler plus tard.

Deck et moi décidons de déjeuner seuls, à l'abri des admirateurs comme des balles perdues. Nous achetons quelques victuailles et mangeons dans la cuisine de Miss Birdie. Butch, délaissant sa planque, nous a suivis et monte la garde dans sa voiture devant la villa. S'il ne décharge pas son AK47 aujourd'hui, il en crèvera de désespoir.

La maison est prête pour l'arrivée de Miss Birdie, propre, bien rangée et débarrassée temporairement de son odeur de moisi par l'entreprise de nettoyage qui est passée hier.

Nous concluons un accord simple et indolore. Deck emporte tous les dossiers et je lui retiens deux mille dollars payables en quatre-vingt-dix jours. Il est libre de trouver de nouveaux collaborateurs. Quant aux impayés de Ruffins', ils retourneront chez Booker qui se débrouillera avec.

L'inventaire des affaires en cours est vite fait. C'est désolant de voir le peu de clients que nous avons obtenus en six mois.

Le cabinet a trois mille quatre cents dollars à la banque, plus quelques créances.

Professionnellement, la séparation ne pose pas de problème. Pas facile de couper le cordon, en revanche. Deck n'a pas d'avenir. Il ne peut pas passer l'examen du barreau et ne sait où aller. Il vivotera quelques semaines avec nos affaires courantes, mais il ne peut pas tenir longtemps sans un Bruiser ou un Rudy. Il m'avoue qu'il est fauché.

– Tu as flambé ?

– Ouais. Je ne peux pas décrocher des casinos, dit-il, résigné, et il enfourne trois cornichons qu'il mastique bestialement.

Il lâche tout son argent aux croupiers avec fatalisme.

– J'ai eu Bruiser au téléphone, hier soir, m'apprend-il, ce qui ne me surprend qu'à moitié.

– Tiens ! Où est-il ?

– Aux Bahamas.

– Avec Prince ?

– Mouais.

Tant mieux pour eux. Je soupçonne Deck de le savoir depuis pas mal de temps.

– Ils ont réussi leur sortie, finalement, dis-je en les imaginant sirotant du rhum en bermuda.

– Ouais, murmure Deck, perdu dans ses pensées. Ne me demande pas comment. L'argent est toujours ici, tu sais.

– Combien ?

– Quatre millions. En coupures. Toutes les recettes de leurs clubs.

– Quatre millions ?

– Ouais. Au même endroit. Dans une cave, près du cabinet de Bruiser.

– Et combien te proposent-ils ?

– Dix pour cent. Je dois seulement apporter le fric à Miami. Bruiser se charge du reste.

– Ne fais pas ça, Deck.

– C'est rien, je t'assure. Il faut juste remplir un coffre, rouler jusqu'à Miami et attendre les instructions. Dans deux jours, je suis riche.

Il parle sans me regarder, comme si c'était fait, et je sens qu'il est décidé. Tout doit déjà être combiné entre Bruiser et lui. Je n'en dis pas plus. Il ne m'écouterait pas.

Nous quittons la maison de Miss Birdie et montons dans mon appartement. Deck m'aide à entasser mes affaires dans ma voiture. Je ne repasserai plus au bureau. Le moment des adieux est venu.

– Je ne te reproche pas de partir, tu sais.

– Fais attention à toi, Deck.

Nous nous enlaçons, assez émus.

– Tu as écrit un petit morceau d'histoire, Rudy, tu sais ça ?

– On l'a fait ensemble.

– Ouais, pour des clopinettes !

– Tu pourras frimer auprès de tes clients.

Une dernière poignée de main. Deck a la larme à l'œil. Je le regarde monter dans la voiture de Butch qui disparaît bientôt au bout de l'allée.

J'écris une longue lettre à Miss Birdie lui promettant de l'appeler sous peu, que je laisse sur la table de la cuisine. Puis je fais une dernière tournée d'inspection dans le pavillon et je dis au revoir à mon appartement.

Je vais ensuite à la banque et solde mon compte. Une bonne liasse de vingt-huit coupures de cent dollars réchauffe les mains. Je les cache sous la moquette de la Volvo.

Il fait presque nuit quand j'arrive chez les Black. Dot m'ouvre la porte et, dès qu'elle me voit, son visage s'illumine.

La maison est sombre, silencieuse, encore marquée par le deuil. Elle le restera probablement toujours. Buddy est au lit avec la grippe.

Je lui raconte que Great Benefit a rendu l'âme. À moins d'un miracle, nous ne toucherons jamais un sou. Je m'attendais à sa réaction, mais ça me fait tout de même plaisir.

Dot pleure de joie. Même si d'autres facteurs, que je ne lui ai pas cachés, contribuent à la ruine de la compagnie, elle sait que c'est elle qui a fait crouler l'édifice. Ils sont éliminés. Une petite banlieusarde pugnace de Memphis, Tennessee, a eu raison d'une armée de racketteurs en col blanc.

Elle ira tout à l'heure le dire à son fils sur sa tombe.

Kelly m'attend, anxieuse, dans le salon de Betty Novelle. Elle serre contre elle un sac de voyage que je lui ai acheté hier, dans lequel elle a fourré quelques affaires de toilette et des vêtements donnés par le refuge, tout ce qu'elle possède.

Betty nous fait signer un bon de sortie et nous la remercions, avant de regagner main dans la main ma voiture. Nous respirons un grand coup et je démarre.

– Quelle direction ? je demande.

– J'aimerais voir la montagne.

– Moi aussi. Est ou ouest ?

– Une chaîne de montagnes.

– À l'ouest, alors.

– Avec de la neige.

– Pas de problème.

Elle se blottit contre moi et pose la tête sur mon épaule. Je tends la main vers sa jambe.

Nous franchissons le fleuve et entrons dans l'Arkansas. Les gratte-ciel de Memphis s'amenuisent dans mon rétroviseur. Nous irons quelque part, loin d'ici, là où personne ne nous trouvera, ni Deck, ni Bruiser, ni Drummond, ni Miss Birdie, ni les Riker. Un jour lointain, Kelly et moi reparlerons de la mort de Cliff.

Nous choisirons une ville universitaire. Kelly veut étudier. Elle n'a que vingt ans et je suis moi-même un gamin. Nous laissons un lourd passif derrière nous et il est temps de s'amuser un peu. J'adorerais enseigner l'histoire dans le secondaire. Ça ne devrait pas être impossible. J'ai tout de même fait sept ans d'études supérieures.

Je ne veux plus entendre parler du droit. Ma carte professionnelle expirera tranquillement dans dix mois. Je ne m'inscrirai sur aucune liste électorale pour ne pas risquer d'être juré. Et jamais plus je ne remettrai les pieds dans un tribunal.

Nous quittons l'autoroute. Memphis, trente kilomètres, indique un panneau dans l'autre sens. Je fais le serment de ne jamais y retourner.

REMERCIEMENTS

En écrivant ce livre, j'ai reçu le soutien sans faille de Will Denton, plaideur pugnace du barreau de Gulfport, Mississippi. Depuis vingt-cinq ans, Will défend avec constance les droits des consommateurs et des petites gens. Ses plaidoiries sont légendaires et, quand j'étais avocat, je voulais lui ressembler. Il m'a ouvert ses archives, a répondu à mes innombrables questions, il a même corrigé mon manuscrit.

Jimmie Harvey est un ami et un excellent médecin qui exerce à Birmingham, dans l'Alabama. Il m'a guidé dans le labyrinthe impénétrable des procédures médicales. Certaines parties de ce livre ne sont compréhensibles que grâce à lui.

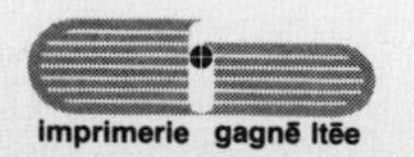
imprimerie gagné ltée